la longue
marche

Œuvres de

SIMONE DE BEAUVOIR

Romans.

L'INVITÉE.
LE SANG DES AUTRES.
TOUS LES HOMMES SONT MORTELS.
LES MANDARINS.

Théâtre.

LES BOUCHES INUTILES.

Essais.

PYRRHUS ET CINÉAS.
POUR UNE MORALE DE L'AMBIGUITÉ.
LE DEUXIÈME SEXE :
I. Les Faits et les Mythes.
II. L'expérience vécue.
L'AMÉRIQUE AU JOUR LE JOUR.
PRIVILÈGES.
LA LONGUE MARCHE, essai sur la Chine.

Simone de Beauvoir

la longue marche

essai sur la Chine

nrf

GALLIMARD
13e édition

Il a été tiré de l'édition originale de cet ouvrage cinquante-six exemplaires sur vélin pur fil Lafuma Navarre, savoir cinquante exemplaires numérotés de 1 *à* 50 *et six, hors commerce, marqués de* A *à* F.

Touchant les noms chinois, l'orthographe que j'ai adoptée n'est pas homogène. Des spécialistes m'ont obligeamment indiqué les transcriptions orthodoxes que j'ai généralement utilisées; toutefois, pour les noms très connus — Chou En-laï, Mao Tsé-toung, Lou Sin — j'ai accepté les transcriptions populaires. J'ai lu la plupart des livres, essais, rapports, articles chinois auxquels je me réfère dans des traductions anglaises; quand le passage de la transcription anglaise à la française était incertain, j'ai conservé la première de ces formes.

PRÉLIMINAIRES

Septembre 1955.

Dans l'avion qui survolait le désert de Gobi, il y avait deux Tchèques, trois Soviétiques, une Hongroise accompagnée de sa petite fille, un Sud-Africain, deux Français. Les premiers étaient des techniciens — et la femme d'un technicien — qui rejoignaient leurs points d'attache; les trois derniers avaient été invités par le gouvernement chinois. Pendant la conférence de Bandoeng, Chou En-laï a lancé un appel qu'il a étendu au monde entier : « Venez voir. » Nous profitions de cette politique, non sans étonnement. Le Sud-Africain était blond, nonchalant, il portait une chemisette à carreaux et tenait à la main une hache au manche de bois sculpté, orné de dessins folkloriques; il venait de se promener pendant plusieurs mois du Cap à Paris, Londres, Helsinki, Varsovie; pourtant, quand à l'aérogare de Moscou il avait distingué dans le ronronnement du haut-parleur le mot « Pékin », ses cils avaient battu : « Pincez-moi », avait-il dit. Quant à moi, une nuit blanche, trente-six heures de vol coupées de siestes saugrenues et de breakfasts au caviar rouge me donnaient l'impression moins de faire un voyage que d'accomplir un rite de passage. A Irkoutsk, frontière de l'U.R.S.S. et de la Mongolie, les Soviétiques avaient célébré la proche traversée de la ligne en offrant à la ronde de la vodka : des Espagnols, des Portugais, descendus d'un autre avion, avaient trinqué avec nous. Nous nous étions posés à Oulan-Bator, au milieu d'une prairie qui sentait l'anis et l'herbe chaude; j'avais reconnu les yourtes blanches et rondes, les chevaux, les steppes que j'avais vus autrefois dans *Tempête sur l'Asie.* A présent, le nez collé au hublot, contemplant sous le ciel brumeux la nudité incolore du désert, je commençais à me convaincre que j'arriverais bientôt à Pékin, et je me demandais perplexe : « Qu'est-ce au juste que je vais voir ? »

J'étais indifférente à la Chine ancienne. La Chine, pour moi, c'était cette patiente épopée qui commence aux jours sombres de la *Condition humaine* et s'achève en apothéose le 1er octobre 1949 sur la terrasse T'ien An Men; c'était cette révolution passionnée et raisonnable qui avait non seulement délivré de l'exploitation paysans et ouvriers, mais libéré de l'étranger toute la Chine.

Les temps héroïques étaient révolus. Le problème était à présent d'industrialiser un pays où, sur six cents millions d'habitants, plus de cinq cents cultivent la terre et soixante-quinze vivent de l'artisanat.

Saisir sur le vif les commencements d'une pareille transformation me semblait une grande chance. Elle s'opérait, je le savais, dans un contexte économique et social très singulier. La Chine dépend en grande partie de l'U.R.S.S., sans qui il lui serait impossible de se créer une industrie lourde; elle se distingue cependant profondément des autres démocraties populaires. Bien que dirigée par le parti communiste, sa révolution n'est faite qu'à moitié. Le capitalisme, la propriété privée, le profit, l'héritage demeurent. Ils sont appelés à disparaître par étapes, sans violence. Je me doutais que la Chine ne ressemblait pas aux pays installés définitivement dans le capitalisme. Je supposais qu'elle différait aussi de ceux où déjà le socialisme a triomphé. Quelle était son exacte figure ? Je la savais pauvre : mais avais-je eu raison d'emporter un stock de savon, de pâte dentifrice, d'encre, de papier à lettres, comme si je partais pour la terre Adélie ? Elle possédait des avions : combien ? Pouvais-je espérer aller faire un tour au Thibet ? Ce dont m'avaient assurée les reportages que j'avais lus, les gens que j'avais interrogés, c'est qu'aujourd'hui en Chine la vie était d'un exceptionnel agrément; des voyageurs qui jugeaient Moscou austère m'avaient vanté les beautés de Pékin, les charmes de Canton; Français, Tchèques, Argentins, tous soupiraient avec nostalgie : « Ah ! la Chine ! » Un pays où on apprend à lire aux gens en même temps qu'on leur assure leur subsistance, où généraux et hommes d'Etat sont des lettrés et des poètes, autorise bien des rêves. J'avais vu à Paris l'Opéra de Pékin : j'imaginais des traditions prestigieuses s'alliant aux inventions d'un présent effervescent. Le slogan « Pays tout neuf et infiniment vieux » engendrait d'autres séduisantes synthèses; je pressentais une Chine ordonnée et fantasque, où la pauvreté avait les douceurs de l'abondance, et qui jouissait, malgré la dureté de ses tâches, d'une liberté inconnue des autres pays de l'Est. Le rouge est en Chine la couleur du bonheur : je le voyais rose. La terre où j'allais aborder m'apparaissait aussi irréelle que le *Shangri La* des *Horizons perdus,* que l'Icarie de Cabet : tous les contraires s'y conciliaient.

Six semaines plus tard, je traversai le désert de Gobi en sens inverse. Le soleil le dorait; à l'entour, des montagnes neigeuses étincelaient. La Chine aussi avait changé. Aucune couleur symbolique ne lui convenait plus, ni noir, ni gris, ni rose : elle était devenue une réalité. La fausse richesse des images traduit leur radicale pauvreté : la vraie Chine avait infiniment débordé les concepts et les mots avec lesquels j'essayai de la prévoir. Elle n'était plus une Idée; elle s'était incarnée. C'est cette incarnation que je vais raconter.

Quand on voyage en avion, les apparitions sont abruptes. Soudain, les brumes se sont dissipées, la terre s'est colorée : au-dessous de moi, c'est la Chine; elle s'étend à perte de vue, plate, découpée en minces lanières mauves, vert sombre, marron clair; de loin en loin, solitaire comme une île, se dresse un village de pisé dont les maisons forment un bloc unique, rectangulaire, ajouré de courettes. Le sol bariolé contraste avec les vastes surfaces monochromes des kolkhozes sibériens; visiblement, ces champs ne sont pas collectivisés, chaque ruban est une propriété privée. Je ne comprends pas tout de suite pourquoi le paysage me semble si désolé : c'est qu'il n'y pousse pas un arbre; sur les villages, pas une ombre; à vol d'oiseau, cette plaine fertile paraît nue comme un désert.

Quelqu'un dit : « La grande muraille. » Je la distingue à peine. L'avion descend, il tourne autour d'un lac; j'aperçois, obliquement couchés contre le ciel, une haute pagode et puis un kiosque au toit doré : édifices qui symbolisent si conventionnellement la Chine que je me sens déconcertée. On m'indique Pékin au loin, mais je ne vois pas de ville, seulement des arbres gris. L'appareil se pose; le Sud-Africain s'élance vers la porte, je le suis; l'hôtesse de l'air nous arrête : un fonctionnaire monte examiner nos papiers. Première surprise : ce n'est pas l'Icarie, c'est un vrai pays, sur certains points semblable à tous les autres. Deuxième surprise : c'est un pays différent de tous les autres; le concept : communisme, est si universel et si abstrait qu'il m'avait masqué les plus élémentaires données géographiques; en descendant de l'avion, je regarde les hommes aux visages jaunes, aux cheveux noirs, vêtus de légères cotonnades, qui s'activent sur l'aérodrome, et je me rends compte que je suis en Asie. Pendant que des délégués, habillés du strict complet au petit col fermé qu'adoptèrent en 1911 les partisans du Kuomintang, nous assurent que « le peuple chinois nous attend avec impatience », je respire l'aigre odeur végétale qui monte de la terre; la moiteur de l'air, le rouge violent des parterres de fleurs m'étourdissent; je ne m'attendais pas à retrouver ici cette chaude impression d'exotisme que j'ai connue au Guatemala, en Afrique, et qui était restée liée pour moi à l'esclavage, à l'oppression.

Assis à l'extrémité d'une longue table, dans un hall que décorent les portraits de Lénine, Staline, Boulganine, Khrouchtchev, nous attendons nos bagages en buvant de la limonade qui est, après le thé vert, la boisson nationale des Chinois. Puis, accompagnés d'un jeune interprète, M. Tsai, nous montons dans une auto. Des deux côtés de la route jaune poussent du maïs et des plantes inconnues; des hommes en pantalon bleu, torse nu, bêchent la terre ; d'autres boivent du thé sous des auvents de bois; d'autres marchent d'un pas vif, portant sur l'épaule le traditionnel fléau de bambou où sont suspendus des seaux, des paniers, des ballots : coiffés de vastes chapeaux de paille, ils ressemblent si exactement aux classiques images du coolie chinois que je les prendrais volontiers pour des figurants chargés de me signifier que je suis en Chine. Mais non : ces antiques clichés appartiennent bel et bien au présent. La République populaire n'est pas née un beau matin de l'écume des mers, le passé vit en elle. Charrettes à bras, voitures tirées par des mulets, bicyclettes, quelques camions : des épaisseurs de temps se superposent, et je m'y noie. Je suis très loin de Paris, quelque part en Extrême-Orient; mais où ? Les femmes ont les cheveux coupés, ou partagés en deux tresses qui encadrent leurs visages; elles portent, comme les hommes, des pantalons bleus, et des vestes assorties, ou bien des chemisettes blanches. A un carrefour, sous un bouquet d'arbres stationnent des vélos-taxis, qu'on appelle ici cyclo-pousse ou bien pédi-cab : les conducteurs se prélassent à l'arrière de leurs véhicules, fumant, bavardant, somnolant comme des cochers de fiacre italiens. « Bientôt, nous aurons des autos : les cyclo-pousse disparaîtront », dit l'interprète. Nous passons devant des chantiers, des immeubles en construction, des maisons neuves. Nous franchissons une muraille grise et nous nous trouvons dans des rues étroites, aux maisons basses, grises elles aussi, qui tournent vers nous des murs aveugles; le sol est en terre battue. Voici des échoppes dont les vitres sont couvertes de caractères chinois, d'un rouge vif; des étendards rouges, décorés de caractères noirs, servent d'enseignes : c'est très joli, mais on croirait entrer dans un gros village; est-ce vraiment la capitale de la Chine ? On dirait que Tsai a lu dans ma pensée; il balaie l'espace d'un geste large. « Bientôt, on démolira ce quartier : c'est prévu sur les plans », dit-il. Je reprends pied. Ce dédain du pittoresque, cette confiance en l'avenir m'assurent que je suis en pays progressiste. Nous débouchons sur une large avenue que coupe en deux une ligne de tramways, bordée de plates-bandes vertes; c'est l'artère principale de Pékin; il y circule autant de bicyclettes que dans une rue de Hollande; très peu d'autos; un autobus rouge porte sur son capot la marque « Skoda ». Debout sur des socles cylindriques, zébrés de noir et blanc, et qu'entoure parfois un massif de fleurs, des sergents de ville règlent le trafic à travers un porte-voix; ils ont des tuniques et des culottes d'un jaune orangé; les guêtres, les gants à crispin et les casques sont blancs. L'auto roule très lentement. Tsai désigne à notre gauche un mur d'un rouge ocré : le mur de la Ville interdite. Un pavillon rouge et doré, encastré dans cette muraille, s'ouvre de plain-pied sur le trottoir; c'est une ancienne porte du palais impérial qui sert aujourd'hui d'entrée au siège du gouvernement. Le mur s'élargit en terrasse, une voûte s'y creuse que domine un autre pavillon : nous passons devant T'ien An Men. Ces monuments aussi me déconcertent ; je sais que leurs colonnades vermillon, leurs toits cornus couverts de tuiles dorées sont authentiquement chinois; pourtant ils ne me semblent pas faire corps avec la ville. Comme la pagode et le temple que j'ai aperçus d'avion, ils me paraissent des signes symboliques qui m'annoncent Pékin, qui ne me le donnent pas.

Pékin ne me sera pas donné ce soir : voici l'hôtel. De la fenêtre de ma chambre, je contemple l'avenue sur laquelle est tombée la nuit. Les lampadaires éclairent des constructions de briques, ni laides, ni belles, sans caractère. A gauche de l'esplanade, de jeunes garçons, torse nu, jouent au basket-ball; de l'autre côté de la chaussée il y a un stade brillamment illuminé où quelques centaines de spectateurs assistent à un match de basket-ball. Quand les petites rues grises auront été détruites, est-ce que Pékin tout entier ressemblera à ce boulevard ? Où faut-il se situer pour regarder la Chine ? Entre le passé dont Tsai a récusé d'un geste décidé la fallacieuse apparence et l'avenir encore invisible à l'œil nu, le présent ne semble pas un terrain sûr. En tout cas j'ai déjà compris que ce pays n'est pas une entité politique, ni une idée à analyser : il a son climat, sa flore, ses mœurs; c'est une réalité de chair et d'os qu'il faudra essayer de déchiffrer.

Les sinologues patentés se moquent gentiment de ceux qu'ils appellent « les voyageurs » et qui explorent la Chine sans en connaître la langue, ni sérieusement le passé. Les anticommunistes s'appliquent à discréditer des témoignages presque unanimement favorables au régime. Fano, qui ne sait pas le chinois, raconte [1] qu'à Hong-Kong des amis à lui s'esclaffèrent quand un de ces visiteurs reconnut qu'il n'avait parlé aux Chinois que par le truchement d'un interprète : de toute façon, corrigea Fano, personne n'aurait osé, même seul à seul, s'ouvrir sincèrement à un étranger. Guillain juge que dans les conditions actuelles, aucun observateur ne peut rapporter de Chine des observations valables, à moins qu'il ne soit Guillain; ayant payé lui-même son voyage, il insinue en outre qu'il suffit de passer six semaines aux frais d'un gouvernement pour lui être vendu : c'est mettre à bas prix son honnêteté et celle d'autrui. Si j'avais été à priori hostile à la Chine, j'aurais décliné son invitation; mais je ne contractais, en l'acceptant, aucun engagement; la Chine prend ses risques, et je ne me suis jamais sentie tenue envers elle à autre chose qu'à de la bonne foi. Quant aux handicaps que

1. *Le Figaro*, 1956.

constituent le manque de bases sérieuses et surtout l'ignorance de la langue, je suis loin de les sous-estimer; ils ont certes limité mon expérience; je nie qu'ils lui aient ôté toute valeur. Si les anticommunistes la récusent à priori, c'est au nom d'une thèse pour le moins curieuse : ce qu'on voit de ses yeux est nécessairement pur mirage. Ainsi Martinet qui n'a pas assisté au Congrès de Vienne a-t-il déclaré que Sartre n'avait rien pu y comprendre, du fait même qu'il y était présent; Guillain considère comme une ruse machiavélique l'invitation de Chou En-laï : « Venez voir. » Pour ces initiés, le monde est mystère, conjuration, conspiration, tout se passe en coulisses; le naïf spectateur, ébloui par de superficielles apparences, devient aveugle aux vérités profondes. Mieux avertis, nos voyants, quand ils veulent connaître la couleur du ciel, se gardent d'ouvrir la fenêtre : ils consultent une boule de verre. Guillain admet qu'on ne peut pas, à longueur d'année, sur des milliers de kilomètres, truquer tout un pays : à son corps défendant, il a été souvent contraint d'en croire ses yeux; il a vu des paysans bien vêtus, des routes, des usines, une hygiène, un ordre, des réalisations qui l'ont étonné : mais il a découvert dans son cristal des famines, des camps de travail forcé. J'avoue avoir voyagé sans ce talisman. D'autre part je reconnais volontiers que le seul regard ne suffit pas à tout déceler d'un objet : j'ai néanmoins bien souvent éprouvé qu'il en livre quelque chose. Se promener dans une rue, c'est une expérience irrécusable, irremplaçable, qui en apprend plus long sur une ville que les plus ingénieuses hypothèses. Les élites, friandes d'arcanes secrets, oublient trop qu'il y a une réalité de l'apparence. Certes, tout fait demande à être interprété : pourquoi la vision empêcherait-elle de s'informer et de critiquer ? Je vais d'ailleurs indiquer avec précision dans quelles conditions ce témoignage a été établi.

Dans la Chine d'aujourd'hui, plus que partout ailleurs, le centre autour duquel gravitent les journées du voyageur et s'ordonne la ville, c'est l'hôtel où il loge. J'habitais l'Hôtel de Pékin, sur l'avenue principale, face à l'ancien quartier des légations et tout près de T'ien An Men. C'est un immeuble de dix étages qu'une esplanade sépare du trottoir : il comporte deux bâtiments ; le plus récent est aussi le plus somptueux mais à mon arrivée la façade en était encore à demi cachée par des échafaudages. Ma chambre, située dans l'aile ancienne, était immense : je disposais à moi seule de deux lits de deux personnes, en cuivre, et recouverts d'une soie rose vif sur laquelle étaient brodés des génies ailés. J'avais une armoire à glace, un secrétaire avec tout ce qu'il faut pour écrire, une coiffeuse, un canapé, des fauteuils, une table basse, deux tables de nuit, un poste de radio; sur la descente de lit on avait disposé des babouches, sur un guéridon des cigarettes et des fruits qu'on a renouvelés chaque jour. Dans la salle de bains, devant les pains de savon à l'odeur d'encaustique, j'ai eu honte de mes emplettes prudentes. D'autant plus que dans le hall — sombre, austèrement meublé de tables rondes et de fauteuils de cuir — se trouve un comptoir où on peut acheter de la parfumerie, du papier à lettres, des jeux de société, des fruits, des gâteaux secs à bon marché, et dans de superbes boîtes rouges « Pékin-Moscou » du chocolat soviétique qui coûte cher; la vendeuse fait ses comptes à l'aide d'un boulier. Près de l'entrée il y a un bureau d'information où il est difficile de s'informer car on y parle exclusivement chinois. Ce hall donne sur une vaste salle au parquet luisant, meublée d'un piano à queue; chaque matin une fillette chinoise y étudie avec application une fugue de Bach. De l'autre côté s'ouvre le hall du nouveau bâtiment, trois fois plus grand que l'ancien, et luxueusement décoré : colonnes dorées, jarres de porcelaine, tapis, plafond polychrome. Une librairie expose des estampes, des revues en anglais et des traductions anglaises de livres chinois. Plus loin il y a une poste, un salon de coiffure, des salles de jeu, une salle de billards. Une salle des fêtes qui peut contenir mille personnes occupe la plus grande partie du rez-de-chaussée : presque chaque soir le bruit d'un banquet, d'un bal, d'un congrès montait jusqu'à ma chambre.

La salle à manger où je prends mes repas appartient à l'ancien bâtiment; le décorateur n'a pas ménagé la couleur locale; deux rangées de colonnes peintes supportent le plafond; des reproductions d'estampes — nuages, lacs et montagnes — ornent les murs. Cet endroit est un des plus cosmopolites du monde. Sous les lanternes pékinoises, décorées de génies ailés [1], des délégués de tous les peuples de la terre

1. On les appelle des *aspara*. C'est un thème décoratif très répandu, d'inspiration bouddhique.

mastiquent en chœur des plats internationaux arrosés de limonade chinoise, ou de bière. Pakistanaises et Hindoues drapées de saris éclatants, petites danseuses birmanes aux vestes de soie brodée, Japonais vêtus de kimonos ou de complets occidentaux : toute l'Asie est là. Elle coudoie l'Afrique, l'Australie, l'Europe, l'Amérique. Voici des ingénieurs soviétiques avec leurs robustes épouses et leurs petits enfants blonds; voici une délégation de femmes italiennes, un groupe d'Allemandes, un avocat anglais; l'ambassadeur de Yougoslavie dîne en famille. Français, anglais, espagnol, portugais, on entend parler toutes les langues; et même ont voit gesticuler sans mot autour d'une des tables une délégation de sourds-muets tchèques.

La carte est écrite en anglais et le service étonnamment rapide; de très jeunes femmes en vestes blanches, un nœud de ruban dans leurs cheveux courts, apportent, remportent les plats en moins de vingt-cinq minutes. Tsai m'a dit que, lorsqu'il a voyagé à l'étranger avec des camarades, la lenteur des repas les a exaspérés. Ma chambre aussi est faite en un tournemain : le temps de descendre boire une tasse de thé, et quand je remonte, tout est en ordre. Un matin, revenant sur mes pas pour prendre mon sac, j'ai vu qu'ils étaient quatre en train de balayer, épousseter, ranger. Mais le nombre n'explique pas tout; j'ai constaté que sans précipitation apparente, les Chinois travaillent de façon remarquablement efficace.

L'Hôtel de Pékin est aujourd'hui le cœur de cette vie cosmopolite qui bouillonne entre avril et décembre et qui atteint son paroxysme aux environs du 1er octobre; naguère, réduit à l'aile ancienne, c'était un des centres de la vie occidentale. Il a été bâti par des Français, puis il a appartenu à des Japonais : le vieux liftier chauve a poursuivi imperturbablement son service à travers ces différents avatars. Dans les salons du dixième étage, que flanque une large terrasse, se tenait un club franco-anglais où l'on dansait et buvait ferme; une des distractions de l'élite blanche, quand elle était ivre, c'était de descendre uriner sur le sergent de ville: malgré son uniforme, d'ailleurs sale et rapiécé, ce n'était qu'un Chinois. La grande avenue n'avait alors que la moitié de sa largeur : de l'autre côté s'étendait un terrain de polo, bordant le quartier des légations qu'entourait un mur protégé par des mitrailleuses. Quant à l'esplanade, un Français nommé Casseville la décrivait en ces termes vers 1934 : « A la base du palace, des détritus immondes souillent de vagues parterres de fleurs ; des mendiants crasseux mêlés à une armée de coolies dont les pousses sont alignés comme pour une revue crachent, s'épouillent, et hurlent leurs lamentations. »

Aujourd'hui, l'esplanade est un parc automobile. Il n'existe pas de taxis à Pékin ni d'autos privées; toutes ces voitures appartiennent à des services officiels. Il y a des Pobiéda russes, des Skoda tchèques, quelques voitures anglaises — la Chine achète des autos à l'Angleterre — et quantité de luxueuses voitures américaines, héritage du gouvernement Tchang Kaï-chek. Le matin, les chauffeurs s'affairent ; armés de plumeaux aux longs manches, à la tête cylindrique, dont les plumes ont une belle couleur coq de roche, ils époussettent avec minutie les carrosseries luisantes.

Deux ou trois fois par jour, nous montons dans une de ces autos, accompagnés de Tsai. Il a trente ans, des lunettes, l'air très jeune et sympathique, mais il est très réservé. A neuf heures, chaque matin, à deux heures chaque après-midi il téléphone du hall : « Je suis prêt. » Il nous emmène voir des temples, des palais, des parcs, ou bien des coopératives d'artisans, des universités, des hôpitaux, selon un programme établi en haut lieu. Nous sommes libres vers cinq heures. Mais les soirs de théâtre il faut dîner à six heures et demie : les spectacles commencent en Chine à sept heures et demie. Dès onze heures, les rues sont désertes, Pékin dort.

Les inconvénients de cette organisation sautent aux yeux. Mais je tiens d'abord à préciser que, contrairement aux allégations des Fano et des Guillain, en Chine un interprète n'est pas un policier. Guillain a négligé de signaler qu'on lui avait proposé d'amener avec lui un interprète personnel. Si Tsai m'accompagne, c'est que sans lui je suis sourde, muette, perdue : il m'est nécessaire. Mais il n'est pas chargé de dresser autour de moi des barricades ni de filtrer les propos des gens que je rencontre. Jamais ma liberté n'a été entravée. Je me suis promenée seule autant que je l'ai voulu. A Pékin nous sommes sortis souvent sans escorte avec le journaliste français L. qui parle chinois. Quand nous avons souhaité rencontrer à Shanghaï des Français notoirement hostiles au régime, ce désir a été immédiatement satisfait. Entre nous et l'homme de la rue, seule notre ignorance de la langue a rendu les contacts impossibles. L., qui habite depuis longtemps Pékin, s'arrête volontiers dans les villages, au cours de ses tournées d'information, et il cause librement avec les paysans; les autorités n'y trouvent rien à redire. Un sinologue qui a quitté Pékin en 1953, qui y a passé quelques jours en 1955, m'a raconté que ses anciens fournisseurs avaient bavardé avec lui sans contrainte. Quoi qu'en dise Guillain, nous avons passé de longs moments seuls à seuls avec des Chinois sachant l'anglais ou le français. Quand les visites étaient préparées, on ne nous le cachait pas; chaque fois qu'on nous a montré une réalisation d'un caractère exceptionnel, on nous en a avertis; nous sommes entrés dans des maisons à l'improviste. A Shanghaï, à Canton entre autres, on nous a spontanément promenés dans des quartiers populeux et pauvres dont les équivalents sont pudiquement passés sous silence par les Guides Bleus des pays bourgeois. Non, on ne nous a pas caché la Chine, on n'a pas camouflé sur des milliers de kilomètres ses villages et ses campagnes : on nous l'a montrée.

Quant à la méthode adoptée, il est certains de ses défauts que j'ai appris à supporter avec patience. Nous sommes environ mille cinq cents délégués à nous promener à travers la Chine, et presque tous résident longuement à Pékin; on nous montre à tous, c'est normal, les mêmes vestiges du passé, les mêmes réalisations présentes : pour que nous n'envahissions pas tous ensemble ateliers ou théâtres, les responsables ont dû établir des tableaux horaires aussi complexes que ceux qui règlent les mouvements des trains; on ne peut exiger qu'en outre le « programme » observe un ordre logique. Je me suis irritée parfois contre les corvées qu'il m'infligeait. Je me rappelle la visite au réservoir de Kouanting. De huit heures à midi, le train a roulé sous des tunnels : il empruntait une ligne toute récente, inaugurée en juillet 1955 et dont les Chinois sont fiers, précisément parce qu'elle traverse soixante-cinq fois la montagne; ils sont fiers aussi du réservoir qui contrôle la rivière Houai aux crues naguère redoutables. Mais tout en mangeant des sandwiches dans une baraque, en compagnie d'une délégation danoise, songeant aux quatre heures de nuit et de suie qui m'attendaient, je me demandais : pourquoi m'ont-ils envoyée là ? Je me serais bien contentée des photographies et des rapports des magazines. Plus tard j'ai compris leur insistance à me montrer des ouvrages, des hôpitaux, des usines, des laboratoires qui n'avaient à mes yeux rien de frappant : le frappant, c'est qu'en Chine aujourd'hui de telles choses existent. Occidentaux et Japonais ont répété à l'envi que le Chinois abandonné à lui-même n'était bon qu'à cultiver le kaoliang : chaque tunnel percé, chaque machine fabriquée est une réponse orgueilleuse à ce défi. Les Chinois n'ont pas avec les produits de leur travail cette familiarité qui en France nous fait prendre pour accordées aussi bien les centrales électriques que les routes; par-delà son usage pratique, un appareil téléphonique, comme une voie ferrée, représente une victoire contre le passé, l'amorce du nouvel avenir. On veut que le visiteur témoigne de cette conquête : pour cela, il faut qu'il la constate, en personne; s'il faisait confiance aux photos, aux rapports, une fois rentré chez lui, des interlocuteurs méfiants le soupçonneraient de s'être laissé berner par la propagande; il doit pouvoir affirmer : j'ai vu ces choses de mes yeux.

En fait, la plupart des réalisations qu'on m'a montrées étaient intéressantes; ma plus sérieuse critique porte sur les explications qu'on m'en a données. Quand il s'agissait de voir des monuments, un guide nous attendait à la porte et nous fournissait au cours de la promenade quelques renseignements sommaires. Lorsque l'objet de la visite est une usine, une école, un village, les rites se déroulent de Pékin à Canton de manière immuable. On entre dans un grand salon dont les murs sont décorés de bannières rouges portant des inscriptions dorées : ce sont des témoignages de satisfaction donnés par le gouvernement, ou des messages d'amitié, ou des espèces de diplômes commémoratifs. On s'assied sur un canapé recouvert d'une housse grenat, devant une table basse chargée de cigarettes et de tasses qu'un serveur remplit indéfiniment de thé vert. Au lieu d'un salon, c'est parfois un hangar, et les sièges sont des bancs, mais toujours les bannières rouges pendent aux murs et le thé coule à flots. Un « cadre » expose la situation. Ensuite on inspecte les lieux. On revient s'asseoir et boire du thé, en posant quelques questions; le responsable sollicite avec insistance des suggestions et des critiques que nous sommes généralement bien incapables de formuler.

J'admets, étant donné le nombre des délégués, qu'on nous accueille tous par le même exposé préfabriqué, chacun ayant ensuite la possibilité de poser des questions personnelles. Ce qui est regrettable, c'est le parti pris d'optimisme que manifestent les réponses. Ce directeur de prison qui a reconnu avec simplicité les nombreux échecs de la « rééducation » était une exception. Je demande à une vice-présidente de l'association des femmes comment on accueille dans les villages le principe de l'égalité des sexes, de l'indépendance des jeunes générations par rapport aux anciennes. A l'entendre, la loi du mariage a une fois pour toutes réglé tous les problèmes. Dans les crèches, dans les écoles, on ne punit pas les enfants; si l'un d'entre eux est insupportable, comment procède-t-on ? Le cas, me répond-on, ne se produit pas. Un étudiant paresseux, ça n'existe pas. Entre directeurs d'usine et ouvriers, jamais de conflits. Je me retrouve en Icarie : en pleine irréalité.

Quand une question qui nous intéresse demeure par trop obscure, il y a un moyen de l'élucider. « On va vous arranger une conférence », dit Tsai. Pour nous renseigner sur l'analphabétisme, sur le budget de l'Etat, nous nous sommes rendus au siège des relations culturelles qui occupe, dans le quartier des légations, un vaste hôtel particulier de style occidental. Assis face à un panneau où des fleurs et des oiseaux peints symbolisent la paix, nous avons écouté l'exposé d'un spécialiste : il a sorti de sa serviette des papiers qu'il a lus et nous lui avons posé quelques questions. Les informations ainsi obtenues sont plus sérieuses et moins décousues que celles qu'on recueille au hasard du programme; mais elles restent aussi univoques, les difficultés sont éludées.

Pendant les premiers jours, la routine quotidienne et ses insuffisances me pesaient d'autant plus que je n'avais pas même la compensation de découvrir Pékin : il se dérobait. De la terrasse de l'hôtel, des collines artificielles qui s'élèvent derrière le palais, je n'ai vu ni rues, ni toits : seulement un grand parc; les feuillages gris-vert des arbres cachaient tout. En bas, mon regard se brisait contre des murs. Le lendemain de mon arrivée, j'ai visité le « nouveau Pékin », hors les murs; puis, à l'intérieur d'un grand enclos muré, le Palais Impérial; le soir, pour aller au théâtre, nous avons roulé longtemps : toujours entre des murs. Où donc habitent les Pékinois ? me demandais-je. Où sont leurs maisons ? où est le vrai Pékin ? L'auto s'est arrêtée entre la façade illuminée d'un théâtre et des échoppes où on vendait de joyeuses couronnes mortuaires, en fleurs de papier multicolores. Etais-je encore dans Pékin ou dans un faubourg ? J'ai parcouru les jours suivants des rues commerçantes, mais sans savoir au juste comment les situer ; Pékin restait éparpillé; il aurait fallu m'y promener longuement, à pied : le « programme » ne me laissait que peu de loisir et par malheur, il pleuvait, lourdement, obstinément,

Le premier dimanche, nous avions matinée libre; mais la pluie s'entêtait; l'avenue était presque déserte. Le sergent de ville avait caché sous son imperméable son bel uniforme mandarine, les conducteurs de cyclo-pousse disparaissaient sous des housses en caoutchouc jaune, les rares piétons s'abritaient sous les grands parapluies rouges, en papier huilé, qui sentent la colle de poisson. Deux jeunes gens ont passé, pieds nus, tenant à la main leurs fragiles souliers de toile. J'étais inquiète; perdue dans une capitale fantôme je ne me sentais aucune prise sur cette Chine trop bien laquée par l'optimisme officiel. Jusqu'ici nos contacts personnels avec les Chinois avaient été presque nuls. Tsai savait très bien le français; mais normalement il est attaché à une organisation sportive, son nouveau rôle l'intimidait et il parlait le moins possible. Un fonctionnaire des « relations culturelles » avait bu avec nous quelques tasses de thé au jasmin : nous nous étions bornés à discuter ensemble le plan de notre voyage. Un premier dîner avec des écrivains avait été peu fructueux : ils nous ignoraient, nous les ignorions; la conversation avait surtout roulé sur la cuisine chinoise. Les choses changeraient-elles ? Quand ? Tout en m'interrogeant, j'écoutais la radio : le poste captait Hong-Kong, Tokyo, Moscou; on pouvait entendre tour à tour un opéra chinois et du jazz américain; ce matin-là, Yves Montand a chanté les *Feuilles mortes,* de Prévert. C'est alors que je fis une importante découverte. L'association des écrivains m'avait envoyé la veille une brassée de traductions anglaises : livres, brochures, et magazines. Grâce à la politique de prestige qu'a adoptée la Chine par rapport au reste de l'Asie, beaucoup de textes chinois sont traduits en anglais, et certaines revues directement rédigées dans cette langue : aux Indes, au Pakistan, en Birmanie, au Japon et même en Indonésie, on parle anglais. Chaque jour je trouvais sur ma table un petit bulletin : le *New Day Release* qui passe rapidement en revue la presse de la veille, et relate surtout les allées et venues des délégations : il y a peu de choses à en tirer. Mais en feuilletant l'épaisse littérature mise à ma disposition, je m'aperçus qu'elle pouvait m'être d'un grand secours. *China picturial* verse dans une naïve propagande. *China reconstructs* est plus substantiel, malgré son ton délibérément enthousiaste. *People's China* livre, soit intégralement, soit sous forme résumée, mais fidèle, de nombreux documents officiels : or les textes émanant du gouvernement, ou directement inspirés par lui, ont un tout autre caractère que les exposés débités aux délégations étrangères. J'ai lu, entre autres, le rapport de Li Fou-tch'ouen sur le plan quinquennal; les difficultés à vaincre, les erreurs commises, les lacunes, les déficiences y sont soulignées avec une sincérité et une sévérité dont on ne rencontre d'exemple en aucun autre pays [1]. Les discours, les rapports des dirigeants, les articles du *Journal du peuple* rendent un même son : non, tous les produits fabriqués dans les usines chinoises ne sont pas de première qualité, tous les étudiants ne deviennent pas en quatre ans d'excellents ingénieurs; dans beaucoup de campagnes la mentalité « féodale » subsiste; la construction du socialisme n'est pas un jeu d'enfant; le passé pèse son poids, l'avenir comporte des risques. La Chine redevient réelle.

La revue *Chinese Litterature* qui paraît quatre fois par an, et que dirige Mao Touen, actuellement ministre de la culture, et romancier connu, diffuse la littérature chinoise ancienne et moderne; elle publie aussi des articles et des chroniques sur les problèmes culturels du moment. D'autre part, beaucoup d'œuvres contemporaines ont été traduites intégralement. Observant soigneusement les principes du réalisme socialiste, romans, nouvelles, récits me sont apparus sinon comme des œuvres d'art, du moins comme d'intéressants documentaires. Les conflits, les contradictions de cette période n'y sont pas passés sous silence, ils en constituent au contraire le thème central. Là aussi j'ai trouvé la peinture d'une Chine de chair et d'os. Par la suite, j'ai souvent considéré les endroits que je visitais comme des illustrations particulières de vérités plus larges, apprises dans les livres.

On me dira que dans ces conditions, il était inutile d'aller jusqu'à Pékin. C'est faux. Les livres n'ont pris leur poids de vérité que grâce à ces exemples vivants qui les complétaient,

1. Cette autocritique est si poussée que pour dresser leurs réquisitoires contre la Chine populaire les libelles anticommunistes publiés à Hong-Kong, en Amérique, à Paris, se bornent à isoler des fragments de déclarations émanant du gouvernement chinois; ils les coupent de leur contexte, et échafaudent sur ces bases truquées des prophéties catastrophiques : le tour est joué.

grâce aussi à tout le contexte dans lequel je les lisais. Les romans de Ting Ling et de Tcheou Li-po ne m'auraient pas sérieusement instruite sur la réforme agraire si je n'avais pas vu des campagnes chinoises, des villages, des paysans. En outre, la situation que je viens de décrire s'est rapidement modifiée. D'abord, nous avons eu des loisirs, et le soleil a brillé : désormais, tous les jours nous nous sommes promenés dans les rues de Pékin, seuls. Les Pékinois ne baguenaudent guère, et ils sont discrets. C'est à peine si dans les quartiers éloignés du centre les gens nous regardaient avec un peu de curiosité; presque aussitôt, ils détournaient poliment les yeux. Une ou deux fois des petits enfants nous ont emboîté le pas : des adultes les ont arrêtés. Je crois qu'on nous a pris souvent pour des soviétiques. De toute façon, les Chinois savent que les étrangers qu'on voit aujourd'hui dans leurs rues sont de « bons » étrangers, des amis du peuple chinois. L'intérêt que parfois ils nous témoignaient était toujours bienveillant.

D'ordinaire, pour rentrer, nous montions dans des cyclo-pousse; n'étant pas sûrs de prononcer intelligiblement notre adresse, nous emportions avec nous un album sur lequel il y avait une photographie de l'hôtel. La première fois, incapables de demander aux conducteurs quel était le prix de la course, nous leur avons tendu au hasard un yen; ils ont secoué la tête : c'était trop. Alors j'ai posé sur la paume de ma main de petites coupures : ils ont hésité, calculé, et pris seulement une partie de la somme. Ces scrupules m'ont donné une haute idée — que tout par la suite a confirmé — de l'honnêteté pékinoise.

D'autre part, nous avons fait des connaissances. Les conversations se sont multipliées et sont devenues plus intéressantes : je parlerai plus loin de mes différentes rencontres. Je veux seulement indiquer ici quels ont été entre la Chine et moi les habituels médiateurs.

Tsai peu à peu s'est dégelé. Il a commencé à nous parler de lui, un matin où nous visitions l'Institut Polytechnique : avant la guerre, c'était une des grandes universités de Pékin, et il y a fait ses études supérieures. Fils de paysans moyens des environs de Shanghaï, il a passé avec succès deux examens, l'un qui lui ouvrait l'université de sa province, l'autre, celle de Pékin pour laquelle il a opté. A la fin de ses études, il fut attaché comme interprète à un groupe sportif; il a passé l'an dernier dix jours à Paris avec son équipe. Ce jour-là il ne nous a rien dit de plus; mais un peu plus tard, sortant d'une crèche située au milieu du parc Pei Hai, il a déclaré à brûle-pourpoint : « Quand j'aurai des enfants, je les mettrai là. » Je lui ai demandé : « Vous êtes marié ? » et il a répondu sobrement « Oui ». Un instant après il a sorti de sa poche une photographie : « C'est ma femme. » Elle achève ses études de médecine aux environs de Nankin et ils ne se voient qu'aux vacances; mais une fois son diplôme obtenu, on lui assignera un poste à Pékin. Tsai m'a donné par la suite quantité de renseignements sur son budget et sur sa manière de vivre; ses réflexions, ses réactions, m'ont aidée à comprendre ce qu'est un jeune citadin chinois d'aujourd'hui.

Au cours de notre voyage, de Moukden à Canton, nous avons été accompagnés par une romancière, Mme Cheng; elle a mon âge, elle a passé en France quinze ans de sa jeunesse et connaît sur le bout du doigt la littérature française; dans le wagon-lit, le soir, avant de nous endormir, nous bavardions longuement et nous sommes devenues très intimes. Elle a été pour moi un exemple typique à la fois de l'intellectuel chinois et de la femme chinoise de cette génération. D'une vive intelligence, très cultivée et remarquable observatrice, elle m'a fourni, sur toutes sortes de sujets, de précieuses informations. Jamais de propagande dans sa bouche; elle est trop convaincue des bienfaits et de la nécessité du régime pour ruser avec la vérité; indépendante, spontanée, rieuse et fort loquace, elle ignore l'autocensure : sa tranquille franchise a en grande partie compensé la retenue de la plupart des « cadres » à qui j'ai eu affaire.

Le journaliste L. auquel j'ai déjà fait allusion connaît bien la Chine, qu'il juge avec à la fois sympathie et sens critique; il nous a montré divers aspects de Pékin et donné d'intéressants renseignements. Et bien entendu nous avons causé souvent avec Rewi Alley. C'est une des figures les plus pittoresques de Pékin : en Amérique on l'appellerait un « character »; tous les « voyageurs » parlent de lui et je ne ferai pas exception. « Il sait tout sur la Chine : il la connaît mieux que n'importe quel Chinois » m'avait dit à Helsinki une amie argentine. Aussitôt arrivée, j'ai cherché à faire sa connaissance : il habite précisément l'Hôtel de Pékin, et on me l'a signalé tandis qu'il traversait l'esplanade. J'ai aperçu un homme corpulent, aux cheveux blancs et drus ; un short — tenue des plus insolites à Pékin — découvrait des jambes trapues et musclées. De près on remarque son teint de campagnard, son grand nez, mais surtout le bleu de ses yeux et son sourire. Il est Néo-Zélandais et son anglais m'a paru difficile à comprendre; mais sa bonne grâce palliait cet obstacle. Il est installé en Chine depuis trente ans. Après s'être battu en France avec l'armée anglaise pendant la guerre 14-18, il vint à Shanghaï où il fut nommé vers 1927 inspecteur de l'hygiène. Cette expérience le convainquit que le seul salut pour les Chinois c'était de conquérir leur indépendance économique. En 1938, pour répondre au blocus japonais il eut l'idée de décentraliser l'industrie chinoise en créant à l'intérieur du pays des coopératives de production. Quelques années plus tôt, un missionnaire nommé Baillie — un excentrique qui pensait que le premier devoir d'un chrétien est de nourrir les affamés — avait fondé une sorte d'école technique destinée aux apprentis de Shanghaï. Ses efforts lui parurent si dérisoires auprès de la misère chinoise et de la corruption générale qu'en 1935 il se suicida. Mais les étudiants qu'il avait formés se rallièrent à l'idée de Rewi Alley. En juillet 1938, celui-ci fut nommé conseiller technique en chef du mouvement coopératif — Kong Ho — qui ne possédait encore ni technique ni personnel. En octobre 1940, Kong-Ho groupait 2.300 manufactures, dispersées dans seize provinces : le mouvement s'étendait jusqu'à la Mongolie et 300.000 personnes en dépendaient. Alley organisa quantité de centres nouveaux dans les zones de guérillas et jusque dans le Kansou. Il s'occupa particulièrement de celui qu'il avait créé à Sandan, un village reculé du nord-ouest, et il réussit à mettre un Bouddha vivant thibétain à la tête d'une coopérative de textiles. Le gouvernement de Tchoung King regardait avec méfiance ce mouvement qui se développait avec une inquiétante rapidité et qui instaurait un nouveau type d'économie, de caractère populaire. Mais les circonstances, la guerre, les guérillas ne permirent pas aux dirigeants de mettre la main sur Kong-Ho qui préserva son indépendance. Après la libération, la Nouvelle-Zélande nomma Rewi Alley délégué au Comité préparatoire de la Conférance de paix du Pacifique, et il s'installa à Pékin. Sa chambre est pleine de vieux livres, d'estampes, de bibelots car il s'intéresse au passé de la Chine presque autant qu'à son présent. Il a traduit en anglais de nombreux poèmes anciens et relaté ses expériences chinoises dans deux livres : *Yo Banfa* et *People have strength*.

A l'Université de Pékin, j'ai fait la connaissance d'un couple qui a vécu longtemps à Paris et parle admirablement le français : Lo Ta-kang et sa femme. Elle est professeur de français. Lui est attaché au département français de la « Recherche littéraire » qui reclasse selon une perspective marxiste les littératures étrangères. Ils reçoivent quantité de revues françaises — entre autres les *Temps Modernes* — et ils connaissent non seulement toutes les œuvres importantes qui paraissent en France, mais aussi les dictionnaires les plus récents et les meilleurs. Lo Ta-kang traduit en chinois des œuvres françaises et il a réussi la difficile gageure de traduire en excellent français de vieux poèmes et de vieux contes chinois. Avec eux la conversation était remarquablement aisée et j'en ai largement profité.

Visites accompagnées et libres promenades, conférences, conversations, rencontres diverses, lectures, s'éclairant les unes par les autres m'ont finalement fourni un matériel important. Je ne m'en suis pas contentée. De retour à Paris, j'ai interrogé des spécialistes et lu nombre d'ouvrages. Désireuse d'entendre « l'autre son de cloche », j'ai soigneusement dépouillé la littérature dirigée contre la Chine populaire [1] : je n'y ai guère trouvé, à part des commentaires malveillants, que les renseignements qu'on m'avait fournis en Chine même. Une telle harmonie m'a paru, méthodologiquement, des plus satisfaisantes. Un des reproches majeurs qu'on pourrait adresser à ce livre, c'est que demain il sera dépassé : je le sais ; mais l'histoire qui se fait en Chine est assez passionnante pour que les différents moments méritent d'en être enregistrés.

La période dont j'essaie ici de rendre compte se définit essentiellement comme une période de transition. Il s'agit de passer de la révolution démocratique à la révolution socialiste. Cette transformation s'accomplit en Chine sur un mode singulier, adapté à la situation singulière du pays.

Jusqu'en 1949, la Chine était, après l'Indonésie, le pays le

1. Toute cette littérature a une seule source : Hong Kong. Les Chinois de Hong Kong reçoivent les journaux et revues de la République populaire, ils écoutent facilement la radio de Pékin; des nouvelles et des bruits filtrent à travers la frontière. C'est à Hong Kong qu'on traduit, découpe, déforme ou forge les textes qu'utilisent Formose, l'Amérique et David Rousset.

plus pauvre du monde. En 1939, le revenu moyen annuel d'un individu, calculé en dollars américains, était aux Etats-Unis 554, en France 283, aux Indes 34, en Chine 29. Un rapport de l'O.N.U. datant de 1949 donne le même classement touchant l'énergie dont disposait un individu par jour et par tête : aux Etats-Unis, 37,6 ch.; en Chine, 0,5. La longueur des voies ferrées pour une surface de 1.000 milles carrés était de 80 milles aux U.S.A., de 3 en Chine; le nombre des véhicules motorisés était aux U.S.A. 250 par millier d'habitants, 0,2 en Chine; la production d'électricité y atteignait à peine 3/100 de la production mondiale. La ration alimentaire d'un Chinois dans les années 1948-1949 représentait 20 % de celle d'un Français, et sa teneur en protéines était extrêmement basse. La longévité moyenne qui s'élevait à 64 ans aux U.S.A., 62 ans en Angleterre, était en Chine de 25 ans.

« Nous ne faisons pas de miracles » répètent les dirigeants chinois. Pendant les cinq années qu'ils ont passées à réorganiser le pays, électricité, force motrice, camions, engins mécaniques n'ont pas magiquement surgi du néant. La première chose qui saute aux yeux du visiteur, c'est combien aujourd'hui encore la Chine demeure pauvre. Aux portes de Pékin, on construit à tour de bras des immeubles, des écoles, des hôpitaux, des bureaux; pas une grue, pas un marteau pneumatique, pas un camion : pas une machine. Il y a quelques charrettes, aux roues caoutchoutées, qui, paraît-il, représentent un progrès considérable sur les anciens tombereaux aux roues cerclées de métal; elles supportent une charge de mille kilos ; mais la plupart des matériaux sont amenés à dos d'homme, aux bouts de fléaux de bambou; pour aplanir le sol, les maçons tirent sur des cordes enroulées autour de cylindres de pierre; ou bien, par groupes de cinq ou six, ils soulèvent et laissent retomber des disques de pierre, évidés au milieu, de manière que les cordes puissent y être amarrées. C'est en utilisant ces techniques vieilles de quatre mille ans qu'on construit le nouveau Pékin. Et aussi les barrages, les voies ferrées, l'immense pont qui à Hang-Keou traverse le Yang-tzé. Quelques jours après mon arrivée, j'ai rencontré dans la rue le Sud-Africain; il ne promenait plus sa hache, mais il avait l'air de plus en plus étonné : « Mais ils manquent de tout ! » disait-il. « Je n'imaginais pas qu'ils étaient pauvres à ce point-là ! »

Virtuellement cependant, la Chine est riche; elle possède

d'abondantes ressources naturelles, encore inexploitées. 85 % de son territoire sont incultes, entre autres le fertile Sikiang, vaste comme trois fois la France; le sol chinois contient de grandes quantités de charbon, de pétrole, de fer. Seulement on ne peut pas défricher les terres vierges avec des houes et des binettes, ni extraire le minerai à coups de pioche. Le jour où des tracteurs permettront une culture extensive, où des voies ferrées rendront accessibles les centres miniers, où la Chine disposera de l'équipement et de l'énergie nécessaires, d'immenses possibilités s'ouvriront à elle : pour l'instant, ses richesses dorment. Grâce à l'aide de l'U.R.S.S., grâce aux installations dont le Japon avait doté la Mandchourie, grâce à la planification et à l'effort de ces cinq années, elle s'est mise en marche vers la prospérité; dans les usines du Nord-Est, l'industrialisation est amorcée; mais tant que les machines n'auront pas été fabriquées, les centrales électriques créées en quantité suffisante, l'industrie lourde demeurera immédiatement improductive : pour l'instant, l'Etat y investit des capitaux qui ne rapportent aucun bénéfice.

Parmi les ressources de la Chine, il faut compter sa population ; celle-ci représente une force de travail considérable. Malgré la pénurie des machines, les constructions neuves s'élèvent dans les faubourgs de Pékin avec une étonnante rapidité. Des rues entières sont bordées de ces curieux édifices postiches que composent les échafaudages de bambous et les filets de sécurité. C'est que le nombre des ouvriers compense l'insuffisance des outils. Sur les chantiers le rythme du travail n'a rien de forcené, il est même nonchalant : mais toute une foule s'active. A vrai dire, cette main-d'œuvre est aujourd'hui trop abondante et la Chine souffre d'un semi-chômage. Pour éviter de laisser les gens sans emploi, les administrations et les entreprises d'Etat en embauchent plus qu'il n'est nécessaire : le fait est sensible, je l'ai dit, à l'Hôtel de Pékin. Dans les usines, beaucoup de manœuvres s'occupent à bricoler ou même ne font rien du tout. Dans les boutiques et les ateliers privés, le travail est réparti entre les différents membres de la famille, alors qu'un seul individu y suffirait : jamais les clients ne font la queue, ce sont les vendeurs qui attendent. Bref, il y a un excédent de population, improductif, et que pourtant il faut nourrir. Quand le système qui est en train de se monter tournera à plein, l'équilibre s'établira. Les récoltes obtenues grâce aux tracteurs, aux engrais, etc. nourriront de mieux en mieux, en nombre croissant, paysans et ouvriers; les exportations faciliteront de nouveaux investissements, le rythme de la production industrielle s'accélérera; l'économie se développera en « boule de neige »; entre la fin du troisième et celle du dixième plan quinquennal, la Chine fera un tel progrès qu'elle se trouvera, à la fin de ce siècle, l'égale des puissances les plus avancées : c'est du moins ce qu'escomptent les dirigeants.

Mais actuellement un problème se pose de façon aiguë : franchir la première étape. Pendant quinze ans, sans que d'importantes transformations techniques soient encore survenues, la Chine doit trouver le moyen de nourrir sa population — qui s'accroît chaque année — et de supporter une industrie lourde. Si elle échouait, le système de la « boule de neige » s'inverserait en cercle vicieux; l'industrie lourde serait en panne, les ressources naturelles resteraient inutilisables, la population mourrait de faim : le gouffre est sans fond.

L'économie, la politique chinoises sont dans tous les domaines dominées par cette consigne : réussir la soudure; c'est-à-dire qu'il faut accomplir ce tour de force : s'enrichir du sein de l'indigence. Tous les pays qui ont amorcé une construction socialiste partaient eux aussi d'une situation économique déficiente : certains ne s'en sont pas moins lancés dans des aventures qui leur ont coûté cher. La Chine au contraire a compris que l'entreprise exige en premier lieu une extrême prudence; dans la situation d'urgence où elle se trouve, une crise, une dépression entraînerait un effondrement. On veillera d'abord, et essentiellement, à ne pas s'appauvrir, on prendra garde à ne rien gaspiller, à faire feu de tout bois. « Faire sortir le présent du passé » n'est pas seulement un slogan d'ordre culturel : il exprime une nécessité générale. Bouleverser du jour au lendemain la structure économique et sociale du pays, ce serait le plus sûr moyen d'échouer à le transformer : on le ruinerait. On avance donc, pas à pas, par lentes étapes, en prenant appui sur le passé; au besoin on le consolide; dans la mesure du possible on l'aménage, mais on ne le répudie pas : le jour où le but sera atteint, il se détruira de lui-même. Tout en le conservant, c'est cette disparition qu'on vise. De là vient que la réalité chinoise ait aujourd'hui la dimension temporelle que j'ai indiquée : elle n'est que transition.

La conséquence — je l'avais pressenti le soir de mon arrivée — c'est qu'il est impossible en Chine de s'installer dans l'instant. L'abstraite définition des philosophes devient ici la plus concrète des vérités : le présent n'est qu'un passage, une limite. Les plaisirs de la contemplation sont interdits au touriste; quand un spectacle s'offre à lui, il sait que sa réalité est celle à la fois d'une survivance et d'une ébauche et qu'il le dénaturerait en l'immobilisant; entre une histoire exacte et des plans rigoureux, il n'y a pas de place pour le rêve. C'est pourquoi aussi j'ai vite compris qu'il ne fallait pas songer à écrire sur la Chine un reportage, au sens classique du mot. Le reporter explore un présent stable dont les différents éléments se servent réciproquement de clés; à travers des faits contingents, et chargés de significations qui les débordent, il s'efforce d'atteindre un ensemble. En Chine, rien n'est contingent, le sens coïncide avec la chose; et chacune se définit, non par son rapport à chaque autre mais par l'avenir qui leur est commun à toutes. Il est vain de prétendre décrire ce pays : il demande à être expliqué.

I

DÉCOUVERTE DE PÉKIN

Quel âge a Pékin ? deux siècles ou deux mille ans ? Sur son emplacement ou dans ses environs se succédèrent plusieurs bourgades; en 936 (ap. J.-C.) les envahisseurs K'itan conquirent la ville nommée Yeou-tcheou. Sur ses ruines s'édifia une cité dont les empereurs firent leur capitale méridionale, Yen-kin. Anéantie en 1212 par Gengis Khan, reconstruite par Qoubilai qui la prit en 1267 pour capitale, elle suscita sous le nom de Khanbalic l'admiration de Marco Polo et du franciscain Odoric. Cependant elle fut encore une fois rebâtie au XVe siècle par l'empereur Yong Lo. Il fit édifier la haute muraille noirâtre qui enferme la partie la plus ancienne de Pékin et que gardaient des portes fortifiées. Des faubourgs proliférèrent de l'autre côté des remparts et on les défendit par une seconde muraille qui s'éleva concentriquement à la première. Quand au XVIIe siècle les Mandchous prirent le pouvoir, ils refoulèrent les Chinois dans cette zone. Démoli encore une fois en 1679 par un tremblement de terre qui fit dans la région quatre cent mille victimes, et que suivit un an plus tard un incendie au cours duquel le palais impérial fut ravagé, Pékin renaquit de ses cendres au cours du XVIIIe siècle. Si bien que la ville que nous voyons aujourd'hui n'est guère vieille que de deux cents ans; mais elle se conforme à un plan dressé à des époques bien antérieures.

Ce plan a été rigoureusement concerté; il n'existe pas de ville qui soit plus artificielle que Pékin; on a élevé à main d'homme les collines qui protègent du côté nord la « Cité interdite » où résidait l'empereur; ceinte de murs, ouverte seulement à de rares privilégiés, celle-ci occupait le centre de la capitale et leurs axes se confondaient. Pékin avait la forme d'un rectangle : il l'a gardée, et aujourd'hui comme autrefois il est divisé en lots rectangulaires ou *fangs*, orientés vers les quatre points cardinaux. La hauteur des maisons a été réglementée par les empereurs : elles ne devaient pas comporter plus d'un étage, afin de ne pas s'élever au-dessus des bâtiments du palais. La couleur des toits obéit aussi à des lois strictes : les tuiles dorées étaient réservées à l'empereur, le bleu aux temples du ciel, le vert aux autres temples et aux édifices officiels. Les particuliers n'avaient droit qu'à des tuiles grises, épousant la couleur de la terre et des murs. L'emplacement ayant été arbitrairement choisi, par décision impériale, la ville n'est baignée par aucun fleuve. Mais entre 1280 et 1283, Qoubilai fit aménager un canal — bordé aujourd'hui de petits saules gris — qui mit Pékin en relation avec la riche Mésopotamie comprise entre le fleuve Jaune et le Yang-tzé. Pékin fut — comme Rome — une des rares villes qui grâce à son rôle administratif, et à l'importance des voies d'eau qui la desservaient, atteignirent bien avant l'âge industriel un million d'habitants. Elle en compte aujourd'hui trois millions.

Je l'ai dit : Pékin se cache. Impossible d'en prendre cette vue synthétique qui permet du haut de Notre-Dame de comprendre Paris, ou New York du sommet de l'Empire State Building. Inversement : aucun monument de Pékin ne s'impose aux regards avec la valeur d'un signe de ralliement. La Dagoba se distingue de loin, mais sa blancheur faussement thibétaine demeure étrangère à la ville. T'ien An Men qui en est devenue récemment l'emblème n'est visible que de près. Et le palais impérial, centre géométrique et politique de la capitale, se dérobe derrière des murs. Le Kremlin, lui aussi, s'est dressé pendant des siècles au milieu de Moscou comme une sorte de Ville interdite : du moins exhibait-il aux yeux de tous les bulbes dorés de ses églises. Au cœur de Pékin, nulle présence ne s'affirme : une vaste absence s'y creuse.

Pour un Européen, le fait semble insolite. Les villes d'Europe se sont organisées autour des monuments qui les incarnaient : cathédrales et hôtels de ville; au pied de ces édifices s'étendaient les parvis, les places, les marchés vers lesquels convergeaient les rues, charriant le flot des citoyens qui venaient périodiquement s'y rassembler. Au contraire, le centre de Pékin est un pôle non pas attractif, mais répulsif. La population n'avait pas le droit de s'approcher du Palais; Pékin ne s'ordonna pas autour de lui, mais fut refoulé loin des murailles rouges; les Chinois furent même chassés hors de la première enceinte dont les murs se trouvèrent eux aussi affectés d'une vertu négative.

Le quadrillage qui définit Pékin exclut toute idée de convergence; il manifeste positivement que la ville est née non des besoins d'une population mais du décret d'un autocrate. Seules des considérations numériques présidèrent au découpage de l'espace qui n'est ici rien de plus qu'un contenant, sans dimension qualitative. Et le voyageur s'étonne que pareille aux villes sans histoire d'Amérique, d'Afrique du Sud, d'Australie, cette cité infiniment vieille présente l'aspect d'un vaste lotissement.

C'est que malgré son âge, Pékin non plus n'a pas d'histoire; l'histoire de Paris, c'est celle du peuple parisien; et jamais le peuple pékinois n'a existé comme totalité. En France, en Italie, en Angleterre, dans les Flandres, les habitants des villes se lièrent par des pactes, ils revendiquèrent des droits: ils réussirent à détenir ensemble certains pouvoirs et à s'administrer eux-mêmes; leurs clochers, leurs tours, leurs beffrois renvoyaient à la communauté bourgeoise l'image de son intime unité; plus tard, les luttes sociales laissèrent leur marque sur les places et dans des rues. L'absence de bourgeoisie fit que Pékin ne s'érigea jamais en un *bourg* possédant sa municipalité, une organisation, une autonomie; assisté par des mandarins, l'empereur régnait sur un éparpillement d'individus dont la solidarité s'arrêtait à la famille et qui ne soutenaient entre eux que des rapports extérieurs; à l'image de la population, les divers quartiers de Pékin sont simplement juxtaposés; la ville ne possède pas d'unité organique.

Dans les pays chrétiens, la religion consolidait les liens de la communauté. L'Eglise étant à la fois hiérarchisée et universelle, la cathédrale dominait les autres paroisses, et elle s'ouvrait à tous; chaque quartier avait son curé et ses cérémonies ordinaires, la ville entière, un seul évêque et des fêtes qui rassemblaient tous ses habitants. Elle possédait donc non pas un mais deux foyers autour desquels se superposaient de façon complexe sa vie temporelle et sa vie spirituelle. Il n'exista jamais en Chine d'Eglise universelle; seul l'empereur avait le droit de sacrifier au Seigneur d'En Haut dont le temple se dressait hors de la cité; pour le peuple, exclu du culte officiel, le centre religieux du pays n'était lui aussi qu'une absence, un interdit. Les temples mineurs qui s'élevaient dans les différents quartiers étaient flanqués de marchés, et constituaient des centres secondaires; mais ils étaient éparpillés, sans liens entre eux; en aucun d'eux la population tout entière ne se reconnaissait.

Le Fils du Ciel n'était pas comme l'empereur romain le délégué de son peuple; il ne s'en considérait pas non plus comme le père : il était l'Homme Unique, un Autre absolu. Ses sujets ne pouvaient se reconnaître en lui et jamais la ville ne s'incarna en sa personne. Inversement : ce ne fut pas dans l'intérêt des habitants que les empereurs bâtirent et rebâtirent Pékin, mais pour affirmer leur propre grandeur. On s'est demandé parfois pourquoi ils utilisèrent dans leurs constructions non la pierre, mais le bois que souvent il fallait faire venir de loin et à grands frais, puisqu'en Chine les arbres sont rares. Ce choix prouve en tout cas qu'ils se souciaient plutôt d'éblouir que de faire œuvre durable; ils ne construisaient pas pour l'éternité, et ils n'éprouvaient nul respect pour l'œuvre de leurs prédécesseurs. Pékin a été souvent anéanti, soit par des incendies, soit par la volonté délibérée d'un nouveau conquérant; chaque fois on le reconstruisait, à partir de zéro, identique à lui-même : son passé étant sans cesse nié, et jamais conservé, les siècles ne s'y sont pas déposés. Pékin ne s'est ni décentré, ni transformé; on n'y trouve pas, en couches superposées, les traces d'un devenir vivant : il s'est indéfiniment recommencé. Il remonte plus loin que Rome; pourtant, paradoxalement, ses avenues — le soir surtout quand s'allument les réclames au néon — me font penser à certaines artères populeuses de Brooklyn ou de Chicago; ici, comme là-bas, la largeur des chaussées souligne la petitesse des maisons d'un ou deux étages, disposées par blocs réguliers; des constructions de bois et de pisé ont un caractère provisoire et en même temps se défraîchissent vite : c'est pourquoi une ville de deux mille ans peut avoir en commun avec des agglomérations âgées tout juste d'un siècle un aspect à la fois inachevé et vieillot.

Spartialement comme temporellement, Pékin ne possède donc qu'une unité de répétition. Partout on retrouve les mêmes *houtongs* [1]. Dans la ville tartare [2] ils portent des noms poétiques : rue de la pie qui chante, rue des dix mille lumières, rue de la retraite ombreuse. Dans la ville chinoise ils s'intitulent plus prosaïquement : rue des Jades, rue des Soies. Ce sont toujours d'étroites voies rectilignes, au sol gris, en terre battue, aux murs gris, chaperonnés de tuiles grises. Comme dans les villes arabes on ne voit pas une façade : temples, villas, maisons se cachent derrière les murs. Des arbres poussent dans les cours intérieures, mais rarement dans la rue même, dont la monotonie est à peine rompue par les petits lions de pierre ou les dragons de céramique qui parfois gardent les portes des habitations. De la chaussée monte une odeur de terre, aigre, un peu fermentée, qui me ferait reconnaître Pékin les yeux fermés. Aucun véhicule n'y passe, sinon de loin en loin une bicyclette, et des petits enfants y jouent tranquillement. On entend parfois la clochette d'un vendeur de nouilles ou de légumes : il tranporte sa marchandise dans des paniers, aux deux bouts d'un fléau, ou bien sur une espèce de poussette. A la fois intimes et accueillantes, ces rues semblent des allées privées et elles sont ouvertes à tous : c'est un des secrets de leur séduction. Un autre, c'est leur monotonie même. Je comprends pourquoi les premiers temps il me semblait toujours que le *vrai* Pékin était *ailleurs :* la rue qu'on est en train de suivre n'est jamais orientée vers rien, elle ne fait pas partie d'un ensemble organisé, et on ne sent pas autour d'elle la présence de Pékin tout entier. Mais quand on s'y est beaucoup promené, l'impression qu'on ressent est toute différente : c'est une singulière et plaisante impression d'ubiquité. Chaque ruelle apparaît comme le prototype, comme l'idée et la vérité de toutes les autres : être ici ou là, c'est être partout. Le promeneur voit indéfiniment renaître autour de lui la même allée grise et silencieuse; il marche, et à chaque pas le décor se recrée, identique. Je ne sais trop pourquoi cette répétition indéfinie d'une forme unique a quelque chose d'enchanteur : peut-être donne-t-elle

1. Rue d'habitation.
2. C'est-à-dire comprise dans la première enceinte.

l'illusion d'en épuiser la richesse, le mythe de la profondeur se monnayant en kilomètres.

J'ai visité plusieurs intérieurs pékinois [1]; rien ne distingue extérieurement la plus luxueuse des résidences d'un pauvre logement; au premier cas, la porte est souvent peinte d'un beau rouge sang de bœuf, et dans le second elle est grise : mais de jour, les portes sont ouvertes, on ne voit pas leur couleur. On n'aperçoit pas non plus l'intérieur de la maison; le regard est arrêté par un écran de briques, ordinairement blanc, le *tchao-p'ing*; il était destiné naguère à protéger la demeure contre les mauvais esprits, et il la défend contre la curiosité des passants. Elle n'est d'ailleurs jamais située dans l'axe de la porte d'entrée : un corridor coudé conduit à la cour intérieure autour de laquelle s'ordonnent les chambres. Par mauvais temps, cet agencement a des inconvénients : les pièces ne communiquent pas entre elles, il faut traverser la cour pour passer de l'une à l'autre; l'avantage, c'est que chaque famille possède un morceau de terre et de ciel à soi. Au milieu de cette espèce de patio, il y a souvent une fontaine fournissant de l'eau potable. La plus pauvre de ces demeures comportait quatre pièces : une cuisine, et trois chambres à peine meublées; un jeune homme lisait, assis à une table; dehors, des enfants jouaient, surveillés de loin par une vieille femme. La famille comprenait un ménage, une belle-mère et cinq enfants. C'était petit pour huit personnes, mais propre et ordonné. Dans les riches villas — dans celle qu'occupe par exemple l'Association des écrivains — il y a une série de cours disposées les unes derrière les autres; les bâtiments sont souvent surélevés de plusieurs marches; en tout cas, cours et édifices ne sont jamais de plain-pied, non plus que les cours entre elles : le seuil des portes est barré par une travée de bois; aussi, dans l'opéra chinois, pour marquer qu'on entre dans une maison ou qu'on en sort, la convention veut-elle qu'on soulève le pied de plusieurs centimètres. Les plus jolies des maisons privées que j'ai vues — celles de Lao Che, de Ting Ling — ne comportaient qu'une seule cour. Les bâtiments sont tous construits selon la tradition antique. Le toit repose directement sur les piliers de bois; les murs ne sont pas un soutènement, ils jouent seulement un rôle protecteur :

1. Plusieurs de ces visites ont été improvisées; c'est sur ma suggestion que Tsai a demandé à telle ou telle ménagère de me laisser entrer dans sa maison.

c'est pourquoi les cloisons intérieures sont si légères; ce sont de frêles lacis de bois dont les interstices sont comblés, dans les maisons pauvres avec de vieux journaux, dans les maisons élégantes avec du papier de riz. Le luxe se marque surtout dans les fleurs qui ornent les cours — certaines sont de vrais parterres de chrysanthèmes — et dans le mobilier.

La population de Pékin est aujourd'hui, comme autrefois, essentiellement composée de fonctionnaires, de marchands et d'artisans. Aussi les rues commerçantes y ont-elles beaucoup d'importance. La propagande occidentale a si bien lié l'idée de rideau de fer ou de bambou à celle d'austérité que j'ai été tout étonnée par leur couleur et leur gaieté. A vrai dire, rien n'y indique à première vue qu'on se trouve dans un pays en marche vers le socialisme : il semble au contraire qu'on ait fait un bond en arrière; on croit se promener dans ce monde semi-féodal qu'était la Chine d'hier. Le long des avenues et des petites rues s'alignent des multitudes de boutiques, les unes protégées par des vitres que décorent des caractères rouges, les autres s'ouvrant sans porte ni fenêtre sur le trottoir; beaucoup de ces échoppes sont en même temps des ateliers où l'on fabrique à la main poteries, vêtements, souliers, meubles, cercueils, objets de vannerie, instruments de musique. De grands étendards rouges et noirs leur servent d'enseignes. La nuit, on voit briller des réclames au néon. Les caractères chinois sont toujours décoratifs : quand illuminés en vert ou en rouge ils apparaissent et disparaissent capricieusement en travers des façades, on dirait l'envol de merveilleux papillons.

Tout près de l'hôtel, il y a une large rue plantée de petits saules sous lesquels s'abrite une station de cyclo-pousse. Ses magasins recherchent la clientèle des étrangers; ils sont assez luxueux et pourvus de vitrines. Voici des broderies, des photographies d'art, des antiques et de faux antiques, des vestes en soie brochée, doublées de mouton blanc ou de vison : beaucoup de choses laides et beaucoup de jolies. Un magasin que coiffe un énorme chapeau mou expose des bonnets de fourrure et ces toques carrées, en velours pailleté, que portent les Ouzbecks. Une boutique hindoue offre des saris et des cravates de soie sur lesquels sont peints des génies et des dragons. Un naturaliste vend des animaux empaillés. Il y a plusieurs boutiques de tailleurs, curieusement vieillotes, dont les enseignes représentent des dames en longues robes 1900, des hommes en antiques complets vestons; on voit à l'étalage des robes d'un style vaguement occidental, aux couleurs décidées mais aux formes incertaines : elles sont destinées, semble-t-il, aux acheteuses soviétiques; elles voisinent avec des chemises d'hommes, en soie blanche, taillées sur le modèle que les soviétiques affectionnent. Deux librairies immenses, appartenant toutes deux à l'Etat, se font face. Dans l'une on vend des livres chinois, elle est remplie d'acheteurs et aussi de gens qui viennent lire sur place. L'autre est une librairie internationale; on y trouve des livres américains, français, allemands, russes, anglais dans leur langue originelle; et aussi des traductions américaines de romans russes, des traductions russes d'ouvrages américains. Au bout de la rue, en face d'un grand magasin d'Etat en construction, un portrait de Mao Tsé-toung annonce l'entrée d'un marché; c'est un dédale d'allées couvertes qui se croisent à angle droit et où on vend de tout : bibelots, disques, vaisselle, mercerie, bonneterie, tabac, fruits confits au vinaigre, galettes de pain d'ange fourrées de purée de pois rouge, fleurs et papillons de velours, papeterie, porcelaine, jades et laques travaillés, articles de vannerie, terres cuites et bijoux; là aussi il y a des objets affreux, d'autres charmants. Dans une des allées s'alignent des éventaires chargés de livres d'occasion : beaucoup de livres étrangers, des récits de missionnaires, des dictionnaires et de vieux « livres œufs » [1] qui contiennent plus d'images que de texte et qui sont répandus par millions dans les campagnes.

La rue bute sur un carrefour : un sergent de ville règle la circulation du haut d'une cage de verre suspendue contre un mur, à l'angle de deux maisons. Par-delà s'étendent, dans toutes les directions, d'autres artères commerçantes. Parfois un portique en bois peint annonce l'entrée d'un marché à ciel ouvert. Il y a le marché des bijoux et des jades; il y a le marché aux fleurs : toutes les cours sont des jardins dont les parterres débordent dans la rue, et se prolongent au long des murs; on y trouve surtout des chrysanthèmes en pots, et des plantes vertes, mais aussi des oiseaux, et des plumeaux, couleur coq de roche, dont certains ont des manches aussi longs que nos têtes-de-loup. Les magasins les plus jolis sont peut-être les magasins de thé; avec leurs tiroirs en bois peint

1. L'œuf est en Chine le prototype de la denrée bon marché.

qui couvrent les trois murs, et les coffrets soigneusement étiquetés alignés derrière le comptoir, ils évoquent d'antiques pharmacies; on y débite toute espèce de thé rouge, vert, parfumé, et même ces briques de thé solidifié que consomment les Thibétains. Les vraies pharmacies sont de deux espèces : les unes modernes, et pareilles aux nôtres; dans d'autres se vendent les remèdes traditionnels : à l'étalage il y a des poudres et des pilules singulières, et ces curieuses racines de gin-seng, torturées comme des racines de mandragore, qui sont censées guérir quantité de maladies et coûtent leur poids d'or.

Contre le rempart qui limite du côté sud les quartiers constituant la « ville tartare » se tient en permanence une espèce de foire aux puces : on y vend des surplus américains, des hardes, de vieilles ferrailles; entre les éventaires sont dressées des tables où des gens mangent.

Pour passer dans la « ville chinoise » on franchit une porte fortifiée, Ts'ien Men : au-dessus d'un tunnel, creusé dans le rempart qui à cet endroit s'élargit en terrasse, se dresse un bastion, en briques nues, couvert de tuiles vernissées; le toit vert tendre contraste avec l'austérité militaire de l'ouvrage. On arrive alors dans les faubourgs sud où les Pékinois s'établirent lorsque les Mandchous les refoulèrent hors les murs. Plus tard, la discrimination raciale s'atténua, mais il demeura une sorte de ségrégation économique. Seuls les marchands capables de payer des patentes élevées furent autorisés à s'installer aux environs de la Ville interdite; les autres restèrent dans la « ville chinoise ». C'est là que se trouvaient naguère les lieux de plaisir et de débauche : des théâtres, des établissements de bains, des restaurants renommés qui existent encore; et des fumeries d'opium, des bordels qui n'existent plus. Jusqu'en 1911, il y avait même dans ces parages des maisons de sodomie, légalement tolérées, et que fréquentait la noblesse mandchoue. Quant aux bordels, en 1920 on en comptait 377, comprenant 3.130 pensionnaires, réparties en quatre classes selon leur jeunesse et leur beauté; on les achetait toutes jeunes à des familles indigentes, ou même on les kidnappait. Dans les maisons de premier et de second ordre, leur âge variait entre seize et dix-huit ans; leurs noms étaient affichés aux portes, sur des plaques de cuivre, ou des tablettes de bois, ou sur des morceaux de soie brodée; moyennant finance, les journaux leur faisaient une publicité ouverte : on imprimait leur photographie, avec leur nom et leur numéro de téléphone, comme s'il se fût agi d'une marque de lessive. Les touristes de l'époque se plaisent à vanter, dans leurs récits de voyage, le charme et les manières décentes de celles qu'on appelait les « Sing-song girls ».

Aujourd'hui, il n'y a plus ni odeur d'opium, ni prostituées dans ces rues : seulement des airs d'opéra, diffusés par la radio, les enseignes qui flottent, rouges et noires, au-dessus des échoppes. Les rues à angle droit s'ordonnent autour d'une grande avenue centrale où passe une ligne de tramways. Les maisons ont deux ou trois étages; les façades s'ornent de bois sculpté ou de laque travaillée; les bazars du rez-de-chaussée sont grand ouverts sur la rue, on les barricade la nuit : ils regorgent de marchandises. Au plafond sont suspendus des parapluies, des cirés jaunes, des houppelandes, des fourrures, des peaux de mouton; sur les comptoirs s'entassent des cotonnades, des soieries, des couvertures bariolées; on voit aux murs des images de couleur représentant Marx, Lénine, des scènes d'opéra. Les façades les plus jolies sont celles des établissements de bains et des théâtres. Restaurants et maisons de thé se cachent. En revanche, on mange beaucoup en plein air. Dans toute la ville on trouve des restaurants à ciel ouvert : quelques tables de bois, toujours accotées à un mur, et une cuisine roulante. A huit heures du matin, alors que l'employé parisien trempe, au comptoir d'un Biard, un croissant dans son café-crème, l'employé pékinois s'assied sur un banc, généralement face au mur; il avale une soupe de vermicelle et des petits pains cuits à l'étouffée. Tout le jour, on voit des cuisiniers étirer et tresser des écheveaux de pâte, comme font chez nous dans les foires les fabricants de berlingots; ils la découpent, et la déposent par petits paquets dans des espèces de marmites : parfois ils la farcissent de viande ou de purée de pois rouges. D'autres confectionnent des crêpes, font bouillir des légumes, ou rôtir sous la cendre des patates douces. L'odeur qui monte de ces fourneaux et se mêle à l'aigre odeur de la terre ne ressemble pas à celle des pays méditerranéens; les Chinois ne connaissent pas l'huile d'olive; leur cuisine sent l'huile de soja, le poivre, le piment : une odeur épicée, légère et sèche.

Cuisines ambulantes, colporteurs, marchands des quatre saisons, myriade de petits détaillants et d'artisans aux techniques vieillotes : ces rues évoquent le Moyen Age; mais un

Moyen Age insolite : rigoureusement aseptisé. Le slogan qui définit en Occident les pittoresques quartiers pauvres — « rues étroites et nauséabondes » — n'est pas de mise ici : on n'y respire pas une mauvaise odeur. Ces rues ne sont pas seulement incomparables avec les venelles de Naples, de Lisbonne ou de Barcelone; on n'y voit pas comme dans les allées de Chicago voler de vieux journaux ou fumer des poubelles; on n'y rencontre pas ces « hommes oubliés » qui traînent sur la Bowery de New York. Tous les enfants sont soigneusement vêtus. La moindre écorchure, le moindre bouton est badigeonné de mercurochrome, ou recouvert d'un pansement. Dans tous les pays du monde l'expérience semble prouver que la pauvreté implique fatalement la saleté, le manque d'hygiène, les épidémies. A Pékin, le visiteur — fût-ce le plus malveillant — s'étonne du démenti que des hommes ont opposé à l'immémoriale tradition.

Pékin cependant en fournissait naguère une éclatante confirmation; il était célèbre pour sa saleté et son délabrement. Je cueille dans un vieux guide ces témoignages : « J'ai parcouru ces rues ravinées par les chariots, à vingt pieds de profondeur, dans lesquelles les anciens égouts éventrés semblent un escalier géant pour atteindre l'étroit sentier qui borde les maisons de chaque côté du précipice », écrivait en 1867 le comte de Beauvoir. « J'ai enfoncé à mi-jambe dans une poussière fétide d'immondices séculaires. »

Un autre Français, Marcel Monnier, écrit en 1895 : « Extraordinaire cette ville : cloaque et puanteurs, immondices et décrépitudes. De la vermine, des haillons, des ulcères, un délabrement et une incurie qui navrent. Des édifices en ruine, des foules en loques dans un décor grandiose... La ville dont un tiers au moins n'est que jardins ou terrains vagues a plutôt l'air d'une forêt, d'un immense parc entouré de murs crénelés, avec çà et là quelques clairières, des villages épars. »

Les choses n'avaient pas changé quarante ans plus tard. Le Français Casseville, grand admirateur de l'ancien ordre mandchou, fervent adepte de la morale des élites, écrivait en 1934 : « Chez le voyageur, le mot *houtong* n'évoque que des ruelles semées d'embûches, où les promenades en pousse se traduisent par des courbatures, des odeurs immondes, des détritus, des mendiants en guenilles, des enfants nus. »

Crasse, détritus, mendiants existaient encore en 1949. Le

film *Le fossé du dragon barbu,* tiré d'une pièce de Lao Che, fournit, m'a-t-on assuré, une image fidèle de l'ancien Pékin. Les héros logent dans des cabanes en torchis, groupées autour d'une cour dont la porte donne sur une venelle : celle-ci est presque entièrement occupée par un de ces « égouts éventrés » que signalait en 1867 un voyageur; un étroit sentier surplombe, de chaque côté, les eaux à demi stagnantes où pourrissent des ordures ménagères, et toute espèce de charognes; de loin en loin, une planche l'enjambe. Les jours de pluie, le fossé déborde, une boue liquide envahit la cour, pénètre dans les maisons; les murs se fissurent et menacent de s'écrouler : une semaine plus tard, les habitants pataugent encore dans la boue. Le fait divers qui sert de prétexte au film s'est plus d'une fois produit : traversant le fossé par un jour d'orage, une petite fille glisse sur une planche pourrie, tombe dans l'ordure bouillonnante et s'y noie. J'ai vu l'endroit précis dont la seconde partie de l'histoire décrivait la métamorphose; et j'ai compris qu'une chaussée pavée, des maisons décentes et solides sur leur base, des poteaux électriques, l'absence d'odeurs et de déchets représentaient une grande victoire. Naguère on allait chercher à de lointaines fontaines une eau malsaine; aujourd'hui, à tous les carrefours de Pékin des postes fournissent de l'eau potable. Plus d'égouts à ciel ouvert, plus de mouches, plus de rats; sur l'emplacement des anciens marécages on a planté des parcs.

Il eût été évidemment plus radical de faire sauter le vieux Pékin et de tout reconstruire à neuf. Mais en eût-il eu le désir, le gouvernement n'en possédait pas les moyens. Tsai anticipait beaucoup sur l'avenir lorsque d'un geste large il effaçait tout un quartier. La Chine est encore trop pauvre pour répudier son passé : elle l'utilise. L'originalité de son attitude, c'est que tout en le conservant, elle l'aménage. A l'intérieur des murs, Pékin n'a presque pas changé pendant ces cinq années, et pourtant il s'est transformé.

C'est cette politique à la fois active et prudente qui explique l'aspect quasi médiéval de la ville. Si les dirigeants avaient prétendu exproprier d'un trait de plume marchands et artisans, ils auraient provoqué un terrible gâchis et gravement compromis l'économie chinoise. Fidèle à une thèse qu'il avait exposée pendant des années, Mao Tsé-toung a déclaré en juillet 1949 : « Pour affronter la pression impérialiste et sortir de sa situation économique inférieure, la Chine doit utiliser tous les éléments du capitalisme urbain et rural qui constituent pour l'économie nationale un bénéfice et non un danger. » Il s'est assuré la collaboration des commerçants et des artisans en leur reconnaissant la possession de leurs fonds. L'économie chinoise comporta trois types d'entreprises : des entreprises d'Etat; des entreprises mixtes où les capitaux appartiennent par parts égales ou inégales à l'Etat et à des individus; des entreprises privées. En septembre 1955, le nombre des marchands opérant à titre privé s'élevait encore à sept millions et les magasins d'Etat — assez rares — alignaient leurs prix sur ceux du petit commerce afin de ne pas le ruiner. La grande majorité des artisans étaient encore des isolés. Leur nombre est de quinze à vingt millions; ils fournissent 1/5e de la production industrielle du pays et 15 % de ses revenus. Les paysans utilisent dans la proportion de 60 % à 80 % des produits artisanaux.

Cependant le voyageur charmé par le pittoresque désuet de la « ville chinoise » ou du marché aux fleurs, aurait tort de s'imaginer qu'entre hier et aujourd'hui rien n'a changé. Le gouvernement s'est tout de suite assuré le contrôle du marché en créant, pour les produits essentiels — charbon, fourrures, matériaux de construction — des organismes d'achat et de vente. Depuis 1953, pour des raisons sur lesquelles je reviendrai, il s'est assuré le monopole des grains et des huiles végétales comestibles; depuis septembre 1954, il détient aussi celui du coton : lui seul peut acheter et revendre ces produits. Dans de nombreuses branches de l'industrie légère, il est soit producteur, soit l'unique ou le principal client des producteurs. C'est seulement pour distribuer des denrées qu'il utilise — à côté des magasins d'Etat et des firmes mixtes — des détaillants privés [1].

La situation de ceux-ci s'est profondément transformée.

1. Le rapport de Li Fou-tch'ouen sur le plan quinquennal précise : « Les grossistes privés sont autorisés à continuer la vente de certains produits pour lesquels les organismes d'Etat ne font pas d'opérations ou n'occupent qu'une partie du marché... Les détaillants forment l'écrasante majorité des commerçants privés. La plupart sont des vendeurs, de petits commerçants, des colporteurs qui opèrent seuls, sans employé. Il faut ajouter des artisans qui vendent eux-mêmes leurs produits... Après l'hiver 1953 le volume du commerce de détail diminua assez brutalement. On a fait depuis des réajustements... L'Etat a provisoirement mis un terme à l'accroissement de ses ventes de détail... Les coopératives ont également réduit leur commerce de détail en faveur du commerce en gros. »

Sous le Kuomintang, les petits commerçants étaient victimes de gangs organisés et de fonctionnaires corrompus; ils pâtissaient surtout des vertigineuses inflations qu'entraînaient les crises économiques; à Shanghaï, pendant la dernière année du régime, les négociants, contraints de livrer leurs marchandises contre du papier monnaie dont la valeur était nulle, virent leurs magasins littéralement pillés. Contre la ruine ils n'avaient ordinairement d'autre recours que des emprunts à des taux usuraires qui précipitaient leur faillite. La liquidation du gangstérisme et de la corruption, la suppression de l'usure, et surtout la stabilisation de la monnaie, leur ont garanti un bien inestimable : la sécurité. En cas de difficulté, l'Etat leur prête de l'argent et ne réclame qu'un intérêt très peu élevé. Ni les prix d'achat, ni les prix de vente ne connaissent plus de fluctuations.

La contrepartie, c'est que le marchand a perdu la liberté de spéculer et la possibilité de frauder. La campagne des « cinq-anti » dirigée contre les exactions du capitalisme privé a produit son effet du haut en bas de l'échelle : qu'on achète un paquet de cigarettes ou une boîte de thé, le débitant vous remet obligatoirement une facture. Le prix des denrées importantes est officiellement fixé. Quant aux articles de fantaisie, si un marchand en réclame une somme trop élevée, les autres le critiquent sévèrement. Le cas est rare car la consigne s'est intériorisée : tous les voyageurs ont remarqué — à Pékin du moins — la scrupuleuse honnêteté des commerçants ; ceux qui ont vécu dans l'ancienne Chine en sont d'autant plus frappés que ce n'était pas une vertu chinoise.

Mais le commerce n'a pas seulement été assaini; c'est à titre provisoire que le capitalisme se survit : le socialisme est en marche. De nouveaux magasins d'Etat se créent. Et surtout l'Etat investit dans les entreprises privées des capitaux de plus en plus importants de manière à les transformer en entreprises mixtes. On approche du stade définitif où les petits patrons seront devenus des employés du gouvernement.

Quant aux artisans, on les encourage à former des coopératives; en septembre 1955 celles-ci groupaient seulement à travers la Chine entière 1.130.000 membres; mais le mouvement allait s'accélérer : en janvier 1956 tous les artisans de Pékin appartenaient à des coopératives. Les avantages de cette collectivisation sont multiples. Immédiatement, elle entraîne un accroissement de la productivité et la hausse des bénéfices réalisés par les ouvriers : elle permet en effet une réduction des frais généraux et la rationalisation du travail, elle fournit la possibilité d'engager dans l'entreprise des capitaux importants. Son objectif lointain, c'est l'accomplissement de la révolution socialiste : la notion de propriété collective se substitue à celle de propriété privée, ce qui achemine les travailleurs vers l'idée de socialisation.

J'ai visité à Pékin plusieurs coopératives artisanales : entre autres une fabrique de « cloisonné ». Une quantité de vases, potiches, coupes, cendriers sont façonnés selon cette technique qui fut importée d'Arabie au XIVe siècle. L'entreprise occupait quatre ou cinq pièces groupées autour d'une cour. Dans un premier atelier, les artisans martèlent du cuivre qu'ils façonnent en forme de vase ou de coupe; sur ce fond, les ouvriers du second atelier collent délicatement de menus copeaux de cuivre; ils les saisissent avec une pince, les coupent, les rognent, les incurvent et les appliquent sur le fond métallique, selon les exigences des motifs qu'ils doivent reproduire; on obtient ainsi un curieux objet, décoré d'un dessin en relief, cuivre sur cuivre. Pour souder les copeaux, on plonge le vase dans un four où on le porte au rouge, puis on le laisse refroidir; un seul ouvrier suffit à cette tâche, alors que les autres ateliers groupent chacun six à sept artisans. Refroidi, le vase est confié aux peintres qui le recouvrent d'une épaisse couche de couleurs vives : alors apparaissent sur un fond jaune ou vert, des fleurs, des oiseaux, un paysage. L'objet est encore cuit et recuit : il devient lisse comme une porcelaine. Quand il s'agit d'un vase, ou d'une jarre, on encercle le col et la base d'une bague de cuivre.

Les avantages de la rationalisation du travail sautent ici aux yeux. Chaque étape de la fabrication réclamant un temps différent, un entrepreneur privé aura du mal à coordonner les diverses opérations des ouvriers : en particulier dans la journée du préposé à la cuisson il y aura beaucoup de temps mort. Ici au contraire, on peut répartir la main-d'œuvre de façon à éviter les moments creux et le surmenage. Chacun touche des bénéfices beaucoup plus élevés que s'il travaillait isolément.

Des artisans travaillant à domicile peuvent être groupés en coopérative. Par exemple, des ouvrières exécutent chez elles des broderies ornant des nappes, des serviettes, etc. Un organisme central assure l'achat et la répartition de la toile et des écheveaux de soie, dont les coloris sont assortis selon le modèle à reproduire; il se charge aussi du choix des motifs; du contrôle, de la rectification, du blanchissage des ouvrages achevés; et des relations avec la clientèle : commandes et expédition. Les ménagères de Pékin, qui gagnent en brodant un salaire d'appoint, sont assurées d'écouler le produit de leur travail, elles ne perdent pas de temps à chercher des modèles, ni à acheter des matériaux nécessaires. Là aussi, les bénéfices de la collectivisation sont évidents.

Une chose m'a au premier abord étonnée : le caractère improductif des objets fabriqués, vases en cloisonné et napperons brodés. Mais j'ai dit qu'actuellement la main-d'œuvre est en Chine surabondante; pendant des siècles l'art populaire — travail de la laque, du jade, de la soie, de la porcelaine, tissage de tapis, etc. — a nourri une importante quantité de Pékinois; pour que ceux-ci ne souffrent pas du chômage, le régime a pris le parti d'encourager l'artisanat de luxe; l'Etat l'aide à trouver des débouchés et lui passe des commandes. Une forme de production neuve — la Coopérative — au service de techniques antiques et sans utilité pratique, c'est là un paradoxe qui s'harmonise avec la physionomie générale de Pékin, où le progrès du socialisme est camouflé sous un décor de vieux bazar oriental.

L'ingénieuse politique qui consiste à utiliser le passé jusqu'à la corde a souvent suscité la dérision, voire l'indignation, des observateurs malveillants. Un détail, entre autres, provoque les sarcasmes réjouis des anticommunistes : c'est la survivance des cyclo-pousse. Il paraît que des progressistes français ont de leur côté refusé de s'en servir, les jugeant une insulte à la dignité humaine. Tsai craignait sans doute de notre part une réaction analogue quand il a déclaré : « Bientôt on les supprimera. » Certes, les Chinois comptent atteindre prochainement un stade où d'autres moyens de communication se seront substitués à celui-ci; mais ils estiment aussi qu'un travail utile à la société ne saurait être dégradant. L'attitude adoptée sur ce point par le gouvernement rejoint celle qu'en 1927 Mao Tsé-toung préconisa dans la province de Honan : les paysans qui venaient de se grouper en unions puissantes voulaient interdire l'usage du palanquin; les militants communistes leur expliquèrent qu'ils allaient condamner les porteurs à la misère : ils conseillèrent d'autoriser les palanquins, et d'élever le tarif de la course. De même lorsque Pékin fut libéré, certains bourgeois chinois et occidentaux craignaient qu'on ne les obligeât à renvoyer leurs domestiques : on leur enjoignit au contraire de les garder et de tripler leurs gages. En supprimant les cyclo-pousse, on eût réduit au chômage toute une catégorie de travailleurs; en outre la pénurie d'autobus et de tramways, l'absence de taxis les rendent nécessaires. Pas d'hésitation : on les a gardés.

On les a gardés : mais la condition des conducteurs n'est plus la même qu'autrefois. Mme F. Rais, dans le reportage qu'elle a donné à *Paris-Presse*, prétend qu'ils étaient plus heureux au temps du Kuomintang : ils pouvaient caresser le rêve d'être « éclaboussés » par l'or capitaliste. En fait, mieux avertis que cette imaginative journaliste, ils savaient fort bien qu'hormis le hold-up ou l'assassinat, ils n'avaient aucune chance de faire passer dans leur poche le portefeuille de leurs clients; ils ramassaient plus de boue que d'or. Ils étaient exploités par des entrepreneurs qui leur louaient leurs véhicules et prélevaient sur les recettes un pourcentage monstrueux : si la somme qu'ils rapportaient était insuffisante, le patron les rouait de coups. Souvent aussi, au terme de sa course, le client aimait mieux rosser le conducteur que le payer : les Occidentaux et les fonctionnaires du Kuomintang savaient que le sergent de ville du coin prendrait automatiquement leur parti. Aujourd'hui, les pédi-cabs ne constituent certes pas le secteur le plus favorisé de la population; leurs pantalons, qu'ils portent retroussés au-dessus du genou, sont souvent rapiécés; mais ils ne sont pas réduits habituellement au chômage comme le prétend Mme Rais, ni méprisés comme le dit Mme Berlioux, ni sales et dépenaillés comme les décrit avec attendrissement Mme Gosset. Les véhicules sont loués aux conducteurs soit par l'Etat, soit par des associations contrôlées, pour un prix déterminé et très modique; certains sont eux-mêmes propriétaires, et en tout cas, la recette leur revient intégralement. Le tarif des cyclo-pousse étant peu élevé, la population les utilise largement : le dimanche ils rapportent couramment de cinq à six yens; dans l'ensemble, le conducteur gagne à peu près autant qu'un manœuvre, c'est-à-dire qu'il peut faire vivre décemment deux ou trois enfants. Ils sont groupés en associations qui leur assurent des secours en cas de maladie; on a organisé pour eux des cours du soir et la plupart savent à présent lire et écrire. Ils soignent assez peu l'aspect de leurs voitures; pourtant j'en ai vu une, tendue d'une cotonnade bleu ciel sur laquelle se déployaient de blanches colombes de paix.

Sur un seul point, les consignes d'économie qui commandent cette période de transition n'ont pas été observées : dans les parcs, sur les grandes avenues, et surtout dans cette vaste banlieue qu'on appelle « le nouveau Pékin » on a bâti des immeubles dont la magnificence m'a surprise. A partir de 1925, les architectes chinois ont adopté un style qu'on a appelé national et qui cherche à concilier les exigences de la vie moderne avec la tradition : l'Université de Pékin, la Bibliothèque centrale ont été construites dans cet esprit. Quand en 1949 on se mit à bâtir sur une grande échelle, on voulut mettre en harmonie les nouveaux édifices avec le vieux Pékin : on se rallia au style national. C'est ainsi que l'immense hôtel encore inachevé qui s'élève aux portes de la ville est fait de pavillons typiquement « chinois ». Les toits en tuiles vertes ont des bords saillants, des angles retroussés. L'intérieur reproduit certains éléments de palais anciens et des thèmes inspirés des temples bouddhistes. Autour du lac de Pei-Hai j'ai vu aussi de belles maisons aux toits verts : ce sont des bureaux et des dortoirs destinés à des employés. Dès 1950, on reprocha aux architectes les dépenses qu'entraînait ce mode de construction. Le toit de la police de Pékin coûta si cher que pour ne pas dépasser le devis on bâtit un étage de moins qu'il n'avait été prévu : le maire de Pékin exprima vivement sa désapprobation et le gouvernement demanda que le style national fût abandonné. Certains architectes obéirent. Cependant, en 1953, se créa la « Société savante des architectes chinois » et elle publia une revue dans laquelle elle propagea les principes de l'ancienne architecture. Un vieux professeur, Leang Sseu-tch'eng, expliqua que l'usage des matériaux modernes, acier et béton armé, s'harmonisait avec la conception chinoise d'une « charpente-squelette » mieux qu'avec la tradition occidentale des murs massifs : en effet, le principe des gratte-ciel, où le mur ne fait que remplir les vides laissés par la charpente, est le même que celui des maisons chinoises.

On continua donc à bâtir à l'ancienne. Mais en 1955, cet entêtement fut définitivement condamné. Parmi les économies que préconise Li Fou-tch'ouen dans le « Rapport sur le plan quinquennal », celle-ci est exigée avec insistance : on abandonnera le style « dit national ». « Il y a eu dans ces dernières années un énorme gaspillage et de grandes extravagances dans la construction des bâtiments non productifs... En 1954 on a consacré 24 % du capital destiné à la construction à des investissements non productifs. Ce chiffre déraisonnable doit être modifié. Entre autres, il y a eu un gaspillage énorme du fait de l'adoption aveugle du style appelé « national ». Au lieu de s'en tenir au principe « convenance, économie, et si possible élégance » on a fait des frais considérables et inutiles pour bâtir et décorer des façades somptueuses, employant des matériaux raffinés et coûteux. Les grands toits surélevés, dans le style du palais impérial, ont entraîné un gaspillage de 5.400.000 yens dans les trente-huit édifices élevés par les divers départements d'Etat dans la région de Pékin... L'excès d'ornement non seulement coûte de l'argent, mais réduit les surfaces utilisables. »

Un toit traditionnel, en tuiles vernissées, revient quatre fois plus cher qu'un toit ordinaire et étant donné son haut faîtage il occupe l'espace d'un étage entier. Dans un certain sanatorium, la cuisine même et la blanchisserie sont ainsi coiffées. Une caricature parue vers avril 1955 dans *le Journal du Peuple* montre la vieille impératrice douairière — célèbre pour avoir englouti dans la reconstruction du Palais d'été une partie du budget de la Marine — frappant sur l'épaule d'un gros architecte à lunettes qui tient à la main un té et des plans; elle lui désigne un pavillon aux toits imposants : « Vous êtes vraiment expert en gaspillage », dit-elle. « Même quand j'ai bâti le Palais d'été, je n'ai jamais eu l'idée de mettre un toit aussi magnifique au-dessus d'une cuisine. »

Il semble que dans la griserie de la victoire, les architectes chinois aient voulu trop vite appliquer le principe de Lénine : « Rien n'est trop beau pour le peuple. » Lénine disait qu'un jour les urinoirs publics seraient en or : il voyait loin ! Pour l'instant, nourrir tout le monde est encore un problème en Chine, et surtout loger tout le monde. La presse, la radio, le cinéma même font aujourd'hui campagne contre « les grands toits » qui sont devenus synonymes de toutes les extravagances. Les plans des treize bâtiments neufs qu'on projette de construire à Pékin ont été révisés en ce sens, et on a réalisé sur les devis une considérable économie, tout en augmentant l'espace utilisable.

Certains esthètes, amoureux de l'ancienne Chine, regrettent les mouches, les haillons : « Plus de mendiants ! mais ce n'est plus Pékin ! » m'a dit l'un d'eux avec blâme. Ils appréciaient aussi les querelles indigènes : elles donnaient à Pékin sa couleur locale, comme à la Flandre ses combats de coqs. Guillain déplore que le régime actuel le prive de ces plaisirs; la rue chinoise lui paraît ennuyeuse. Le fait est que je n'ai jamais entendu personne à Pékin crier ni brailler. Quand deux bicyclettes ou deux cyclo-pousse se heurtent, les conducteurs se sourient. Cette bonne humeur est à mon avis un des charmes de la ville. Je l'ai remarquée dès mon arrivée. Je venais de France; peu de temps auparavant j'avais été en Espagne. Dans ces pays, les visages de ceux qui ont travaillé tout le jour sont le soir harassés, tendus, moroses [1]; le long de la route chinoise, non seulemest ceux qui rentraient en ville leur journée faite, mais ceux qui grattaient la terre ou qui portaient des fardeaux, tous souriaient. Cette première impression s'est confirmée. A Pékin, il y a du bonheur dans l'air.

Les rues sont moins peuplées que je ne l'imaginais, mais — sauf la nuit — toujours animées. Ce qu'il y a de plus frappant dans la foule tranquille et gaie qu'on y coudoie, c'est son homogénéité. Il existe en Chine des différences de condition et cependant Pékin offre une parfaite image d'une société sans classe. Impossible de distinguer un intellectuel d'un ouvrier, une ménagère pauvre d'une capitaliste. Cela tient en partie à cette fameuse uniformité vestimentaire qui désole tant M. Guillain; les Chinois sont les premiers à en rire; une caricature, souvent reproduite, représente une famille dont les membres se donnent la main : « Grand-père, grand-mère, papa, maman, moi, ma petite sœur », dit la

1. Il en était de même en Chine autrefois, si on en croit cette description de Pearl Buck dans « *La Bonne Terre* » :

« Leurs visages au repos semblaient contractés par la colère, mais ce n'était pas la colère. C'était les années de labeur excessif qui avaient retroussé leurs lèvres supérieures en leur donnant cette apparence de rictus hargneux qui découvrait leurs dents, et ce labeur avait creusé de profonds sillons autour de leurs yeux et de leurs bouches. Ils n'avaient eux-mêmes pas idée de leur apparence physique. L'un d'eux, se voyant une fois dans un miroir qui passait sur un camion de déménagement, s'était écrié : « Ce qu'il est laid ce type-là ! » Et comme les autres s'esclaffaient, il sourit avec gêne, ne sachant pas de quoi on riait. »

légende; tous sont identiquement habillés du classique ensemble en cotonnade bleue. On engage aujourd'hui les femmes à porter des jupes et des pull-over, ou des robes inspirées de la robe chinoise traditionnelle; les usines textiles fabriquent des cotonnades à fleurs [1]. N'empêche. Le fait est qu'à Pékin le bleu des vestes et des pantalons semble aussi inéluctable que la noirceur des cheveux : ces deux couleurs s'accordent si bien, elles se marient si heureusement aux ombres et aux lumières de la ville que par instant on croit se promener dans un tableau de Cézanne. Mais l'unité de cette foule vient de plus loin : personne ici n'est arrogant, personne n'est revendicant, personne ne se sent supérieur ni inférieur à personne; les gens ont tous un air de dignité sans morgue, ils semblent à la fois réservés et ouverts. Il faut être curieusement halluciné pour les confondre avec une armée de fourmis. Homogénéité ne signifie pas identité. En fait je ne connais pas de lieu où règne plus tristement l'uniformité que dans les beaux quartiers et les salons de chez nous : sans répit l'individu manifeste sa classe et il est mangé par elle. Ici, le clivage des catégories sociales n'apparaît pas : ce qu'on coudoie, c'est une multitude d'individus, infiniment variés. Par leurs traits, par leurs structures, les visages chinois sont très divers; et comme leurs expressions n'obéissent à aucun rituel de classe, chacun évoque une histoire singulière.

Naturelle, détendue, souriante et diverse, la foule pékinoise est sage. Les Occidentaux, les Français surtout, déplorent

---

1. Dans la revue « Perspectives nouvelles », Mme Tchang Ts'in-ts'ieou, vice-ministre de l'industrie textile, a écrit vers le mois de juillet 1955 : « Après l'établissement de la Chine nouvelle, le climat de labeur et d'austérité exerçant son influence sur toutes les couches de la société, le nombre des femmes et des hommes adoptant l'uniforme n'a cessé d'augmenter. Cependant le niveau de vie de la population s'élevant progressivement, rien ne s'oppose à ce que femmes et enfants de la Chine nouvelle retrouvent le goût de la parure. Tout le monde a le sens de la beauté, et une réforme raisonnable du costume n'implique nullement une mentalité décadente... Avant toute chose, il importe de différencier le costume féminin du costume masculin. »

Au mois de mai 1956 a eu lieu, dans le grand magasin d'Etat de Pékin, la présentation de 400 modèles : des robes et des ensembles de style occidental, des robes et des ensembles de style chinois traditionnel.

Il semble que l'uniformité vestimentaire existe depuis longtemps dans la Chine du Nord. Pearl Buck (Les Mondes que j'ai connus) raconte que lorsque, jeune mariée, elle quitta le Sud pour le Nord, la monotonie des vêtements l'attrista. « On ne pouvait pas distinguer les riches des pauvres car les dames fortunées portaient leurs robes de soie sous la terne robe de cotonnade et ne payaient pas plus de mine que les paysannes. »

qu'on n'y rencontre jamais d'amoureux. Si par hasard on aperçoit un bras qui enlace familièrement une épaule, il s'agit toujours de deux camarades d'un même sexe. Garçons et filles ne se touchent pas du bout des doigts; un baiser public paraîtrait une obscénité. Cette austérité n'est pas imputable au régime : c'est le confucianisme qui pendant des siècles a dressé entre l'homme et la femme un minutieux système de tabous. En revanche l'ordre, la décence qui règnent dans la ville sont chose neuve. Pas un ivrogne. Dans les romans et les opéras chinois, on boit énormément; la philosophie taoïste, favorable à toutes les extases, encourageait l'ivresse; quantité de poètes l'ont célébrée; mais aujourd'hui il est très rare qu'un Chinois « devienne rouge ».

Les rues de Pékin n'ont pas de mystère : le « mystère » d'une ville implique la misère et le délaissement d'une partie de la population et l'existence de bas-fonds. Ici chaque personne, chaque chose est à sa place. Cette exactitude n'exclut pas un pittoresque discret. Le passé pèse si lourd, l'avenir est si impérieusement préfiguré que le présent semble toujours un peu insolite : ou en retard, ou en avance sur lui-même. Un des charmes de Pékin, par exemple, ce sont les enfants : exubérants, rieurs, ils pullulent. Leur santé, leur aspect soigné témoignent qu'ils sont élevés selon les règles les plus modernes de l'hygiène. Cependant, c'est la tradition qui règle leur habillement. Tout petits, ils sont enveloppés de houppelandes aux couleurs vives — rouge ou orange — en coton matelassé ou en soie; leurs têtes sont abritées par de curieux petits chapeaux qui évoquent des casquettes de jockey. Plus grands, les garçons portent des costumes fleuris dont les longs pantalons son ingénument fendus devant et derrière. Même quand ils se promènent en troupeau ordonné, sous la surveillance d'une jeune femme aux cheveux nattés, les petits Chinois me donnent toujours l'impression, avec leurs grands chapeaux et leurs complets bariolés, d'aller à un bal déguisé. Seuls les pionniers cravatés de rouge répondent précisément à l'idée qu'on se fait d'un pionnier. Il est rationnel d'aller chercher le matin, de ramener le soir chez eux les enfants qui passent leurs journées dans les crèches : on utilise des cyclo-pousse équipés d'une caisse rectangulaire; ces autobus en miniature semblent appartenir non à une organisation officielle, mais à un parc d'attractions.

A chaque coin de Pékin on retrouve ce léger décalage

entre le but et les moyens, l'objet et sa destination, les institutions et les hommes. A dix heures du matin, les employés se rassemblent devant la porte des administrations pour une séance de gymnastique. Rien de plus raisonnable que le principe : culture physique obligatoire. Pourtant, il me semble toujours doucement incongru de voir sur les trottoirs de Pékin des fonctionnaires en complets bleu sombre, aux visages un peu usés, en train d'accomplir avec conscience des flexions et des étirements sous la direction d'un moniteur. Ce sont les hommes qui paraissent ici en retard sur l'idée. Parfois c'est au contraire la technique qui se trouve en retard sur les gens. La plupart des Pékinois aujourd'hui savent lire et le tirage des journaux est insuffisant : on en placarde des exemplaires sur des panneaux dressés aux carrefours et sur les grandes avenues. Les passants s'arrêtent longuement pour les consulter.

Quelques panneaux plus vastes portent des affiches : ce sont des réclames de films chinois ou étrangers, ou des images illustrant les plus récents slogans : Libérons Formose — Economisons la nourriture — Vive le plan quinquennal. Comme l'a noté Gascar, les visages sont curieusement roses, avec des yeux à peine bridés. Quelques affiches représentent une ménagère bâillonnée de gaze et brandissant un tue-mouches : elles sont rares; à présent la campagne de l'hygiène est gagnée; les masques de gaze, si fréquents naguère, ont presque disparu. Seuls, les jours où le vent soulève la poussière, quelques sergents de ville et quelques balayeurs s'en protègent encore le visage.

Je ne me suis jamais lassée de marcher dans Pékin; il y avait toujours quelque chose à regarder. Dans les ruelles en terre battue, j'ai vu trottiner de vieilles femmes aux pieds minuscules, habillées de chaussons pointus: leurs chevilles gonflées semblaient affreusement difformes. A midi, à l'intérieur des échoppes ou sur le seuil, les gens mangent; ils se tiennent accroupis, leurs bols et leurs baguettes à la main, dans une attitude qui me paraît fatigante mais dont ils peuvent s'accommoder pendant des heures. De loin en loin rutile un éventaire aux couleurs vives : des housses en feutre, destinées à protéger les selles des bicyclettes; celles-ci sont nombreuses à Pékin et leurs propriétaires les harnachent tendrement. Faute d'élevage, il n'existe presque pas de bêtes de trait : il y a quelques poneys mongols, traînant des charrettes aux roues caoutchoutées; mais ce fiacre que j'ai croisé, extraordinairement antique, croulant sous le poids de six passagères et d'innombrables ballots, semblait s'être trompé de monde. Tous les transports se font à bras d'homme ou en cyclopousse : ceux-ci servent de camions de déménagement, d'ambulances, de voitures de livraison. Un matin, j'en ai vu passer plus de cent, chargés de grandes couronnes en papier aux couleurs brillantes : on célébrait quelque part une cérémonie en l'honneur d'un important communiste japonais mort en Chine.

Je remarque qu'on rencontre très peu d'animaux dans les rues : les chats et les chiens ont été supprimés comme porteurs de germes. D'ailleurs l'entretien en est coûteux et les Chinois n'aiment pas assez les bêtes pour leur sacrifier un peu de leur pain quotidien [1]. Tsai a été choqué à Paris de voir des femmes élégantes remorquées par des chiens. On vend cependant des grillons, dont les combats divertissaient naguère empereurs et mandarins, et que les écoliers d'aujourd'hui élèvent volontiers dans leurs pupitres.

Tout en m'amusant au spectacle des rues, je me suis renseignée sur l'existence quotidienne des Pékinois. Bien qu'identiquement vêtus de coton bleu, ils n'ont pas tous le même niveau de vie. Il y a entre eux des inégalités de fortune et de profits et d'autre part — j'y reviendrai — il existe un éventail des salaires.

Pour établir ce qu'un Chinois gagne et dépense, il est nécessaire d'abord de définir la valeur du yen, qui est aujourd'hui l'unité monétaire. Autrefois on utilisait le taël qui était non une pièce mais un poids — un peu plus d'une once d'argent — si bien que les marchands transportaient avec eux pour faire leurs comptes de petites balances. Après la guerre de l'opium, en 1840-42, les pièces d'argent mexicaines, américaines, etc. ont eu le droit de circuler librement. Sur leur modèle, on frappa en 1933 des yens en argent. Quand, en 1934, les U.S.A. nationalisèrent l'argent, ils en achetèrent, à haut prix, à travers le monde entier : les banquiers chinois leur vendirent des cargaisons de yens, ce qui entraîna une désastreuse inflation. Le Kuomintang introduisit en 1935

1. Cartier Bresson a pris d'amusantes photographies de Chinois de Shanghaï promenant avec eux — en 1949 — des cages à oiseaux. On n'en voit plus aujourd'hui.

l'étalon or; mais l'inflation persista : tout le monde voulait échanger la monnaie chinoise contre des dollars U.S.A. Cependant, depuis 1928 on frappait en zone rouge une monnaie nationale et la valeur de ces yens grandit tandis que diminuait celle des billets Kuomintang. En 1949, ceux-ci furent supprimés et l'usage de la monnaie étrangère interdite. La valeur du nouveau yen chinois se stabilisa.

Il y a eu au mois de mars 1955 un réajustement monétaire. J'ai été étonnée quand j'ai regardé pour la première fois la carte de l'hôtel de Pékin : les plats étaient chiffrés de 0,5 à 1 yen, alors que dans les reportages que j'avais lus le prix des denrées se calculait par dizaines de milliers de yens. C'est que le nouveau yen en vaut 10.000 d'autrefois. Alors que les réformes opérées en 1935, 1948, 1949 par le Kuomintang avaient été des spéculations profitables à l'Etat, mais aussitôt suivies de nouvelles inflations, celle-ci a seulement été faite pour simplifier les calculs : il est plus facile de se baser sur une unité que sur 10.000. Elle n'a impliqué aucun bouleversement économique. Le yen s'échange aujourd'hui dans les banques contre 150 francs français; son pouvoir d'achat est, dit-on, d'environ 500 francs. Cette équivalence m'apparaît comme arbitraire. On y verra plus clair en confrontant concrètement les salaires et le prix de la vie.

Par mois, un ouvrier gagne de 40 à 80 yens : 40 s'il est manœuvre, 80 s'il est qualifié. Tsai gagne comme interprète 70 yens; c'est le salaire de beaucoup de fonctionnaires et d'employés. Un professeur d'université touche environ 140 yens. Certains acteurs et metteurs en scène célèbres sont payés 240 yens. Les bénéfices des commerçants, industriels, écrivains, etc. ne sont pas limités.

Un logement modeste, pour une famille, revient à 8 ou 10 yens par mois. Pour la nourriture, il faut compter de 5 à 10 yens par tête et par mois; ce chiffre suppose une alimentation très simple : vermicelle, riz, légumes, avec un tout petit peu de viande ou de poisson qu'on mélange au plat de céréales. Une douzaine d'œufs coûte 1/2 yen, un poulet 1 yen ou même 1/2 dans certaines régions. Un costume de cotonnade revient à 8 yens : on en use ordinairement deux par an. Une couverture en coton, matelassée, et fourrée de coton, coûte environ 20 yens. Une paire de souliers de toile, 10 yens. Beaucoup plus onéreux sont les souliers de cuir : 39 à 45 yens; tous les objets de cuir sont d'un prix élevé;

et aussi les lainages. Un complet en toile de laine vaut 80 yens. Les stylos sont très bon marché : 7 yens. Un livre vaut 1,20 yen. Une très bonne place de théâtre : 1 yen. Une place de cinéma : 0,25. Un bon repas au restaurant : 1 yen. Une bicyclette : 150 yens.

Voici le budget de Tsai qui est logé gratuitement dans le centre sportif auquel il est attaché. Salaire : 70 yens. Cantine : 15 yens. (Le chiffre est beaucoup plus élevé que celui indiqué plus haut. Le tarif de 5 à 10 yens par tête suppose en effet que la cuisine est faite pour plusieurs personnes, par la mère de famille; Tsai paie le service et tout le travail ménager, en même temps qu'une nourriture particulièrement riche et abondante, puisqu'il appartient à un centre sportif.) Le dimanche, il mange au restaurant : 5 yens de supplément par mois. Il compte 2 yens de moyens de communication, 2 yens pour le cinéma, 6 yens de vêtements et d'entretien. (Il a deux costumes de coton, un en toile de laine, des pull-over, des souliers de cuir.) Il dépense donc 30 yens par mois. Il met 40 yens de côté à la Caisse d'épargne. Sa femme, qui est étudiante, mais qui travaille dans un service, a un budget analogue. Si bien qu'ils économisent en un an environ 1.000 yens. Avec cet argent, ils pourront se meubler et monter leur ménage. Tsai possède plusieurs stylos, un bracelet-montre, un appareil photographique.

Nous avons demandé à rendre visite à une famille de condition moyenne et on nous a emmenés chez un ménage de professeurs d'école secondaire. Ils ont trois enfants et possèdent la maison qu'ils habitent : une assez grande maison, modestement meublée. Si elle ne leur appartenait pas, elle leur reviendrait à 20 yens par mois. Ils dépensent 50 yens de nourriture : 40 yens pour le riz et la farine, 10 yens de légumes et de viande. Ils portent des vêtements de cotonnade, ils sortent peu; ils vont parfois au cinéma, rarement au théâtre et reçoivent chaque semaine leurs parents, mais peu d'amis. Ils n'ont pas les moyens de quitter Pékin pendant les vacances.

Les gens qui en ont les moyens peuvent se permettre un certain luxe alimentaire : mais contre le gaspillage et les accaparements, des mesures ont été prises. Les denrées de première nécessité sont rationnées. Les anticommunistes voient là la preuve que le niveau de vie des Chinois s'est abaissé; cette régression serait la conséquence des sacrifices exigés par l'industrie lourde : les exportations de céréales, nécessaires à l'achat des machines, affameraient la population. C'est faux. Chaque année, depuis 1952, on a exporté 1.722.300 tonnes de grains et de fèves de soja, le soja représentant plus de la moitié du chiffre total. Cela signifie que moins de 3 livres 1/2 de céréales sont prélevées par an sur la ration de chaque citoyen : la quantité est négligeable. Les Chinois consomment en moyenne 365 catties [1] de grain par année et par tête; en 1954, le chiffre a même atteint 560 catties, malgré l'accroissement régulier de la population. La vraie raison du rationnement, c'est que les possibilités d'achat des gens, et en conséquence la demande, se sont multipliées. Des centaines de milliers d'hommes qui naguère mouraient de faim mangent aujourd'hui leur saoul; ils vivaient en haillons, à demi nus; maintenant tous achètent des vêtements de coton. L'accroissement de la production n'a pas encore suivi celui de la demande. C'est pourquoi il a fallu rationaliser la répartition des denrées. En 1953, le commerce des principaux produits alimentaires, et en 1954 celui du coton, ont été nationalisés. Les fermiers vendent leur surplus de grains à l'Etat qui les distribue par l'intermédiaire de magasins de détail; en chaque région on étudie pendant une période d'essai le montant des achats, et on se base sur ces chiffres pour établir un plan de rationnement; les besoins ne sont donc pas définis à priori, par des règles générales, mais d'après la pratique. En conséquence, selon une formule qu'on nous a citée, « on peut acheter autant qu'on peut manger ». Il ne s'agit pas de diminuer la consommation, mais plutôt de régulariser son accroissement, de manière qu'elle ne déborde jamais le plan de production. Au mois d'août 1955, le gouvernement a dressé un plan nuancé, concernant les populations urbaines : selon l'âge et le genre de travail de chacun, on distingue neuf catégories de consommateurs; les travailleurs de force touchent par mois 48,5 livres de farine, les enfants 36 livres; dans le sud, la base de l'alimentation est le riz et la quantité allouée est légèrement inférieure. Les restaurants, pâtisseries, boulangeries, etc. reçoivent des matières premières selon un plan agréé par les autorités. Pour le coton, chacun a droit à quinze mètres par an. Seuls les riches peuvent considérer ces mesures comme restrictives; elles satisfont pleinement les besoins des gens moyens

1. Un catty vaut un peu plus d'une livre.

ou pauvres. Outre les raisons particulières qui les ont dictées, elles s'accordent avec une des consignes actuellement en vigueur : économiser, ne rien gaspiller.

Dans l'ensemble, les Chinois les plus riches mènent une vie presque aussi simple que les pauvres. D'abord ils n'oseraient pas faire de leur fortune un étalage qui susciterait de sévères critiques; et beaucoup y répugnent spontanément. Et puis il est aujourd'hui peu de privilèges qu'on puisse acheter avec de l'argent. Les autos sont des instruments de travail. Il n'existe pas de lieux de plaisir. Aller souvent au théâtre, au restaurant, bien se nourrir, porter chez soi de beaux vêtements en soie, acheter des tableaux, des meubles, des bibelots : c'est le maximum de luxe qui soit accessible. D'ailleurs, les inégalités inhérentes au capitalisme sont appelées à rapidement disparaître; et les avantages qu'assure à certains l'éventail des salaires, impliquent des contreparties : les cadres les mieux payés sont ceux qui fournissent l'effort le plus considérable; leur temps, leurs forces sont impérieusement exigés et ils n'ont aucune possibilité de mener une existence de jouisseur. D'après les « plans », le niveau de vie des Chinois ne s'élèvera pas sérieusement avant plusieurs années, la tâche urgente étant de pousser l'industrie lourde; l'austérité qui règne actuellement en Chine ne disparaîtra donc pas de sitôt : elle a certes moins de séduction que l'abondance, mais on respire mieux dans ce monde « uniforme » que dans les pays où d'éclatants contrastes transforment la pauvreté en scandale.

De son lointain passé, Pékin ne livre guère au promeneur que des murailles, quelques portes, et quelques bastions. Les deux principaux monuments — le Palais qu'habitait le maître du monde d'en-bas, le Temple où il adorait le Seigneur d'en-haut — sont soigneusement isolés de la ville : l'un s'entoure de murs, l'autre se dresse hors les murs. On entre dans le premier par la fameuse porte de T'ien An Men. Quand je l'ai aperçue en venant de l'aérodrome, j'y ai vu une tribune, un belvédère; les gradins adossés à la muraille — et où nous prendrons place le 1er octobre, nous a dit Tsai — accentuaient encore ce caractère : tournée vers l'immense place que les Chinois considèrent comme leur place Rouge, T'ien An Men, aujourd'hui, regarde Pékin et lui appartient. Sur les cartes de Chine, Pékin est évoqué par une image schématique de T'ien An Men. La république populaire a pour emblème T'ien An Men, éclairée de cinq étoiles, encerclée d'épis de blé, avec à la base une roue dentée. Mais c'est seulement depuis la Libération que T'ien An Men a pris ce sens : autrefois, loin de se dresser face à la ville, elle lui tournait le dos; c'était le premier bastion d'une retraite sévèrement défendue; le pavillon doré abritait des soldats chargés de garder la voûte qui perce la muraille épaisse et qui donne accès au palais. Celui-ci est séparé de la grand-place par un canal qu'enjambent des ponts de marbre, aux balustrades sculptées. Devant les ponts, se dressent des poteaux, en marbre aussi, sur lesquels sont sculptés des dragons et des nuages; ils portent à leur sommet des ailerons ornés de nuages. Leur silhouette familière décore le fond rouge des paquets de cigarettes. On les appelle Houa-piao, ce qui signifie : « Poteaux fleuris ».

La voûte franchie, on se trouve dans la cour extérieure du Palais impérial : ainsi l'appellent les Chinois d'aujourd'hui; ils lui refusent ce beau nom de « Ville interdite » qui faisait rêver naguère les visiteurs occidentaux. Ils ont raison; si l'idée de Cité interdite intrigue, allèche, c'est parce qu'elle est contradictoire; une ville où la population n'est pas admise usurpe évidemment son titre [1]. Seul l'orgueil des anciens empereurs leur a permis d'imaginer que leur présence élevait au rang de cité le lieu qu'ils habitaient : en vérité, leur ville n'a jamais été qu'un palais. On donnait à celui-ci un autre nom magnifique : la Ville violet-pourpre. Sur ce point aussi, le voyageur trop crédule sera déçu. Les murs de l'enceinte et les murs intérieurs sont d'un rouge ocré, tirant sur le brique, et plutôt terne. En fait, l'épithète « violet-pourpre » ne désignait pas leur nuance visible, mais une couleur symbolique. Le violet-pourpre est l'emblème de l'étoile polaire où se dresse le suprême palais céleste dont la demeure impériale prétendait être l'homologue terrestre : centre absolu de ce monde d'en-bas, comme l'étoile polaire est le centre du monde d'en-haut.

Le plan en a été tracé selon d'antiques traditions. Tous les palais impériaux de la vieille Chine furent des enclos rec-

1. La Mecque, Lhassa ont été des villes interdites : mais interdites aux seuls étrangers. Pour les Musulmans, les Bouddhistes, elles constituaient au contraire de grands centres religieux et urbains.

tangulaires, orientés selon la méridienne : le long de cet axe s'ordonnait l'enfilade des édifices et des cours, de façon que le Fils du Ciel, quand il donnait des audiences, eût le visage tourné vers le sud. Les grandes salles de cérémonies et les bâtiments officiels entouraient les vastes cours de la partie sud qui servaient aux réceptions et aux fêtes. Au nord, les innombrables pavillons où logeait la famille impériale se distribuaient de manière plus capricieuse. Quand il décida de s'installer au cœur de Khanbalic, l'empereur Qoubilai fit copier par ses architectes cet immuable modèle. Lorsque les Ming prirent à leur tour Pékin pour capitale, l'empereur Yong Lo fit rebâtir à neuf le palais. Brûlé en 1641 au moment de la chute de la dynastie, restauré par les empereurs mandchous, son enceinte actuelle mesure du nord au sud un peu plus d'un kilomètre et de l'est à l'ouest 786 mètres. Elle a environ 7 mètres de hauteur. Un canal entoure le rempart extérieur dont les quatre angles sont flanqués de pavillons fortifiés.

Sur un kilomètre, à l'intérieur des murs, se succèdent des cours et des terrasses de marbre supportant des pavillons aux toits dorés; les édifices principaux jalonnent l'axe central; de chaque côté s'ordonnent asymétriquement des bâtiments de moindre importance. Tout au fond se trouvent « le Palais du ciel sans nuage » consacré à l'empereur, le « Palais de la paix terrestre » qu'habitait l'impératrice. Les terrasses, dont le marbre a été apporté à dos d'éléphant des frontières birmanes, sont entourées de balustrades sculptées, d'une éclatante blancheur; elles ont été sans doute influencées par l'art hindou. Les édifices sont purement chinois. Les antiques maisons dont on a trouvé dans des tombes plusieurs fois millénaires des maquettes en argile étaient bâties sur le même modèle. Ce qu'ils ont de plus remarquable, ce sont leurs toits, caractérisés — comme dans les imitations que chacun connaît — par leur haut faîtage, leurs bords saillants, leurs angles retroussés; ils sont couverts de tuiles cylindriques, dont le verni doré brille doucement. Des processions de bêtes fabuleuses descendent le long de leurs arêtes; ce sont des hiboux, des dragons symbolisant les vertus impériales; au bord des gouttières, d'autres animaux fantastiques ont pour mission de boire l'eau du ciel et d'éviter les inondations.

Ces halls, ces portiques sont bâtis selon le même principe que les maisons d'habitation dont ils se sont inspirés et qui est, je l'ai dit, identique à celui des gratte-ciel : les murs ne supportent rien; ils ne sont qu'un solin de brique ou de torchis, remplissant les interstices qui séparent les piliers; engagés dans la cloison ou libres, ceux-ci soutiennent seuls la charpente du toit, dont les lignes incurvées tranchent avec la rigidité des poutres horizontales et des colonnes verticales. Toute cette armature est apparente, et soulignée par une décoration polychrome; dans l'antiquité, la couleur était surtout destinée à protéger le bois contre le temps, la pourriture, les parasites; vers 1000 av. J.-C., on employait déjà à cette fin le vermillon. Depuis, ces brillantes peintures cherchent surtout à plaire aux yeux et à mettre en lumière la franchise de la construction. « Nous avons autant de plaisir à contempler les lignes de l'armature, projet initial d'une construction, qu'en peinture nous aimons voir l'ébauche rythmée des couleurs. C'est pour cette raison que nous ne dissimulons pas la charpente de bois des cloisons, et que poutres et solives restent volontairement apparentes, à l'intérieur comme à l'extérieur », écrivait l'essayiste et romancier Lin Yu-tang [1].

Je conçois qu'on puisse goûter l'élégance élémentaire et raffinée de cette architecture et les harmonies que permet de réaliser l'emploi des couleurs minérales. Quant à moi, un palais de stuc et de bois me semblera toujours moins beau qu'une maison de pierre. La pierre résiste au temps et il mord sur elle; son histoire ne lui reste pas extérieure mais la pénètre; elle dure. Ces matériaux-ci s'effritent, ils brûlent mais ne se patinent pas; neufs ou vieux, ils accusent toujours un même âge incertain. Le palais impérial n'a pas l'air restauré, il n'a pas l'air ancien; cette hésitation le fait paraître non pas éternel mais précaire et comme une imitation de lui-même.

Il me touche davantage si je considère non les bâtiments, mais les espaces que ceux-ci délimitent : cours, terrasses et escaliers. Comme dans certaines villas et « cités » modernes il y a ici ambivalence des notions : dehors et dedans; tel portique n'était qu'un lieu de passage et telle cour était une salle des fêtes où des gens stationnaient pendant des heures. Il ne faut donc pas regarder ces parvis, ces gradins comme de simples mises en perspective des édifices : ils constituent en soi des objets architecturaux; leurs proportions, leurs

1. Un des plus célèbres écrivains nationalistes.

dimensions, le jeu subtil de la symétrie et de l'asymétrie, la solennité des escaliers, la grâce des balustrades forcent l'admiration. C'est là à mon avis la plus éclatante réussite des architectes impériaux : cet espace en mouvement, où s'indiquent de lentes marches cérémonieuses, des haltes, des ascensions rigoureusement ordonnées, et aussi des promenades obliques dans le dédale des allées latérales et des préaux secrets.

Cependant ces beautés me semblent glacées et je sais pourquoi. L'impermanence des matériaux n'a rien d'un accident; elle est à la fois la cause, l'effet, et l'expression d'un fait déconcertant : le passé a laissé dans ce palais si peu de traces que paradoxalement j'hésiterais à l'appeler un monument historique; comme Pékin, chaque dynastie l'a recommencé : aucune ne l'a marqué. Versailles, c'est Louis XIV et l'Escurial, Philippe II; des fantômes émouvants, haïssables, étonnants, en tout cas singuliers hantent les châteaux d'Europe. Ici rien n'évoque Qoubilai, Yong Lo ou K'ien Long. On dirait que cette ville ne leur a pas vraiment appartenu, qu'ils ne lui ont pas appartenu : sans doute parce qu'ils ne s'appartenaient pas à eux-mêmes. Entre la contingence de leurs débauches privées et le caractère sacré de leur office public, il n'y avait pas place pour l'affirmation de leur personnalité; ceux mêmes qui en possédaient une la dépouillaient dans cet enclos pour s'aliéner à leur mandat et s'oublier dans des plaisirs; c'est pourquoi les conquérants barbares au sang vif s'ennuyaient tant à Pékin. La seule ombre qui traîne encore dans les appartements décorés de phénix et de dragons, c'est celle du « Vieux Bouddha », l'impératrice Ts'eu-Li, et elle ne parle guère à l'imagination. Ce palais où n'est inscrit aucun souvenir daté m'apparaît comme l'immuable siège d'une immuable institution, et non comme la demeure d'hommes qui furent vivants.

Aussi bien le guide qui m'escorte ne me raconte pas une histoire : il me montre des symboles que je retrouverai, identiques, dans tous les édifices que je visiterai en Chine. Le plus fameux, c'est le dragon; dans ce pays où les fleuves sont maîtres, ils incarnaient les génies des eaux; on les imaginait dormant au fond des puits, des lacs, des rivières, des mers; le tonnerre les réveillait : alors ils s'élançaient vers le soleil, leur souffle engendrait des nuages qu'ils enfourchaient et que la pression de leur corps faisait retomber en pluie sur la terre; provoquant inondations ou sécheresse, ils détenaient le pouvoir suprême et c'est pourquoi leur image a été assimilée à celle de l'empereur. Les peintures et les bas-reliefs de marbre les représentent portés par des vagues ou chevauchant des nuages. Sur les terrasses, entre les murs de bronze et les brûle-parfums où se consumait l'encens, on voit des grues et des tortues, symboles de longévité. La tortue représentait schématiquement l'univers. Les Chinois se figuraient le ciel comme une demi-sphère, la terre comme un carré : la carapace bombée de la tortue, sa plaque ventrale plate évoquaient la cloche céleste posée sur le plateau terrestre. Souvent un couple de lions en marbre ou en bronze garde les escaliers ou les ponts; ils ressemblent à des chiens, et portent au cou une clochette; le mâle joue avec une espèce de balle brodée; la femelle tient un de ses petits entre ses griffes. Aucune de ces sculptures ne présente un grand intérêt artistique. Le détail le plus élégant, ce sont ces espèces de tapisseries en marbre jetées au milieu des escaliers et qu'on nomme « sentier de l'esprit »; les porteurs du palanquin impérial gravissaient à droite et à gauche les gradins : et l'empereur survolait le plan incliné, finement sculpté de dragons et de nuages, tel les esprits qui s'élèvent jusqu'au sommet des montagnes sans toucher terre.

Le palais tout entier est symbole. L'analogie du macrocosme est du microsome est un des thèmes essentiels de l'antique pensée chinoise. Je n'ai jamais pu lire sans dégoût les exposés taoïstes qui assimilent l'organisme humain à l'univers. En regardant la Rivière des eaux d'or, homologue de la Rivière céleste — c'est-à-dire de notre voie lactée — j'éprouve le même ennui. Bâtie selon les lois de la géomancie, la Ville violet-pourpre prétendait enfermer le ciel et la terre, car vivant à l'écart de tous le Fils du Ciel ne devait être exclu de rien; elle suggère que le monde est un tout fermé dont l'inventaire est achevé et qu'on peut reproduire en modèle portatif; elle le réduit aux dimensions dérisoires d'une vie privée : elle le nie. Il n'est pas un coin du palais d'où l'on puisse apercevoir Pékin. Les sultans de l'Alhambra exploitaient leur peuple : du moins, penchés à leur fenêtre, ils regardaient avec un amoureux orgueil la ville et la riche Véga étendue à leurs pieds; et les collines de Grenade entraient dans le palais, encadrées entre deux colonnettes d'albâtre. La cité impériale offrait au Fils du Ciel non un point de vue sur le monde, mais un rempart protégeant son auguste personne contre les contagions extérieures. Elle a été édifiée afin de réaliser l'absolue séparation.

Les barrières sont tombées. La Ville interdite est devenue un lieu public; les gens se promènent à loisir dans ses cours, prennent le thé sous ses portiques; des pionniers cravatés de rouge visitent les expositions qui s'abritent dans ses halls; certains bâtiments ont été transformés en palais de la culture, en bibliothèque; dans un des quartiers siège le Gouvernement. Sous cette vie nouvelle qui l'envahit, le sens originel du palais demeure présent; je n'ai que rarement réussi à l'oublier. Alors, errant au hasard, sans souci de l'histoire ni des vieux mythes, j'ai aimé, sur les bas-côtés, des parvis abandonnés aux mauvaises herbes, ou bien plantés de petits arbres sombres, infiniment déserts et solitaires. Dans un coin poussaient des salades; le mur rougeâtre, chaperonné de tuiles dorées, courant le long d'une cour mal pavée, évoquait les fermes bourguignonnes. Champêtre, ayant perdu toute destination, ce palais trop souvent restauré parlait enfin le langage émouvant des ruines.

« Ce monument témoigne de l'admirable capacité de travail du peuple chinois », m'a dit le guide chargé d'expliquer aux visiteurs le Temple du Ciel. Mais il ne paraissait pas lui-même très convaincu. Bien sûr, ouvriers et manœuvres étaient des hommes du peuple; mais, comme Pékin, comme le Palais, ce temple est né d'un décret impérial et non d'un élan populaire; les petites gens de Pékin n'ont jamais participé au culte qui s'y célébrait en l'honneur de la divinité suprême : le Seigneur d'en-haut. Le Ciel était en effet conçu de deux manières; sous son aspect impersonnel et cosmique, il se confondait avec le firmament. Mais il possédait aussi les attributs d'une Providence : il régissait le destin des hommes, punissait ou récompensait leurs actes. Lorsqu'on l'envisageait de ce point de vue, on lui prêtait souvent un caractère personnel et c'est alors qu'on le nommait Seigneur d'En-Haut ou Souverain suprême; ces termes mettaient l'accent sur sa puissance et son gouvernement tandis que le mot : Ciel, s'appliquait à son essence. En tant que Ciel, tous les hommes pouvaient l'adorer et le prier; mais l'empereur seul avait le droit de sacrifier au Seigneur d'En-Haut, au cours des cérémonies officielles. Le tertre des sacrifices, découvert et rond comme le Ciel même, était toujours situé dans la banlieue sud de la capitale. Les fêtes se déroulaient après minuit et avant l'aube, aux dates fixées par le calendrier. Le rituel n'en a guère varié pendant les quatre mille années où il s'est perpétué; l'empereur faisait au Ciel des offrandes, il implorait de bonnes récoltes et la prospérité de l'Empire. Autrefois, la cérémonie s'effectuait en silence; on n'entendait que l'appel des cérémoniaires et les déclamations du prieur. A partir de l'an 111, le mignon favori de l'empereur Wou étant un musicien passionné obtint que les gestes et les hymnes fussent accompagnés de musique : la tradition s'en perpétua. Quand la dynastie des Ming s'établit à Pékin, un des premiers soins de l'empereur Yong Lo fut de faire élever, dans la banlieue sud, l'autel à ciel ouvert et les temples nécessaires au culte officiel qui fut célébré là chaque année, au solstice d'hiver, jusqu'en 1916. J'ai lu un récit de cette cérémonie telle qu'elle se déroulait sous les derniers Mandchous : « L'empereur quitte son palais dans son char officiel, traîné par un éléphant; accompagné d'une suite d'environ deux mille personnes comprenant les grands de l'empire, les princes, des musiciens et des serviteurs, il se dirige vers le Temple du Ciel. Le cortège suit la rue du sud, franchit la porte Tcheng-Yang qui ne s'ouvre que pour Sa Majesté, et arrive au T'ien-tan, situé à deux milles de là. L'empereur se rend d'abord au Tchai-Kong ou Palais de l'abstinence où il se prépare à remplir ses devoirs par une méditation solitaire. La cérémonie commence quand tous les officiants ont occupé leurs places respectives. On tue les animaux, et dès que l'odeur des viandes brûlées s'élève dans l'air et porte le sacrifice aux dieux, l'empereur accomplit le rite et suit scrupuleusement les indications qu'il reçut des maîtres de cérémonie. L'adoration du Ciel a lieu à minuit. Les nombreux mâts (les milliers de flambeaux et de lanternes) qui entourent le grand autel et le feu des fourneaux qui répandent une vive lumière sur les terrasses de marbre ainsi que les riches costumes des assistants donnent à cette cérémonie un caractère impressionnant[1]. » L'empereur s'agenouillait sur la seconde terrasse de l'autel à ciel ouvert, au pied des marches conduisant à la terrasse supérieure, et face au nord : il prenait la position d'un inférieur

1. William. Middle Kingdom.

pour se reconnaître sujet du ciel. Sur la terrasse d'en-haut on plaçait une tablette consacrée au Seigneur Suprême et symbolisant sa présence; autour d'elle, et au-dessous, on disposait des tablettes consacrées aux ancêtres de l'empereur, au soleil, à la lune, aux étoiles, à tous les habitants du ciel. On adressait des actions de grâce à la divinité céleste pour les bienfaits reçus d'en-haut au cours de l'année écoulée. On déposait devant la tablette du Ciel un sceptre de jade vert, emblème de toute-puissance. Après l'holocauste et les libations, un officier lisait une invocation dont le texte était ensuite jeté, ainsi que des pièces de soie et d'autres offrandes, dans des fourneaux remplis de charbons ardents. Cependant des musiciens jouaient, et des mimes dansaient au pied des autels. Comme ces fêtes avaient lieu la nuit du solstice d'hiver, il faisait si grand foid que malgré leurs hautes bottes ouatées et leurs fourrures épaisses, les assistants grelottaient.

Quand Yuan Che-k'ai se fut, en 1912, emparé du pouvoir, il offrit à son tour le sacrifice impérial; il fit élaborer un nouveau rituel, et un hymnaire d'inspiration taoïste. Il mourut le 30 août 1916, et l'hiver suivant le sacrifice ne fut pas célébré. Ainsi finit le culte national du Souverain d'En-Haut.

Aujourd'hui, des soldats campent dans le bois de cyprès millénaires qui entoure la terrasse où se dressent les édifices aux toits verts et bleus. Sur la terrasse elle-même — large allée dallée, de quelque cent mètres de long — d'autres font l'exercice : en shorts de toile kaki, ils marchent et virevoltent, au rythme d'une musique militaire que diffuse un haut-parleur. Une triple terrasse de marbre, analogue à celles du Palais impérial, supporte la « Salle de la prière pour l'année ». C'est un temple de bois, rond et bleu comme le ciel : sa forme circulaire est presque unique en Chine. Huit escaliers, de vingt-sept marches (neuf par terrasse) permettent d'y accéder : au sud et au nord, l'escalier est coupé par un de ces tapis de marbre, dont j'ai parlé. Une balustrade comportant soixante-douze piliers entoure chaque terrasse. Le triple toit est supporté, à l'intérieur, par trois rangées de colonnes cylindriques : le 3 est le nombre yang par excellence, et le ciel est yang par opposition à la terre qui est yin. L'édifice a quatre-vingt-dix-neuf pieds de haut. Brûlé par la foudre en 1889, il a été reconstruit avec un bois précieux qu'on fit venir d'Amérique. Le fait que les monuments chinois n'accusent pas d'âge précis joue ici en sa faveur; il ne semble ni plus neuf, ni plus vieux que le Palais impérial. J'aime ses proportions parfaites, l'harmonie verte et bleue des murs, et surtout le bleu lumineux des toits dont la forme évoque celle d'un parasol à demi ouvert et que domine une boule dorée.

A l'autre extrémité de la terrasse que coupe en deux le sentier impérial, il y a un autre temple, lui aussi rond et bleu, mais plus petit que le premier et au toit simple. Dans la « Salle de la prière », l'empereur priait pour les récoltes; dans ce sanctuaire-ci, il se recueillait avant de se rendre à l'Autel du ciel où il procédait au sacrifice.

Cet autel est entouré d'un double mur rouge, dont le chaperon est en tuiles bleu foncé; l'enceinte extérieure est carrée, comme la terre, et celle de l'intérieur ronde comme le ciel. Il est fait de trois terrasses circulaires qui ont de bas en haut 210 pieds, 150 pieds et 90 pieds de diamètre. Les dalles de la terrasse supérieure forment 9 cercles concentriques : le premier se compose de 9 pierres, le second de 18 et ainsi de suite, le cercle extérieur comprenant 9 fois 9, soit 81 pierres.

Je ne sais si l'architecte qui édifia cet ensemble avait médité les lois de l'acoustique, ou si seuls les hasards de la géomancie ont donné naissance à ces menus prodiges : il y a sur le sentier impérial un endroit où les bruits éveillent un triple écho; un autre où, si vous prononcez une phrase, votre voix vous revient aux oreilles, amplifiée et vibrante comme si elle avait traversé un microphone; parlez à voix basse contre un certain point de l'enceinte circulaire, et un auditeur placé symétriquement, très loin de vous, entend distinctement chaque mot. Tous les visiteurs s'amusent à ces jeux. Ils sont nombreux : des Chinois, mais aussi des étrangers, entre autres des Soviétiques, facilement reconnaissables, les hommes à leurs chapeaux de paille, les femmes à leurs corps robustes qu'habillent des robes fleuries.

Les parcs qui entourent le Palais impérial — sauf du côté sud où s'étend la place Rouge — sont intimement intégrés à la vie pékinoise. Créés par les empereurs, on les entretient aujourd'hui avec soin; les allées sont pavées, les étangs dragués, les arbres et les poissons rouges tendrement choyés. Nombreux sont les Pékinois qui franchissent, moyennant quelques centimes, le portillon d'entrée et qui se promènent sous les thuyas millénaires. Certains y pratiquent le matin la vieille gymnastique chinoise; beaucoup font du canotage sur les lacs; ils y patinent l'hiver. Ils s'assoient dans les maisons de thé pour boire du thé vert en croquant des graines de tournesol ou de melon; ils lisent les journaux placardés sur les panneaux; les samedis soir ils dansent. Les enfants des crèches et les pionniers jouent sur les pelouses.

La colline de charbon — « le mont des Années innombrables » — se dresse derrière le palais, et dans son axe. Couverte de thuyas antiques et de cyprès, elle a quatre kilomètres de tour. Sa crête supporte cinq kiosques, dépourvus de murs : une double rangée de colonnes soutient les toits verts et bleus. Le pavillon du sommet est carré, les autres ont une forme polygonale. Ils ont été bâtis entre 1522 et 1566 et c'est à ma connaissance un des seuls endroits de Pékin auquel se rattache avec précision un événement daté : en 1644, vaincu par un grand aventurier, Li le Téméraire, le dernier empereur Ming se pendit dans le « Magasin impérial des chapeaux et des ceintures », suivi dans la mort par un fidèle eunuque. On raconte que ce jour-là, vers cinq heures du matin, la cloche du palais annonça comme de coutume l'audience impériale : mais personne ne s'y présenta. Alors l'empereur quitta son habit de cérémonie, il revêtit une courte tunique brodée de dragons et un manteau violet et jaune; son pied gauche était nu. Il monta sur la colline, et au revers de son manteau, il écrivit : « Faible et de petite vertu, j'ai offensé le ciel; les rebelles se sont emparés de ma capitale grâce à la trahison de mes ministres. Honteux de me présenter devant mes ancêtres, je meurs. J'ôte mon bonnet impérial, mes cheveux épars tombent sur mon visage : que les rebelles démembrent mon corps. Mais qu'ils ne fassent point de mal à mon peuple. » Puis il s'étrangla.

Li fut chassé par les Mandchous. Sur une colline voisine — le mont Vert que fit artificiellement construire Qoubilai et qu'il planta d'arbres rares — le premier empereur mandchou édifia la « Pagode blanche » ou Dagoba, le monument le plus élevé de Pékin, le seul qu'on aperçoive de loin. C'est une espèce de grande tour, en brique, recouverte d'un mortier de chaux, d'une éclatante blancheur; elle est renflée à la base et son col étroit s'orne d'une large collerette de cuivre où sont suspendues des clochettes. Un Bouddha sculpté dans la partie inférieure paraît garder une porte. A cause de sa forme, les Français avaient baptisé ce monument « la bouteille de Pippermint ». Il y a dans un des faubourgs de Pékin, au milieu d'un marché, une autre de ces « stupa », et on en voit beaucoup, en modèle réduit, dans la campagne environnante. Elles imitent un monument caractéristique du Thibet dont Bouddha, dit la légende, enseigna lui-même le principe à ses disciples : ayant plié en carré ses vêtements, il les étagea l'un sur l'autre, le plus large à la base, le plus étroit au sommet; sur cette espèce de pyramide, il déposa, renversée, sa sébille de mendiant, et y ficha son bâton. La stupa est en effet originellement un dôme hémisphérique porté par une terrasse et surmontée d'un parasol; soubassement et couronnement ont pris de plus en plus d'importance tandis que la calotte hémisphérique s'exhaussait et devenait cylindrique. L'empereur a dressé à l'endroit le plus exposé de la ville cet édifice exotique afin d'humilier les Chinois; il lui servait de tour de guet d'où il faisait surveiller ses sujets fraîchement soumis. En même temps, il commémorait ainsi la visite d'un moine thibétain et assurait de son amitié le Thibet sur lequel il avait des vues.

La colline qui supporte la Dagoba est entourée par le lac Pei-hai, la mer du Nord. On l'appelait aussi « Etang de la grande sécrétion » par analogie avec un lac fameux qui baignait jadis le palais de l'empereur Wou [1] et dont les eaux étaient, disait-on « la salive du Yin et du Yang recueillie pour faire un étang ». Sur cette mer voguent des barques, au fond plat et rectangulaire, qui portent chacune une dizaine de personnes et que des hommes font avancer en godillant. J'en ai pris une pour aller voir, à l'autre extrémité du parc, son monument le plus intéressant, « le mur des Génies ». Derrière le premier portail des temples — comme derrière la porte des maisons privées — on élevait toujours un écran qu'il fallait contourner pour atteindre le premier bâtiment. Le temple qui se dressait ici a été brûlé pendant la répression qui suivit la révolte des Boxers; mais l'écran est resté debout. Ce mur rectangulaire — le plus grand, le plus haut et le plus beau de Pékin — est orné de bas-reliefs en terre cuite vernissée et polychrome; on l'appelle encore « le mur des neuf dragons » parce que sur chaque face, on voit neuf dra-

1. De la dynastie Han.

gons de couleur bleue, jaune, verte, aubergine, jouant parmi des vagues avec une grosse boule, la « perle », dont le symbole fut importé des Indes. On dit qu'elle figure le soleil que le dragon arrache du sein des eaux après son sommeil hivernal; d'autres y voient une image de la lune. Par leur matière, ces céramiques évoquent un peu la décoration d'une salle de bains; elles ont pourtant une vraie beauté. Les souples corps des dragons tourbillonnent avec tant de violence qu'aucun point de l'espace ne paraît au repos : c'est le mouvement même que l'artiste a réussi à sculpter.

Le long du lac court « la Galerie flottante »; c'est une allée couverte, bordée de balustrades en bois au lacis compliqué. Il y a beaucoup de galeries analogues, et aussi des kiosques et des pavillons, dans tous les parcs chinois. On a vu que les architectes utilisent l'espace comme matériau; de leur côté les paysagistes demandent à l'architecture une prise sur la nature. J'ai trouvé particulièrement jolies les « portes lunaires », ouvertures rondes aménagées dans des murs et qui ont juste la taille d'une personne; le paysage qui s'y découpe donne l'impression d'apparaître au bout d'une énorme lunette, ou encore d'être, redressé à la verticale, son propre reflet sous l'arche d'un pont; par ce dédoublement, il devient un de ces spectacles artificiels que les Chinois aiment à composer avec le ciel et les arbres.

Nature et artifice se confondent dans ces rocailles dont s'ornent tous les jardins chinois; ce sont des pierres, mais elles semblent avoir été façonnées par un sculpteur qui eût voulu imiter la contingence des choses brutes; elles jouent un rôle analogue à celui de nos statues; on les dispose dans des endroits choisis et généralement on les juche sur un piédestal. Le traité du jardinage *Yuan Ye* publié sous les Ming leur consacre de larges chapitres. Une rocaille est d'autant plus belle qu'elle est plus torturée, plus baroque, semée de bosses et de trous. On appréciait surtout celles qu'on trouvait dans les lacs du Sud, et surtout celles du Taï-lou, travaillées bizarrement par les eaux. Le peintre Mi Fei qui vivait au XIIe siècle s'inclinait devant une de ces merveilles en l'appelant « mon frère » tant il la trouvait admirable.

C'est pour des raisons semblables que les Chinois apprécient les poissons aux formes tourmentées, aux couleurs extravagantes, obtenus à partir de cette honnête carpe qui se mange du nord au sud de la Chine, le Tsi yu; habituellement grise, elle a parfois une belle teinte orangée : sans doute est-ce cette anomalie qui incita sous les Song un mandarin du Chekiang à lui faire place dans son « Etang de l'émancipation animale », puis au XIIe siècle un empereur Song à en peupler les bassins de son palais de Han-tcheou; deux variétés apparurent alors, l'une blanche, l'autre tachetée; cette bizarrerie amusa; des particuliers se mirent à partir du XVIe siècle à élever des Chi yu; au lieu d'aristocratiques bassins, les poissons durent se contenter modestement de cuves en terre vernissée : ils rapetissèrent, leur forme changea, de nouvelles variétés apparurent; comme les rocailles, ces monstres où la nature semble imiter des délires humains inspirèrent de nombreux poèmes; on écrivit des traités sur l'art de les élever et de provoquer des mutations : entre 1848 et 1925, des sélections méthodiques créèrent encore dix variétés. Les Chinois d'aujourd'hui sont fidèles à cette tradition. Vingt-sept variétés neuves sont en train de naître. Il y a maintenant sept mille poissons dans le parc Pei-haï alors que voici trente-cinq ans le chiffre était tombé à cent. Dans de grandes vasques de bois ou de terre vernissée — préférables, paraît-il, aux aquariums de verre — nagent des *phénix*, marbrés de gris et de marron, des *tête de lion*, des *têtes-rouges*, des *tête de crapaud*, des *œil de dragon*, des *écailles de perle*, aux yeux globuleux, aux formes baroques, aux couleurs éclatantes et insolites : mordoré, violet, noir, pourpre et or. Ils peuvent vivre vingt ans. Le gardien qui s'occupe d'eux appartient à une famille qui a élevé des poissons pendant cinq générations. Les mesures d'hygiène prises par le régime lui ont posé un difficile problème : on nourrit ces poissons avec des puces d'eau qui naguère pullulaient dans les égouts; elles ont disparu. On a tenté de leur substituer des ersatz, mais les poissons dépérissaient : on est obligé d'élever spécialement des « puces d'eau » à leur intention.

Ces jardins suscitent en moi peu d'enthousiasme. Ils ne sont pas comme les jardins anglais des morceaux de nature toute vive; ni des œuvres d'art, ayant leurs lois et leurs harmonies propres comme les jardins italiens ou les parcs français; ni de voluptueuses demeures à ciel ouvert comme les jardins du Généraliffe : ni de paisibles retraites fermées, comme les jardins de curé. Ils se veulent des microcosmes. Selon le taoïsme, dont l'antique pensée chinoise est pénétrée, les deux éléments essentiels du monde d'en-bas, ce sont les rivières et les montagnes qui représentent, les unes les artères de la terre, les autres son squelette. Les jardins sont aménagés en fonction de cette doctrine. On crée artificiellement des collines; on creuse des lacs artificiels, qu'on appelle des mers. Montagnes et mers ne sont d'ailleurs pas directement copiées sur des modèles naturels; les jardins s'inspirent de paysages peints : or, dans leurs tableaux, les artistes s'efforçaient d'exprimer une vision taoïste du monde. Les kiosques et les pavillons permettent de multiplier les perspectives sur ce petit univers de poche, mais d'aucun point le regard ne doit pouvoir l'embrasser tout entier : une vue panoramique révélerait avec trop d'évidence sa finitude; seul un désordre voulu peut suggérer un sentiment d'infini. C'est du moins ce que pensaient les paysagistes chinois, car ce sentiment, je suis, moi, bien loin de l'éprouver; au contraire; il y a trop de distance entre les mots et l'objet qu'ils désignent : celui-ci en devient dérisoire; le nom de « Mer » ne grandit pas un étang, mais le rapetisse. A force de prétendre être autre que lui-même, le jardin se dissipe en symboles, il perd sa réalité, et on finit par ne plus rien y voir.

Les Chinois pourtant ont aimé la nature, et sous des aspects sauvages que l'Occident ne commença d'admirer qu'au XVIIIe siècle; des sages ont de tout temps cherché dans les montagnes, au bord des lacs, un refuge contre le conformisme de la vie sociale; poètes et peintres célébrèrent ces sites que l'homme n'avait pas marqués. Seulement, tandis que l'ermite taoïste souhaitait sincèrement oublier ses semblables et lui-même au sein du cosmos, le propriétaire foncier, qui se faisait aménager un parc, voulait concilier le goût de l'infini et les avantages de sa position; au lieu de se donner à la nature, il prétendait la posséder; il en enfermait fallacieusement l'inhumaine grandeur dans un enclos domestiqué où la rocaille se substituait aux montagnes; il escomptait ainsi s'assurer les extases de la contemplation sans renoncer à ses biens ni à son quant à soi.

A vrai dire, ce que j'ai entrevu à Pékin de la vieille civilisation chinoise ne m'a guère séduite. Et je me suis demandé avec perplexité dans quelle mesure la jeune Chine pouvait adhérer à son passé. Les parcs avec leurs eaux et leur verdure vivante sont annexés au monde présent et les Pékinois s'y plaisent sans réticence. Mais la froideur que j'ai éprouvée devant le Palais et le Temple du Ciel, malgré leurs évidentes beautés, reflète sans doute celle que j'ai constatée chez les Chinois eux-mêmes. Ils restaurent leurs vieux édifices, les entretiennent et les visitent avec conscience, ils les utilisent; mais comment leurs cœurs en seraient-ils touchés ? Bien que le style architectural de ces grands monuments soit d'origine populaire, ils n'expriment pas le peuple chinois, mais l'ambition des empereurs, leur souveraine solitude et l'oppression à laquelle ils soumettaient leurs sujets.

Je trouve beaucoup de charme aux environs de Pékin. A l'ouest, la plaine meurt au pied de hauteurs boisées où se cachent quantité d'édifices anciens. De loin en loin, on aperçoit dans une haie, au bord d'un champ, une petite stupa abandonnée dont la pierre est rongée par la mousse. Ici et là, de vieilles pagodes tombent en ruine. Au sommet des collines, dans les vallées, les herbes ont envahi de vieux temples plus on moins délabrés. Des espèces d'arcs de triomphe, qu'on appelle des *p'ai leou* commémorent des morts célèbres, ou simplement riches; construits soit en bois, soit en pierre, ils ont trois ou cinq ouvertures; les colonnes sont sculptées, les linteaux décorés de frises, et ils sont chaperonnés de tuiles vernissées.

C'est dans cette banlieue, au pied des collines de l'Ouest, que l'empereur K'ang-hi fit aménager un parc qu'il appela : « le paradis du printemps prolongé »; son successeur Yong-tcheng fit élever près de là un autre palais; et K'ien Long, le grand bâtisseur, paracheva leur œuvre en réunissant les deux résidences et en construisant de nouveaux édifices. Il demanda à des missionnaires venus d'Occident, et peintres réputés, d'en décorer les murs. Les Chinois, en révolte contre les « traités inégaux », torturèrent en 1860 des parlementaires français et anglais dans l'enceinte du Palais d'été : par représailles, des soldats anglais le réduisirent en cendres. Tseu-hi décida de le restaurer : elle engloutit dans cette entreprise une importante partie du budget de la marine, ce qui contribua à la défaite de la flotte chinoise, dans la guerre sino-japonaise de 1892.

J'ai visité sans joie cette espèce de Trianon dont « le vieux Bouddha » avait fait sa résidence favorite. On y trouve bien entendu des collines artificielles, et un lac artificiel qui imite le fameux « lac de l'Ouest » de Hang-tcheou; il y a même en son milieu une île artificielle, dont les soubassements sont de marbre, et qu'une passerelle de dix-sept arches, en marbre, relie à la terre; ce pont est d'ailleurs d'une ligne charmante, comme aussi le gracieux pont dit « en dos de chameau » dont l'arche unique enjambe le canal. En face de l'île, un pavillon de deux étages, surmontant une substructure de marbre en forme de jonque, s'avance dans l'eau : c'est fort laid. Des galeries couvertes courent autour du lac. Au flanc des collines s'élèvent des kiosques et des pagodes. Le seul monument qui soit « d'époque », parce qu'étant bâti en pierre et en brique il a échappé aux flammes, c'est, au sommet de la plus haute colline, le temple des Mille Bouddha. Il est de style sino-hindou. Sous le toit de tuiles vernissées, le mur, en brique jaune, est couvert, sur ses quatre faces, de petites niches : leur fond verni est vert, et chacune abrite un Bouddha, en faïence jaune, d'environ vingt centimètres de haut.

Les appartements de l'impératrice n'ont aucun charme; ils sont encombrés de « chinoiseries » de basse époque, assez affreuses : paravents brodés de plumes d'oiseaux, lourdes potiches, laques torturées, bibelots tarabiscotés. Je remarque, incrustées dans le dossier de certains fauteuils, des pierres jaspées dont les veines évoquent un paysage de montagnes et de nuages : cet objet naturel, imitant une artificielle imitation de la nature plaisait tout particulièrement aux Chinois. Dans une des cours est aménagé un théâtre en plein air où une troupe d'eunuques donnait des représentations. Je ne m'attarde pas dans ces parages; j'ai hâte de fuir toute cette laideur aristocratique.

Heureusement, c'est dimanche. Des pionniers escaladent en chantant les collines, des familles pique-niquent dans les allées couvertes ou s'attablent au bord du lac dans les restaurants en plein air; de jeunes garçons jouent de la guitare; beaucoup de gens se promènent sur l'eau à bord de grands bateaux carrés qu'abrite une bâche de toile; d'autres canotent. Au milieu du lac, une jeune femme couchée dans une barque dort paisiblement tandis que deux petits enfants jouent avec des rames et courent le long du bateau; notre batelier la hèle : Attention ! lui crie-t-il. Elle se frotte les yeux, sourit, et reprend les rames; elle montre aux enfants comment s'en servir : tous les trois ont l'air radieux. Rien de plus déprimant qu'un jardin public à Paris, le dimanche :

criailleries, mauvaise humeur, enfants et parents traînent leur ennui. A Pékin, le loisir avait vraiment un air de fête : tous ces gens ont l'air doués pour le bonheur. Ils conjurent heureusement le fantôme de la vieille civilisation impériale dont les plaisirs exigeaient des castrats, des pieds bandés, des enfants esclaves. Un chinois disait un jour à Robert Payne que les pires perversions avaient été encouragées par les Japonais, les Mandchous, et aussi, ajoutait-il, « par l'amour que nous portons à toutes les choses compliquées » [1]. Le temps des « choses compliquées » paraît, grâce au ciel, révolu; il y a aussi en Chine une tradition de simplicité; c'est avec elle que renouent ces promeneurs du dimanche contents du soleil et de la verdure, d'un peu de musique, de nourriture, d'amitié.

Les Français L... et T... m'ont emmenée voir dans la banlieue sud cette espèce de frairie permanente qu'on appelle : le Pont du Ciel, T'ien K'iao. Avant la libération on y coudoyait des prostituées, des voleurs, des mendiants; les forains étaient rançonnés par des gangsters. Une séquence du *Fossé du dragon barbu* montre un de ces racketters fendant dans sa voiture la foule terrifiée, avec l'arrogance d'Al Capone : seulement, au lieu d'auto blindée, il roule en cyclo-pousse et ses gardes de corps l'escortent à bicyclette. En 1949 ces « seigneurs » ont été arrêtés et mis publiquement en accusation à T'ien K'iao même.

Plus de voleurs, ni de filles, plus de voyous, on s'y promène en famille. Les bateleurs, les jongleurs, les conteurs d'histoires, rassemblant autour d'eux des cercles curieux, les énormes bassines de nourriture, le grouillement humain évoquent la place Djelma el Fna de Marrakech et les vieilles foires moyenâgeuses. Mais ici aussi, le Moyen Age a été aseptisé. Pas un détritus, pas une mauvaise odeur, ni misère ni désordre dans les ruelles au sol de terre battue qui se croisent à angle droit; debout derrière leurs éventaires, les marchands vendent de vieux souliers, des ferrailles, des savonnettes, des lacets. Les restaurants en plein air sont rudimentaires : une longue table, des bancs, un comptoir chargé de nourritures, un fourneau; cependant les tables de bois sont bien lavées, la vaisselle paraît soigneusement récurée, on sert des plats

1. Journal de Chine. Je cite de mémoire.

appétissants, à l'arôme discret. Les gens qui vont et viennent sans tumulte nous regardent avec une amicale curiosité : « Souliers neufs ! ce sont des Soviétiques qui se promènent! » crie un enfant.

Nous entrons dans une baraque où une jeune fille fait rouler des pièces de monnaie sur une ombrelle ouverte qui tourne à toute vitesse, entre ses doigts; puis elle jongle avec des assiettes. Dans une autre, il y a trois musiciens assis sur une estrade et qui jouent sur des violons chinois une rengaine au rythme insistant; deux femmes, debout sur le devant de la scène, tiennent dans une main une légère baguette avec laquelle elles battent la mesure, et dans l'autre deux morceaux de bambou, de forme allongée, dont elles se servent un peu comme de castagnettes pour scander leur débit; l'une raconte, l'autre incarne les personnages de l'histoire.

Il y a aussi de nombreux théâtres à T'ien K'iao. Nous nous asseyons dans l'un d'eux; c'est une espèce de hangar, où s'alignent des bancs de bois très étroits; le long des dossiers courent des planchettes sur lesquelles on pose des tasses à thé qu'un petit garçon remplit indéfiniment au cours du spectacle; il en était ainsi dans tous les théâtres de Chine, avant qu'ils ne soient occidentalisés. On joue un opéra classique; la pauvreté des moyens entraîne un respect des anciennes traditions qu'on ne trouve plus dans les théâtres élégants : les changements d'accessoires, le déplacement des meubles — qui équivalent à une transformation du décor — se font ici sous les yeux du spectateur; quand un personnage revêt un nouveau costume, les autres acteurs font la haie derrière lui afin de le cacher au public; on ne baisse pas le rideau, et il n'existe pas de coulisses. Tous les rôles sont tenus par de jeunes garçons de quinze à seize ans, fort inexpérimentés et qui semblent avoir grand-peine à prendre des voix graves et à faire tenir leur barbe. Mieux qu'ailleurs, j'ai senti à quel point l'opéra chinois est un sport populaire : dans les faubourgs, les villages, les familles même, c'est une distraction à laquelle on peut se livrer en l'absence d'acteurs professionnels, et avec un minimum de frais. D'ailleurs, même sur cette pauvre scène, les costumes étaient d'une étonnante somptuosité, et le style des acteurs, le rythme de leur jeu, celui de la musique, d'une parfaite rigueur.

Dans toutes ces baraques, les places ne coûtent que quelques centimes et le public est de condition très modeste;

presque pas de femmes; dans les restaurants non plus; il y en a qui se promènent avec leur mari et leurs enfants dans les allées, qui flânent aux éventaires, mais elles ne font que passer. A Pékin la femme est encore essentiellement une ménagère et elle reste au foyer.

Il paraît que le « Pont du Ciel » tel qu'il existe aujourd'hui est appelé à disparaître. On bâtira à sa place un parc culturel, analogue au parc Gorki de Moscou. Un grand théâtre s'élève déjà au bord de l'avenue principale qui longe T'ien K'iao. C'est dommage. Au soir tombant, des papillons de néon voletaient sur les façades des petits théâtres, des veilleuses luisaient au-dessus des éventaires cependant que des sabres fendaient l'espace et que les rires fusaient autour des conteurs d'histoire; rencontres imprévues de lumière et de bruit, flânerie, contingence : le pittoresque reprenait ses droits. Je souhaite que les Pékinois, si sages, lui concèdent ces quelques « fangs » et que leurs plaisirs ne deviennent pas trop rigoureusement « planifiés ».

Les intellectuels chinois que nous avons rencontrés, et aussi nos amis français, nous ont souvent invités dans des restaurants. Qu'ils fussent plus ou moins luxueux, ceux-ci se composaient toujours de salons particuliers ou de boxes isolés. Pas de décor : les accessoires qui à Paris ou à San Francisco indiquent qu'un restaurant est chinois sont inutiles à Pékin. Il y avait ordinairement beaucoup de clients. Les Chinois aiment aller au restaurant. Ils s'y rendent en famille, ou par bandes. L'un commande un bol de vermicelle, deux autres des légumes avec un peu de viande ou de poisson, un quatrième une soupe : chacun puise dans tous les plats et fait à peu de frais un repas complet.

A table, les Chinois, comme les Français, parlent volontiers de nourriture; c'est aussi un sujet commode quand on se connaît mal et que la conversation chôme. J'ai donc été amplement renseignée sur la cuisine chinoise. A Pékin, l'aliment de base est le froment; on le consomme sous forme de petits pains cuits à la vapeur, de raviolis qui ont la forme d'une petite aumonière, de beignets, de galettes, et surtout de vermicelle, les Chinois ayant inventé les pâtes que Marco Polo introduisit en Italie. La Chine du Sud se nourrit essentiellement de riz. Sur ces bases, il existe des styles culinaires très différents. Le Sseu-tch'ouan apprécie le poivre rouge, d'autres provinces préfèrent le piment, le vinaigre ou les épices; les Cantonnais sucrent presque tous leurs plats. Mais à travers ces variations, un trait se retrouve dans la Chine entière : tout ce qui peut être mangé se mange. Faute d'élevage, la viande et les laitages sont à peu près inconnus des Chinois et leur inspirent du dégoût. Ils trouvent que l'alimentation carnée et lactée des occidentaux donne à ceux-ci une étrange odeur [1]. Mais, à part les huîtres crues, toute la faune et la flore de leur propre pays leur paraît comestible. Les Cantonnais entre autres ont la réputation de consommer chiens, chats, rats, serpents. Et pendant les famines les paysans essayaient de s'assouvir en avalant une certaine terre, dite fallacieusement « terre de miséricorde ». « Oui, m'a dit pendant un dîner le poète Aï Ts'ing, nous mangeons tout : tout ce qui a quatre pattes, sauf les tables; et sauf nos parents, tout ce qui en a deux. » Lin Yu-tang écrivait aussi : « Nous mangeons tout ce qui est mangeable sur cette terre; des crabes de préférence et de l'écorce d'arbre quand on nous y oblige. » C'est là la clef de la cuisine chinoise : un peuple traqué par la faim a appris à rendre comestible tout ce qu'il est possible à un estomac humain de digérer; un peuple condamné à la monotonie du millet, du vermicelle ou du riz s'efforce de prêter à ces brouets des saveurs complexes. A partir de là, les riches Chinois qui avaient le goût du raffinement ont élaboré tout un art.

Ce qui caractérise la gastronomie chinoise, dont la diversité est extrême, c'est qu'en tout cas les aliments déguisent soigneusement leur origine; ce qu'on mange n'est ni animal, ni végétal mais semble un pur produit de l'industrie humaine. La viande est désossée et débitée en menus morceaux; toute la nourriture est prête à être immédiatement ingérée; on n'est jamais obligé de se battre contre elle à coups de couteau. Les Chinois sont fiers de leur tradition culinaire. C'est un des aspects de leur passé qu'ils perpétuent avec le plus de spontanéité.

1. Pearl Buck raconte dans « Les mondes que j'ai connus » qu'elle partageait cette répugnance : de retour en Amérique, elle eut peine à s'habituer à l'odeur de ses compatriotes.

II

LES PAYSANS

L'histoire de la Chine, c'est celle des paysans chinois. Bien que baignée à l'est et au sud par l'océan, la Chine n'a pas développé, comme le bassin méditerranéen, une grande civilisation maritime. Son économie a été celle d'un pays continental : pendant quatre mille ans, elle n'a guère exploité d'autre richesse que son sol. Entre 2000 et 1500 avant J.-C. des agriculteurs se fixèrent dans la grande plaine au limon fertile qu'arrose le fleuve Jaune. Ils la déboisèrent, la cultivèrent, la défendirent contre les chasseurs nomades qui la cernaient; au cours des siècles, ils défrichèrent et colonisèrent l'immense territoire qui s'étend de la Mandchourie au Kouangtong et qu'unifia pour la première fois, deux siècles avant J.-C., l'empereur Che Houang-ti. On y distingue trois régions nettements tranchées. Au nord du Yang-tzé s'étendent des plaines alluviales et des plateaux de loess où règne le climat des steppes; on y fait pousser le blé, le millet, le kaoliang, le soja; cette zone possède un petit nombre de bêtes de trait : chevaux et mulets. Au sud du fleuve, le climat est subtropical; la terre produit du thé, du coton, des mûriers; à part quelques buffles d'eau, on n'y trouve pas de bêtes de trait. Le Sseu-tch'ouan, à l'ouest, est un riche bassin fermé dont le sol rouge se cultive en terrasses; il est entouré de montagnes et n'est rattaché au reste du pays que par le cours du Yang-tzé. Les montagnes ont été déboisées dès l'antiquité et les paysans ont continué au cours des siècles à arracher les arbrisseaux : les richesses forestières du pays sont à peu près nulles. Les agriculteurs sédentaires ont abandonné l'élevage aux nomades refoulés sur les hautes terres : la Chine proprement dite ne comporte pas de pâturages. Le voyageur occidental qui la survole en avion ou qui la traverse en train s'étonne de n'apercevoir ni prairies, ni bois : seulement du kaoliang, du riz, et une myriade de petits jardins potagers.

Les champs sont exploités intensivement par des méthodes analogues à celles de la culture maraîchère, et leur superficie ne dépasse guère celle d'un court de tennis. Cette exiguïté résulte d'un fait paradoxal : les terres arables n'occupent qu'une faible partie du territoire, environ 17 %. En effet, sauf dans le Sseu-tch'ouan, les plaines et les vallées seules sont cultivées; les paysans s'y entassent, et elles se trouvent artificiellement surpeuplées. La densité moyenne de la population est aujourd'hui de trois cent soixante-cinq habitants par kilomètre carré de terre arable, et elle atteint mille deux cents dans la Chine méridionale. Aux siècles passés, les habitants étaient moins nombreux, mais le territoire n'était qu'incomplètement colonisé; la concentration a toujours été excessive et c'est pourquoi, malgré la fertilité de ses champs, le paysan chinois n'a jamais connu qu'un niveau de vie extrêmement bas. Une autre raison, c'est le retour périodique de catastrophes naturelles : inondations et sécheresses. Le loess des montagnes et des pénéplaines, n'étant pas fixé par des arbres, encombre les eaux des fleuves; dans la partie médiane de leur cours, ce limon exhausse leur niveau, si bien que le fleuve coule parfois de dix à trente-trois pieds au-dessus de la plaine; dans la partie basse, il forme des barrages qui obligent les eaux à sortir de leur lit. Les années de pluie, les campagnes sont submergées; il y a d'autres années où le sol ne reçoit pas une goutte d'eau. Au cours des siècles se sont succédé des famines où les paysans mouraient par millions.

Le déséquilibre économique dû à la surpopulation et aux disettes explique que l'idée de réforme et de réglementation agraire soit née de bonne heure en Chine. Celle-ci constituait aux premiers temps de son histoire une société féodale [1]; les seigneurs possédaient la terre et accablaient les

1. C'est ultérieurement que naquit l'idée d'un antique empire qui aurait précédé la féodalité; cet âge d'or relève de la légende.

paysans de taxes et de corvées, leur laissant à peine assez de nourriture pour subsister au jour le jour : impossible d'amasser du grain d'une année à l'autre. Une situation analogue a pu se perpétuer sans crises dans des pays où les conditions de la production étaient stables : en Chine, l'excès de misère paysanne consécutive aux catastrophes naturelles entraînait la ruine des royaumes. Les premiers princes qui, non contents de guerroyer à tort et à travers, nourrirent des ambitions politiques, comprirent qu'une organisation économique était nécessaire, la Chine ne possédant pas cette marge de prospérité qui permet une exploitation anarchique. Dès 350 avant J.-C., le souverain du royaume de T'sin — l'actuel Chensi — distribua les terres aux fermiers qui furent astreints à un impôt proportionnel à la superficie de leurs champs. Quand Che Houang-ti eut accompli la révolution qui abattit la féodalité et unifia l'empire, il étendit cette réforme à toute la Chine. Nombreux furent ses successeurs qui tentèrent de substituer à la politique du laisser faire une économie planifiée.

Malheureusement cette planification elle-même était à court terme. Les empereurs visaient un profit immédiat. Ils ne cherchaient pas à assurer à la classe paysanne la sécurité et la prospérité susceptibles de stabiliser et d'accroître la production; leurs soucis étaient purement fiscaux : ils voulaient ôter aux propriétaires fonciers les bénéfices de l'exploitation agricole, et monopoliser ceux-ci. D'autre part, l'empire était trop vaste pour que le souverain pût effectivement imposer ses lois; les hommes mêmes qui étaient chargés d'en assurer l'exécution avaient intérêt à les enfreindre, puisque les fonctionnaires impériaux étaient en même temps propriétaires fonciers. Pendant deux mille ans la terre fut l'enjeu d'un insoluble conflit entre le gouvernement et les bureaucrates-fonciers : la situation des paysans demeura toujours tragiquement précaire.

Sous le règne de Che Houang-ti, ils reçurent des terres. mais bientôt les famines les amenèrent à vendre leurs domaines et à se vendre eux-mêmes comme esclaves avec leurs familles. Deux siècles après la réforme agraire, « on voyait les champs des riches s'aligner par cent et mille tandis que les pauvres n'avaient même plus le terrain suffisant pour planter une aiguille ». L'an 9 ap. J.-C., l'usurpateur Wang Mang distribua de nouveau le sol aux pauvres, à raison de cinq hectares par famille de huit personnes; il en déclara l'Etat seul propriétaire; des fonctionnaires furent chargés de régulariser le marché, fixer les prix, stocker les denrées non vendues, consentir des prêts au taux de 3 % par mois. L'impôt fut basé sur la dîme du bénéfice. Mais la réforme n'était pas accomplie dans l'intérêt des paysans : elle était dirigée contre la nouvelle féodalité, au profit du gouvernement. Après avoir ruiné la noblesse et le commerce, les monopoles d'Etat accablèrent les agriculteurs qui se trouvèrent sans recours devant les sécheresses et les inondations; il y eut une famine si terrible qu'ils devinrent anthropophages. Ils se soulevèrent en masse et la jacquerie des « Sourcils Rouges » mit fin au règne de Wang Mang.

L'Etat restait théoriquement propriétaire du sol; tout paysan adulte recevait une concession viagère de trois à six hectares, et une propriété de un hectare et demi, transmissible à ses descendants. A sa mort la concession revenait aux biens communaux. Wang avait pris soin d'interdire tout achat et vente de terrain, comme aussi d'esclaves. Mais les fonctionnaires s'arrogèrent le privilège d'acquérir des terres et de les transmettre à leurs descendants; écrasés d'impôts et de dettes, affamés, les paysans, en dépit des lois, vendirent de nouveau leurs champs, devenant pratiquement des serfs. Les latifundia se reformèrent; au milieu du VIIIe siècle, le sol appartenait à 5 % de la population. Un écrivain de l'époque Song, Sou Siun, écrivait au XIe siècle : « Les champs ne sont pas la propriété de ceux qui les cultivent, et ceux qui les possèdent ne les cultivent pas. Des produits des champs, le propriétaire prend la moitié; il n'y a qu'un propriétaire pour dix cultivateurs, si bien que celui-ci, accumulant de jour en jour sa part, devient riche et puissant, tandis que ceux-ci, épuisant leur part au jour le jour, sombrent dans la misère et la famine. Et il n'y a aucun recours. »

Wang Ngan-che tenta de modifier la situation. Mais lui aussi, semble-t-il, ne chercha qu'à accroître les revenus de l'Etat, sans se préoccuper du sort de l'agriculture. Il ne toucha pas aux latifundia; il modifia seulement la façon de collecter les taxes, substitua aux corvées un système d'impôts, révisa l'ancien cadastre. Il créa un système de prêts d'Etat, mais le taux de l'intérêt était de 20 % et comme pour enrichir le fisc on poussait les paysans à s'endetter, leur misère n'en devint que plus grande.

Les Kin, les Mongols, se taillèrent de vastes apanages en expropriant quantité de Chinois; en compensation, ils consentirent eux aussi des prêts à la population : mais c'était des prêts onéreux, constituant en fait une nouvelle forme d'exaction. Sous les Ming, les latifundia s'agrandirent. Quand les Mandchous eurent pris le pouvoir, ils rendirent à l'Etat une partie des domaines de la maison impériale, ils confisquèrent les grandes propriétés et une fois de plus les distribuèrent aux paysans; les fermiers qui cultivaient un champ depuis plusieurs générations furent déclarés propriétaires de la surface de leur sol. La terre fut morcelée, mais le sort des paysans se trouva provisoirement amélioré.

Les Mandchous chassés, la bourgeoisie victorieuse dut affronter à son tour le problème agraire; mais étant constituée en majorité de propriétaires fonciers, elle ne voulut pas envisager une réforme. A partir de 1927, le Kuomintang réprima sévèrement tous les mouvements paysans. Non seulement Tchang Kaï-chek laissa se reconstituer aux dépens de la petite propriété des domaines relativement étendus, mais il délégua aux fonciers l'administration des campagnes et le soin de lever les impôts. Une nouvelle féodalité naquit. Ces seigneurs ne ressemblaient pas aux zamindars hindous, ce n'était pour la plupart que de très petits hobereaux : leurs domaines ne dépassaient généralement pas cent *mous* [1], c'est-à-dire six à sept hectares, ce qui en France n'est même pas considéré comme propriété moyenne [2]. Mais les paysans dits moyens ne possédaient que six à douze *mous*, les pauvres, moins de cinq *mous* et il existait un vaste prolétariat agricole qui ne détenait pas « de quoi planter une aiguille ». On appelait « riches » les paysans possédant plus de douze *mous* et les cultivant en partie eux-mêmes. Les fonciers au contraire ne travaillaient pas de leurs mains et certains pratiquaient l'absentéisme. Ils louaient leurs terres à des fermiers qui leur devaient de 50 à 60 % des récoltes; les mauvaises années — dont le retour était non pas accidentel, mais périodique et fréquent — les paysans étaient obligés d'emprunter aux grands propriétaires le grain nécessaire à leur nourriture et aux semences; le taux de l'intérêt était exorbitant;

1. Un mou : environ 6 ares, soit 1/15 d'hectare.
2. Mais un domaine français comprend souvent des bois, des pâturages, des terrains incultes. Toute parcelle d'un domaine chinois est intensivement cultivée.

rentes et dettes écrasaient le fermier qui parfois se voyait obligé de livrer jusqu'à 90 % de ses récoltes. Quand la moisson était bonne le paysan n'en bénéficiait guère; la déficience du marché agricole — due en partie à la constante désorganisation des transports —, l'instabilité de la monnaie entraînaient, en cas d'abondance, un rapide effondrement du prix de vente — qui n'était pas suivi d'ailleurs par un abaissement du prix payé par le consommateur. Prisonnier d'un cycle infernal, le petit paysan ne pouvait donc en aucun cas échapper à la misère. Ses terres, sa vie même étaient à la merci du propriétaire foncier qui, se doublant d'un fermier général, jouissait d'un pouvoir quasi discrétionnaire. La mesquinerie de sa condition rendait la tyrannie de ce despote local d'autant plus redoutable. C'était son âpreté de gagne-petit qui l'entraînait à de minutieuses exactions, et qui provoqua souvent ces « crimes de sang » dont les très grands propriétaires ne se souillent pas directement les mains. Traditionnellement, les bureaucrates-fonciers chinois avaient eu droit de vie et de mort sur leurs tenants. Le code des Yuan punissait de cent sept coups de bâton le propriétaire qui frappait à mort un fermier : les Ming abolirent cette loi. Les Mandchous la rétablirent et théoriquement sous le Kuomintang tout meurtre était interdit; mais en fait les tyrans locaux n'avaient pas de peine à tourner la loi, les paysans se trouvant pratiquement sans recours contre eux.

Ce système économique était fortifié par une structure sociale et une idéologie religieuse solidement étayées l'une par l'autre. Comme toutes les sociétés agricoles, celle-ci reposait sur la famille patriarcale. Les habitants d'un village appartenaient à un même clan qui était censé posséder un ancêtre commun; le clan se divisait en cellules familiales, elles-mêmes indivises, attachées à un sol que chacune possédait et cultivait collectivement. Chacune vivait en économie fermée, produisant tout ce dont elle avait besoin; à l'occasion, on s'entraidait, on se donnait un coup de main pour rentrer les récoltes; mais de famille à famille, de village à village on ne pratiquait guère d'échange. Le système était autarcique. Ce qu'il y eut de particulier en Chine c'est que les institutions renforcèrent la cohésion du groupe producteur de façon que l'individu lui fût radicalement asservi. La religion sacralisa cette organisation; toutes les sociétés agricoles ont honoré des dieux lares, mais le confucianisme fit de ce culte un système minutieux et rigide destiné à perpétuer irrévocablement la structure féodale de la famille. Il s'accompagna — comme chez tous les paysans du monde — de croyances animistes. Celles-ci se traduisirent par des pratiques divinatoires et magiques, des tabous, des coutumes qui imprégnèrent dans ses moindres détails la vie quotidienne du paysan. L'excès de ses malheurs poussa parfois celui-ci à la révolte et il tourna alors sa foi superstitieuse contre l'ordre établi; mais ces explosions de violence ne pouvaient transformer les bases économiques de la société. Le système se maintint, immuable, pendant des siècles. La religion qui en émanait le consolidait en imposant aux paysans un respect inconditionné des traditions.

Non seulement celles-ci entravaient le progrès social mais elles contribuaient au jour le jour à aggraver la misère des paysans en les asservissant à des règles irrationnelles et souvent néfastes. Par exemple la géomancie interdisait de creuser un puits à l'est du village, de percer une porte dans l'enceinte sud, de construire des conduites d'eau en ligne droite. Les cérémonies exigées par l'usage étaient absurdement dispendieuses. Les vêtements de deuil, blancs, en toile de chanvre, coûtent cher et ne peuvent être utilisés aux champs. Les mariages étaient des cérémonies si onéreuses qu'un proverbe du Honan disait : « Epousez une femme, vous perdez une chance d'acheter un bœuf. » Le plus grave, c'est que la mentalité « magique » des paysans les rendait indifférents aux lois les plus élémentaires de l'hygiène. Quantité d'observateurs sont restés confondus par la saleté des villages chinois. « Sous les arbres, les villages sont surpeuplés », écrit Pearl Buck [1], « les mouches pullulent, les détritus pourrissent au soleil. Les enfants y sont sales et mal soignés. » « Les excréments humains étant l'engrais le plus important de la ferme sont conservés dans des fosses à moitié enterrées dans le sol, sur le derrière de la maison », rapporte Ksiou Tong-fei [2]. « Le long de la rive sud de la rivière, la route est bordée de ces fosses. Le gouvernement a demandé aux paysans de les supprimer par raison d'hygiène, mais rien n'a été fait. » Au lieu de fosses extérieures on utilisait souvent des tinettes placées à l'intérieur des maisons, au milieu même de la pièce d'habitation. A Phœnix, village du Sud situé sur la rivière du

1. Les mondes que j'ai connus.
2. Dans une thèse publiée en France en 1938.

même nom, les conditions sanitaires étaient abominables, rapporte l'Américain Kulp. « Même dans les maisons les plus aisées, on trouve des monceaux d'ordures pourries, des mares d'eau stagnantes, des vases de nuit découverts, des oies souillant de leurs excréments les allées et les cours. L'odeur du fumier envahit l'intérieur des maisons. Dans les grandes maisons, il y a des conduites d'eau qui partent des cours pour entraîner la pluie qui dégoutte des toits inférieurs; mais pratiquement elles ne servent à rien; elles sont bâties en zigzag, selon les règles de la nécromancie, ce qui empêche de les nettoyer; elles se bouchent tout de suite, et en fait les eaux s'écoulent dans la cour. Autour des maisons, dans les rues et les chemins, il y a des amas de détritus, les porcs s'y vautrent et les transportent dans l'eau des étangs voisins. Pendant la saison des pluies, les mouches et la vermine pullulent. L'eau des puits est polluée par celle des égouts; on puise l'eau de la rivière à l'endroit même où on lave le linge et où on vide les seaux de toilette [1]. » Les fréquentes inondations entraînaient quantité de maladies : les moustiques répandaient la malaria, les microbes et les animalcules charriés par les eaux provoquaient la dysenterie et de graves infections du foie. A Phœnix, les murs des maisons étaient humides et les habitants souffraient de rhumatismes. « Dans tout le village on remarque hors des maisons et à l'intérieur une ligne jaune indiquant la montée des eaux; une boue jaune est incrustée dans les meubles de bois sculpté. » Il y avait en outre des lépreux et de nombreux cas de tuberculose, dus à la sous-alimentation. En effet, inondations et sécheresse ravageaient alternativement les récoltes et en conséquence la moitié des villageois étaient constamment menacés de mourir de faim : sur six cent cinquante habitants, 18 % pouvaient être classés comme riches, 31 % comme moyens; 51 % étaient pauvres, « c'est-à-dire dépendant d'une bouchée de pain, à la merci de la nature, de la famille et de l'aide que leur apportent les chefs du village ». Kulp conclut : « On peut dire que la vie économique du village est une vie déficitaire... La moitié des gens du village vivent dans des conditions économiques misérables et dépendent pour leur subsistance de l'organisation familiale. » Il rapporte encore que les enfants étaient fiancés entre huit et dix ans,

1. Kulp, Country life in China.

mariés entre seize et dix-huit. On laissait plus ou moins mourir de faim les petites filles; on en vendait beaucoup comme esclaves. Il était interdit aux veuves de se remarier. La pauvreté était accrue par l'énorme gaspillage que nécessitaient les mariages et les cérémonies religieuses. Et cependant, le niveau intellectuel des paysans était assez remarquable; ils avaient naturellement un sens artistique développé. Il suffirait, note Kulp, d'une organisation plus rationnelle pour que les conditions de vie s'améliorent considérablement. Cette dernière observation est intéressante; elle permet de comprendre comment, avant même que les techniques n'aient été transformées, le nouveau régime a pu accroître la production et élever le niveau de vie des paysans : il les a organisés.

Lénine a établi que dans les pays de l'Est, où la grande propriété a un caractère non capitaliste mais féodal, la lutte paysanne, dirigée contre un stade rétrograde de la société, doit être tenue pour progressiste. Une de ses thèses les plus importantes et les plus neuves, ce fut l'alliance du prolétariat révolutionnaire avec les paysans pauvres. Mao Tsé-toung comprit que dans le cas de la Chine, il fallait aller plus loin encore; contre Tch'en Tou-sieou, il fit prévaloir à partir de 1927 l'idée que la paysannerie devait être le principal facteur de la révolution. La réforme agraire a été en Chine à la fois le premier objectif visé par les communistes et l'instrument dont ils se sont servis pour assurer leur victoire. Dans les régions libérées, l'Armée rouge gagnait les paysans en leur distribuant des terres. En 1935, la réforme fut interrompue afin d'inciter les grands propriétaires à entrer dans le front de résistance antijaponaise : les communistes se bornèrent à réduire « la rente » et à libérer les fermiers de leurs dettes. En 1946, les confiscations reprirent, et en 1947 une « conférence agraire nationale » élabora la loi qui fut édictée le 28 juin 1950. Les propriétaires fonciers qui exploitaient leur domaine sans y travailler ont été expropriés; les biens appartenant à des temples, monastères, églises, écoles missionnaires, ont été réquisitionnés. Les paysans riches ont conservé la portion de terre qu'ils travaillaient eux-mêmes; celle qu'ils faisaient cultiver par des salariés leur a été ôtée. Les champs des paysans moyens n'ont pas été touchés. Les terres confisquées ont été réparties entre les paysans pauvres et les ouvriers agricoles, à raison d'environ trois *mous* par tête, les femmes et les enfants en bas âge ayant été inclus dans la distribution. On partagea aussi entre eux les instruments agricoles, bêtes de somme, meubles, bâtiments, etc., ayant appartenu aux propriétaires fonciers.

Cette réforme s'est effectuée avec un minimum de violence; seuls les fonciers qui avaient à payer une « dette de sang » ont été exécutés [1], ou emprisonnés à vie. Sinon personne n'a été radicalement dépossédé : les fonciers non convaincus de crime ont pu rester au village et ont reçu un lot égal à celui des paysans pauvres [2]. D'autre part, la réforme n'a pas visé à établir entre tous les paysans une parfaite égalité : elle s'est souciée essentiellement de la productivité. Les paysans riches et moyens ont gardé des terrains plus importants que ceux qui ont été alloués aux pauvres. Afin d'assurer la stabilité sociale nécessaire à la production, la réforme a été opérée de manière définitive : les familles qui depuis lors se sont accrues ou qui au contraire ont perdu des membres n'ont pas vu leur lot grandir ni diminuer.

La réforme a été achevée en août 1952. 47 millions d'hectares ont été distribués; environ 300 millions de paysans, c'est-à-dire 77 % de la population agricole, en ont bénéficié. Seules les minorités nationales n'ont pas été touchées par la loi.

Un des aspects les plus intéressants de la réforme, c'est que les dirigeants l'ont utilisée pour éveiller chez les paysans une conscience de classe. Les cadres avaient pour consigne non d'éliminer de leur propre chef les propriétaires fonciers mais d'amener les paysans à s'en débarrasser eux-mêmes. On voulait leur faire éprouver leurs forces afin qu'ils cessent de redouter un retour de l'ancien régime et que celui-ci perde toute emprise sur leur esprit. Mais précisément : ils avaient encore peur. Habitués à la résignation passive, tout en haïssant leurs maîtres, ils les respectaient; leur crainte s'intériorisait en sentiment de culpabilité; ils redoutaient la colère du ciel : certains continuèrent, après la réforme agraire, à payer secrètement une rente à leur ancien propriétaire.

1. Le chiffre serait d'environ 5.000.

2. Certains ont purgé des peines de trois à cinq ans et ont ensuite pris possession de leur lot.

Dans son roman *Le soleil brille sur la rivière Sang Kan*, Ting Ling a mis en lumière cet aspect du problème.

Yumin[1] *savait que les gens espéraient obtenir des terres mais refusaient de prendre aucune initiative. Ils avaient encore des doutes. Ils n'osaient manifester aucun enthousiasme avant que les puissants d'hier ne fussent tous abattus. Il y avait plusieurs bandits au village, et les liquider n'allait pas être facile. Au printemps, on avait choisi un adversaire relativement faible : le propriétaire Hou, un vieil homme qui n'aurait vraiment dû effrayer personne; pourtant, à la surprise des « cadres », il n'y eut que quelques enthousiastes pour le menacer du poing. Les membres de l'association des paysans criaient : « Parlez ! Dites ce que vous avez à dire ! » Et alors les gens levaient le poing et criaient aussi, mais en même temps ils jetaient des coups d'œil furtifs vers Schemer Chien*[2] *qui se tenait à l'arrière de la foule. Hou fut condamné à une amende de cent piculs de grain, qu'il dut payer en abandonnant sept acres de terre qu'on distribua entre plusieurs familles. Il y eut des gens qui furent satisfaits, d'autres eurent peur et n'osèrent plus passer devant la porte de Maître Hou : le fermier Hou*[3] *restitua en secret sa part de terre... Schemer Chien s'était adroitement mis au service de l'armée et sans doute ne serait-il pas accusé; en tout cas, on ne le condamnerait pas à mort, se disait Yumin. Au printemps, les autorités avaient corrigé une déviation de la réforme agraire. Certains propriétaires que le peuple voulait voir exécutés avaient été emprisonnés; au bout de deux mois, on les avait renvoyés au village pour qu'ils y fussent à nouveau jugés et on avait réclamé des paysans un adoucissement de leur sentence qu'on estimait trop sévère. C'est que les gens craignaient encore un renversement de la situation. Ils pensaient que si on condamnait un homme, il fallait que ce fût à mort, sinon il se vengerait quelque jour. Le cas de Schemer Chien représentait donc un difficile problème.*

Le principal foncier, Li, s'est enfui du village; les paysans vont réclamer à sa femme les titres de propriété. Mais le

1. Un des cadres paysans.
2. Un des tyrans locaux.
3. Un parent pauvre de Hou.

respect se mêle à la crainte pour les paralyser; ils quittent la maison de Li les mains vides :

Les fermiers s'arrêtèrent dans la cour déserte, échangeant des regards, ne sachant pas que dire. On entendit frémir un rideau de bambou, et Mme Li sortit. Elle portait des pantalons et une veste en coton bleu, ses cheveux dépeignés pendaient sur ses épaules. Il y avait des poches rouges sous ses yeux, au milieu de sa face ronde et blanche. Elle portait dans ses bras une boîte en laque rouge. « Madame Li ! » cria un des fermiers.

Elle descendit rapidement les marches du perron, et s'agenouilla à côté d'une plante verte, le visage ruisselant de larmes : « Maîtres, dit-elle en sanglotant, ayez pitié d'une pauvre femme et de ses enfants. Ceci appartient à mon mari : prenez-le; cela représente 136 mous 1/2 de terre et une maison. Vous le savez, mes bons cousins, mes amis : mon mari est un mauvais homme, mes enfants et moi ne pouvons pas compter sur lui; nous comptons sur vous qui avez été nos amis pendant tant d'années. Oui, il est bien qu'on nous prenne nos terres, je ne m'y oppose pas. Rappelez-vous seulement que je ne suis qu'une faible femme, ayez pitié des enfants. Je me prosterne devant vous. » Alors elle se prosterna à plusieurs reprises, le visage ruisselant de larmes, cependant que les enfants se mettaient à hurler.

Les fermiers qui étaient entrés dans la maison si hardiment restèrent muets devant cette femme agenouillée. Ils savaient qu'elle était née dans une riche famille, qu'elle n'avait jamais connu le malheur et ils se rappelèrent ses menus actes de charité, si bien que certains la prirent en pitié. Personne ne fit un mouvement pour se saisir de la boîte. Ils oublièrent pourquoi ils étaient venus.

Peu à peu les cadres parviennent à insuffler aux paysans le courage d'arrêter Schemer Chien; et le meeting d'accusation a lieu :

Trois ou quatre miliciens poussèrent Schemer Chien sur l'estrade. Il portait une robe de soie grise, des pantalons blancs, ses mains étaient liées derrière son dos. Il baissait la tête, et ses petits yeux cherchaient la foule. Ce regard qui naguère frappait tous les gens de terreur en inquiétait encore beaucoup. Ses moustaches en pointe accentuaient son air sinistre. Personne ne dit mot... La foule regardait Schemer Chien, et se taisait.

Pendant des années les despotes locaux avaient été tout-puissants. Ils avaient opprimé une génération après l'autre, et les paysans avaient courbé la tête. Soudain, ils voyaient un de ces seigneurs debout en face d'eux, les mains attachées, et ils se sentaient bouleversés. Certains, intimidés par son regard méchant, se rappelaient les jours où ils ne pouvaient que se soumettre et leur résolution vacillait. C'est pourquoi ils gardaient le silence.

Schemer Chien, debout, les lèvres serrées, regardait autour de lui, cherchant à dominer encore ces culs-terreux, refusant d'admettre sa défaite. Pendant un moment, il l'emporta. Après tant d'années de puissance, c'était difficile de le liquider. Les paysans le haïssaient, ils l'avaient attendu en le maudissant; mais à présent ils retenaient leur souffle, et ils hésitaient. Plus le silence durait, plus Chien gagnait du terrain et on put croire qu'il sortirait vainqueur de l'affaire.

Mais soudain un homme surgit de la foule. Il avait d'épais sourcils, des yeux étincelants. Il se rua sur Schemer Chien et l'insulta : « Assassin ! Oppresseur ! Tu as tué des gens pour de l'argent ! On va te régler ton compte, et sérieusement. Entends-tu ? Crois-tu pouvoir encore nous faire peur ? Inutile ! Ne reste pas debout : à genoux ! à genoux devant le village. » Il bouscula Chien tandis que la foule criait : « A genoux, à genoux ! » Les miliciens forcèrent Chien à s'agenouiller.

Alors la masse sentit sa puissance et s'agita avec indignation. Un enfant cria : « Mettons-lui le bonnet ! Mettons-lui le bonnet ! » La foule reprit en chœur : « Mettons-lui le bonnet. » Un jeune garçon de treize ou quatorze ans monta sur l'estrade, saisit le chapeau de papier et le posa sur la tête de Schemer Chien en crachant sur lui et en criant : « Voilà pour toi, Chien ! » Puis il descendit parmi les rires.

A présent Chien avait tout à fait baissé la tête, son regard méchant ne pouvait plus balayer les visages. Le grand bonnet de papier le faisait ressembler à un clown. Le buste incliné, humilié, les yeux fuyants, il avait perdu tout son prestige : c'était le prisonnier du peuple, un criminel en face des masses qui allaient le juger.

A partir de là, la colère des paysans monte. Chien est insulté, frappé et ne doit la vie qu'à l'intervention de la milice. On confisque ses terres, mais on lui permet de se réfugier chez son fils qui est un soldat de l'armée rouge.

Des épisodes analogues se sont effectivement produits dans tous les villages de Chine. L'interprétation qu'en donnent les anticommunistes, c'est que les meetings d'accusation étaient provoqués par les cadres, contre la vraie volonté des paysans. Ce qu'indique le roman de Ting Ling, c'est que cette volonté était en fait paralysée par le poids d'un passé trop lourd; elle existait néanmoins, violente, désespérée, et les cadres se bornaient à aider les paysans à l'assumer en les délivrant de la peur et en les démystifiant.

C'est ce qui ressort du roman de Tcheou Li-po intitulé *Ouragan*[1]. Les cadres envoyés au village pour réaliser la réforme tiennent un meeting où affluent surtout des vieillards et des enfants. Un des cadres, Lieou Cheng, monte sur une table et parle : « *Il faut tous nous lever et nous tenir solides sur nos pieds. A bas les gros ventres. Nous autres les pauvres, nous devons prendre le pouvoir et nous aider.* » *Il poursuivit son discours et termina par une question :*

— *Etes-vous d'accord pour liquider les gros ventres ?*

— *Oui, crièrent une douzaine de voix.*

— *D'accord, dit un vieillard à barbe blanche. Il se retourna et sourit à Liou Sheng.*

— *Qui sont les gros ventres, dans ce village ? demanda Liou.*

Il y eut un long silence.

— *Pourquoi ne dites-vous rien ? demanda Liou au vieux barbu. Parlez, grand-père.*

— *Je n'ai pas vécu ici assez longtemps. Je ne suis du village que depuis 1945... J'ai entendu dire qu'il n'y a pas ici de gros propriétaires, et je crois que c'est vrai.*

— *Alors pourquoi avez-vous dit que vous étiez d'accord ? dit Liou.*

— *Il y en a des tas dans les autres villages. Nous pouvons nous attaquer à eux.*

— *Camarades, dit un autre vieux paysan coiffé d'un feutre noir, l'homme a été de tout temps soumis à la loi comme l'herbe au vent. Tout ce que dit le gouvernement est juste.*

---

1. Ting Ling reçut le prix Staline en 1951 et Chou Li-po également.

Ces réformateurs représentent le gouvernement. Quand ils disent qu'ils combattront les gros ventres, et qu'ils nous rendront riches, bien sûr nous sommes contents. Il se tourna vers la foule : D'accord, les amis ?

Il y eut des cris d'approbation, la voix des vieillards se mêlait à celle des enfants. On applaudit.

— Camarades, reprit le vieux, vous avez entendu : vous êtes les bienvenus. Mais maintenant il est presque minuit, il est temps de rentrer chez moi...

Lieou, déçu, se rend compte que la réforme ne sera pas une affaire facile. Il se renseigne auprès des paysans pauvres, apprend à connaître les tyrans locaux, et réussit peu à peu à obtenir des villageois des « exposés d'amertume » où ils racontent en public leurs malheurs. On finit par arrêter le plus important des propriétaires fonciers, Han, qui a opprimé les paysans et collaboré avec les Japonais.

Han faisait face au « tribunal du peuple », et la foule murmurait : « Cette fois, on le mettra en prison. »

— Regarde : ses mains sont attachées.

— On le condamnera à mort ou non ?

Certains manquaient d'enthousiasme parce qu'ils possédaient eux-mêmes de la terre et qu'ils avaient fait des affaires avec les Japonais. Ils craignaient qu'après Han, ce ne fût leur tour. D'autres pensaient au fils de Han qui était dans l'armée Kuomintang : s'il revenait un jour, il se vengerait. D'autres pensaient Han coupable mais n'avaient nulle envie de parler eux-mêmes contre lui. Mieux vaut être prudent. Ils attendraient de voir d'où soufflait le vent. Tous ces gens-là se taisaient.

Il y avait là des créatures de Han qui croyaient pouvoir tromper la foule. Ils criaient plus fort que les autres...

Han baissait la tête, il était pâle. Des enfants faisaient cercle autour de lui et regardaient avec curiosité la corde qui lui serrait la taille. Un des plus hardis demanda : « Mr. Han, vous n'avez pas apporté votre grand bâton, aujourd'hui ?... »

Le meeting commence. Han essaie de se défendre.

Je suis un mauvais homme, j'ai une mentalité féodale. Ma

mère est morte quand j'étais petit. Mon père s'est remarié et ma belle-mère me battait tous les jours.

Il s'accuse et s'excuse si bien que les gens sont émus :

— *Il a avoué ses fautes, il se réformera. Il n'y a rien à dire contre lui, sinon qu'il possède trop de terres : mais il vient de les abandonner... Il y eut un mouvement vers la porte, on sentait que les gens se disposaient à partir.*

Le président du meeting, Kouo, intervient. Il rappelle les services rendus par Han aux Japonais. Un vieux paysan Tien prend la parole, il accuse Han et raconte une histoire déchirante. Han lui avait permis de bâtir une maison sur un coin de terrain : mais la première année, il réquisitionna tout le bois que Tien avait ramené de la forêt et le donna aux Japonais. La maison finie, deux ans plus tard, Han la réquisitionna pour en faire une étable. Il voulut prendre pour femme la jeune et jolie fille de Tien, âgée de seize ans; comme elle refusait, il la fit enlever par trois de ses hommes, ils la dénudèrent, la fouettèrent, la violèrent.

Le vieux Tien ne put poursuivre, il se mit à pleurer. Les gens crièrent : « Battons-le ! Battons-le ! » Quelqu'un lança une brique qui atterrit à côté de Han. Il pâlit et se mit à trembler : ses genoux s'entrechoquaient.

— *Otez-lui ses vêtements !*

— *A mort !*

Un homme s'approcha et frappa Han en plein visage. Son nez se mit à saigner.

— *Bravo ! Encore ! cria quelqu'un.*

Cependant la vue du sang fit impression sur la foule, surtout sur les femmes, et le silence se fit. Qui avait frappé ? Han leva la tête, il vit que c'était Li Tcen-kiang[1]*, et il comprit. Il courba davantage la tête, afin que le sang coulât plus abondamment et que tout le monde le vît... Kuo pressa Tien :*

— *Continue, vieux Tien.*

— *Je n'ai rien de plus à dire, dit le vieux, déconcerté.*

Li Tcen-kiang feint d'insulter Han et suggère qu'on lui

1. Une des créatures de Han.

inflige une amende et qu'on lui confisque ses terres. Peu à peu les paysans s'en vont. Le cadre, Hsia, a compris la manœuvre. Li Tchen-kiang s'est inspiré du *Roman des Trois Royaumes* où un général fait battre cruellement un autre général qui est son allié avant de le renvoyer chez l'ennemi, afin de duper celui-ci. Mais c'est en vain qu'il essaie de ranimer le meeting. Timides, craintifs, facilement dupés, les paysans finissent cependant par s'enhardir. Ils font de nouveau passer Han en jugement. Et cette fois ils parlent. Han est convaincu de dix-sept meurtres; il a enlevé, pour ses plaisirs et ceux de son fils, quarante-trois femmes. Il a réduit ses fermiers à la famine, refusé de payer les manœuvres qu'il employait, livré les gens qui lui déplaisaient aux Japonais qui les déportaient. Après le départ des Japonais, il a travaillé dans l'armée Kuomintang et combattu les Rouges. Il est condamné à mort, et on l'emmène hors de l'enceinte du village pour le fusiller, après que les paysans l'aient copieusement battu.

La politique préconisée et suivie sur ce point par le régime est très significative. Une longue expérience des zones libérées a appris au Gouvernement qu'on ne doit pas se fier aveuglément à la spontanéité des masses paysannes : elles sont trop arriérées pour oser elles-mêmes faire prévaloir leurs propres intérêts. Cependant les dirigeants voulaient que le peuple chinois considérât la révolution comme sienne : qu'il l'accomplît lui-même; il ne devait pas en recevoir passivement les bienfaits, mais les conquérir. On n'a pas donné les terres aux paysans : ingénieusement, on les a aidés à les prendre. Cette collaboration des cadres et de la masse est un des traits les plus originaux de la révolution chinoise; elle a été réalisée au départ de manière remarquable et c'est un des faits qui expliquent — en dépit de certaines difficultés — l'appui que trouva dans les campagnes un régime qu'elles ont conscience d'avoir elles-mêmes instauré [1].

---

1. Quand en 1945 la réforme agraire fut réalisée en Europe orientale, on vit aussi des paysans hésiter à prendre les terres qui leur étaient offertes. Le phénomène fut particulièrement frappant en Hongrie. « Ce qui primait chez les paysans hongrois, terrorisés par tant d'atrocités, de viols, d'assassinats, victimes de tant de réquisitions, de pillages, ce qui pesait sur eux en 1945, c'était la peur... Le communisme sur lequel ils avaient entendu dire tant de choses atroces les effrayait. Aussi lorsque les premiers agitateurs communistes parurent dans les villages pour inciter les paysans à formuler des réclamations

A chacune des réformes agraires réalisées depuis Che Houang-ti a succédé la reconstitution des latifundia. De nouveau la roue va tourner, prophétisent les anticommunistes. Mais les empereurs n'ont guère vu dans la réforme qu'un expédient destiné à remplir leurs caisses; d'autre part, eussent-ils souhaité la consolider, ils n'en avaient pas les moyens : la persistance de la propriété privée en entraînait fatalement la reconcentration. Pour sauver la réforme, il eût fallu la dépasser en abolissant la propriété, ce qui est une mesure non plus réformiste, mais révolutionnaire. Aujourd'hui cependant, la réforme agraire amorce précisément une révolution : la révolution socialiste. Les communistes n'ont jamais considéré la redistribution des terres comme une fin en soi mais comme la première étape d'un mouvement qui doit aboutir à la collectivisation. L'existence d'une classe ouvrière, l'industrialisation de la Chine, une révolution technique substituant le tracteur à la houe leur permettra d'atteindre d'ici quelques années cet objectif; alors la propriété privée sera supprimée et la route qui reconduit au passé définitivement barrée. Le seul problème qui se soit posé aux communistes est un problème de tactique, et essentiellement un problème de temps : comment arriver au but le plus rapidement et avec le moins de frais possible ? La collectivisation doit-elle accompagner la mécanisation de l'agriculture, ou la précéder ? Sans hésitation, c'est la seconde solution qui a prévalu et cela pour deux raisons.

La mécanisation ne se produira pas avant dix ou quinze ans. Or il y a une part de vérité dans les prédictions des anticommunistes; la survivance de la propriété privée, et plus particulièrement les conditions dans lesquelles s'est accomplie la réforme peuvent faire craindre une reconcentration des richesses rurales. Certaines inégalités anciennes

---

sur les grandes propriétés avoisinantes, la première réaction fut-elle la méfiance. Les « seigneurs » avaient déjà fui en 1919, pour revenir ensuite avec des gendarmes. Maintenant les gendarmes étaient partis eux aussi, mais ne reviendraient-ils pas ? » (Fejtö : Histoire des démocraties populaires.) L'ordre de réforme ayant été donné par le haut commandement soviétique, on constitua dans les villages des « comités de postulants » qui se décidèrent peu à peu à réclamer les terres abandonnées par les seigneurs à la suite de la victoire russe. Toute l'activité des paysans se borna à cette « postulation », de sorte que dans l'ensemble le « climat » de la réforme fut tout autre qu'en Chine. Nulle part en Europe les paysans ne procédèrent eux-mêmes à l'expropriation des « fonciers ».

ont été maintenues et il s'en est créé de nouvelles : la répartition du sol demeure immuable tandis que des fluctuations surviennent à l'intérieur des familles dont le statut se trouve varier. Un paysan à qui sont nés depuis 1949 trois ou quatre enfants est appauvri. Celui dont les fils sont en bas âge a plus de peine à exploiter sa terre que celui qu'aident de grands enfants. Il faut compter avec les maladies, les infirmités, les différences de capacité de travail et de zèle. Il arrive que des paysans pauvres vendent leurs terres; le domaine des moyens et des riches s'agrandit. Il y a de nouveaux pauvres, de nouveaux moyens, de nouveaux riches. Les plus fortunés louent la force de travail des plus défavorisés. Il est essentiel d'empêcher le retour à l'exploitation et au capitalisme.

D'autre part, il faut produire davantage, les terres vierges demeurant hors du circuit. Les paysans sont devenus propriétaires, il se trouvent délivrés de l'énorme fardeau de la rente et de la dette : mais le morcellement de la terre, la pauvreté du matériel et du cheptel ne leur permettent pas d'intensifier la culture. D'ailleurs, d'après des observateurs bien informés, avant la libération les méthodes de l'agriculture chinoise arrachaient au sol, dans les conditions données, un rendement maximum : l'intensification n'est possible que si ces conditions sont changées. Mais les paysans ne seront en mesure d'améliorer leur outillage que s'ils mettent en commun leurs ressources, ils ne rationaliseront l'exploitation du sol qu'en établissant des planifications collectives : il est nécessaire qu'ils dépassent le stade du travail individuel.

On aboutit donc par deux chemins différents à une même conclusion; contre la résurrection d'un capitalisme rural, pour l'enrichissement des paysans et de l'Etat, il faut collectiviser au plus vite. Des deux objectifs visés, c'est le second que les dirigeants ont d'abord mis en avant. En dépit des slogans de la propagande qui attribue à chaque citoyen un débordant « enthousiasme dans la construction du socialisme », le gouvernement sait fort bien qu'aujourd'hui, parmi les paysans, le ressort primordial est l'intérêt individuel. On ne les exhortera donc pas à se dévouer à l'Etat. On leur expliquera que seules les coopératives peuvent les sauver de la misère. Déjà en 1943 Mao Tsé-toung déclarait : « La seule manière pour les paysans de vaincre la misère, c'est une collectivisation progressive; et selon Lénine, le seul chemin vers la collectivisation, ce sont les coopératives. »

A partir de 1947, on expérimenta des équipes d'aide mutuelle et des coopératives de production, en Mandchourie, dans la Chine du Nord, le Chantong, le Nord Kiang-sou. En 1949, le Comité central décida au cours de sa deuxième session plénière que la collectivisation de l'agriculture était nécessaire. L'article 34 du Programme commun [1] stipule : « Dans toutes les régions où la réforme agraire est complètement réalisée, le Gouvernement populaire devra prendre comme une tâche centrale l'organisation des paysans et de toutes les forces du travail utilisables à l'agriculture pour développer la production agricole et les occupations d'appoint. Il doit de plus conduire au fur et à mesure les paysans à organiser les différentes formes de l'aide mutuelle du travail et de la coopération de production, d'après le principe de libre consentement et des intérêts mutuels. »

La première étape de la collectivisation c'est l'équipe d'aide mutuelle. « Nous avons concentré principalement notre attention sur l'établissement des équipes d'aide mutuelle », déclarait Kao Kang, résumant en 1950 la première année de l'application du Programme commun en Mandchourie. Les paysans chinois ont toujours plus ou moins pratiqué l'entraide : déjà 300 ans av. J.-C., Mencius leur conseillait d'organiser des groupes d'aide mutuelle. En cas de besogne urgente, le fermier donnait un coup de main à son voisin qui, au jour venu, lui rendait la pareille; mais ce type d'entraide éphémère et capricieuse prêtait à des contestations qui entraînaient des querelles. Au lendemain de la réforme agraire, la plupart des paysans comprirent l'utilité de lui donner une forme plus stable. Ils constituèrent des « unités » d'aide mutuelle dont le principe est, sans toucher à la propriété privée, de *collectiviser le travail,* ce qui permet de le planifier. Par exemple, un village de vingt-trois familles possédait en tout trois buffles et trois norias qui étaient des propriétés privées. Certaines familles comprenaient plus d'hommes valides qu'il n'en fallait pour cultiver leur lot de terre, chez d'autres la main-d'œuvre était insuffisante. Quand il s'agit de repiquer les plants de riz, le travail doit être achevé en un ou deux jours : or un homme seul ne peut

1. Ce Programme servit provisoirement de Constitution entre 1949 et 1954.

repiquer que deux mous par jour. Les paysans comprirent que s'ils mettaient en commun leur travail, les trente-cinq hommes adultes et valides du village cultiveraient aisément, sans perte pour personne, les 190 mous qu'ils possédaient. Ils s'organisèrent d'abord pour la durée des gros travaux, et en 1950 récoltèrent 315 catties [1] de riz par mou, contre 240 les années précédentes. Alors ils décidèrent de créer en 1951 deux bridages d'entraide permanentes, l'une comptant 14 familles et l'autre 8. Les femmes joignent leur travail à celui des hommes, et un plan fut dressé. On distribua des *points* selon la quantité de travail fourni, chacun correspondant à une part de bénéfices. On arriva à produire cette année-là 380 catties de riz par mou. Les buffles et les norias étaient utilisés par la communauté, moyennant une rétribution allouée aux propriétaires.

Dans un important rapport sur ces premières expériences, Wang Kouang-wei, membre du Gouvernement régional de Mandchourie, raconte : « En 1947, on organisa dans le village de Ying-cheng une grosse unité d'aide mutuelle comprenant vingt-cinq familles avec participation obligatoire. Puis, sur l'ordre des autorités supérieures, on constitua de plus petites unités avec participation volontaire [2]. En 1949, grâce à une direction correcte et à une excellente planification, les équipes d'aide mutuelle augmentèrent la production agricole. Cependant de nombreux conflits éclatèrent à propos des salaires, de la répartition du travail, du sarclage, des engrais, de l'horaire du travail collectif, de la moisson, des semailles, des déplacements, des divergences entre les cadres, les éléments progressistes et les masses paysannes, etc. Après de nombreuses discussions, on introduisit le système d'un standard de travail établi d'après la qualité et les dimensions des terres, ainsi que le système des normes de production, fixées d'après la qualité et les dimensions des terres. Grâce à une large utilisation d'engrais, à une culture soignée, la production augmenta, et la qualité de la terre s'améliora. »

A ce stade, chaque paysan conserve sur ses biens un contrôle absolu. Le stade suivant, c'est la coopérative de type dit *semi-socialiste*. La propriété est respectée, l'usufruit mis

1. Un catty vaut un peu plus d'une livre.
2. Le Gouvernement a toujours sévèrement blâmé les cadres qui prétendaient forcer les paysans à s'organiser.

en commun. Les terres privées sont intégrées au fonds collectif : mais le paysan touche une rémunération, correspondant à la qualité et à l'étendue de son lot; de même il touche une redevance sur le cheptel et les articles qu'il prête à la coopérative. Il peut toujours se retirer et reprendre son bien. Comme dans les équipes d'entraide, on calcule en points le travail fourni par chacun, compte tenu du temps et du rendement. Les bénéfices sont donc partagés entre les membres du groupe selon le capital foncier engagé et les points obtenus; une partie est utilisée pour acheter en commun engrais, machines, bêtes de somme, etc. Les nouveaux venus, en entrant dans le groupe, doivent payer une cotisation; ils achètent ainsi le droit de profiter du fonds antérieurement constitué et qui joue en outre le rôle de caisse d'assurance.

Ces coopératives commencèrent à se développer à partir de 1951. En décembre, il y avait une grande quantité d'équipes d'aide mutuelle, mais seulement 300 coopératives agricoles. On en comptait déjà 4.000 en 1952 et en automne 1953, 14.000. Le chiffre n'est pas considérable. C'est que pendant ces deux années la politique du Gouvernement fut extrêmement prudente. Il était nécessaire de collectiviser : mais précisément, pour y parvenir, il ne fallait pas buter les paysans, ralliés au régime en grande partie parce que celui-ci avait fait d'eux des propriétaires. En outre, l'attribution des indemnités et des points de travail, la répartition des bénéfices soulevaient quantité de contestations. Face aux réticences paysannes, deux attitudes furent condamnées par le parti : certains « droitiers » pensaient qu'il fallait laisser la paysannerie se développer spontanément, ce qui « engageait le monde rural sur la route du capitalisme[1] »; les gauchistes en revanche prétendaient user de contrainte pour organiser les paysans. « Entre l'automne 1952 et le printemps 1953 survint une déviation caractérisée comme une progression aveugle, précipitée et inconsidérée dans l'organisation des coopératives de production agricole », rapporte en 1953 l'agence Chine Nouvelle. Et le Ho-pei je-pao du 14 mars 1953 précise que cette déviation se présente dans la province du Hopeh sous trois formes : « Premièrement, certains cadres font entrer les paysans dans les coopératives dans un laps de temps trop court, en négligeant les conditions locales des

1. Rapport de Kao Kang, 1952.

différentes fondations d'équipes d'aide mutuelle, en ne tenant pas compte du degré d'éducation des paysans, et même en violant le principe de la participation volontaire. Deuxièmement, on accumule les propriétés publiques des coopératives d'une façon excessive et prématurée. Troisièmement, un assez grand nombre de coopératives empiètent sur la propriété privée de leurs membres et s'efforcent de l'éliminer. » En février et mars 1953, le Comité central adressa des directives à tous les organismes du parti : « Pour que les paysans travaillent avec ardeur à la production agricole, il faut rectifier sérieusement cette tendance aventuriériste à la précipitation et à une trop grande hâte dans le mouvement de coopération agraire... Les cadres doivent donc expliquer aux paysans que leurs propriétés individuelles seront protégées, s'efforcer de leur redonner de l'ardeur au travail, et aider tous les paysans sans discrimination, même ceux qui ne participent ni aux équipes d'aide mutuelle, ni aux coopératives de production. »

Cependant, à la fin de 1953, le Gouvernement décida qu'une accélération de la socialisation agricole était nécessaire. « En même temps qu'il décrète l'achat et la distribution planifiés des denrées alimentaires, l'Etat décide d'accélérer le mouvement des équipes d'aide mutuelle et des coopératives », écrit le *Journal du Peuple*, le 1er mars 1954. Instruits par l'expérience, les cadres s'efforcèrent de ne pas effaroucher les paysans, ils les aidèrent à régler de manière plus satisfaisante le problème des indemnités et des points de travail; d'autre part, l'augmentation du rendement, consécutive à l'organisation coopérative, était un appât convaincant : de 14.000, le nombre des coopératives passa, au printemps 1954, à 95.000. Il s'élevait, en septembre 1955, à 650.000; les coopératives groupaient alors 15 millions de familles, c'est-à-dire que 13 % de la population étaient organisés en coopératives. On avait atteint au printemps le chiffre de 670.000, mais un petit nombre d'entre elles avaient été établies avec des préparatifs insuffisants, et on en a dissous 20.000.

Un exemple concret des résistances rencontrées chez les paysans est fourni par un texte de *China reconstructs* [1] : Sie

1. Si le lecteur met en doute l'authenticité du cas rapporté, je lui répondrai que la question est ici sans importance. Le texte résume de façon imagée les difficultés concrètes et réelles auxquelles se heurtent souvent les cadres.

Touan est un paysan moyen de la province de Hou-nan, âgé de vingt-sept ans. La réforme agraire laissa intacte sa propriété, plus étendue que celle qui fut attribuée aux paysans pauvres; comme il avait été exploité lui aussi par le propriétaire foncier, il prit part cependant au meeting d'accusation. Il possédait 2 ares 2/3 de terre qu'il cultivait avec peine, son père étant infirme; souvent les pluies avaient ruiné ses récoltes. Il se joignit donc de grand cœur à l'équipe d'entraide; la division du travail permettait de sauver la récolte, quel que fût le temps. Un an plus tard, on proposa de transformer l'équipe en coopérative semi-socialiste. Sie Touan hésita; l'idée de mettre sa terre en commun avec celles des autres paysans lui déplaisait; il estimait qu'elle était plus fertile que celle de ses voisins : lui accorderait-on une indemnité suffisante ? Il entra dans la coopérative, parce qu'on lui promettait un accroissement de ses bénéfices; mais il réclama une indemnité qui fut jugée trop élevée; il dut se plier à l'estimation de la majorité. Il se consola en se disant que onze autres familles avaient pris la même décision que lui, et qu'après tout, au bout d'un an, il pourrait se retirer. Cependant il gardait une mentalité de petit propriétaire : il voulait que son champ fût labouré avant les autres, pour être le premier à récolter le grain. Quand il lui fallut labourer le champ des autres paysans, il trouva qu'on lui réclamait trop de travail et projeta de prendre des vacances; cependant, comme personne ne l'imitait, il ne voulut pas perdre des points. Il craignait aussi qu'au moment de la répartition des bénéfices on ne lui accordât pas son dû, et il apprit à compter afin de vérifier les calculs; il se demandait entre autres si on l'indemniserait assez pour le prêt de ses animaux de trait. Il se fit critiquer parce qu'il travaillait plus vite et moins bien sur les terres de ses voisins que sur la sienne. Il avait gardé pour lui un petit terrain et s'irritait de n'avoir pas plus de temps à lui consacrer. Malgré sa mauvaise humeur, il se rendit compte qu'il était avantageux de s'organiser : la coopérative utilisa pour le bénéfice de tous les huit roues à eau appartenant à certains paysans, et les champs de Sie Touan ne souffrirent pas de la sécheresse. On lui donna 42 yens pour payer l'usage de son bœuf et de son fumier. Au moment de la moisson, il toucha 6.534 livres de grain, soit 726 de plus que l'année précédente. En outre, les industries villageoises rapportèrent à chacun 140 yens.

Il fut de nouveau mécontent quand on institua le système du monopole d'Etat et qu'il dut vendre à l'Etat ses surplus de grain. Il s'enregistra cependant pour 770 livres. L'année suivante, on installa dans les champs des pompes qui facilitèrent énormément l'irrigation. Il en fut si satisfait qu'il proposa lui-même qu'on vendît à l'Etat toute la récolte de fèves, ce qui fut accepté. Il restait néanmoins avare; quand de nouveaux membres s'inscrivirent à la coopérative, il voulait qu'on leur réclamât 1,30 yen de cotisation; on fixa le prix à 0,50. D'autre part, il demanda pour l'usage de son buffle une indemnité trop élevée. Il a encore tendance à faire passer ses intérêts individuels avant ceux du groupe : s'il arrive à vaincre ce défaut, il deviendra un travailleur modèle.

Bien entendu, l'histoire est édifiante, et les résistances paysannes ne sont pas toujours si heureusement surmontées. Elle met cependant bien en lumière leurs principales raisons. D'abord la « tendance spontanée du paysan au capitalisme » dont parle Li Fou-tch'ouen dans son rapport sur le Plan Quinquennal; puis l'égoïsme, et la méfiance du petit propriétaire. On voit aussi une des difficultés pratiques qui ont gêné le développement de maintes coopératives : si on lui donne une indemnité trop faible, le paysan moyen se refuse à mettre en commun sa terre, son cheptel; si le prix est trop élevé, les paysans pauvres se jugent lésés. Néanmoins, comme le prouvent les chiffres cités, l'incontestable augmentation de la production due à la collectivisation entraîne des adhésions massives. Le rendement s'élève de 10 à 20 % pendant les deux premières années d'organisation; ensuite la hausse se stabilise, mais demeure plus considérable que dans les équipes d'entraide.

J'ai visité deux villages organisés en coopératives semi-socialistes. Dans l'un et l'autre, le nombre des familles intégrées aux coopératives était très supérieur à la moyenne; il s'agissait donc de deux cas exceptionnels : mes guides m'en ont prévenue. Ce n'est pas pour me leurrer sur la situation présente qu'ils me les ont montrés : c'est pour me faire pressentir la société de demain.

Aux environs de Pékin, un grand paysan d'une quarantaine d'années, le chef du village, et un autre qui était le chef de la coopérative nous ont reçus dans un hangar meublé d'une table et de bancs de bois; tous deux étaient d'anciens ouvriers agricoles, ne possédant naguère pas un pouce de terre. Tout en fumant des pipes au long tuyau, au fourneau minuscule, bourrées d'un tabac fortement aromatisé qu'ils râpent et mélangent eux-mêmes, ils m'ont expliqué en détail comment la collectivisation entraîne une rationalisation du travail.

Cinq brigades se répartissent la culture des champs : chacun travaille, non pas nécessairement celui qui lui appartient, mais celui auquel il a le plus facilement accès. La propriété étant en effet extrêmement morcelée, il arrive qu'un paysan possède des terres très loin de sa maison, ce qui implique des allées et venues, donc un surcroît de fatigue. La collectivisation permet de parer à cet inconvénient. Naguère, chaque domaine comportait une grande diversité de culture, de manière que sa propre récolte fournît à chaque famille céréales, légumes, pois rouges, etc.; à présent, la récolte globale étant divisée entre tous, on peut grouper les cultures et choisir pour chacune le terrain qui lui est le plus favorable. D'autre part, on a récupéré des bandes de terrain stérile qui séparaient les différents domaines. Mais surtout, en mettant en commun leurs ressources, les paysans sont à même d'acheter des engrais, des désinfectants, des instruments nouveaux : aux vieilles charrues de bois qui écorchaient superficiellement le sol, ils ont substitué des charrues à soc de métal qui attaquent la terre en profondeur.

En conséquence, la production a considérablement augmenté au cours de ces deux dernières années. Je demande pourquoi il reste néanmoins quelques paysans isolés : ce village, me répond-on, est surtout maraîcher; on vend au jour le jour les légumes aux marchés de Pékin. Les membres de la coopérative touchent à certaines dates leur part de bénéfice; les individuels sont ceux qui préfèrent gagner moins mais avoir leur argent tout de suite. Sans doute interviennent aussi les raisons générales que j'ai signalées : attachement à la propriété privée, goût de l'indépendance, méfiance.

J'ai fait un tour dans le village. Plus un détritus, plus une mare, plus une odeur : je n'avais pas imaginé qu'un village pût être aussi propre. Tous les habitants, enfants et adultes, sont vêtus de cotonnade bleue d'une parfaite netteté[1]. Nous entrons successivement dans deux maisons; chacune est précédée d'une cour, qu'entoure un mur de terre; des épis de maïs sèchent sur le sol impeccablement balayé. Les habitations sont, comme toutes les maisons du nord, faites de brique mélangée de paille. Pour fabriquer les toits, on étale des plaques de boue sur une espèce de matelas en tiges de kaoliang, reposant sur des chevrons que supportent les poutres maîtresses. C'est toujours le même principe : des poteaux verticaux, indépendants des murs où ils sont encastrés, soutiennent la charpente. Le bois étant rare, celle-ci était considérée naguère comme un bien si précieux qu'on l'emportait avec soi lorsqu'on déménageait. Des châssis garnis de papier servent de fenêtres. Je vois enfin de mes yeux ce qu'est le *k'ang* dont parlent tous les romans paysans : une plate-forme de briques, sous laquelle courent des tuyaux; l'hiver, le feu qui brûle dehors ou dans la cuisine réchauffe l'eau qui y circule; on les déconnecte l'été. C'est sur cette espèce d'estrade qu'on prend ses repas, que les femmes s'installent pour coudre et travailler; la nuit, les membres de la famille s'y étendent, enveloppés dans leurs couvertures. Pour l'instant, celles-ci — qui constituent toute la literie — sont soigneusement pliées et empilées dans un coin du *k'ang*. En cotonnade fleurie, matelassées et fourrées de coton, elles représentent une grande richesse : chacune revient à vingt yens environ si on la fabrique soi-même. Le Gouvernement en a distribué à chaque famille paysanne. « *Avant*, nous n'avions qu'une vieille couverture rapiécée : maintenant, nous en possédons quatre, toutes neuves », nous disent nos hôtes. Ils disent aussi que maintenant enfin, ils ne connaissent plus la faim : ils mangent du sorgho ou du millet bouilli, des légumes, du vermicelle et du pain de froment, du fromage de fève et de soja; de temps en temps, rarement, un peu de viande et des œufs. Pas d'électricité dans les maisons, mais des postes à galène permettent de prendre Pékin. Dans un coin de la cuisine, je remarque une bicyclette : beaucoup de paysans en possèdent. On a bâti des maisons, en pierre, pour y installer les coopératives de vente, et d'autres pour reloger les paysans dont les demeures sont les plus misérables. La coopérative a acheté des pompes qui facilitent

1. Pendant mon voyage, j'ai traversé en train quantité de villages : je n'ai pas pu juger de leur propreté, ni sentir leur odeur. Mais les vêtements des paysans étaient toujours décents.

considérablement les travaux d'irrigation. Les impôts sont peu élevés : 12 % des recettes. Les prix sont stables. En cas de besoin, l'Etat consent des prêts sans intérêt. Une caisse de secours permet d'aider les malades et les vieillards. Des soins médicaux sont dispensés gratuitement. Les paysans ne connaissent pas encore la prospérité; du moins possèdent-ils un bien précieux et tout neuf : la sécurité.

Le second village que j'aie vu de près était situé entre Moukden et Fou-chouen, au bord d'un fleuve. Il s'appelait Kao Kan. Nous avons été accueillis par le chef de la coopérative, dont le visage portait des marques de petite vérole, maladie autrefois très répandue, et par la présidente de l'association des femmes. L'agglomération comprend, nous dit-on, 160 familles, c'est-à-dire 778 habitants, cultivant 2.442 mous de terre. *Avant*, 8 propriétaires fonciers et paysans détenaient 90 % des champs : la plupart des villageois étaient donc des journaliers ou de semi-journaliers. Les riches ont gardé une petite partie de leurs domaines; l'ensemble des terres a été distribué aux pauvres. En 1951, il y avait sept groupes d'entraide qui au moment de la récolte recueillirent 420 livres de céréales par mou, au lieu des 370 livres habituelles. Ils achetèrent en commun des charrettes et 5 chevaux. En 1952, ils s'organisèrent en coopérative : on gagna plus de 29 mous en supprimant les bandes de démarcation qui séparaient les champs; on unifia les terres et on acheta des charrues modernes. On récolta 445 livres par mou. En 1953, grâce à de nouveaux engrais et aux charrues, le chiffre monta à 667 livres. En 1954, une partie du sol fut inondée et cependant la production a augmenté, grâce au tracteur fourni par la centrale agricole qui a son siège à Kao Kan : elle possède quelques machines aratoires; elle se charge elle-même de cultiver mécaniquement les champs des paysans de la région, moyennant une redevance.

La vie matérielle s'est améliorée. En 1953, chaque famille a pu acheter en moyenne trois couvertures. On consomme à présent du riz et de la farine de froment, luxe naguère inconnu. La coopérative possède six puits et une station de pompes, ce qui lui permet de cultiver du riz. On a bâti 62 pièces d'habitation. Les paysans élèvent en commun 98 porcs, 600 poulets, 32 mulets, 8 ânes. Ils possèdent 16 charrettes à roues caoutchoutées et ont acheté de nouveaux outils.

Au lieu d'une seule citerne, il existe à présent 53 puits. Les paysans ont en outre bâti à titre privé 65 pièces d'habitation. Chaque famille possède en privé 1 porc 1/2, et 15 à 16 poulets. La coopérative groupe 116 familles. Les 44 « individuels » sont les anciens « fonciers » et paysans riches, et aussi des paysans qui sont en même temps ouvriers à Fouchen ou qui font du commerce : leur horaire ne leur permet pas de se plier au rythme du travail collectif.

Je visite la coopérative de vente, où les paysans trouvent à peu près tout ce dont ils ont besoin. Il y a deux écoles primaires à Kao Kan et peu d'analphabètes. Tous les enfants vont à l'école, et 32 à l'école secondaire, ouverte seulement, avant, à deux fils de paysans riches. Il n'y a plus personne ici qui pratique la religion : Kao Kan est à proximité d'une ville, et utilise des machines aratoires, l'esprit nouveau y règne sans conteste. Deux des habitants sont inscrits au P.C., et vingt jeunes gens sont membres des jeunesses démocratiques.

Aux environs de Hang-tcheou, j'ai vu un village où l'une des coopératives appartenait au type « supérieur », c'est-à-dire entièrement socialiste. Le cas est encore assez rare. La différence avec la coopérative semi-socialiste, c'est que le propriétaire ne touche plus d'indemnité pour la terre qu'il concède à la communauté; les bénéfices se calculent uniquement sur la base du travail fourni; pour les paysans dont les champs sont étendus et de bonne qualité, la suppression de la rente entraîne une perte : mais celle-ci est compensée par l'augmentation générale du rendement. En effet, j'ai signalé les inconvénients de la coopérative semi-socialiste : il y a de nombreuses contestations touchant la valeur des terres et des instruments fournis, les calculs sont compliqués; et chaque paysan est tenté de réclamer un traitement de faveur pour le domaine qui lui appartient en propre : il veut le faire valoir tout particulièrement pour pouvoir exiger une indemnité plus élevée; bref, il y a encore conflit entre les intérêts particuliers et l'intérêt collectif et cela rend difficile la planification. Dans la coopérative socialiste, la terre appartient encore au paysan; il peut se retirer et reprendre son bien. Mais tant qu'il adhère à la coopérative, il n'a plus aucun rapport particulier avec cette parcelle du domaine collectif. Il s'ensuit de tels avantages qu'on espère que bientôt toutes les coopératives accéderont à ce stade.

Les paysans de ce village se consacraient essentiellement à la culture du thé : c'est celle qui rapporte les plus gros bénéfices; chacun gagne environ 250 yens par an; possédant sa maison, se nourrissant des produits de son jardin, le paysan qui touche une pareille somme est considéré comme à son aise. Ceux qui récoltent riz et maïs gagnent moins; il y en a qui habitent de l'autre côté du fleuve et qui viennent, moyennant rétribution, aider à la cueillette du thé. Il est interdit aux coopératives d'exploiter le travail d'autrui, de louer à long terme des ouvriers agricoles, de spéculer sur la terre ou sur le grain. Mais pour de brèves périodes elles peuvent embaucher en petite quantité de la main-d'œuvre, si les circonstances l'exigent. C'est le cas ici. Beaucoup de gens sont nécessaires pour mener à bien la cueillette, car il faut qu'elle s'opère très rapidement : les feuilles atteignent toutes ensemble leur point de maturité et doivent être ramassées dans les trois jours; avant, elles sont trop jeunes, plus tard, déjà desséchées. Il y a trois récoltes par an et tout au long de l'année, un soigneux travail est nécessaire pour planter le thé, engraisser la terre, l'arroser, etc.

Le village, au fond d'un vallon où verdoient les buissons de thé, est nettement plus riche que ceux que j'ai vus dans le nord. Les maisons sont plus grandes. Les jeunes filles portent des jaquettes fleuries, elles sont habillées et coiffées avec une certaine coquetterie. La communauté comprend 213 familles, soit 1.013 habitants. Jusqu'en 1952, elle a constitué seulement des groupes d'entraide; certains ont subsisté sous leur forme primitive; mais en 1952, les paysans pauvres ont entraîné les autres à créer des coopératives; 96 familles ont formé deux coopératives semi-socialistes, et une coopérative socialiste. A présent, 425 personnes travaillent 260 mous de thé, 160 mous de riz, 43 mous de céréales et de légumes. La production s'est élevée annuellement de 230 yens par mou et par famille, et pour certaines même de 400 yens par mou. L'an dernier, la pluie et les inondations ont fait de graves dégâts, et la production a tout de même augmenté, grâce à la rationalisation du travail.

Sur ce point j'ai demandé des précisions que m'a fournies le chef de la coopérative, un tout jeune homme très vif et intelligent. D'abord, me dit-il, la production fait l'objet d'un plan d'ensemble et de détails. On distribue les engrais de manière que la fertilisation soit rationnelle, selon les besoins de chaque parcelle de terrain. Au lieu que chacun, au moment de la récolte, cueille son thé, tout le monde se concentre dans les zones où le thé atteint sa maturité. Les terrains sont consacrés à la culture du riz, du thé ou des céréales selon qu'ils y sont plus ou moins propices. Pour établir en chaque saison le programme du travail, on se base sur les expériences passées; chacun propose son avis et on discute. Pour la distribution des bénéfices, on utilise le système des points de travail. Chaque groupe évalue en fin de journée le travail de chacun de ses membres, en tenant compte de la quantité et de la qualité. On demande à l'intéressé quelle note il se donne : les autres discutent. Le maximum est 10 : pour l'obtenir, il faut avoir cueilli la quantité prévue par le plan, et que les feuilles de thé ne soient ni cassées, ni trop jeunes, ni trop vieilles, etc. Le salaire est réparti selon les points obtenus.

La rationalisation apparaît clairement dans la salle de séchage. Le thé vert se distingue du thé noir — beaucoup moins répandu en Chine — en ce qu'il n'est pas fermenté. On le grille à haute température pour détruire les enzymes et les feuilles gardent leur couleur; il est plus riche en vitamines que le noir. Aujourd'hui, pour la première fois, la Chine possède dix grandes usines qui préparent le thé vert par des moyens mécaniques. Mais c'est encore peu et la plupart des villages le traitent eux-mêmes. C'est le cas dans celui-ci. On le dispose dans des cuves sous lesquelles brûle un feu permanent, et toute une nuit on le retourne à la main. Dans la production individuelle, il faut au moins deux personnes : une qui alimente le feu — c'est un feu de bois et de brindilles — une qui remue le thé. Ici, pour huit cuves, il suffit de neuf personnes au lieu de seize, car une seule veille sur les différents feux. Il y a aussi une économie de local, les cuves occupant une seule pièce.

Le village possède une coopérative d'achat et de vente, une station sanitaire où réside en permanence une infirmière qui se charge essentiellement des accouchements, de la vaccination et des maladies bénignes. Un médecin visite régulièrement le village et en cas de besoin, quelqu'un va à bicyclette le chercher. Des crèches reçoivent des enfants pendant que les mères travaillent aux champs. Il y a des cours pour les analphabètes, et d'autres pour les paysans plus instruits. Un groupe théâtral donne des représentations les jours de fête.

Dans tous les villages, la campagne pour l'hygiène a transformé les conditions sanitaires. On a combattu les superstitions nuisibles et supprimé ou simplifié les coûteuses cérémonies auxquelles étaient naguère astreints les villageois. Plus de palanquin de noces, ni de festin ruineux, ni d'habits dispendieux. Une série d'aménagements minutieux de la vie paysanne a contribué à en élever le niveau.

Les anticommunistes reprochent au régime d'avoir préféré les brutales « facilités » de la réforme agraire à la voie plus malaisée mais — prétendent-ils — plus féconde de la reconstruction : il ne fallait pas partager les terres, mais améliorer les semences, accroître la production des engrais chimiques, etc. D'une part, prises en régime capitaliste, ces mesures n'eussent enrichi que la classe possédante, non l'ensemble du pays; d'autre part, le Gouvernement est loin d'avoir négligé cet aspect du problème. Socialisation et reconstruction pour lui vont de pair. Entre 1950 et 1955, il a fait, pour aider l'agriculture, un effort considérable; il a dépensé 4.600 millions de yens : prêts, travaux hydrauliques, secours aux sinistrés, etc. A la fin de 1957, les usines d'Etat auront livré aux paysans 1.800.000 charrues ordinaires, 500.000 charrues nouveau modèle, 681.100 pompes fournissant 57.000 C.V., et 20 millions de tonnes d'engrais chimiques.

En outre, des agronomes étudient scientifiquement le sol, le climat, les méthodes de production. Dans plusieurs régions on a introduit la méthode soviétique de la « plantation serrée », c'est-à-dire qu'on sème les céréales à 6 pouces de distance au lieu de 9, ce qui augmente de 20 % le rendement. On sélectionne les semences; on fait des expériences inspirées des théories de Mitchourine. De nombreux instituts de recherche agricole ont été créés, ainsi que 32 stations expérimentales et 34 collèges d'agriculture. On développe la production et l'usage des insecticides : les sauterelles, la plupart des parasites, sont à présent vaincus. On encourage le défrichage à petite échelle.

Un « Programme du développement de l'agriculture » dresse le plan des tâches à accomplir entre 1956 et 1967 : production de charrues modernes, d'engrais chimiques, de pompes, lutte contre les maladies qui affectent les animaux et les plantes. Mais, contrairement à ses adversaires, le régime estime que la reconstruction ne peut porter ses fruits que dans le cadre de la socialisation. C'est pourquoi, avant même que ce nouveau plan ne fût élaboré, un grand mouvement a été lancé au début de l'automne 1955 : accélérons la collectivisation ! On a publié à la fin d'octobre 1955 le discours prononcé par Mao Tsé-toung en juillet, ainsi que la résolution du Comité central, qui n'avaient pas encore été divulgués. Tous les journaux les ont commentés, on les a discutés à travers toute la Chine.

Pour nourrir tout le monde, pour industrialiser le pays, il faut du grain, dit Mao Tsé-toung; la population augmente de 2 % par année; en échange des machines dont elle a besoin, la Chine ne peut fournir que les fruits de sa terre : les récoltes doivent s'accroître de 3,3 % par an, sinon les exportations et en conséquence les importations seront freinées. Seule la socialisation permettra une augmentation massive de la production. Sur les 650.000 coopératives existantes, 80 % ont élevé leur rendement de 10 % à 30 %; il faut les consolider; il faut amender celles qui sont demeurées stagnantes ou qui ont régressé; il faut multiplier les groupes d'entraide et les coopératives semi-socialistes. On pourra alors passer au stade des coopératives « de structure entièrement socialiste et de grande envergure ». C'est là le but visé. La Chine vient de commencer sa « révolution socialiste »; celle-ci a un double caractère : technique et social. L'industrie remplacera l'artisanat, et les tracteurs la houe. Corrélativement, le capital privé disparaîtra, et la terre doit être collectivisée.

Socialisation industrielle et agricole sont inséparables. L'interdépendance des secteurs : industrie lourde, industrie légère, agriculture, est si étroite qu'aucun ne peut se développer isolément; et actuellement, celui qui détient la clé de tout l'ensemble, c'est le secteur agricole : c'est lui qu'il s'agit de transformer. « L'industrialisation socialiste ne peut pas être séparée de la coopérativisation agricole ni être entreprise isolément. D'abord tout le monde sait qu'en ce moment dans notre pays le niveau de production de grains marchands et de matières premières industrielles est très bas, et que d'autre part les besoins du pays dans ce domaine augmentent d'année en année. C'est une contradiction aiguë... En ce moment, non seulement nous sommes en train d'entreprendre une révolution dans le domaine du système social en remplaçant le système de propriété privée par le système de propriété collective, mais encore nous sommes en train d'entreprendre une révolution dans le domaine technique en remplaçant la production artisanale par la production mécanisée et modernisée de grande envergure... Dans le domaine de l'agriculture... il faut d'abord qu'il y ait organisation en coopératives de l'agriculture, ce n'est qu'ensuite qu'on pourra utiliser les grandes machines...

... Une partie relativement importante des énormes capitaux nécessaires pour accomplir l'industrialisation et la transformation technique de l'agriculture du pays doit provenir de l'agriculture. C'est-à-dire qu'outre les impôts agricoles directs, il faut développer la production des articles de consommation dont les paysans ont besoin et qui sont fournis par l'industrie légère, et échanger ceux-ci contre les grains marchands et les matières premières fournis par les paysans, afin de satisfaire les besoins matériels tant des paysans que de l'Etat et en même temps d'accumuler des capitaux pour l'Etat... Or développer sur une grande échelle l'industrie légère ne peut pas se réaliser sur la base de la petite économie paysanne : cela suppose une agriculture de grande envergure, c'est-à-dire en ce qui concerne la Chine, une agriculture coopérativisée et socialisée. Ce n'est qu'en possédant une telle agriculture qu'on pourra faire bénéficier les paysans d'un pouvoir d'achat infiniment supérieur à celui qu'ils ont actuellement. »

Nécessaire à l'Etat, la collectivisation sera donc avantageuse pour les paysans. Il n'est pas question de rafler leurs surplus par des taxes supplémentaires, mais d'accroître leur pouvoir d'achat, donc leur niveau de vie. Leur intérêt se confond avec celui de la nation entière; on ne les jette pas en pâture à un Moloch : l'industrie lourde; on ne préfère pas la prospérité future à la prospérité présente : au contraire, la première exige la seconde.

Les paysans pauvres en particulier ont un besoin aigu de la collectivisation; ils représentent encore 60 à 70 % de la classe paysanne; leur niveau de vie est très supérieur à celui des anciens pauvres, ils ne connaissent plus l'indigence ni l'insécurité, mais enfin leur vie est encore difficile. « La majorité des paysans ne réussiront à vaincre la misère, à améliorer leur vie, à résister aux calamités qu'en marchant sur la grande voie qui mène au socialisme. Cette conviction se développe déjà rapidement parmi les paysans pauvres. Ceux qui sont aisés ou relativement aisés ne représentent que 20 % à 30 % de la population. Ceux-ci sont indécis... »

C'est grâce à l'appui des paysans pauvres que l'entreprise est assurée de réussir. Mao Tsé-toung n'a pas lancé ce mouvement à partir de considérations théoriques. Au printemps, il a fait une longue tournée dans les campagnes, il a parlé avec les paysans et étudié à fond la situation. Il s'est convaincu que « l'accélération » était non seulement nécessaire mais possible. Les cadres qui ont freiné la coopérativisation ont commis une erreur. On a dissout trop de coopératives qui auraient pu être consolidées. Surtout, on n'a pas encouragé avec assez de chaleur les paysans qui d'eux-mêmes auraient volontiers constitué des groupes de travail. « Les paysans sont désireux de marcher progressivement et sous la direction du parti dans la voie du socialisme. Le parti est capable de conduire les paysans sur la voie du socialisme. »

Dans les villages que j'ai visités, j'ai été frappée par le fait que partout les chefs du village et des coopératives étaient d'anciens pauvres; c'était toujours eux qui avaient pris l'initiative des collectivisations. Ceux qui aujourd'hui encore sont pauvres doivent continuer à jouer ce rôle; c'est sur eux qu'il faut s'appuyer, dit Mao Tsé-toung. Là où les coopératives font défaut, les pauvres trop souvent se font à nouveau exploiter par les riches; un certain nombre de ceux-ci en effet prennent le chemin du capitalisme : ils achètent la force de travail des pauvres et même acquièrent des droits sur leurs terres en leur louant des bêtes de trait, en leur prêtant des engrais, etc. Les pauvres n'ont qu'un moyen de se défendre : former des coopératives capables d'élever des bêtes de trait, d'acheter des outils et des engrais, d'augmenter le rendement de leurs champs.

Cette fois, Mao Tsé-toung met pleinement en lumière les deux objectifs visés : enrichissement de l'Etat et des paysans, lutte contre le capitalisme; ayant montré qu'ils sont inextricablement liés, que les pauvres ont besoin de produire davantage pour échapper à l'exploitation dont ils pâtissent et qui doit être abolie, il souligne le caractère de lutte des classes de la collectivisation. On l'avait déjà signalé depuis 1954. En septembre, Teng Tseu-houei disait : « Plus les coopératives progressent, plus nous nous rapprochons de notre but : l'élimination définitive des paysans riches en tant que classe. » Et encore : « Le développement accéléré des coopératives est lié à la résistance des éléments capitalistes des campagnes et à l'intensification de la lutte entre le développement capitaliste et le développement socialiste dans les districts ruraux. La lutte entre les deux développements est une lutte de classes, une lutte entre la bourgeoisie et le prolétariat pour gagner les paysans individuels. »

En 1955, Lia Lu-yen écrit : « Les éléments de la classe bourgeoise et des contre-révolutionnaires essaient d'écarter les paysans de la route du socialisme. Les paysans doivent rejeter ces tentatives de la même façon qu'ils ont jadis rejeté par la réforme agraire les structures féodales. »

C'est dans le même sens que parle Mao Tsé-toung dans le discours de juillet 1955. « A présent, ce qui subsiste à la campagne, c'est le système de propriété capitaliste des paysans riches, et le système de la propriété paysanne individuelle, aussi vaste que la haute mer. Tout le monde a déjà remarqué au cours de ces dernières années que la force spontanée du capitalisme à la campagne s'est développée de jour en jour, que de nouveaux paysans riches apparaissent déjà partout, que de nombreux paysans moyens aisés s'efforcent de devenir des paysans riches. Par contre de nombreux paysans pauvres, à cause de l'insuffisance de leur matériel de production, vivent encore dans des conditions misérables; certains se sont endettés, certains ont vendu leur terre ou l'ont louée. Si on laisse cette situation se développer, le phénomène de disjonction deviendra nécessairement de jour en jour plus grave... Il faut réaliser la transformation socialiste intégrale de l'agriculture, c'est-à-dire effectuer la collectivisation, détruire dans les campagnes le système économique des paysans riches et le système de l'économie individuelle afin de permettre à l'ensemble du peuple de la campagne d'améliorer sa condition. »

On groupera donc les paysans pauvres et moyens; les riches seront tenus à l'écart des coopératives; ils ne pourront y être admis qu'une fois celles-ci parfaitement consolidées, c'est-à-dire âgées déjà de plusieurs années et comprenant plus des trois quarts des paysans de la région; ils n'y entreront qu'à titre individuel, s'ils sont explicitement agréés par le groupe, et ne pourront pas, avant un long délai — plusieurs années — y occuper des postes importants. On veut éviter par là que grâce à leur avance économique ils ne parviennent, comme ils ont réussi à le faire parfois en 1952-53, à truquer la coopérative à leur profit.

Le plan quinquennal prévoyait qu'en 1957 les coopératives grouperaient un tiers de la paysannerie; Mao Tsé-toung réclame qu'au printemps 1956 le nombre des coopératives atteigne 1.300.000 et qu'au printemps 1958 la moitié des paysans soient organisés en coopératives semi-socialistes.

Ce chiffre a été largement dépassé. En décembre 1955, on comptait déjà 1.400.000 coopératives, comprenant 40 % de paysans. En juin 1956, 90 % de la paysannerie étaient groupés en copératives. En 1957, toute l'agriculture sera collectivisée. On estime qu'alors il y aura seulement 2 millions de coopératives, car elles seront de taille plus grande : chacune groupera environ 110 familles, cultivant 110 hectares.

En mars 1956, le Comité permanent du Congrès a adopté un « Règlement modèle » touchant l'organisation des coopératives. Les principes essentiels sont ceux de l'adhésion volontaire et du bénéfice mutuel : « Les coopératives ne doivent en aucun cas recourir à la contrainte; il faut agir par la persuasion et par l'exemple... La seule manière d'obtenir que les paysans prennent volontairement le chemin de la collectivisation, c'est d'appliquer le principe du bénéfice mutuel... Il faut s'appuyer sur les paysans pauvres et s'unir fermement avec les moyens... La coopérative ne doit contrarier les intérêts d'aucun paysan moyen ou pauvre... Quand elle aura atteint le stade supérieur — la mise en commun des principaux moyens de production — la distinction entre moyens et pauvres s'abolira... Les membres qui souhaitent se retirer peuvent le faire, après que les récoltes sont rentrées. » La coopérative doit aider les paysans individuels pauvres ou moyens. Les coopératives de type semi-socialiste sont maintenues. Chaque famille conserve à titre privé une parcelle de terre, ses volailles, des animaux domestiques, des outils. Quant aux paysans riches, on ne les acceptera que dans les conditions indiquées par Mao Tsé-toung, c'est-à-dire que pour l'instant ils ne sont pas admis dans les coopératives. On les considère dans l'ensemble comme des ennemis de classe. « La coopérative doit lutter contre les paysans riches et autres exploiteurs de manière à réduire et à abolir graduellement l'exploitation capitaliste dans les campagnes. »

Des observateurs occidentaux ont voulu voir dans ce mouvement de collectivisation une révolution aussi importante que la réforme agraire [1]. Ils ont sans doute été abusés par une fausse analogie avec le tournant de la politique soviétique qui décida en 1929 la liquidation des koulaks en tant que classe et que les historiographes officiels du parti communiste soviétique qualifient de « transformation révolutionnaire, équivalant par ses conséquences à la Révolution d'Octobre ». Cette assimilation hâtive a permis aux anticommunistes bien des espoirs; ils ont prédit que les révoltes paysannes, les massacres de koulaks qui ensanglantèrent l'U.R.S.S. dans les années 1930 allaient se reproduire en Chine. C'est une grave erreur de prétendre déchiffrer l'histoire de la révolution chinoise à travers celle de la révolution russe : certes, les dirigeants chinois s'inspirent de celle-ci, mais pour en tirer des enseignements qui leur évitent d'en répéter les fautes. Et la situation de l'U.R.S.S. en 1929 était radicalement différente de celle de la Chine de 1955. Il est vrai que Mao Tsé-toung a dit : « La révolution socialiste est une nouvelle révolution. » Il soulignait par là l'importance des objectifs à atteindre. Mais dès 1949 il avait distingué la phase démocratique et la phase socialiste de la révolution chinoise et déclaré que la seconde s'accomplirait sans violence. Elle s'est en fait amorcée du jour où les communistes ont pris le pouvoir et le discours de Mao Tsé-toung, loin d'annoncer un virage brutal, s'inscrit dans la continuité d'une ligne constamment rectifiée mais constamment maintenue. En 1953 on a corrigé une déviation « gauchiste » et freiné la collectivisation; le freinage a été trop radical; il en est résulté une déviation « droitière » et cette fois, sûr de l'appui des masses, Mao Tsé-toung donne un coup de barre à gauche. Mais on peut constater que le nouveau « Règlement modèle » ne fait qu'entériner ceux qui étaient antérieurement appliqués. Les changements ne portent que sur deux points : on accélère la collectivisation; et celle-ci est franchement dirigée contre les paysans riches en tant que classe. Ces consignes n'impliquent aucunement un bouleversement de l'économie du pays.

La reconstruction de l'U.R.S.S. est partie d'un communisme de guerre qui a ruiné la paysannerie, suscité en son sein un immense mécontentement et acculé Lénine à la Nep qui donna aux koulaks une importance économique considé-

1. C'est le point de vue qu'a soutenu entre autres dans *l'Observateur* Isaac Deutcher, d'ordinaire mieux informé.

rable. La révolution avait été faite par la classe ouvrière; ce sont des ouvriers qu'on envoya dans les campagnes régler les problèmes paysans dont ni les bureaucrates ni même les dirigeants n'avaient une expérience concrète. Le revirement de 1929, brutal dans son ensemble, insuffisamment préparé et mal organisé dans le détail, devait fatalement entraîner des révoltes, des violences et de provisoires désastres.

La République chinoise est née non de la défaite, mais de la victoire; elle n'a pas été au départ traquée par des armées blanches, mais soutenue par une puissante alliée, l'U.R.S.S. Pendant des années, dans les régions libérées la paysannerie avait collaboré avec l'armée rouge, recrutée elle-même parmi des paysans : concrètement ce sont ceux-ci qui ont voulu et fait la révolution; elle les a libérés du servage, elle leur a donné des terres, sans contrepartie négative. Les dirigeants avaient des racines dans la classe paysanne, ils ont milité en son sein, ils ont une large expérience concrète de ses problèmes : entre autres Mao Tsé-toung, qui en 1927 participa aux grands mouvements paysans du Ho-nan et qui sut en pressentir les possibilités à venir. Cette intime connaissance, les véritables expérimentations réalisées dans les zones rouges pendant la guerre civile ont permis d'élaborer une politique minutieusement adaptée à la situation, sensible à ses moindres fluctuations. Quelques cadres ont agi, au début, avec trop de zèle, mais ces excès ont été rapidement réprimés. On a procédé lentement, avec prudence, et en étroit contact avec la masse. Il en est résulté que le régime est demeuré populaire parmi les paysans qui lui savent gré de leur avoir distribué des terres et de ne leur réclamer qu'un impôt modéré. Il y a eu une mesure qui a été accueillie avec méfiance : c'est l'établissement du monopole d'Etat touchant le commerce du grain. Les paysans avaient l'habitude de disposer librement de leurs surplus et ils n'ont pas aimé le système d'achats et de ventes planifiés. En 1954, de graves inondations ayant en beaucoup de provinces ravagé les récoltes, un appauvrissement s'en est suivi : le ministre du Commerce a reconnu que des fautes avaient été commises dans l'achat et la distribution du grain. Mais la tension qu'elles ont suscitée ne peut se comparer avec la fureur contre-révolutionnaire des paysans russes ruinés par les réquisitions et que les koulaks eurent beau jeu d'exploiter. Et précisément le monopole des grains n'a pas permis aux paysans riches de devenir des homologues des koulaks russes. Ceux-ci produisaient, en 1927, 600 millions de *pouds* [1] de blé, dont 130 de blé marchand. La politique de la Nep avait favorisé les accaparements : ils pouvaient affamer les villes en refusant de livrer leurs stocks de grains et c'est ce qui obligea le prolétariat urbain à exercer contre eux de terribles violences. La Chine n'eut jamais recours à ce dangereux expédient que fut la Nep, elle n'a pas autorisé par des lois l'affermage du sol et l'exploitation d'une main-d'œuvre salariée; ces faits ne se sont produits qu'à petite échelle. Et l'existence d'organismes d'Etat d'achat et de vente, puis le monopole, ont empêché qu'ils n'aient de graves conséquences. Tout de suite le gouvernement a barré la route à la spéculation, rendu impossible le stockage du blé, du riz, du kaoliang par des propriétaires privés et rempli ses propres greniers. Cette remarquable prudence préventive porte aujourd'hui ses fruits : les paysans riches ne constituent pas une force économique sérieuse. « Actuellement, a déclaré Lieou Chao-ki, en septembre 1954 dans un rapport au Congrès, la propriété moyenne d'un paysan riche est en fait réduite au double de la propriété d'un paysan ordinaire : c'est pourquoi il est possible dans notre pays d'éliminer le capitalisme dans les campagnes d'une façon progressive et grâce au développement des coopératives de production agricole. » Il ajoute : « Evidemment la lutte est inévitable », mais c'est là simple politesse à l'égard de la thèse stalinienne selon laquelle la lutte des classes s'exaspère quand le socialisme gagne du terrain; cette thèse vient précisément d'être dénoncée en U.R.S.S. En fait, tandis que l'intégration « indolore » des koulaks à l'économie russe était sans doute impossible, parce qu'ils constituaient une classe puissante, celle des paysans riches s'accomplira vraisemblablement en Chine sans douleur. Ils ne constituent pas vraiment une classe; éparpillés dans les campagnes, sans solidarité entre eux, sans prise sur l'économie du pays, les dirigeants ne parlent pas de les exproprier : ils sont sévèrement ligotés. Pour abolir leurs privilèges, il suffit que l'ensemble de la paysannerie s'enrichisse : l'appui accordé par l'Etat aux coopératives — sous forme de prêts, d'engrais, d'outils, etc. — et refusé aux individuels riches, les avantages effectifs du travail par groupes amèneront le dépérissement des paysans riches. En particu-

1. Un poud : 16 kg 38.

lier dès que l'agriculture sera mécanisée, pour profiter des tracteurs et autres machines agricoles, il leur faudra rallier les coopératives; sans doute les y accueillera-t-on alors car ils n'auront plus les moyens de leur nuire. Aujourd'hui, ils peuvent encore tenter des sabotages; mais ils sont incapables de gêner sérieusement le mouvement de collectivisation. Un des traits remarquables de la politique chinoise, c'est qu'elle est à la fois patiente et préventive; on enraie un processus dès qu'il apparaît comme inquiétant, bien avant qu'il ne constitue un sérieux risque. C'est grâce à cela qu'en sept ans le régime n'a jamais traversé une de ces crises dont les spasmes ont si violemment secoué la jeune république soviétique.

Tout en interdisant encore l'accès des coopératives aux paysans riches, le gouvernement laissait d'ailleurs prévoir dès le mois de février 1956 qu'il faudrait bientôt envisager le problème de leur admission. La revue *Tchan Wang* déclarait : « La révolution socialiste a gagné une victoire décisive dans les villages. D'autre part, après la réforme agraire, bon nombre d'anciens propriétaires ont déjà été soumis à la rééducation par le travail. Avec le développement du mouvement de coopérativisation agraire et l'application de la planification aux achats et aux ventes de grain, les risques d'exploitation par les paysans riches ont grandement diminué. La grande majorité des coopératives ont été consolidées et la conscience des cadres et des membres des coopératives s'est élevée. C'est pourquoi les conditions sont maintenant mûres pour résoudre le problème de l'admission des propriétaires et des paysans riches dans les coopératives. » En mai 1956, le *Kouang-ming je-pao* et le *Jen-min je-pao*, ont publié des éditoriaux promettant un heureux avenir aux anciens « fonciers » et paysans riches qui ont été convenablement rééduqués. Le ralentissement de la lutte contre les contre-révolutionnaires, très sensible au cours de l'année 1956, confirme que la collectivisation n'a nullement suscité ces tragiques conflits qu'escomptaient les anticommunistes.

Ce succès s'explique par les circonstances que j'ai indiquées, et par le soin pris par le gouvernement de faire observer la consigne : l'adhésion aux coopératives doit être volontaire. Ne fondant jamais sa politique sur des principes abstraits, ce n'est pas par respect de la liberté qu'il impose cette règle : mais il sait que la contrainte ne paie pas. Chaque fois que des cadres trop zélés ont essayé d'appliquer de force certaines mesures, on a couru à l'échec. Entre autres, il a fallu dissoudre des coopératives créées par coercition : des sabotages ou simplement des résistances passives les ont ruinées. C'est qu'au niveau qui est aujourd'hui celui de l'économie chinoise, le facteur humain a une importance primordiale. Le système est si rigoureusement agencé que le moindre gain fait boule de neige; un sac de riz, c'est la promesse d'un tracteur; mais toute perte risque d'inverser le mouvement du mécanisme. Dans cette situation limite, où le combat pour la prospérité se livre à main nue, du sein de l'indigence, le rendement de chaque mou compte : et celui-ci dépend du travail de chacun. A certains stades, il est techniquement possible de traiter l'individu comme une pure machine; ici, non. Quand on charrie des pierres ou qu'on presse un bouton, peu importe qu'on agisse de bon ou mauvais gré. Mais bêcher, semer, récolter ne peuvent impunément se faire à contrecœur. La réussite de la collectivisation exige que le paysan travaille avec zèle, c'est-à-dire que son adhésion soit librement consentie. Le dernier congrès du P. C. chinois en juin 1956 a de nouveau mis l'accent sur la consigne : pas de contrainte. Il faut avec patience, expliquer, persuader.

Il est intéressant de comparer le succès de l'entreprise chinoise avec l'échec de la collectivisation dans les démocraties populaires. Comme la Chine, l'Europe orientale se trouvait en 1945 démunie de moyens de production, d'engrais, de cheptel, d'équipement mécanique, cependant que sa population s'accroissait d'année en année; elle non plus — mise à part la Tchécoslovaquie — ne possédait presque aucune industrie. La Hongrie en particulier, où aucune réforme agraire n'avait jamais été réalisée, vivait dans une misère proche de la misère chinoise. En Hongrie, en Pologne, 42 % à 45 % de la population étaient constitués par un prolétariat agricole et seulement 36 % des petites propriétés étaient rentables. En 1945 la réforme fut réalisée par les communistes; trois ans plus tard la collectivisation s'amorça : elle fut une radicale faillite. Comment s'explique cette différence ?

« En Hongrie, écrit Fejtö [1], les masses paysannes déshéritées avaient subi, durant vingt-cinq ans, une pression policière et idéologique accablante, dont elles sortaient mentalement

1. La tragédie hongroise.

paralysées, désorientées, sans espérance. Les paysans pauvres et les ouvriers agricoles étaient entièrement sous l'influence de la « bourgeoisie » des campagnes, des koulaks et des gendarmes dont ils partageaient les idées nationalistes et l'anticommunisme virulent. Enfin, et c'est peut-être là le fait le plus important, la paysannerie d'Europe orientale était informée du développement rural en Union soviétique. De là le climat morose marqué de méfiance, d'hésitation, de doute dans lequel se déroula en 1945, sur l'instigation de l'Armée rouge et des communistes, la réforme agraire. »

Le « climat » était plus favorable en Pologne, en Yougoslavie. Mais presque partout en Europe la réforme engendra des problèmes que ne connurent pas les Chinois; en Chine, elle améliora la vie des paysans sans la bouleverser; en gros, ils continuèrent à cultiver les mêmes terres qu'auparavant et se trouvèrent seulement exonérés de la « rente » qui les accablait. En Europe, il y eut d'importants transferts de population. En Hongrie, il fallut créer quatre cent mille nouveaux foyers et les habitats furent improvisés dans des conditions lamentables. D'autre part, en Europe comme en Chine, le morcellement de la propriété fut extrême; les inconvénients en sont bien moindres dans un pays où la culture s'apparente au jardinage que dans le cas où on pratique une culture extensive; le démembrement des grandes propriétés devient alors désastreux.

Il semble alors que la collectivisation représenta en Europe une nécessité plus vitale qu'en Chine : le paradoxe, c'est qu'elle y ait suscité une si opiniâtre résistance. La chose s'explique pourtant. Les dirigeants chinois surent exploiter la confiance et l'amitié des paysans pour lancer une campagne d'hygiène, combattre les superstitions, organiser de façon élémentaire le travail; ils firent un immense effort pour améliorer le bien-être paysan : tout de suite la production s'accrut. La confiance faite au régime se fortifia. Le système de la « boule de neige » se mit à jouer en faveur de la socialisation. Les premières coopératives fondées sur le libre consentement ont bien fonctionné : après un moment d'hésitation, leur exemple a entraîné des ralliements sur un rythme accéléré. On a eu soin de limiter la concentration des propriétés collectivisées. L'absence d'équipement mécanique a empêché tout bouleversement rapide des méthodes de culture. Le problème épineux du cheptel ne s'est guère posé puisque l'élevage n'existe presque pas en Chine. La transformation de l'agriculture a été lente, modeste.

En Europe, les paysans étaient hostiles au communisme qui n'avait pas supprimé leur misère et dont, instruits par l'exemple de l'U.R.S.S., ils se méfiaient. Au lieu d'attendre de les avoir gagnés, les dirigeants furent obligés — par des ordres venus d'en haut, et dictés par des considérations purement doctrinales — d'agir prématurément. Faute de prise concrète sur les campagnes, on y suscita artificiellement une lutte des classes : les paysans moyens — dont les Chinois ont si adroitement respecté les intérêts — furent assimilés aux koulaks et ceux-ci persécutés. Les troubles qui en résultèrent nuisirent à la production. On créa des coopératives trop vastes; on voulut trop vite mécaniser l'agriculture; les paysans furent incapables de s'adapter à ces brusques changements. Mécontentement, incompétence inversèrent en cercle vicieux le système de la boule de neige. Les coopératives produisaient moins que les individus; ceux-ci, par haine des coopératives auxquelles on les contraignait d'adhérer, les sabotaient et elles se discréditaient de plus en plus. Il est normal que ces méthodes, diamétralement opposées à celles des Chinois, aient abouti à des résultats contraires. En 1951 en Yougoslavie [1], presque toutes les coopératives furent dissoutes; en 1953 en Hongrie, il y eut un vaste mouvement de désagrégation que Rakoci arrêta par la force.

On voit par cette confrontation que la Chine a profité au départ d'une situation politique plus saine que celle d'aucun pays d'Europe; elle a eu aussi l'avantage, grâce à l'aide soviétique — accordée beaucoup moins généreusement aux satellites — de pouvoir investir des fonds important dans l'agriculture. Mais surtout la compétence et l'intelligence des dirigeants leur a permis de travailler en accord avec les masses, et jamais contre elles.

Les paysans pauvres ont tout de suite compris que les coopératives amélioreraient leur sort. Les paysans moyens se sont montrés plus réticents. Une des raisons de leur hésitation, c'est l'existence de la communauté familiale, qui constitue déjà un groupe producteur, et qui a tendance à demeurer fermée sur soi. Pour réussir la collectivisation, il était néces-

1. Les Yougoslaves n'obéissaient pas au Kominform; mais par crainte de se laisser distancer par la Bulgarie, ils avaient tenté aussi d'accélérer le renforcement du secteur socialiste.

saire de briser la vieille structure sociale : celle-ci correspondait au morcellement de la propriété privée; la collectivisation exige une reconcentration de la main-d'œuvre agricole sur une plus grande échelle; les travailleurs sont groupés en vastes organisations, exploitant des terres que tous possèdent ensemble et dont chacun profite à titre individuel : mais cette nouvelle intégration implique que le producteur ait d'abord été détaché de la cellule primitive. Le socialisme va de pair avec une émancipation de l'individu. C'est pourquoi la propagation de la « loi du mariage » dirigée contre la famille traditionnelle a pris une si grande importance. La révolution technique n'étant pas encore accomplie, les faits sociaux ont aujourd'hui en Chine une dimension économique et inversement les progrès économiques se réalisent à travers des transformations sociales. L'évolution de la famille est étroitement liée au mouvement coopératif.

III

LA FAMILLE

On s'indigne beaucoup, parmi les ennemis de la nouvelle Chine, de la politique antifamiliale qu'on lui impute : elle nie, dit-on, les liens du sang, elle foule aux pieds les valeurs les plus sacrées. Les Gosset [1] inscrivent à son passif : « Anéantissement de la famille. » Or il est radicalement faux que la Chine supprime la famille; elle ne fait que réaliser l'évolution accomplie par la France entre le XVIe et le XIXe siècle et qui substitua au groupe patriarcal le groupe conjugal. Le premier se fonde sur la propriété foncière; dans tous les pays d'Occident, l'apparition de l'industrie, de la propriété mobilière et d'un prolétariat ouvrier entraîna sa disparition. La Chine ne commença que récemment à s'industrialiser et c'est pourquoi la forme archaïque de la famille s'y est perpétuée; ce qu'il y a de singulier, ce n'est pas qu'aujourd'hui celle-ci soit en voie de transformation : c'est que ce changement se produise si tardivement.

La famille chinoise traditionnelle s'explique, on l'a vu, par l'économie agricole du pays. Elle a pris une forme plus rigide que dans toute autre civilisation parce que les institutions s'appliquèrent à éliminer tout principe de contradiction susceptible d'en favoriser l'évolution. L'appartenance de la femme romaine à deux gens, celle du père et du mari, entraîna des conflits à partir desquels elle s'émancipa, et ce changement se répercuta dans toute la structure sociale; en Chine,

1. Chine rouge.

on supprima cette dualité en déniant à la femme la qualité de personne humaine. On rendit impossible la féconde querelle des générations par l'asservissement des jeunes aux vieux. Un décret du premier empereur Song, édicté entre 966 et 977, interdit la séparation d'habitation entre les membres d'une même famille jusqu'à la quatrième génération : cette règle se perpétua. Vivant sous un même toit, tous les membres du groupe étaient soumis à l'autorité du patriarche. Le père avait droit de vie et de mort sur ses enfants et il en usait souvent pour supprimer à leur naissance les filles considérées comme bouches inutiles; il pouvait les vendre comme esclaves. Le fils devait obéir à son père, le cadet à son aîné, la femme à tous les hommes. Les mariages arrangés par un entremetteur étaient imposés aux jeunes gens qui s'épousaient d'ordinaire sans s'être jamais rencontrés; ils demeuraient soumis à l'autorité des ascendants du jeune homme.

Certains conservateurs vantent l'équilibre d'un système qui ne laissait place ni à la lutte des sexes, ni aux querelles individuelles; leur libéralisme s'insurge contre les disciplines instituées par le régime actuel : mais il s'accommode de la radicale oppression qu'imposait l'ancien code familial.

Quand au début du XXe siècle une bourgeoisie industrielle et commerciale commença à se développer, les bases économiques de la vieille cellule familiale s'y trouvèrent sapées; elles s'effondrèrent aussi dans la classe ouvrière. La structure traditionnelle de la famille survivait; mais, privée de support et de toute justification, l'autorité qu'exerçait sur eux un groupe auquel ils n'étaient plus concrètement intégrés parut alors odieusement arbitraire aux jeunes bourgeois comme aux jeunes prolétaires. Ils subissaient dans le désespoir les unions forcées dont les charges n'étaient compensées par aucune joie; de tout temps, quantité de femmes chinoises s'étaient réfugiées dans le suicide; beaucoup de jeunes maris suivirent alors leur exemple. La haine conjugale était si violente que d'après une statistique du ministère de la Justice, la moitié des criminels exécutés entre mai et septembre 1925 ont été condamnés pour le meurtre de leur conjoint.

Les intellectuels du « Mouvement du 4 mai », bruyamment révoltés contre l'ordre ancien, exprimèrent leurs rancœurs dans quantité d'ouvrages idéologiques et littéraires. Depuis des siècles, la littérature chinoise s'était apitoyée sur les victimes du système familial. La plupart des opéras que j'ai vus en Chine mettent en scène des amoureux réduits au désespoir par la tyrannie des anciens. C'est le thème du célèbre opéra *Lieang Chan-po et Tcheou Ying-tai,* dont on a tiré un film projeté à Paris sous le titre : *Les Amoureux;* un père impérieux interdit à sa fille d'épouser le jeune garçon qu'elle aime depuis des années, il la marie à un inconnu : le garçon meurt de douleur, et le jour de ses noces, elle le rejoint dans la tombe. Dans *Le pavillon de l'Ouest,* autre drame célèbre, c'est la mère de l'héroïne qui contrarie ses amours. A la fin du XVIIIe siècle, le roman intitulé : *Le Rêve de la chambre rouge* bouleversa les cœurs. Il relatait la décadence d'une famille traditionnelle, il peignait les tragiques amours d'un jeune homme et de sa cousine; le héros était contraint à un mariage qui lui répugnait, l'héroïne mourait de désespoir. Leur histoire n'était pas racontée avec une compassion résignée : une revendication y perçait et c'est là ce qui lui valut tant de lecteurs passionnés. Cent ans plus tard, la jeunesse se reconnaissait dans le couple sacrifié. A partir du « 4 mai », les romans dirigés contre la famille se multiplièrent. Le plus célèbre fut celui de Pa Kin intitulé *Famille.* Il décrit la famille d'un riche marchand de la Chine occidentale; tous ses membres vivent sous un même toit, terrorisés par un aïeul conservateur et despotique. Il a obligé l'aîné de ses petits-fils, amoureux d'une cousine [1], à faire un mariage d'argent. Apprenant qu'un de ses fils, âgé de plus de trente ans, a une maîtresse, il se déchaîne contre lui; le coupable, sa femme, sa fille sont convoqués; le reste de la maisonnée — enfants, concubines et esclaves — est réuni dans une pièce contiguë; une petite fille regarde par le trou de la serrure. Le vieux crie : « Pourquoi ne te frappes-tu pas le visage comme je te l'ai ordonné ? », et elle voit son oncle, dont le visage est tout rouge, qui se gifle de ses propres mains. Seul le jeune Kao Tchémin, petit-fils du tyran, s'insurge contre cette scène. Tchémin — en qui l'auteur s'est probablement dépeint — et son frère, Tchue-houei, incarnent la jeunesse cultivée et révoltée de l'époque. Tchue-houei est éditeur d'une revue d'étudiants et se livre à des activités politiques; son grand-père le met aux arrêts, mais il lui résiste. Tchémin aime une de ses cousines, une jeune Chinoise émancipée qui défie elle

1. Le thème des amours entre cousins est fréquent; dans *La chambre rouge* les amoureux sont des cousins. Les jeunes gens n'avaient pas l'occasion de rencontrer de jeunes filles, sinon dans leur famille même.

aussi la tyrannie de sa mère : elle s'enfuit de son foyer, et malgré l'opposition des parents, les deux jeunes gens s'épousent. L'aîné des trois frères cependant, qui s'est laissé marier par contrainte, ne sait que prêcher la soumission à l'ordre établi : il assiste, passif, à la mort de sa femme, victime des superstitions de parents ignorants; c'est seulement dans les dernières pages qu'il a un sursaut de révolte. Jamais roman chinois ne connut un pareil tirage : toute une génération y retrouvait ses griefs et ses espoirs.

La famille traditionnelle brimait tous les individus : elle leur déniait à tous la liberté, l'amour et le bonheur conjugal. Mais c'étaient les femmes qui en étaient particulièrement victimes. On a maintes fois décrit l'horreur de leur ancienne condition; je crois qu'en aucun pays du monde leur sort n'a été aussi abominable. Dans toutes les civilisations, l'histoire des droits de la femme se confond avec l'histoire de l'héritage [1], qui a évolué en fonction de l'ensemble des transformations économiques et sociales. Or en Chine, étant donné la permanence de la structure familiale, depuis le début des temps historiques jusqu'au XXe siècle le droit de succession n'a pas varié : il excluait la femme; elle n'avait aucune part à l'héritage paternel; du vivant de son mari elle ne possédait rien; son mari mort, qu'elle fût épouse ou concubine, elle n'héritait de lui qu'à condition d'avoir un fils : encore était-ce celui-ci le véritable légataire; elle se bornait à gérer ses biens. Faute d'avoir acquis l'autonomie économique, la femme chinoise n'a pu accéder au cours des siècles à aucune forme d'indépendance. Non seulement on l'a toujours tenue pour inférieure à l'homme, comme en témoignent les rites qui entouraient sa naissance, mais on ne lui reconnaissait aucun droit; pas même celui de vivre : il appartenait au clan de le lui accorder ou de le lui dénier. Elle était toute sa vie soumise à la « règle des trois obéissances » telle que l'a formulée le Li Ki : « La femme suit toujours l'homme. Dans son enfance elle suit son père et son frère aîné; après le mariage, elle suit son mari; après la mort de son mari, elle suit son fils. » Confucius déclare : « La femme est un être soumis à l'homme. » Eternelle mineure, ses enfants même ne lui appartiennent pas en propre. « Celle qui était ma femme était aussi la mère de mon fils. En cessant (par répudiation)

1. J'ai essayé de le montrer dans le « Deuxième sexe ».

d'être ma femme, elle a cessé d'être la mère de mon fils », explique, selon le Li Ki, un petit-fils de Confucius. La morale traditionnelle cloître la femme au foyer où elle doit se consacrer à des travaux domestiques et au soin de sa progéniture. Les vertus qu'on lui recommandait — d'après Pan Tchoa qui écrivit sous les Han, en 92 ap. J.-C., des *Préceptes pour les femmes* — étaient au nombre de quatre : « Etre vraiment femme — Avoir de la correction dans ses paroles — Avoir un bon maintien — Avoir de l'ardeur au travail. » L'impératrice Jen-liao-wen, dans les vingt chapitres de son livre *Institutions pour les femmes*, s'inspire, vers la fin du XIVe siècle, des mêmes principes. A ces deux ouvrages, Wang Siang en ajouta sous les Ming deux autres; et cet ensemble intitulé *Les Quatre livres des femmes* définit jusqu'au XXe siècle l'éthique de la femme chinoise dont la première règle est : obéir, et que complète à partir des Ming la maxime : « Chez la femme, la sottise est vertu. »

Les codes, les traités de morale n'ont qu'une vérité abstraite; il arrive souvent que les mœurs atténuent la rigueur d'une situation légale; en Chine des circonstances exceptionnelles permirent à certaines femmes des classes supérieures et à de grandes courtisanes de jouir d'une certaine indépendance; des favorites impériales et surtout des douairières — le plus célèbre exemple est l'impératrice Ts'eu-hi — réussirent à concentrer entre leurs mains de grands pouvoirs. Mais ces cas isolés n'ont qu'un intérêt anecdotique. L'oppression de la femme chinoise fut aussi pratique que théorique. En de nombreux pays les femmes des classes inférieures réussirent à s'émanciper concrètement par le travail : cette chance fut refusée aux Chinoises. L'agriculture étant demeurée au stade du jardinage, rien n'empêchait techniquement les femmes de participer au travail des champs : cependant — du moins dans le Nord — elle furent confinées à la maison et vouées aux seules corvées domestiques. La raison m'en semble évidente. Dans cet empire surpeuplé, la main-d'œuvre ne valait pas cher tandis que le moindre grain de millet avait son prix; en revendiquant le monopole de la production, les hommes s'assuraient un privilège vital; trop obsédés par la faim pour mesurer leur peine, ils s'attachèrent non à exploiter les femmes mais à les éliminer. Ainsi s'explique la malédiction qui a pesé sur la femme chinoise : sa force de travail étant tenue pour superflue, elle n'a été considérée que comme une bouche à nourrir. En tant que servante et femelle elle représentait une certaine valeur marchande : mais très inférieure à la valeur que conférait au garçon ses capacités productrices; il était naturel qu'un père de famille affamé, accablé d'enfants, regardât une fille comme un inutile fardeau; le droit de vie et de mort qu'on lui reconnaissait sur elle, il l'exerçait effectivement : des millions de bébés du sexe féminin ont été noyés ou donnés en pâture aux cochons; ce genre d'infanticide était entré dans les mœurs au point que la nouvelle « Loi du mariage » a dû spécifier explicitement qu'il constitue un crime. Dans son étude *Peasant life in China* — 1938 — Hsiou Tuong-fei rapporte : « La pratique de l'infanticide est admise; les filles surtout en sont victimes. Elles ont peu de valeur aux yeux des parents parce qu'elles ne peuvent pas continuer « l'encens et le feu » et parce que, aussitôt adultes, elles les quitteront. Parmi les enfants de moins de cinq ans, on compte très peu de filles. Dans ce village le nombre des garçons est cent trente-cinq, celui des filles cent. On trouve des filles de moins de seize ans seulement dans cent trente et une familles — 37 % du chiffre total —, et dans quatorze familles seulement il y a plus d'une fille. »

Pearl Buck raconte : « Un jour, dans un cercle d'amies qui ne comprenait pas seulement des pauvres paysannes, la conversation tomba sur la coutume de supprimer les nouveau-nés du sexe féminin. Onze femmes se trouvaient avec moi et toutes, sauf deux, avouèrent avoir supprimé au moins une fille. Elles pleuraient encore en en parlant et la plupart n'étaient pas responsables; le mari ou la belle-mère avait ordonné à la sage-femme de tuer l'enfant car la famille comptait déjà trop de filles. » (*Les mondes que j'ai connus.*)

Même si elles échappaient à un meurtre délibéré, les fillettes ne faisaient généralement pas de vieux os; pendant toute leur existence, les paysans chinois côtoyaient la famine; la vie des enfants en particulier dépendait d'une poignée de riz ou de millet : les garçons recevaient les rations les plus grosses et les filles mouraient, sans qu'il fût besoin de leur faire violence, de sous-alimentation; en particulier elles étaient les premières victimes des épidémies et des disettes [1].

1. Une des conséquences, c'est que le nombre des hommes étant supérieur à celui des femmes, beaucoup de Chinois pauvres restaient célibataires et même, tel le héros de Lou Sin, Ah Q., passaient toute leur vie sans jamais « connaître » une femme.

Les survivantes, on essayait de s'en débarrasser le plus vite possible. Les familles riches ou aisées pouvaient se permettre d'acheter à bas prix du travail servile : les familles pauvres leur vendaient leurs fillettes qui se trouvaient réduites alors à un véritable esclavage. Dans un rapport publié en 1925 sur le travail des enfants, la « Commission d'enquête » de Shanghaï conclut : « De jeunes fillettes sont communément achetées et employées comme servantes. Elles commencent à travailler aussitôt qu'il est physiquement possible de le faire. La pratique est générale à travers le pays et elle entraîne évidemment les pires abus... Beaucoup de petites esclaves sont employées dans les bordels indigènes. Cette vente de fillettes, bien que contraire à la loi, n'est jamais contrecarrée par aucun de ceux qui administrent la justice. » J'emprunte à Kulp [1], dont le témoignage date de la même époque, l'exposé suivant : « Les familles pauvres manquent d'argent et ont trop de filles. Les filles mangent du riz et ont besoin de vêtements. Quand elles sont grandes, elles quittent la maison, et mettent leur force de travail au service de la famille économique dans laquelle elles entrent par le mariage; les parents, dans les familles pauvres, considèrent donc qu'il vaut mieux se débarrasser de leurs filles à la première occasion, se libérer des frais qu'elles leur imposent, et en même temps se faire un peu d'argent.

« Le traitement des esclaves varie selon les familles; il dépend de l'humeur et de la moralité des maîtres. Elles sont d'abord sous le contrôle de la femme et en dernier ressort, sous celui du chef de la famille économique. Il a tout pouvoir sur elles; il peut les vendre ou les marier à sa guise. Bien qu'elles soient presque du bétail, ce sont pourtant des êtres humains et la communauté ne perd pas de vue ce fait. Un traitement trop sauvage susciterait des critiques.

Etant donné les circonstances, la vie des esclaves est dure. Elles doivent faire tous les travaux les plus pénibles : tirer l'eau, couper le bois, moudre le riz, laver, cuisiner, nettoyer, s'occuper des enfants, etc. Levées les premières, elles se couchent les dernières. Quand elles atteignent la maturité, on les vend comme concubines à des riches, ou on les marie à des pauvres. »

C'est une de ces esclaves que met en scène le célèbre opéra

1. Country life in China.

contemporain *La fille aux cheveux blancs* qui a fait sangloter tant de femmes chinoises. La « critique » des voisins, seul frein aux caprices des maîtres, était particulièrement peu efficace lorsqu'il s'agissait de propriétaires fonciers : un des « crimes de sang » dont ceux-ci ont été le plus couramment convaincus c'est d'avoir fait mourir de jeunes esclaves soit délibérément, soit à force de coups et de mauvais traitements. La maîtresse de la « fille aux cheveux blancs » lui transperce la langue avec une aiguille à opium. Dans le roman, très réaliste, Kin-p'ing-mei [1] écrit au XVIe siècle, l'auteur dépeint, comme choses allant de soi, le supplice de jeunes esclaves, fouettées au sang par le maître ou ses épouses, ou condamnées à passer des nuits agenouillées dans la cour, portant une lourde pierre sur la tête. Les suicides — dont on voit précisément un exemple dans ce roman — étaient fréquents. Plus tard, beaucoup de fillettes furent ainsi vendues aux manufactures de Shanghaï où elles menaient une existence de bagnardes.

Le sort de celles qu'on destinait au mariage n'était guère plus clément. Le code du mariage, rédigé sous les T'ang d'après les anciens rites, est pratiquement demeuré en vigueur jusqu'au nouveau régime; il opprimait garçons et filles; mais il y avait une coutume dont seule la petite fille était victime : souvent on la vendait dès son jeune âge à la famille de son futur mari qui la faisait durement travailler à son profit. Kulp rapporte :

« La femme qu'on introduit dans un foyer n'est pas nécessairement une esclave. Il y a des fillettes en bas âge qu'on achète dans les familles pauvres comme futures épouses des garçons en bas âge. C'est la coutume connue comme : adoption d'une bru-enfant. Les raisons en sont les suivantes : *a*) c'est économique; le bébé coûte moins cher qu'une adulte, et les cérémonies du mariage peuvent être simplifiées, voire même omises; *b*) on s'assure un supplément de main-d'œuvre; *c*) l'enfant est élevée selon les mœurs de sa nouvelle famille. Parfois, il y a échange de bébés dans les familles qui ont toutes deux des enfants mâles et femelles... Cette coutume n'a généralement pas d'heureuses conséquences; les fiancés ne s'aiment pas, ils se querellent, en viennent à des voies de fait. Le traitement de la bru par sa belle-mère a

1. Traduit en anglais sous le nom de « Golden Lotus », et partiellement en français sous le titre « Hsih Men et ses femmes ».

souvent un tel caractère que celle-ci se brouille avec le reste du village et avec la famille de la petite fille. On encourage ainsi par là les unions prématurées, ce qui est biologiquement néfaste. C'est néanmoins une manière d'éviter les infanticides. »

On évitait l'infanticide, mais la rescapée n'y gagnait pas grand-chose. Elle était traitée en bête de somme et il arrivait que sa belle-mère la tuât à force de coups. Celle-ci avait été elle aussi dans sa jeunesse molestée par son mari et par ses beaux-parents : aigrie, avide de revanche, elle cherchait une compensation à ses maux dans ceux qu'elle infligeait à sa bru. Bien souvent, si son fils montrait trop peu d'empressement à battre la jeune femme, elle l'y obligeait. De génération en génération se perpétuait la chaîne des ressentiments féminins, dont chaque nouvelle venue était victime. C'est la belle-mère qui incarnait de la façon la plus quotidienne et la plus implacable l'oppression familiale; cependant la jeune femme subissait aussi la tyrannie de son beau-père; et quant au mari, détestant une épouse qu'il n'avait pas choisie, il la battait souvent de son plein gré. Il était autorisé, s'il en avait les moyens, à se consoler avec des concubines des rigueurs d'une union forcée; mais une femme adultère, personne ne protestait si son mari la mettait à mort. Il pouvait répudier son épouse à son gré; en certains cas elle avait en principe le droit de demander le divorce : mais comme sa famille n'eût pas accepté de la reprendre en charge, cette issue était pratiquement barrée. Il arrivait que son mari la vendît à un homme riche qui souhaitait une concubine soit pour son plaisir, soit pour avoir un enfant. Le veuvage ne la délivrait pas : elle demeurait la propriété de ses beaux-parents. Il lui était presque impossible de leur échapper par un nouveau mariage. En 1386, T'ai-tsou promulgua un édit : « La famille sera dispensée du service public et la maison sera honorée si une femme veuve avant l'âge de trente ans observe le veuvage jusqu'à cinquante ans [1]. » Dorénavant, les familles exercèrent sur les veuves une pression impérieuse afin de les empêcher de prendre un nouvel époux. Un inspecteur fut tout spécialement chargé de dresser des rapports sur les mœurs des veuves. Jusqu'à la

1. On considérait que passé cinquante ans elle ne risquait plus de se remarier.

République, on a bâti en Chine quantité de temples et de p'ai-eou en l'honneur de celles qui étaient demeurées chastes dans des circonstances particulièrement remarquables. Bien entendu, il s'ensuivit quantité de supercheries. Mais la tradition s'imposa : le remariage fut interdit aux veuves. Si l'une d'elles prétendait transgresser ce tabou, les hommes de son clan s'estimaient autorisés à la tuer. Ainsi, une fois entrée à titre d'épouse dans une famille, la femme ne pouvait la quitter qu'en quittant la vie : c'est la solution que choisirent au cours des siècles et jusqu'à nos jours quantité de femmes chinoises; elles se noyaient dans l'étang voisin, ou se pendaient.

Quant aux concubines, leur statut dépendait entièrement du bon vouloir de leur mari; celles qui lui donnaient des fils étaient favorisées et souvent prenaient le pas sur une épouse stérile; en général elles passaient après la femme légitime; le mari pouvait les répudier à sa guise, elles ne possédaient aucune garantie.

C'est seulement quand elle devenait âgée que la femme connaissait une certaine sécurité; ses enfants lui devaient le respect qu'on témoigne en Chine à tous les vieillards. C'était là la consolation qu'on promettait aux jeunes épousées afin de leur faire prendre leur peine en patience : un jour vous serez belle-mère à votre tour.

La servitude de la femme chinoise a trouvé un symbole frappant dans la coutume des « pieds bandés » qui fut adoptée au VIIIe siècle ap. J.-C. On admirait vivement sous les T'ang les petits pieds de certaines danseuses et courtisanes, et leurs « chaussons en arc ». Le souverain du Nan-t'ang, qui se piquait de poésie, imagina de réduire artificiellement la taille du pied féminin. L'érotisme des Chinois fit de cette invention une loi. Les poètes vantèrent à l'envi sous le nom de « lys d'or », de « lys parfumés » ces miniatures de pieds, et la séduction des minuscules « chaussons de nuit » qui les habillaient. Dans le roman dont j'ai parlé — *Kin-p'ing-mei* — une image érotique privilégiée c'est celle d'une jeune femme nue, au corps blanchi par des lotions et des crèmes, et dont les pieds s'ornent de pantoufles cramoisies. L'héroïne, Lotus d'Or, accule au suicide une rivale parce que celle-ci avait eu l'imprudence d'enfiler par-dessus ses propres chaussons ceux de Lotus d'Or, prouvant ainsi que ses pieds étaient les plus menus. La coutume choqua les empereurs mandchous qui voulurent l'abolir : mais ils durent rapporter cette interdiction; les Mandchous, séduits par ce raffinement chinois, l'imposèrent à leurs femmes. Un lettré, Fang Hivan, écrivit tout un livre sur l'art de bander les pieds. A peine en trouve-t-on dix vraiment parfaits dans une ville, estimait-il. Il les rangeait en cinq catégories principales et en dix-huit types différents : un pied bien bandé, disait-il, doit être gras, doux et élégant. « Mince, un pied est froid; musclé, il est dur et à jamais vulgaire... Quant à l'élégance, on n'en peut juger que par les yeux de l'esprit. » Il y eut bien au XVIIIe et au XIXe siècle quelques écrivains qui s'insurgèrent contre cette mutilation; mais elle ne fut interdite qu'à partir de 1911 et elle se pratiqua encore longtemps puisque à Pékin même il n'est pas rare de rencontrer de vieilles femmes aux pieds atrophiés.

Ce qui est remarquable, c'est que cette coutume ne constitue pas seulement une de ces extravagances érotiques par lesquelles se distinguent les classes dites supérieures : elle s'est imposée, du moins dans le Nord, aux femmes de toutes conditions[1]. C'est qu'elle donnait l'apparence d'un destin au sort que les hommes avaient choisi d'imposer aux femmes : le confinement; la paysanne mutilée était définitivement inapte aux travaux des champs et cantonnée dans la vie domestique. Dans le Sud où elle participait à la culture des champs, la mode ne se généralisa pas. Mais la Chinoise du Nord eut la triste singularité de cumuler les servitudes, ordinairement dissociées, qui pèsent sur la femme en tant que servante et en tant qu'objet érotique. Cette bête domestique, qui trimait de l'aube à la nuit, était condamnée aux douloureux raffinements qu'on exigeait des courtisanes. Le fait paraît si révoltant aux Chinois d'aujourd'hui qu'il est interdit de montrer sur la scène d'un théâtre des femmes aux pieds bandés.

Quelques voix s'élevèrent au cours des siècles pour s'indigner du triste sort qui était réservé aux femmes. Dès le IIe siècle ap. J.-C., Fou Hsouanam le dénonçait dans un poème. Au XIIe siècle, un lettré, Yuan Ts'ai, déplorait qu'on

---

1. Un Chinois nationaliste, Lin Yu-tang, agacé — à juste titre — par les complexes de supériorité des blancs, rapproche le « pied bandé » du « corset » qui comprimait absurdement la taille des occidentales. Mais le corset n'a jamais brimé que les bourgeoises; les paysannes échappaient à ce genre de contrainte. De même, elles ne portent des talons hauts que pour aller danser, non quand elles travaillent.

traitât la femme comme un être inférieur. Lin Kien, au XVIe siècle, souligna l'injustice des lois sur le divorce. Lu K'ouen, auteur du livre *Modèles féminins,* réclamait qu'on donnât aux femmes quelque instruction. A la fin du XVIIIe siècle, trois écrivains s'insurgèrent, avec plus ou moins de vigueur, contre ce que Lin Yu-tang appelle « le système sadico-puritain post-confucianiste ». Le lettré Yu Tcheng-sie (1775-1840) écrivit quatre essais : Essai sur les veuves chastes — Essai sur les jeunes filles chastes (c'est-à-dire qui refusent de se marier après la mort de leur fiancé [1]) — Essai pour montrer que la jalousie féminine n'est pas un vice — Et un post-scriptum au livre des coutumes de la dynastie T'ang qui est un essai sur les pieds bandés. Il dénonçait les abus de la « chasteté », autorisait les épouses à manifester de la jalousie à l'égard des concubines, car il voulait que le mariage fût fondé sur l'égalité sexuelle; il blâmait la coutume des pieds bandés. Il a résumé sa pensée par ces mots : « Quand vous abaissez la position des femmes, la position des hommes est aussi abaissée. »

Yüan Mei, poète et penseur de tendance révolutionnaire (1716-1797) estimait vivement les femmes : il en avait parmi ses élèves, il les encourageait à écrire et publiait leurs œuvres; il forma une véritable école de poétesses. Il avait beaucoup de concubines : mais il voulait qu'on reconnût aux femmes une égale licence sexuelle. Les revendications féministes s'intégraient à sa révolte anarchiste contre l'ensemble du système confucéen. Il eut une assez considérable influence. Enfin Li Jou-tchen (1763-1830) écrivit en 1825 un roman féministe, *King-houa-yuan,* qui eut un vif succès. L'auteur imaginait qu'une centaine de fées étaient changées en femmes; douées de mille talents, elles se groupaient autour de l'impératrice de la dynastie T'ang nommée Wou et qui a une réputation — historiquement justifiée, semble-t-il — de nymphomane; elles passaient les examens officiels, devenaient mandarins et instituaient un « Royaume de femmes » où c'était les hommes qui étaient opprimés : le héros de l'histoire, Lin, a les oreilles percées, les pieds bandés, et il raconte les affreuses souffrances qu'il éprouva alors.

1. Etant donné l'âge où se concluaient les fiançailles, il arrivait assez souvent qu'à seize ans la jeune fille chinoise fût déjà une espèce de veuve : on estimait celles qui renonçaient en ce cas à tout mariage.

Ces protestations avaient un caractère moral; les lettrés professaient au XVIIIe siècle une éthique humaniste : ils pouvaient difficilement admettre qu'on traitât en chose et qu'on torturât traditionnellement des êtres humains, fussent-ils de sexe féminin. Comme toutes les révoltes idéalistes, celle-ci fut stérile. La condition de femme ne commença à se modifier que lorsque la structure économique de la Chine se mit à évoluer : lorsque apparurent un capitalisme et un prolétariat chinois. Des femmes travaillèrent dans les villes comme ouvrières : bien que ce fût là une nouvelle forme de servitude, et d'une abominable rigueur, le fait de gagner par leurs propres forces un peu d'argent donna à certaines d'entre elles un sentiment d'autonomie. On vit se dessiner à la fin du XIXe siècle, dans le Kouang-tong, un curieux mouvement d'opposition au mariage. Le *Rêve de la Chambre rouge* prête à deux de ses héroïnes un si profond dégoût du mariage qu'elles décident de se réfugier dans un couvent et de prendre le voile : c'était une solution à laquelle recouraient parfois les jeunes filles, mais qui n'était accessible qu'à un petit nombre. Les jeunes ouvrières du Kouang-tong créèrent des espèces de communautés; séparées de leurs maris, ou célibataires, elles vivaient de leurs salaires. Né surtout dans les fabriques de soierie, ce mouvement prit tant d'ampleur que le gouvernement dut ouvrir des asiles pour recueillir dans leurs vieux jours ces femmes privées de tout soutien de famille. A Canton, en 1940, l'organisation se survivait encore.

Mais c'est la bourgeoisie, en tant qu'elle était alors une classe montante, qui avait prise sur la société, les mœurs, les lois. Parallèlement à la révolte contre la famille de type féodal se dessina en son sein un courant en faveur de l'émancipation des femmes. Il débuta timidement, et en partie sous l'influence occidentale. Des missionnaires ouvrirent en 1860 les premières écoles féminines d'enseignement primaire. En 1898, l'Université de T'ien-tsin créa une section féminine et on établit le premier programme d'enseignement féminin. En 1903 s'ouvrit la première école d'institutrices. A partir de « la Renaissance » de 1917, et surtout du « Mouvement du 4 mai », le mouvement prit une ampleur considérable. Une classe qui réclamait une constitution démocratique, qui voulait imposer à la Chine la structure des sociétés occidentales, qui professait un humanisme basé sur le respect de la personne humaine, et revendiquait les droits de l'individu, ne pouvait accepter que la femme demeurât une bête domestique. « Abaissez la femme, et vous abaissez l'homme », disait Yü Tcheng-lie. La jeune bourgeoisie chinoise avide de s'élever, économiquement, et culturellement, décida d'élever la femme; elle lui octroya une liberté analogue à celle dont jouissaient les occidentales. Un des promoteurs du mouvement du 4 mai, Hou Che, écrivit sur le mariage une pièce inspirée d'Ibsen qui eut une répercussion considérable : « L'acte le plus important de la vie ». Dès 1917 parut une revue féministe qui fut suivie de beaucoup d'autres. Le premier lycée de jeunes filles — théoriquement créé dès 1912 — s'ouvrit en 1919 et cette même année des femmes furent admises à suivre les cours de l'Université de Pékin. La plupart des jeunes bourgeoises firent un usage frivole de leur liberté : elles ondulèrent leurs cheveux, échangèrent contre des bas de soie et des souliers à talons hauts les bandelettes qui liaient leurs pieds, sortirent, dansèrent et goûtèrent à la liberté sexuelle. D'autres, en petit nombre, profitèrent sérieusement des possibilités nouvelles d'étude et de travail qui leur étaient ouvertes.

La bourgeoisie réclama que le vieux code féodal fût aboli au profit d'un ordre bourgeois. Il lui fallut attendre jusqu'en 1931 pour que le Kuomintang lui donnât satisfaction : alors un nouveau « code de la famille » fut promulgué. La plus grande innovation, c'est que la femme devint héritière; on la considérait à présent comme une personne humaine; la propriété mobilière n'est pas indivise comme la foncière : il n'y avait plus de raison de l'exclure de la succession. D'autre part, l'individualisme bourgeois exigeait la liberté du mariage. Le code souligna qu'il ne devait pas être imposé par les parents, qu'il ne constituait pas un marché et qu'en conséquence il était interdit aux entremetteuses de toucher un courtage; on ne pouvait pas contracter de fiançailles avant les âges de quinze et dix-sept ans. La femme pouvait réclamer le divorce en cas d'infidélité du mari ou si celui-ci la maltraitait. La loi n'admettait pas officiellement le concubinage.

L'homme bourgeois souhaite trouver dans la femme une semblable, non une égale. Le code était loin d'accorder aux deux sexes le même statut; il demeurait imbu des traditions anciennes. La famille restait patronymique, agnatique, patriarcale : les parents paternels jouissaient d'un traitement préférentiel. Si un enfant devenait orphelin, les tuteurs et les membres du conseil de famille étaient choisis exclusivement du côté du père. En cas de divorce, c'est toujours le père qui garde les enfants et son autorité est en tous les cas supérieure à celle de la mère.

Pratiquement, la portée de la loi était plus restreinte encore : comme quantité de lois édictées par Tchang Kaï-chek, elle était surtout destinée à « sauver la face ». Théoriquement, elle donnait satifaction aux tendances individualistes et libérales de la bourgeoisie; mais dans ses applications, on tint surtout compte de ses tendances conservatrices. Le régime était plus soucieux d'ordre que de liberté; modernisant superficiellement le pays, il tenait à en préserver les antiques structures. C'est ainsi que dans l'ensemble les différents articles du code demeurèrent lettre morte. Le mariage devait être librement consenti : mais comme la signature des époux n'était pas exigée, il n'y avait à cette liberté aucune garantie. Le concubinage était largement toléré; on donnait au père toutes facilités pour reconnaître ses enfants illégitimes; toute la jurisprudence affirme le droit de la concubine à une pension alimentaire, dans le cas où, répudiée, elle tomberait dans le besoin. On la considère comme un membre de la famille, et grâce à ce biais, les clauses concernant l'adultère du mari sont annulées : car l'adultère n'existe que si l'époux entretient des relations sexuelles « hors de la famille »; mais la concubine habite la maison conjugale; on aboutit ainsi à la conclusion paradoxale que le mari chinois pouvait à sa guise tromper sa femme sous son toit, et non ailleurs. De toute façon, seul l'adultère féminin était un délit puni par le code pénal; au civil, le commissaire n'était pas obligé de déférer à la demande de la femme qui réclamait un constat. Quant aux mauvais traitements, ils n'entraînaient le divorce que s'ils « rendaient la cohabitation impossible ». Résumant un certain nombre d'arrêts des tribunaux, Wang Tsesin, dans sa thèse sur le « Divorce », conclut : « Sont insuffisantes les blessures légères ou accidentelles causées au cours d'une colère ou de réprimandes. » Je citerai parmi beaucoup d'autres cette déclaration du tribunal de Nankin (année 1933 [1]) : « Rendant la cohabitation impossible signifie que les mauvais traitements sont habituels, ou qu'ils ont atteint

1. Cf. Année judiciaire chinoise, traduction Théry S. J.

un degré qu'on ne peut tolérer. S'il y a eu seulement des coups, pour une cause futile et momentanée, puisqu'ils ne sont pas habituels et qu'ils n'ont pas atteint un degré qu'on ne puisse tolérer, ils ne remplissent pas les conditions requises par le divorce. »

Mais où commence l'habitude ? Combien de fois par semaine un mari peut-il battre sa femme sans que le fait soit qualifié d'habituel ? Et quelle quantité de coups l'épouse peut-elle tolérer ? En fait, à moins d'avoir un membre brisé ou qu'un scandale n'éclatât dans la communauté, la femme demeurait sans recours contre les mauvais traitements.

Le code avait été rédigé sous la pression des bourgeois, et à leur usage. En Chine, comme en France sous la Révolution, la bourgeoisie, tout en se pensant comme classe universelle, se souciait fort peu de partager ses privilèges. Personne ne s'appliqua à répandre une loi qui n'aurait pu devenir réalité concrète sans entraîner de profonds bouleversements sociaux. Dans les villes-mêmes, elle fut ignorée. Olga Lang [1] signale qu'en 1936 il y avait encore à Shanghaï et Pékin des femmes et des veuves que le mari ou sa famille vendaient pour trois cents dollars. Certaines ouvrières se mariaient librement. Néanmoins les journaux et les rapports d'hôpitaux étaient quotidiennement remplis d'histoires de jeunes femmes torturées, maltraitées, acculées au suicide. Dans les campagnes, personne n'entendit même parler du nouveau code : il eût impliqué une émancipation des paysans que le régime ne souhaitait certes pas. En 1936, Jean Escarra, spécialiste de droit chinois, constatait : « L'immense majorité des paysans ignore et continuera d'ignorer ces règles. »

Dès cette date cependant, dans les régions libérées, les communistes avaient instauré de nouvelles lois, de nouvelles mœurs. La « loi du mariage » promulguée en 1950 les a entérinées et codifiées. Elle affirme la liberté de l'individu au sein de la famille et la radicale égalité des sexes. Elle abolit les mariages d'enfants et interdit l'adoption des brus-enfants, elle exige le libre consentement des époux qui doivent faire enregistrer par écrit leur union, elle condamne l'infanticide, défend le concubinage, autorise le remariage des veuves, accorde à la femme comme à l'homme le droit

1. La vie en Chine.

de demander le divorce et ne reconnaît aucune prééminence au père sur la mère : le nom de l'homme ni sa famille ne sont privilégiés par rapport à ceux de la femme. En cas de divorce, l'enfant est confié, s'il est encore au berceau, à la mère, et plus tard, selon son intérêt, à la mère ou au père. A la différence du code de 1931, elle instaure donc franchement une famille conjugale fondée sur l'égalité des époux et leur droit à disposer d'eux-mêmes.

La loi a un objectif concret : c'est de bouleverser la structure de la société rurale, conformément aux exigences de la nouvelle économie. Dès la libération, une campagne fut lancée. Pour ébranler le système des castes, disait Gandhi, il suffit de concentrer ses efforts sur un point névralgique : la condition des parias. De façon analogue, les communistes chinois ont essentiellement mis l'accent sur la condition féminine. La préface qui présente la « loi du mariage » au peuple chinois souligne : « Ce ne sont pas seulement les femmes qui en bénéficient, c'est toute la communauté. » Mais dans l'intérêt de la communauté, la consigne qu'on met aujourd'hui en avant c'est : émancipez les femmes. Et pour atteindre ce but, ce sont les femmes qu'on a tout particulièrement mobilisées. En 1949 fut créée la Fédération des femmes — présidée actuellement par Ts'ai Tch'ang, femme de Li Fou-tch'ouen — qui absorba toutes les autres organisations féminines; des « Associations de femmes » se formèrent dans toutes les villes et les villages, avec comme premier objectif l'application de la loi du mariage. Un « Comité pour l'application de la loi » fut aussi formé. Les autorités gouvernementales, les cours de justice, les syndicats, les organisations de jeunes collaborèrent à cet effort. La littérature, le théâtre surtout, firent une active propagande en faveur du « mariage libre » et de l'émancipation des femmes.

Même en France, les mœurs sont sur ce point à la remorque du code; il existe encore des unions arrangées et certaines sont de véritables marchés. En Chine, la nouvelle loi contredit les traditions plusieurs fois millénaires de cinq cents millions de paysans; ils ont accueilli avec joie la réforme agraire, mais l'abolition de la famille féodale est pour beaucoup d'entre eux un scandale. Les membres des « associations de femmes » et les cadres se heurtèrent à de sévères résistances. On m'a raconté à Pékin l'histoire suivante : Un vieux paysan, rallié avec enthousiasme au régime à la suite de la réforme agraire, mais convaincu de ses droits patriarcaux, tua une de ses brus qui, veuve depuis plusieurs années, venait de se remarier. Arrêté, on lui expliqua que selon la « Loi du mariage », ce meurtre était un crime passible de la peine capitale. « Qui a fait cette loi ? » demanda-t-il. « Le président Mao. » Le vieux secoua la tête : « Jamais je ne croirai qu'un homme aussi juste ait fait une loi aussi insensée. » Je ne garantis pas l'authenticité de l'anecdote, mais elle est parfaitement plausible. Il paraît inique aux parents, aux chefs de clan, qu'on prétende les frustrer de leur autorité.

Ce qui envenima les choses, c'est que le mouvement débuta à un rythme trop rapide. On commença par dissoudre quantité de mariages conclus sous la pression des parents : dans la première moitié de 1952, il y eut 396.000 divorces; dans les campagnes, on appelait la loi non « loi du mariage » mais « loi du divorce ». Cette précipitation était justifiée par l'urgence des situations; entre autres, il était nécessaire de libérer immédiatement les « brus-enfants ». Néanmoins beaucoup de cadres commirent des excès de zèle; en particulier touchant le concubinage, ils interprétèrent trop rigoureusement la loi; elle interdisait qu'à l'avenir la coutume se perpétuât : elle n'exigeait pas qu'on bouleversât brutalement les situations établies. Certains cadres obligèrent les hommes à chasser leurs concubines; sans foyer, sans ressources, il y en eut beaucoup parmi celles-ci qui se suicidèrent. Les paysans s'insurgèrent; des cadres furent assassinés.

Le gouvernement condamna vivement cette tactique maladroite; il rappela le principe de la « non-contrainte » et expliqua aux cadres que pour gagner les paysans il fallait du tact, de la patience, du temps. « Bien que le féodalisme ait été éliminé de la vie politique et économique du pays, il existe encore dans les mœurs », rappela en 1953 Lieou King-fan, présidant le « Comité d'application de la loi ». Il préconisa « un long et patient travail d'éducation ». Un rapport sur l'état d'esprit régnant dans le Shansi — région libérée avant 1949 et relativement « avancée » — constate que 10 à 15 % des familles possèdent une parfaite conscience sociale; 5 à 10 % sont franchement arriérées. Pour les autres (environ 75 %) : « Les mauvais traitements des femmes ont disparu, mais il reste à différents degrés une idée de l'autorité paternelle. » Dans les autres provinces, on estime que « des restes d'idées féodales demeurent à différents degrés ».

Comme dans le mouvement de collectivisation, il faut trouver la ligne juste en évitant deux extrêmes : brusquer les paysans, abandonner le travail de propagande. On s'interdira la contrainte pour recourir à la persuasion. La loi est patiemment expliquée dans les écoles, les cours du soir, les classes d'éducation politique.

Pour l'instant, le caractère « transitoire » de la société rurale est évident. Les familles continuent à vivre sous un même toit. Cependant les ventes d'enfants et les pseudo-adoptions n'existent à peu près plus; la femme n'est plus battue par ses beaux-parents, ni par son mari : les associations de femmes, la communauté dans son ensemble ne le toléreraient pas. Meurtres et suicides sont devenus exceptionnels. J'ai demandé comment les survivances féodales s'alliaient concrètement aux consignes modernes, comment s'établissaient au sein de l'ancienne structure des rapports neufs. Si un mari naguère brutal s'est réformé, sa femme ne lui garde-t-elle pas rancune ? En certains cas, oui, m'a dit Mme Cheng, mais elle ne le montre pas parce qu'on lui a expliqué qu'elle doit pardonner. Dans l'ensemble d'ailleurs, les femmes pardonneraient plutôt trop vite : elles ont derrière elles une si longue tradition de soumission qu'elles sentent à peine combien elles étaient lésées. Et le mari ? n'enrage-t-il pas ? Si sa femme gagne de l'argent, si elle est estimée comme travailleuse, il en est fier. En d'autres cas, peut-être ronge-t-il son frein : toujours est-il qu'il ne frappe plus. Le problème des rapports entre époux n'est d'ailleurs pas le plus épineux. Pour la jeune femme, le véritable tyran domestique, c'était sa belle-mère. J'ai remarqué que l'éducation, la propagande portent essentiellement sur les relations de la belle-mère à la bru. De nombreux récits exhortent les femmes âgées à se plier aux mœurs nouvelles; on conseille aux jeunes la patience, la politesse. Une image de propagande extrêmement répandue montre une « jeune femme et sa belle-mère allant ensemble à l'école du soir ». La réconciliation des générations paraît plus difficile à réaliser que celle des sexes.

Mme Cheng a passé deux ans dans le village proche de Hang-tcheou dont j'ai parlé et en a connu de près toutes les familles. Elle me dit que, parfois, la jeune femme abuse de la nouvelle situation. Il y en avait une, mère de trois enfants, qui vivait avec son mari et son beau-père : c'est elle qui battait les deux hommes; ils l'injuriaient violemment, mais sans oser se défendre parce qu'elle menaçait de se jeter à l'eau; tant de femmes se sont noyées dans les étangs de Chine qu'une telle menace a du poids; craignant d'être accusés de brutalité « féodale », les hommes n'exprimaient leur colère que par des insultes et des cris, et elle les frappait de plus belle. Le village s'émut. Le président de la coopérative, Mme Cheng et quelques autres tinrent conseil. Ils allèrent trouver la femme et la réprimandèrent : « Je vais me jeter à l'eau ! » déclara-t-elle. « Allez », lui répondit-on. Désarmée, elle a promis de s'amender et les deux hommes se sont juré qu'en tout cas ils lui tiendraient tête.

Concrètement, la liberté du mariage n'est pas encore chose acquise. Un récit, « L'Enregistrement », dont on a tiré une pièce très populaire, montre à quelles difficultés se heurtaient, à la veille de la « loi du mariage », deux jeunes gens désireux de s'épouser : beaucoup subsistent. Et d'abord la pression morale exercée par les parents sur leurs enfants — surtout par les mères sur leurs filles. Une des héroïnes de « l'Enregistrement », Yen-Yen, est amoureuse; mais sa mère menace de se pendre si la jeune fille ne consent pas à une union arrangée. Yen-Yen finit par céder, elle se rend au siège du district pour épouser l'homme qu'on lui destine et qu'elle n'a jamais vu; un petit garçon arrive en courant; il est charmant mais il n'a pas plus de dix ans : c'est le futur époux; le contrôleur des mariages refuse d'unir Yen-Yen à un enfant, et quand la « loi » est promulguée, Yen-Yen trouve le courage de résister à sa mère et de se marier selon son cœur. Mme Cheng m'a raconté un cas de chantage analogue qui s'est produit dans son village. Une jeune fille aimait un jeune paysan, travailleur, sympathique, qui l'aimait; une cousine, jouant le rôle d'entremetteuse, présenta à la mère un ouvrier de Hang-tcheou, paré de tous des prestiges que confère la vie citadine : il travaillait, disait-il, dans une fabrique de soieries, et gagnait gros. Il le prouva en arrivant un jour au village à bicyclette, et chargé d'un paquet : personne n'en a su le contenu, mais le bruit courut de bouche en bouche : « Il a apporté un paquet ! » et sa réputation grandit. Comme la mère de Yen-Yen, celle de la jeune fille, menaça: « Epouse-le ou je me pends ! » La fille n'osa pas résister. L'heureux prétendant obtint la permission, quand il venait voir sa fiancée, de dormir dans une mansarde. Cependant l'amoureux éconduit caressait lui aussi des rêves de suicide. Un de ses amis découvrit que le prétendu ouvrier était en vérité un petit prêtre taoïste, qui vivait chichement dans un temple à demi ruiné. La mère consternée voulut chasser l'imposteur; mais il se trouvait bien dans son grenier. « On m'a demandé d'aller lui parler », m'a raconté Mme Cheng. « Il était assis sur son lit, il fumait une petite pipe, et il m'a répondu : « Ce qui est dit est dit. » On finit par l'obliger à s'en aller. On expliqua à la mère en larmes qu'elle s'était très mal conduite. Entre-temps, le jeune paysan s'était dégoûté de la jeune fille. « Je veux tout un cœur », dit-il, « et elle ne m'a donné que la moitié du sien. » En guise de consolation, on envoya la victime de cette histoire faire des études secondaires à Hang-tcheou.

Les conditions de la vie paysanne font encore un sérieux obstacle au mariage libre. Autrefois, l'entremetteuse, moyennant une commission, arrangeait des unions entre jeunes gens des différents villages; cet usage a été aboli; mais à la campagne, les jeunes n'ont pas beaucoup d'occasions de se rencontrer. Aussi en 1955, le jour de la « fête des femmes », le gouvernement a officiellement déclaré : « Dans beaucoup de villages, les gens en sont encore à un stade où le mariage est arrangé par l'intermédiaire d'un tiers. Il faut admettre que cela peut constituer aussi une forme de mariage volontaire, car un grand nombre de villageois n'ont pas encore une vie collective suffisante. » Le rôle d'intermédiaire est souvent joué par les Associations de femmes, par des membres du parti ou des jeunesses communistes. Il est moins utile dans les villes : étudiants, employés, ouvriers, jeunes communistes travaillent ensemble et apprennent à se connaître. Mais même à la ville — davantage encore au village — les jeunes sont encore paralysés par la longue tradition de passivité et de pudeur qui leur a été inculquée. Les héroïnes de la nouvelle « L'Enregistrement » sont assez émancipées pour se promener librement avec leurs amoureux; aussi ont-elles mauvaise réputation et sous ce prétexte, bien que l'une d'elles ait obtenu l'assentiment de sa mère, le fonctionnaire en charge ne consent pas à enregistrer son mariage. Lorsque « la loi » est promulguée, les « cadres » chargés de la faire appliquer félicitent les deux jeunes filles parce qu'elles ont lutté pour le mariage libre. Il n'empêche que même aujourd'hui dans les villages « arriérés », qui sont nombreux, il faut beaucoup de hardiesse à deux jeunes gens pour se fréquenter. Les anciens les blâment. Et ils sont eux-mêmes victimes des vieux préjugés : il leur semble choquant de parler de leurs sentiments; encore davantage de les déclarer. Dans une nouvelle de Kiang Tchouo intitulée « Mes deux hôtes », un jeune instituteur cause avec un jeune paysan chez qui il loge depuis de longs mois; ils ont tous deux vingt ans et sont amis intimes : « Soudain Chouan-tcheou sourit, il me donna un petit coup de coude, et d'un air malicieux, il me demanda : « Lao-Kang : as-tu une amie [1] ? — Je... je... Pourquoi cette question ? » Je sentis que le rouge me montait au visage et je me hâtai d'ajouter : « Si tu me poses cette question, c'est que toi tu en as une. — Non, je n'en ai pas, pas encore », dit Chouan-tcheou qui devint écarlate. Il détourna les yeux avec un petit sourire. » Des garçons aussi timides ne risquent guère de se montrer des amoureux bien hardis. La propagande cependant les y encourage. C'est faire preuve de vertu civique que d'oser courtiser une jeune fille et demander sa main. J'ai lu plusieurs nouvelles où on vantait l'héroïsme d'un couple qui s'était donné rendez-vous au clair de lune, celui d'un jeune paysan qui pendant la moisson avait osé entrer en conversation avec sa voisine.

Les jeunes filles sont encore plus réservées que les garçons. Mme Cheng a mis en scène dans un de ses romans une étudiante aux idées avancées qui vit à Paris vers 1930; plusieurs de ses jeunes compatriotes sont silencieusement amoureux d'elle : elle choisit d'épouser non celui qu'elle aime, mais le premier qui ose se déclarer. La chose n'est pas exceptionnelle; Tsai m'a dit un jour : « Quand plusieurs garçons s'intéressent à une jeune fille, elle se marie ordinairement non avec celui qu'elle préfère, mais avec celui qui parle le premier. » D'autre part on reproche à beaucoup de jeunes filles de regarder encore le mariage comme une affaire. « On les a toujours traitées comme des marchandises », me dit Mme Cheng, « alors, maintenant, elles se traitent elles-mêmes comme une marchandise. » En mai 1955, le journal *Kouang-ming* dénonçait l'esprit « bourgeois » qui préside encore à beaucoup de mariages. Trop de jeunes filles cherchent un mari qui les entretienne sans qu'elles aient besoin de travailler; les ou-

1. Le mot doit être pris ici au sens le plus bénin.

vrières souhaitent un mari assez riche pour qu'elles puissent quitter l'usine; les villageoises rêvent d'aller vivre à la ville. « Les femmes ne seront vraiment libérées que le jour où elles gagneront elles-mêmes leur vie », me dit Mme Cheng. Quand nous avons visité son village, elle m'a signalé une jeune fille qui incarnait à ses yeux d'une façon typique la paysanne vraiment émancipée. Très intelligente, elle a appris en trois mois à lire deux mille mots, par la méthode accélérée. Elle était malheureusement faible en arithmétique et a échoué à l'examen qui lui eût ouvert l'école secondaire. Travailleuse, adroite, elle gagne deux cents cinquante yens par an à cueillir le thé et elle a beaucoup de prétendants. Elle hésitait l'an dernier à se marier ou à poursuivre ses études. Mme Cheng lui a conseillé ce second parti. Elle a appris cinq cents caractères de plus et elle est devenue si bonne en calcul qu'elle est aujourd'hui comptable dans une des coopératives. Elle est fiancée cependant. Elle va épouser un employé de la ville. Mais comme son travail l'attache au village, elle continuera — du moins provisoirement — à y vivre. Elle verra son mari le dimanche.

Il est clair que l'indépendance économique et la liberté vont de pair. Une des raisons de la campagne d'émancipation, c'est de rendre utilisable la force de travail des femmes. Inversement, tant que la villageoise se confine dans les corvées domestiques, elle demeure, aux yeux de la famille et aux siens propres, un demi-parasite, bien que la réforme agraire lui ait conféré sa part de terre. Quand elle aide aux travaux des champs à l'intérieur du groupe familial, sa contribution économique demeure encore incertaine et elle ne s'individualise pas nettement. Au contraire, du moment où la coopérative verse à la jeune femme un salaire qui lui appartient en propre, personne ne se sent plus de droit sur elle : elle a vraiment conquis son autonomie. C'est par l'extension des coopératives que s'accomplira l'émancipation de la paysanne chinoise. Un texte de propagande [1] met aux prises une jeune mariée et sa belle-mère. Khin-kouei est une travailleuse modèle et la présidente de l'association des femmes; au lieu de filer sa quenouille, elle préfère vendre du charbon l'hiver et l'été travailler aux champs; sa belle-mère s'en plaint amèrement à sa propre fille, un jour où celle-ci est venue lui

1. « La Quenouille », de Chao Shu-li.

rendre visite. Khin-kouei, rentrant à la maison avec son beau-frère, surprend cette conversation; elle se défend contre les reproches qui lui sont adressés: *Faites le calcul,* dit-elle. *Il faut deux jours pour filer une livre de coton et gagner cinq sheng de riz. Je peux vendre assez de charbon en un jour pour gagner facilement cinq sheng de riz. Cela ne vaut-il pas mieux ?* Elle poursuit : *Il me faudrait deux jours pour me faire un costume, et sept jours pour une paire de chaussures : neuf jours en tout. Je gagne cinq sheng de riz pas jour : quarante-cinq en neuf jours. Pour vingt sheng, je peux me procurer un costume et des souliers mieux faits que ceux que je confectionnerais moi-même : le bénéfice est évident.* Le beau-frère, convaincu, dit finalement à sa propre femme : *Prenez donc exemple sur Khin-kouei. Si vous autres femmes voulez vraiment vous émanciper, il faut que vous travailliez davantage et que vous preniez plus de responsabilités : voilà votre plus précieuse quenouille.*

Dans les villes, la majorité des femmes sont encore des ménagères; mais celles-ci en de nombreux endroits se sont organisées. A Fou-Chouen, dès 1950, certaines d'entre elles formèrent des équipes d'aide mutuelle; il y eut d'abord des résistances, mais aujourd'hui, toutes les femmes d'ouvriers en font partie. Leurs enfants sont gardés pendant la journée dans des crèches; des « services d'aide » leur envoient, en cas de maladie ou de surmenage, des déléguées qui s'occupent de la cuisine, de la maison, des enfants; elles assistent à des cours du soir les lundi, mercredi, vendredi : elles lisent les journaux, écoutent la radio, reçoivent un enseignement ménager et une instruction politique.

Quant aux ouvrières, leur salaire est égal à celui des hommes; des crèches accueillent leurs enfants et elles peuvent les y allaiter; elles ont des congés de grossesse et touchent une retraite à partir de quarante-cinq ans. Elles sont encore peu nombreuses. Dans l'industrie du textile, 60 % des travailleurs sont des femmes. A Shanghaï, il y a 7 % de femmes dans les industries mécaniques. Dans le Kouang-tong, leur nombre s'est élevé de 110.000 en 1952 à 170.000 en 1954. A Moukden, il y a 47.000 ouvrières et 14.000 à An-chan. En ce qui concerne les professions libérales, d'après le rapport présenté en 1955 par Chang Yu, une des vice-présidentes de la Fédération des femmes, la proportion des femmes est de 17 %

dans les universités et collèges, 12 % parmi les présidents de tribunaux, 16 % parmi les employés de banque.

En ce domaine, comme en beaucoup d'autres, on rencontre en Chine les types les plus arriérés et les plus avancés du monde. Quantité de paysannes sont encore accablées par les traditions; cependant il y a des femmes qui conduisent des automotrices, d'autres qui sont ministres [1]. La catégorie la plus radicalement affranchie de la vieille mentalité, c'est celle des étudiantes; elles se sentent exactement les mêmes responsabilités, la même indépendance que les hommes, elle les assument avec aisance. J'ai parlé seule à seule pendant près de deux heures avec une jeune étudiante en médecine qui savait parfaitement le français. Pas trace de « complexe d'infériorité » chez elle, ni de cette volonté d'affirmation de soi qui en est l'habituel corrélatif. Très jolie, le visage encadré de longues nattes, elle portait avec élégance un pull-over rouge et une jupe bleu marine. Elle parlait avec un sérieux d'enfant et l'inimitable naturel des Chinois; elle semblait tranquillement à l'aise dans sa peau. Elle en est à sa deuxième année d'études et s'intéresse à la chirurgie, carrière qui n'est pas ici interdite aux femmes; mais elle suppose, sans trop de regret, qu'on la spécialisera en gynécologie; elle a dirigé plusieurs accouchements, en s'efforçant d'appliquer les méthodes de l'accouchement sans douleur, et dans la plupart des cas, les patientes n'ont pas souffert, ce dont elle se montre très fière. Actuellement, elle vit à Pékin chez ses parents; elle sait qu'on l'enverra au loin, et cet exil lui sera un peu pénible, étant donné la rareté des vacances, et l'immensité des distances. « Mais quand on est jeune, on s'adapte », dit-elle avec confiance. « Je préfère aller où je serai le plus utile. » Ce n'est pas une phrase creuse : visiblement, ce qui compte pour elle, c'est de s'instruire et de servir. Jamais en Chine les étudiantes n'envisagent — comme il arrive si souvent en France — d'abandonner leur travail quand elles seront mariées [2]; elles ont reçu de l'Etat éducation et entretien, et veulent payer leur dette. Je me rappelle les « college-girls » américaines qui me disaient à Vaassar, à Smith : « Nous prendrons pendant un an ou deux ans un job

1. 12 % des membres du Congrès sont des femmes: soit 147 sur 1.226. Il y a quatre femmes ministres, quatre vice-ministres.

2. Le Kouang-ming reprochait cette attitude à certaines jeunes filles : mais non pas à la catégorie des étudiantes.

parce que c'est la meilleure manière de trouver un mari : mais ce n'est pas le métier qui nous intéresse; c'est le mariage. »

Je demande à mon interlocutrice s'il existe à la faculté quelque rivalité entre garçons et filles : cette question la surprend. Aucun intellectuel n'est ici menacé de chômage; on manque de cadres, il y a des postes pour tout le monde. La femme n'apparaît pas à l'homme comme une concurrente. D'autre part l'asservissement de la femme étant naguère en Chine institutionnel et radical, les hommes n'ont pas eu besoin d'affirmer intérieurement leur suprématie en développant des complexes de masculinité. Jeunes, ils étaient eux-mêmes trop écrasés par l'autorité des anciens pour tirer orgueil de leurs prouesses sexuelles. Ni le mythe de la virilité, ni la lutte des sexes n'ont jamais existé chez les Chinois [1]. C'est même là ce qui rend si touchantes leurs anciennes histoires d'amour; loin de s'affronter dans leurs différences, les partenaires se sentent liés par le malheur de leur condition commune : la jeunesse; ensemble ils essaient de lutter contre la vieille génération qui les opprime. C'est sous un déguisement d'homme que l'héroïne des « Amoureux » inspire à son camarade d'étude des sentiments qu'il partage, et pour tous deux l'amour a le même visage que l'amitié. C'est un amour-amitié qui unit dans une même révolte les héros de « la Chambre rouge ». Délivrés des notions « féodales », les jeunes Chinois d'aujourd'hui se trouvent donc avoir sauté une étape. Hommes et femmes ne sont pas séparés par des mythes, ils ne conçoivent pas leurs rapports comme une épreuve de force.

Ils n'y accordent pas d'ailleurs une extrême importance. Mme Lo Ta-kang, qui est professeur à l'Université de Pékin, me dit qu'entre étudiants et étudiantes, le flirt n'existe pas : « Ils sont très sérieux », ajoute-t-elle. « Peut-être même un peu trop sérieux. »

Il y a de nombreux mariages qui se décident à l'Université, mais ils ne sont précédés d'aucun désordre sentimental : le travail demeure l'essentiel. Quand deux étudiants ont résolu de se marier, ils en avisent l'administration qui enregistre leur décision : on s'efforcera de leur donner un poste double quand ils sortiront de l'Université. L'Etat en effet assure du

1. L'érotisme était chez eux une source de plaisirs, non un exercice d'affirmation de soi.

travail à tout diplômé, mais peut l'envoyer où il lui plaît; les vœux de chacun sont pris en considération, sans qu'il soit cependant toujours possible de les satisfaire. Il arrive que mari et femme soient séparés pendant un an ou deux, mais rarement davantage, car sous sa forme moderne la famille est respectée par l'Etat. Néanmoins le mariage passe après le service du pays. En principe il se fonde sur l'estime plutôt que sur les sentiments. Quand au bureau d'enregistrement on demande aux jeunes gens pourquoi ils se sont choisis pour époux, la réponse classique, c'est : « Parce que c'est un bon travailleur. » Tsai m'a dit : « Les étudiants préfèrent les filles qui travaillent le mieux. » Il est certain que l'amour ne paraît pas jouer un grand rôle dans la vie des jeunes Chinois. Beaucoup d'observateurs occidentaux, et même parmi les plus bienveillants, font grief au nouveau régime de cette austérité. Elle représente au contraire un héritage du passé. Pendant longtemps le lit a constitué pour la femme chinoise un esclavage si odieux qu'elle est avant tout préoccupée de ne plus subir cette contrainte : ce n'est pas l'enthousiasme socialiste qui l'empêche de rêver à l'homme, mais elle accueille avec enthousiasme un socialisme qui la délivre de l'homme. En Occident, même la femme qui place son métier par-dessus tout accorde une valeur positive à l'amour. Mais pour la Chinoise, du haut en bas de l'échelle sociale, l'amour est affecté d'un coefficient négatif. J'ai été frappée par une réaction de Mme Cheng, assistant à côté de moi à un opéra où se déroulait une scène de viol; la jeune héroïne se défendait éperdument contre les entreprises d'un empereur lubrique. « Voilà pourquoi les femmes chinoises ont voulu la révolution », me dit-elle avec feu : « pour avoir le droit de ne pas aimer. » Des gens disent : « Les Chinoises sont froides. » Mais la froideur n'est pas une donnée physiologique : c'est une réaction complexe; chez la Chinoise, elle exprime certainement l'horreur du viol traditionnel qui pendant des siècles s'est confondu pour elle avec l'amour. Il faut qu'elle soit entièrement délivrée du poids du passé pour pouvoir adopter une attitude positive où elle se féliciterait non d'échapper à l'amour, mais d'être libre d'aimer à sa guise.

Le régime est donc loin de proscrire l'amour comme manifestation d'individualisme; l'individualisme est au contraire encouragé puisqu'on cherche à libérer les personnes des groupes dont elles étaient traditionnellement prisonnières; du même coup, l'amour est tenu pour un sentiment progressiste. Assumer un amour, c'est répudier l'ancien conformisme, c'est faire preuve d'autonomie : quiconque en est capable apparaît comme un élément « avancé ». Une jeune fille étonnée par la hardiesse d'un soupirant lui demanda sérieusement : « Seriez-vous inscrit au parti ? »

Il n'en reste pas moins qu'en Chine le mariage est plus raisonnable que passionné; la solidarité des époux s'accorde ordinairement avec celle qui unit chacun d'eux au pays. En cas de conflit pourtant, qui doit l'emporter : l'épouse ou la citoyenne ? En novembre 1954, la revue *Femmes de la Chine nouvelle* relata un cas que les lectrices discutèrent avec passion : il s'agissait du suicide d'une militante communiste, Yang-Yun.

Yang-Yun était, à trente-sept ans, secrétaire du Syndicat central de Foushen et membre important du parti. En 1933, âgée de dix-huit ans, elle avait épousé un nommé Shih Pin qui partit pour Yenan tandis qu'elle travaillait, en zone Kuomintang. La guerre civile les sépara, et en 1945 ils avaient complètement perdu contact. Lorsqu'on était resté trois ans sans nouvelles de son conjoint, la loi permettait, en 1948, de se remarier : c'est ce que fit Shih Pin. Il épousa une autre communiste. En 1949, Yang-Yun et lui se retrouvèrent, et elle alla vivre avec le nouveau couple. Mais le mari voulut que la situation fût nette et demanda à se séparer légalement de Yang-Yun. On lui reprocha son remariage hâtif, mais le divorce fut accordé. Alors Yang-Yun s'empoisonna. Au cours de l'espèce de référendum ouvert par la revue, beaucoup de correspondantes accusèrent le mari : la plupart blâmèrent Yang-Yun. Quand la patrie est en train de bâtir le socialisme, on ne doit pas se supprimer pour une affaire de mariage. La vie d'un membre du parti appartient au parti. Une lettre déclara même que ce suicide représentait « un acte d'intolérable individualisme ».

C'est là la doctrine officielle : le pays passe d'abord. Néanmoins Yang-Yun s'est tuée. Le rapport entre l'amour, la volonté de servir le pays, celle de s'accomplir soi-même prend chez chaque Chinoise une figure singulière. Pour en découvrir la complexité, il faudrait avoir avec beaucoup d'entre elles une longue familiarité. On aimerait qu'elles puissent un jour porter un sincère témoignage sur cette période qu'elles sont en train de vivre.

La réforme de la famille se fait à travers l'émancipation des femmes; mais elle intéresse tous ses membres et tout particulièrement les enfants.

Les Chinois ont toujours eu la réputation d'aimer leurs enfants; mais la misère les acculait souvent à les tuer à leur naissance, à les vendre, à les exploiter : le père avait tous les droits. Le Kuomintang promulga une loi interdisant de louer les petites filles comme servantes ou de les vendre comme esclaves; mais en 1937 on comptait encore deux millions de fillettes-esclaves, sans parler des « brus-enfants ». Dans les villes et dans les campagnes on voyait des petites filles de huit ans écrasées par des tâches accablantes. Les garçons aussi travaillaient; ils portaient des seaux d'eau, des fardeaux, ils aidaient les maçons sur les chantiers, les artisans dans leurs ateliers. Les parents les louaient comme ouvriers. Cette exploitation prit à Shanghaï des proportions énormes. Elle existait aussi dans toutes les mines de charbon de Chine. Réwi Alley raconte [1] : « Avant la libération, les mineurs, ne possédant pas un pouce de terre, ne produisaient rien, sinon des enfants. Beaucoup naissaient morts. Ceux qui survivaient commençaient à faire du gros travail dans les mines à partir de dix ans, remontant le charbon au long de galeries sinueuses, juste assez larges pour qu'ils puissent y ramper... Ces enfants n'étaient jamais lavés. Les corps étaient incrustés de poussier et de sueur. Leurs dents, plantées dans des gencives rouges et saignantes, étaient jaunes et branlantes. Ils avaient le cœur enflé. En travers de leur dos, aux endroits où repose le bambou qui sert à porter les fardeaux, il y avait de larges plaques calleuses. A vingt ans, c'étaient déjà des vieillards... »

Olga Lang [2], qui a visité des mines aux environs de Pékin, a vu elle aussi ces enfants esclaves : « Ils sortaient des sombres couloirs presque nus, leurs maigres côtes apparentes sous une peau couverte de poussière de charbon, respirant avec peine, portant des fardeaux de plus de quinze kilos. Ils ne paraissaient pas plus de neuf à dix ans bien qu'ils en eussent parfois quatorze ou quinze. Ils recevaient de dix à

1. Yo Ban Fa, p. 163.
2. La vie en Chine.

quinze cents par jour, vivaient à la maison, ne travaillaient qu'un jour sur deux. Sinon, ils mourraient trop vite, expliquait le propriétaire de la mine. »

Même dans les catégories sociales moins défavorisées, le sort de l'enfance n'était pas heureux. D'abord la mortalité était considérable. Les accouchements avaient lieu dans des conditions si déplorables — le cordon ombilical étant tranché le plus souvent avec des ciseaux sales — que quantité de bébés étaient pris de convulsions quelques jours après leur naissance : cette maladie qu'on appelait « la folie des nouveau-nés » était en fait le tétanos; elle a disparu. Les nouvelles conditions sanitaires, l'abondance des dispensaires, des hôpitaux, la surveillance médicale ont énormément réduit la mortalité infantile. Les enfants de moins de cinq ans, c'est-à-dire nés sous le régime, représentent 15,6 % de la population, tandis que ceux de cinq à neuf ans, nés dans les quatre années précédentes, en constituent seulement 11 %.

Et puis les méthodes d'éducation ont changé. On estimait autrefois que « qui aime bien châtie bien ». On trouvait normal de battre les enfants, parfois à mort. Ils dépendaient moins de leur mère, éternelle mineure, que du père et surtout des grands-parents; or les vieilles femmes en Chine, prenant tardivement leur revanche sur les malheurs de leur propre jeunesse, étaient souvent aigries, tyranniques et méchantes [1]. Le général Pong To-Louai raconta à Edgar Snow [2] qu'enfant, il avait renversé le plateau d'opium de sa grand-mère : celle-ci réunit un conseil de famille et exigea qu'il fût noyé; après une longue délibération, on décida de le chasser de la maison : il partit, âgé de dix ans, pour ne jamais revenir, avec comme seul bagage les vêtements qu'il avait sur le corps. A l'école, les enfants recevaient des coups de gaule; ou bien on les obligeait, après la fin de la classe, à rester longtemps à genoux dans un coin du préau. Formés à la plus stricte obéissance, au respect inconditionné des adultes, ils perdaient vite toute spontanéité. Olga Lang, écrit vers 1936 : « Leur timidité en présence des grandes persones paraissait

1. En Occident, les grands-parents représentent entre l'enfant et l'autorité des parents des espèces d'intercesseurs; d'où le cliché de la « bonne » grand-mère, du grand-père gâteau. Dans la Chine ancienne ce sont eux qui détiennent l'autorité: et c'est la mère qui joue un rôle de médiatrice entre l'enfant et les chefs de la famille patriarcale.
2. Red star over China.

excessive. On eût dit que de trois à sept ans leur spontanéité, leur naturel, avait subi un choc violent. » Cette description fait un saisissant contraste avec ma propre expérience. Dans la crèche ensoleillée du parc Pei Haï, les enfants resplendissaient de santé et de gaieté, dans leurs petits costumes fleuris; mais ce qui frappait surtout c'était l'exubérante confiance qu'ils témoignaient aux adultes, leur hardiesse, leur ignorance des contraintes. Dans aucun pays, des enfants de trois à sept ans n'osent ainsi se jeter sur des étrangers, s'accrocher à eux en riant et en babillant. J'avais ce jour-là du vernis rouge sur mes ongles : tous les enfants me saisissaient les mains, et les montraient curieusement à leurs monitrices; plus d'une petite fille a essayé de soulever ma jupe pour voir si je présentais quelque autre monstruosité. Les institutrices les arrêtaient en riant : avec leur taille gracile, leurs nattes, leurs visages innocents, ces jeunes femmes ont elles-mêmes l'air de grandes enfants sages, et visiblement les petites pensionnaires de la crèche ne sentent pas d'elles à eux une différence de génération. Je les ai souvent observées dans les parcs, tandis qu'elles promenaient ou surveillaient leur troupeau : elles sourient, leurs voix sont douces, elles ne donnent jamais d'ordre impératif. Elles m'ont dit que non seulement les châtiments corporels sont interdits, mais que la notion même de punition n'existe plus; on gronde le coupable, on lui explique ses torts; dans les cas vraiment difficiles, on consulte un médecin. Le résultat, c'est que les enfants grandissent sans connaître la peur ni la contrainte.

Dans les écoles, on n'inflige pas non plus de punitions. Et on inculque ces principes aux parents. La mère, affranchie des anciens, a retrouvé un rapport direct avec ses enfants. Dans les rues de Pékin, je n'ai jamais vu un adulte frapper un enfant, ni entendu un enfant crier; tous semblent heureux.

Il n'y a plus de prééminence des anciens sur les cadets; la jeunesse a cessé d'être considérée comme une infériorité. Au contraire, les jeunes sont le sel de la terre, l'avenir, le progrès. On attache la plus grande importance à leur éducation. À la fin de 1954, il y avait dans les écoles primaires 51 millions d'élèves et 3 millions et demi dans les classes secondaires. Ils ont un journal qui détient en Chine le record du tirage : 1.200.000 exemplaires. On leur fournit une abondante littérature. Depuis la libération on a publié 2.800 nouveaux ouvrages qui ont tiré à 60 millions. On a écrit pour eux des romans d'anticipation, des histoires en images, toute espèce de récits. On a traduit 850 livres et vendu 12 millions de copies de Pouchkine, Mark Twain, Andersen, etc. Mais tant d'enfants savent lire à présent que c'est encore insuffisant : ils sont près de 120 millions et les livres manquent. Récemment ils ont invité les écrivains à un thé et leur ont récité un petit poème : « Allons les écrivains ! n'avez-vous pas honte de nous nourrir d'une si maigre littérature ! » L'association a demandé à ses membres de faire un effort pour satisfaire la jeunesse.

Les élites enfantines sont groupées par l'organisation des pionniers qui comptent 7.200.000 membres âgés de neuf à quatorze ans; et par la « Ligue des jeunesses démocratiques », — équivalent des kommosols soviétiques — âgés de quatorze à vingt-cinq ans et répartis en 600.000 cellules.

Sur ce point, le régime ne prête guère le flanc à la critique; ses ennemis ont néanmoins trouvé ce biais : l'Etat prétendrait accaparer les âmes des enfants et détruire la famille. Mme F. Rais affirmait en décembre 1955 dans *Paris-Presse* qu'une pression concertée contraint tous les enfants à s'inscrire comme pionniers. Mme Berlioux nous confie qu'en voyant des pionniers se promener dans les parcs, elle a songé avec inquiétude aux formations de jeunesse nazies. Ce sont de pures rêveries. D'abord, même s'il le souhaitait, le gouvernement est loin d'avoir les moyens d'enrégimenter tous les enfants. Les 51 millions d'écoliers ne représentent qu'une partie de la jeunesse et le plan quinquennal prévoit qu'il faudra attendre jusqu'en 1957 pour que 70 % des enfants reçoivent un enseignement régulier : aujourd'hui, la fréquentation de l'école n'est pas même obligatoire. Quant aux pionniers, 7.200.000 c'est une minorité; en faire partie, c'est prendre des engagements de travail, et de conduite exemplaire, qui ne tentent pas tout le monde; bien loin qu'on y contraigne les enfants, on leur refuse au contraire cet honneur s'ils ne sont pas des écoliers modèles. Un film qu'on m'a raconté met en scène un petit garçon et une petite fille qui souhaiteraient devenir pionniers mais qui en sont empêchés par leurs défauts : étourderie, paresse, indiscipline, etc.; c'est au prix de durs efforts, et en s'aidant l'un l'autre, qu'ils finissent par conquérir la glorieuse cravate rouge. Il faut avoir d'avance décidé que le régime de la Chine nouvelle est un totalitarisme pour évoquer les jeunesses hitlériennes en voyant des pionniers danser des rondes au milieu du parc Pei Haï, ou escalader en courant la colline de charbon.

Quant à l'« endoctrinement » des enfants, certes on leur apprend à aimer leur pays, à vouloir le servir, à respecter la morale en vigueur, et on leur enseigne l'idéologie correspondant au régime dans lequel ils vivent : n'est-ce pas ce qu'on fait partout ? Si les éducateurs chinois sont plus convaincants que leurs collègues américains il me semble que le fait doit plutôt être porté à leur crédit qu'inscrit à leur passif. Il est absolument faux que l'ensemble des institutions, de l'enseignement et de la propagande vise à détourner les enfants de leur famille : celle-ci demeure la pierre angulaire de la société. Dans la plupart des crèches — d'ailleurs encore trop peu nombreuses — les enfants ne sont gardés que pendant la journée. La crèche de Pei Haï est destinée à des enfants dont les parents sont tous deux employés dans des administrations d'Etat, elle les prend en charge quand ils ont trois ans, les renvoie quand ils en ont sept. Mais entre-temps, le père et la mère viennent les voir aussi souvent qu'ils le désirent; tous les samedis soir l'enfant rentre à la maison, il y reste jusqu'au lundi matin : le contact n'est jamais perdu. Quant aux pionniers, les trois fils des professeurs à qui j'ai rendu visite appartiennent à cette organisation. La mère a ri lorsque je lui ai demandé s'il y avait un conflit quelconque entre « l'esprit pionnier » et « l'esprit familial ». Au contraire, m'a-t-elle dit; une des premières choses qu'on exige des pionniers, c'est qu'ils aident leurs parents à faire le ménage, les courses, la vaisselle, qu'ils mettent le couvert, qu'ils obéissent aux ordres qu'on leur donne. Ils prennent part à des fêtes, à des excursions : mais cela ne les empêche pas de passer de nombreux dimanches avec leurs parents. Le sentiment familial demeure profond en Chine. Les jeunes ménages, même aisés, n'ont guère de vie mondaine : mais ils voient fréquemment leurs parents. Et dans les campagnes, j'ai dit que plusieurs générations vivent encore sous le même toit.

On m'objectera que la morale officielle et les tracts de propagande qui la diffusent proclament qu'en cas de conflit entre le pays et la famille, il faut choisir le pays : mais, en cas de conflit la morale occidentale a les mêmes exigences. J'étais justement en train de rédiger ce chapitre quand je suis tombée sur un reportage rétrospectif de *Paris-Presse,* racontant une course automobile à laquelle participa voici des années

Louis Renault. On lui apprit au milieu de l'épreuve que son frère venait d'avoir un accident mortel; il crispa courageusement les mâchoires, et embraya : les intérêts supérieurs de l'automobile étaient en jeu. En France on a toujours tenu pour hautement morale la subordination des sentiments familiaux à de nobles entreprises, et tout spécialement à la guerre. On admire que des parents acceptent avec le sourire de voir leur fils risquer leur peau en Indochine, en Algérie. Il faut que la tradition patriarcale soit demeurée chez nous bien vivace; le sacrifice du fils par le père est légitime et grand [1] : ce qui indigne, chez les Chinois, c'est qu'ils prêchent surtout la subordination de la piété familiale à l'amour de la patrie. Les réactions scandalisées des bourgeois occidentaux sont d'autant plus hypocrites que, toute question d'héroïsme mise à part, la solidarité familiale est dans les pays capitalistes extrêmement lâche; dès que les intérêts financiers entrent en jeu, les liens du sang ne comptent plus guère. Ceux-ci sont bien plus étroits encore aujourd'hui en Chine et le régime ne s'applique aucunement à les détruire : il cherche seulement à les désacraliser. La piété filiale doit devenir une relation humaine, non un principe d'aliénation.

Il y a un problème que la considération des statistiques amène immédiatement à se poser : quelle est en Chine la politique de la natalité ? Les Occidentaux admiraient naguère l'heureuse harmonie préétablie qui réduisait — par des inondations, des disettes, le choléra, la mortalité infantile — le nombre des Chinois vivants. Il en est encore aujourd'hui qui déplorent que cette sagesse de la nature soit vigoureusement contrecarrée par le régime. Le fait est là : les épidémies sont enrayées, les cataclysmes endigués, et la plupart des enfants qui viennent au monde y demeurent. Il naît chaque année trente-sept personnes par millier d'habitants, et il n'en meurt que dix-sept : en un an la population s'accroît de dix millions. Tous les quatre ans apparaît en Chine l'équivalent d'une Italie, d'une France. Or il est déjà difficile d'assurer à tous les Chinois un niveau de vie convenable; les dirigeants

1. Toute la droite a exalté la conduite du général franquiste qui laissa fusiller son fils plutôt que de rendre l'Alcazar. Si pendant la guerre civile un jeune Chinois avait sacrifié son père à la cause communiste, on parlerait avec horreur du « viol de sa conscience » par le parti.

promettent aux masses une progressive amélioration de leur sort : mais si la population continue à se multiplier, qu'arrivera-t-il ? Par exemple le plan quinquennal prévoit qu'en 1957 il y aura 70 % des enfants qui fréquenteront l'école primaire. S'il en naît 40 millions d'ici 1959, ne se retrouvera-t-on pas devant un énorme pourcentage d'analphabètes ? Il me semble qu'un peuple qui a pris son destin en main ne peut accepter cette prolifération désordonnée. Un des facteurs qui ont assuré aux Etats-Unis leur prospérité, c'est leur politique contraceptuelle. Les Indes au contraire sont accablées par un excès d'habitants qu'elles ne parviennent pas à nourrir. Quelle est donc en Chine la position du régime, touchant le contrôle des naissances ? J'ai interrogé une vice-présidente de l'Association des femmes qui m'a répondu avec gêne : « Dans les villes, les ménages planifient les naissances; c'est moins utile dans les campagnes. L'avortement est autorisé en cas de danger : sinon c'est un crime puni par la loi. » J'ai heureusement obtenu des réponses plus précises au cours d'un entretien avec le vice-ministre Tch'en Yi qui nous a reçus aux environs du 1er octobre.

La question le fait sourire. « On me l'a déjà posée », dit-il. « Des travaillistes anglais m'ont demandé si l'accroissement de la population n'aboutirait pas nécessairement à l'impérialisme. » Il ajoute avec un peu d'irritation : « Je leur ai répondu: l'Inde est surpeuplée, l'Angleterre non; et c'est l'Angleterre qui a conquis l'Inde. » Il nous expose alors longuement que la seule question est de savoir si l'économie d'une nation est oui ou non impérialiste. Or la Chine n'a aucune visée sur le reste du monde. Elle possède d'immenses ressources naturelles, encore inexploitées : l'excédent de sa population sera facilement résorbé à l'intérieur du pays. Il nous parle du Sikiang, qui n'est guère encore habité que par des nomades, et des autres terres vierges qui attendent d'être colonisées. Le charbon, le fer, le pétrole abondent : il faut des bras pour les extraire. Et de grands centres industriels vont se créer à l'intérieur du pays. Il est vrai qu'aujourd'hui il y a un peu de chômage : cela ne signifie pas qu'il faut réduire la population. Le chômage cessera quand on aura atteint un stade supérieur d'exploitation : en prévision de ce proche avenir, il faut au contraire augmenter la force de travail disponible, donc le nombre des travailleurs. La Chine a besoin pour satisfaire sa population d'élever sa production :

mais celle-ci ne s'élèvera que si la population augmente. Les villes comptent aujourd'hui 100 millions d'habitants; le chiffre ne grandira pas à l'intérieur de chaque agglomération : mais on en bâtira de nouvelles.

Ainsi la Chine n'envisage pas de limiter les naissances ? Si. La surabondance de la natalité a engendré trop de maux : mortalité infantile, infanticide, etc. Le gouvernement estime que la prospérité de chacun et de tous exige sur ce point une politique rationnelle. Il ne s'agit pas d'un malthusianisme qui serait opposé à l'esprit du marxisme mais d'une « planification ». On veut que les jeunes couples puissent attendre deux ou trois ans avant d'avoir leur premier enfant, que les mères déjà chargées d'enfants puissent s'accorder un répit, que tous les ménages soient à même d'équilibrer leur budget et d'organiser leur existence. La politique de la natalité est donc nuancée. D'une part, la Chine a besoin de bras. « C'est pourquoi nous n'avons pas lancé de mouvement », dit Chen-Yi : « On eût risqué de dépasser le but. » Mais il faut se défendre contre les dangers de la surpopulation. On propage donc, sans exercer de pression impérieuse, des recettes anticonceptionnelles.

J'ai appris par la suite que ce courant avait commencé à se dessiner en 1954. Au congrès national populaire, un vieux dirigeant de soixante-treize ans, Chao Li-tseu, déclara : « C'est un grand fardeau pour les mères d'accoucher chaque année. Nous ne parlons pas d'avortement, mais la connaissance du *birth-control* doit être répandue; il faut donner des directives pratiques quant à la méthode et aux moyens de contrôler les naissances. » En décembre, il fit savoir dans le quotidien pékinois *Kouang-ming* que le *birth-control* était autorisé par l'Etat. Le mensuel *Femmes de Chine* a donné en janvier et mars 1955 des instructions détaillées sur les méthodes contraceptuelles et le ministre de l'hygiène supervise la fabrication des pessaires. Touchant l'avortement même, la loi est tolérante : « L'avortement est permis dans tous les cas où la continuation de la grossesse n'est pas recommandable, ou si le nombre des naissances est trop fréquent. Il faut le consentement du père, de la mère, un certificat médical et l'approbation d'un représentant autorisé du gouvernement. » En fait, l'autorisation est accordée à partir du cinquième enfant. Dans toutes les maternités et dispensaires, tout en donnant des soins aux jeunes femmes, on leur enseigne les pratiques contraceptuelles; il paraît même — je n'en ai pas vu, mais de nombreux amis me l'ont confirmé — que la propagande utilise à ce sujet des panneaux et des affiches d'une extrême crudité. Tsai me dit aussi que dans toutes les pharmacies on vend les « drogues » nécessaires.

Cette ligne a été de nouveau confirmée en septembre 1956, au 8e congrès du P. C. chinois. Mme Ts'ai tchang, présidente de la fédération des femmes démocrates, a déclaré que la Chine devait résolument appliquer le contrôle des naissances. Des directives avaient été élaborées dans ce sens dès le mois de mars et la presse leur avait donné une grande publicité.

Les anticommunistes accusent la Chine nouvelle à la fois d'anéantir la famille et d'annihiler l'individu : ces deux allégations sont mensongères. La famille est conservée et respectée dans la mesure où elle se fonde sur de libres relations inter-individuelles; ce qu'on a aboli c'est l'aliénation de la personne à une institution oppressive et impérieusement sacralisée. Les réactionnaires mettent l'accent sur le « machiavélisme » de cette politique : elle ne vise qu'à faciliter la collectivisation des terres. Mais inversement, il me paraît remarquable que l'utilitarisme économique se double immédiatement d'un humanisme. Aujourd'hui en Chine, l'infrastructure et la superstructure se commandent si étroitement qu'en certains domaines elles se confondent; le facteur social possède une dimension économique; mais la productivité dépend du facteur humain : la marche vers le socialisme implique l'émancipation de l'individu, l'affirmation de son droit à disposer de lui-même. Le mariage, la maternité sont devenus libres. L'amour est tenu pour une valeur « progressiste ». Loin de se contredire, les aspirations personnelles et les devoirs envers le pays s'accordent : pour le bien de tous, chacun doit vouloir son propre bien. Le chemin de la collectivisation est aussi celui qui fait accéder la femme à une dignité humaine, les jeunes gens à la liberté. La bourgeoisie, qui tirait autrefois fierté d'avoir découvert à l'Europe le bonheur, devrait admirer qu'en Chine il soit devenu la base même du civisme.

IV

L'INDUSTRIE

Toute l'économie de ce grand pays agricole qu'est la Chine est commandée par un impératif : s'industrialiser. L'examen du budget national fournit sur ce point d'intéressantes précisions. En 1955 [1], le revenu de la Chine s'élevait — en y comprenant le reliquat de l'année précédente — à 31 milliards 192 millions 520.000 yens; 28 milliards 49 millions 180.000 avaient été réalisés cette année même. Ces recettes se répartissaient ainsi : impôts et taxes, 49,13 %; bénéfices provenant des entreprises d'Etat [2] : 39,63 %; assurances et crédits : 11,24 %. La principale source des revenus, ce sont donc les taxes et les impôts. L'Etat perçoit 25 % sur les profits industriels et commerciaux, seulement de 3 % à 12 % sur les bénéfices agricoles; mais comme la paysannerie constitue l'immense majorité de la population, c'est elle qui néanmoins alimente essentiellement la caisse nationale. D'autre part, les dépenses se répartissent ainsi : éducation 12,95 %; administration 7,54 %; défense nationale 24,19 %, divers 4,18 %; 47,72 % sont consacrés à la construction économique qui absorbera aussi, l'année suivante, le reliquat de 3,12 %; la plus grosse part de ces investissements va à l'industrie lourde. Ces chiffres dessinent clairement la ligne générale de l'économie chinoise : la Chine utilise les richesses qu'elle tire

1. Les budgets de 1954 et 1956 sont analogues à celui-ci.
2. On inclut dans ce chiffre les bénéfices réalisés par l'Etat dans les entreprises mixtes.

de son sol pour créer l'industrie lourde nécessaire à la future prospérité du pays et à son autonomie.

Au cours de l'année 1956, la thèse du primat de l'industrie lourde a été remise en question dans l'Europe socialiste; c'est certainement une erreur de la considérer à priori comme universellement valable. Mais si elle a été réaffirmée en septembre 1956 par le 8e congrès du P. C. chinois, c'est pour des raisons bien concrètes. La situation de la Chine est absolument incomparable avec celle de la Hongrie ou de la Pologne. Loin de sacrifier la masse chinoise à un principe abstrait ou à un avenir mythique comme le prétendent les anticommunistes, le régime, en poussant l'industrie lourde, sert les intérêts à la fois lointains et immédiats de toute la population. Celle-ci s'accroît rapidement; pour subsister, pour améliorer son niveau de vie, le rendement agricole doit considérablement s'élever : ce progrès — et en particulier le défrichement des terres vierges — exige des tracteurs, des camions; il faut des grues, des bulldozers pour exécuter les grands travaux indispensables au développement économique : routes, ponts, chemins de fer, barrages, canaux. L'industrie réclame des machines. Pour faire face à de si vastes besoins, un peuple de 600 millions d'habitants ne peut compter que sur soi-même : l'aide soviétique ne saurait constituer qu'une amorce. En renonçant à s'industrialiser, la Chine se condamnerait à demeurer indéfiniment une vassale de l'U.R.S.S. et une vassale misérable : elle retomberait dans le cycle infernal de la surpopulation et des famines. Opter pour un pareil destin serait d'autant plus insensé que la Chine possède d'immenses ressources : charbon, pétrole, minerai. Le retard de son industrie ne découle pas de la pauvreté de son sous-sol, mais des conditions de son histoire : l'absence d'un capitalisme national, la semi-colonisation qui lui a été imposée. Une industrie lourde ne pouvait exister en Chine qu'à partir du moment où celle-ci prenait en main son propre destin; inversement, la Chine n'accédera à une véritable autonomie que le jour où le niveau de son industrie sera suffisamment élevé. Pour comprendre le sens et les modalités de son effort actuel, il faut d'abord considérer la situation dont la Chine nouvelle a hérité.

Les commerçants occidentaux qui prétendirent établir en Chine des comptoirs analogues à ceux qu'ils avaint créés aux

Indes furent d'abord déçus. « Mon empire regorge de toutes les richesses et n'a besoin de rien », écrivait orgueilleusement K'ien-long à George III. Les marchands qui venaient d'Angleterre en contournant le cap Horn touchaient au Mexique, pour remplir leurs caisses de dollars avec lesquels ils achetaient aux Chinois de la soie, du thé : ils ne leur vendaient presque rien. La guerre de l'opium renversa la situation. A partir du traité de Nankin, la balance commerciale fut constamment défavorable à la Chine. Néanmoins, les capitalistes étrangers ne tirèrent du marché chinois que des profits restreints. A la fin du XIXe siècle, ils trouvèrent plus avantageux d'investir des fonds dans les chemins de fer et le trafic maritime, et d'utiliser la main-d'œuvre chinoise pour créer une industrie sur les territoires qu'ils s'étaient annexés.

Une économie colonialiste se caractérise par la recherche du profit immédiat; elle ne se soucie pas d'équiper les pays qu'elle exploite : pas question, évidemment, d'y développer une industrie lourde. Les capitaux ne sont investis que dans les entreprises garantissant un taux de profit au moins égal à celui obtenu dans les régions développées. Cette condition réduit aussi à zéro la construction d'une industrie légère. Les colons, en règle générale, importent dans la colonie des articles manufacturés et utilisent au mieux de leurs intérêts les forces productrices existantes : main-d'œuvre, ressources naturelles, artisanat indigène. Le cas de la Chine était particulier : elle possédait une civilisation artisanale développée, et le niveau de vie des habitants permettait l'écoulement à l'intérieur du pays de certains biens de consommation. Les capitalistes étrangers ne se bornèrent donc pas à s'assurer le contrôle des industries d'extraction; ils jugèrent profitable de transformer sur place certaines des matières premières que leur fournissait le pays : le coton et la soie. En effet, les industries textiles demandent relativement peu de capitaux; et les cotonnades — dans la classe supérieure, les soieries — sont pour le consommateur chinois des produits de première nécessité. C'est sur les mêmes bases que se créèrent des manufactures de produits alimentaires, d'allumettes, d'objets répondant à des besoins immédiats. Ces usines se distribuèrent de manière irrationnelle : non pas en fonction des sources de matière première et du marché intérieur, mais excentriquement, dans les ports de mer que s'étaient fait ouvrir les Occidentaux, et particulièrement à Shanghaï.

Cette ingérence étrangère ruina l'artisanat chinois. Elle suscita l'apparition d'une classe de marchands et de « compradores » qui servaient d'intermédiaires entre le peuple chinois et ses exploiteurs [1]. Peu à peu, un certain nombre de ces commerçants se mirent à utiliser des machines et se transformèrent en industriels. En 1861, des marchands de Fou-tcheou achetèrent des machines pour presser le thé en briques; en 1863 furent inaugurées à Shanghaï des machines à décortiquer le riz. Les propriétaires fonciers, les grands fonctionnaires, les compradores investirent des capitaux dans diverses entreprises. En 1853 se fondèrent les Chantiers de construction navale de Kiangnan, et à partir de 1872 la « Compagnie de navigation à vapeur chinoise » fit concurrence aux compagnies étrangères. En 1882, le gouvernement chinois installa à Shanghaï, avec la coopération de capitaux privés, une filature moderne; d'autres furent créées à Wuchen, à Hang-tcheou; et la soie fut désormais traitée dans des filatures à vapeur. Les compradores devinrent des patrons autonomes. Cependant l'essor du capitalisme chinois était entravé par les « traités inégaux », par l'absence de protection douanière.

La bourgeoisie naissante ne pouvait se résigner au régime semi-colonialiste qu'avaient laissé instaurer les empereurs mandchous; elle réclamait le contrôle politique du pays. Quand en 1898 le gouvernement, battu par les Japonais, se trouva considérablement affaibli, elle tenta d'en profiter pour exiger des réformes. Elle aspirait à l'indépendance nationale, à la liberté économique, à des droits politiques. Son principal leader, K'ang Yeou-wei, souhaitait pour la Chine un régime analogue à celui dont l'empereur Meiji venait de doter le Japon. La vieille douairière T'seu-hi fit échouer ses plans.

La bourgeoisie ne se tint pas pour battue; il existait en particulier dans les pays d'outre-mer des Chinois, descendants des pauvres émigrés qui avaient cherché fortune en Amérique, aux îles Hawaï, dans les colonies anglaises, françaises, hollandaises de l'Asie, et qui étaient devenus riches.

1. Le mot de « comprador » a été emprunté aux Portugais, parce que c'est seulement dans les colonies portugaises qu'on rencontrait ce genre de trafiquant. Les Occidentaux étaient incapables de traiter directement avec les travailleurs et producteurs chinois dont ils ignoraient le langage et les mœurs. Profitant des uns, pressurant les autres, les compradores constituaient une classe méprisée et détestée.

Frottée d'idées modernes, cette bourgeoisie prospère était progressiste : ce fut elle qui suscita la révolution de 1911. Les Mandchous renversés, la Chine vécut quelques années dans l'anarchie. Cependant la première guerre mondiale, l'indignation suscitée par le Traité de Versailles, provoquèrent un réveil national que traduisit en 1919 le « Mouvement du 4 Mai ». Il se fit alors une alliance entre la bourgeoisie et le prolétariat qui commença à s'organiser et à devenir une force.

Jusqu'alors, les ouvriers chinois n'avaient possédé aucun recours contre les exploiteurs étrangers. Le privilège d'ex-territorialité protégeait les spéculateurs et aventuriers d'Occident contre toute sanction : rien ne freinait leur cupidité. La surabondance de la main-d'œuvre, la misère paysanne garantissaient au patronat des réserves d'hommes illimitées. La situation était la même que dans les pays colonisés : les capitalistes achetaient au plus bas prix une force de travail qui s'offrait à eux en quantité pratiquement illimitée, puisqu'on comptait deux millions d'ouvriers sur une population de quatre cents millions d'habitants. Il ne reconnaissaient aucun droit aux indigènes qu'ils employaient. Les grèves étaient interdites. Il n'était pas permis de se réunir en association sans une autorisation spéciale.

Les ouvriers formaient cependant des associations secrètes : Association des trois points, la Guilde rouge, la Société du Ciel et de la Terre; elles avaient des bases tantôt corporatives, tantôt locales; elles se proposaient de venir en aide à leurs adhérents et de les défendre contre le patronat; mais elles n'avaient guère la possibilité de réaliser la seconde partie de leur programme.

Il y eut en 1897, à Shanghaï, une émeute parmi les coolies qui poussaient des brouettes : c'est la plus ancienne insurrection qui ait illustré le mouvement ouvrier chinois. Le conseil municipal — où ne figurait aucun Chinois —, qui percevait une taxe sur les brouettes, décida de la relever de quatre à six cents. Cinq mille coolies pénétrèrent dans la concession internationale et livrèrent contre la police une bataille rangée. Il y eut deux morts. Les grévistes obtinrent gain de cause. Mais les Occidentaux n'acceptèrent pas cette défaite; ils obligèrent le conseil à démissionner et le nouveau conseil à maintenir le relèvement de la taxe.

Le mouvement ouvrier ne commença vraiment à se dessiner

qu'à partir de 1918; alors le prolétariat se sentit soutenu par l'ensemble du pays qui se tournait avec haine contre les Occidentaux et les Japonais. Cent quarante mille ouvriers avaient été travailler en Europe pendant la guerre 1914-19; le contact avec le prolétariat occidental les aida à se révolter contre leurs conditions et ils prêchèrent l'action à leurs camarades. A Shanghaï, en 1918, les ouvriers des filatures japonaises déclenchèrent une grève. Par suite de l'insuffisance de la récolte dans la vallée du Yang-tzé, le prix du riz avait monté considérablement; ils demandèrent une augmentation d'un dollar par mois que les patrons leur refusèrent. Le 20 juin, quatre mille ouvriers cessèrent le travail et démolirent les machines. On leur accorda trois *tous* — soit environ trente livres — de riz par mois, en sus de leur salaire, jusqu'au rétablissement du prix normal.

A partir de 1919, les lois interdisant les associations et les grèves furent pratiquement abrogées. Les étudiants faisaient de l'agitation dans les rues et soutenaient par des manifestations les insurrections ouvrières. En 1921, le leader de la révolution bourgeoise, Sun Yat-sen, s'installa solidement dans le Sud. Sous le nom de tridémisme, le Kuomintang, dont il était le chef, revendiquait l'application de trois principes : indépendance nationale, démocratie, bonheur du peuple. Le parti communiste, fondé à Shanghaï, en 1921, collabora avec le Kuomintang : pendant quelques années, bourgeoisie et prolétariat constituèrent une sorte de front national. Le P. C. chinois organisa les travailleurs. Joffe, délégué secret de l'U.R.S.S., parcourut la Chine en 1922 et donna une forte impulsion au mouvement ouvrier. Les syndicats se développèrent rapidement. En 1922, 1925, 1926, se tinrent à Canton des congrès de la fédération du travail. En 1925, Canton comptait 125.573 ouvriers syndiqués, bien que la population ouvrière fût réduite. Il y en avait 120.000 à Shanghaï.

C'est pendant cette période que la lutte ouvrière fut la plus intense. En 1922, les marins de Hong-Kong se mirent en grève contre les Anglais qui avaient voulu supprimer les syndicats : après huit semaines d'une lutte qui fut sanglante, les autorités anglaises durent accepter d'augmenter les salaires, de rétablir les syndicats, de libérer les grévistes arrêtés, de payer des pensions aux blessés et aux familles des morts. Alors les bateliers du Yang-tzé commencèrent une grève de trois semaines d'où ils sortirent aussi vainqueurs. Le parti communiste avait tout particulièrement organisé les cheminots; en 1922-23, ceux-ci déclenchèrent de nombreuses grèves. La plus violente fut celle de la ligne Pékin-Hankéou, commencée le 4 février 1923; les cheminots réclamaient le droit de se syndiquer librement. Le 7 février, les Anglais ayant fait pression sur les chefs militaires de la Chine du Nord, ceux-ci réprimèrent la grève par les armes. Des grèves dirigées contre le patronat anglais se déroulèrent aussi en 1922 dans les houillères de Kaïlouan, et du 1er juillet au 9 août 1925 dans les mines de Tsiaotso.

L'épisode qui eut le retentissement le plus considérable, ce fut la série des grèves que des militants syndicaux, pour la plupart communistes, organisèrent à Shanghaï en 1925. Le patronat voulut instaurer dans certaines usines le salaire aux pièces : les ouvriers s'y opposèrent avec succès. Encouragés par cette victoire, trente mille travailleurs réclamèrent une augmentation à leurs patrons japonais. Ils prirent d'assaut les manufactures japonaises, sous l'œil complaisant de policiers chinois. Peu après, une nouvelle grève éclata dans la filature japonaise de Wai-wai-mien. Les patrons déclarèrent le lock-out. L'atelier n° 7 refusa d'évacuer les locaux. Les gardes japonais tirèrent, blessant sept ouvriers, et tuant le chef d'atelier Kou Tchen-hong, communiste militant. Cinq mille ouvriers assistèrent à son enterrement. Les étudiants organisèrent une manifestation de solidarité; la police de la concession en arrêta plusieurs. Le 30 mai, ils recommencèrent : ils défilèrent en portant des bannières. De nouveau on les arrêta. La foule voulut les délivrer et envahit le poste de police de Nankin Road. L'inspecteur britannique donna l'ordre de tirer : il y eut douze morts et quinze blessés graves.

L'incident de Nankin Road déchaîna la fureur du pays tout entier : partout grèves et manifestations éclatèrent. A Shanghaï, ce fut la grève générale, les boutiques fermèrent. On proclama la loi martiale. Des bateaux de guerre furent amenés dans le port, des fusiliers marins débarquèrent, et il y eut des bagarres sanglantes. Au nombre de deux cent mille, les ouvriers et employés des firmes étrangères prolongèrent la grève. Même le patronat chinois — et jusqu'à des banquiers, et des généraux — se joignit au mouvement. Ils demandèrent la révision des traités, l'abolition de l'exterritorialité. Les Occidentaux eurent la riposte facile : les centrales électriques leur appartenaient, ils coupèrent l'électricité dans les usines chinoises. Les patrons abandonnèrent la lutte et peu à peu, l'ordre occidental fut rétabli. A Hong-Kong commença le 19 juin une grève générale à laquelle participèrent plus de deux cent cinquante mille ouvriers. Elle dura un an et quatre mois et fut appuyée par toute le peuple chinois.

Cependant la bourgeoisie chinoise commençait à redouter la force que représentait le prolétariat. Elle estima que le capitalisme étranger était pour elle un allié moins dangereux et préféra pactiser avec lui. Quand Sun Yat-sen fut mort, les dirigeants du Kuomintang, tous favorables au communisme, s'installèrent à Han-keou; le chef militaire, Tchang Kaï-chek, eut pour mission de soumettre toute la Chine. Le 21 mars 1927, tandis que l'armée de Tchang montait vers Shanghaï, six cent mille ouvriers sous la direction de Chou En-laï s'emparèrent des points clés de la ville : les stations de police, l'arsenal, la garnison. On en arma cinq mille, on créa six bataillons et le gouvernement du peuple fut proclamé. A son arrivée, le 22 mars, Tchang fut accueilli par une armée populaire triomphante; la concession étrangère vit avec inquiétude flotter au-dessus des toits le soleil blanc sur fond bleu du parti Kuomintang.

Mais les riches propriétaires fonciers, les gros commerçants, les industriels avaient pris peur; l'intérêt national céda le pas aux intérêts de classe et la bourgeoisie chinoise négocia avec Tchang. Les banquiers lui firent savoir, par l'intermédiaire du consul de France, qu'il ne l'appuieraient que s'il rompait avec les communistes. Tchang opta pour l'ordre bourgeois. Il engagea les tueurs de Tou Yue-sen, gangster enrichi par le trafic de l'opium; le 3 avril 1927, ils « nettoyèrent » Shanghaï à coups de mitrailleuses et de grenades. Une quantité de communistes furent massacrés; ceux qu'on fit prisonniers moururent dans les tortures. Tchang s'empara d'Han-keou et fit régner la terreur blanche.

Désormais, les communistes n'eurent plus qu'une activité clandestine. Le mouvement ouvrier fut sévèrement jugulé. Une loi fixa, le 21 octobre 1929, le nouveau statut des syndicats : réorganisés sur la base de la coopération, ils soumettaient les travailleurs au patronat. Le droit de grève fut étroitement limité et on le supprima presque totalement en 1930. Le prolétariat se trouva réduit à l'impuissance.

En dénonçant son alliance avec la classe ouvrière, la bourgeoisie chinoise se privait de tout recours contre l'impérialisme étranger. Il y eut quelques grands trusts qui s'appuyèrent sur lui pour monopoliser l'industrie chinoise; ils avaient à leur tête les « quatre familles » Tchang, T. V. Soong, H. H. K'ong, et Tch'en. Ils contribuèrent à écraser le petit capital. La bourgeoisie chinoise fut déchirée. « La bourgeoisie nationale est une classe qui possède une idiosyncrasie dualiste », a écrit Mao Tsé-toung. « Elle s'oppose à l'impérialisme et aux éléments semi-féodaux, mais comme elle n'a pas complètement rompu ses liens avec ceux-ci, elle manque de courage dans sa participation à la révolution. C'est une alliée comparativement bonne pour notre cause, mais il est essentiel que nous soyons vigilants avec cette couche sociale. »

Incapable de conquérir à elle seule une autonomie économique, la bourgeoisie échoua aussi à maintenir ses revendications nationalistes : elle fut vaincue par l'impérialisme japonais. Les Japonais avaient fondé au nord de Shanghaï une communauté qu'on appelait « le petit Tokyo »; les maisons chinoises avaient été aménagées conformément aux habitudes japonaises; l'agglomération enfermait environ trente mille Japonais. Quand le Japon occupa la Mandchourie, Shanghaï réagit en boycottant les produits japonais; un « comité anti-japonais de Salut public » veillait à ce qu'on n'achetât ni ne vendît aucune marchandise d'origine japonaise : les commerçants japonais furent menacés de ruine. Les sentiments anti-japonais étaient si violents que le 18 janvier 1932 cinq bonzes japonais furent malmenés dans les faubourgs de la ville. Le consul japonais exigea que le boycott cessât. Le maire de Shanghaï lui promit de prendre des mesures. Mais brusquement, le 28 janvier, à 11 h. 25 du soir, l'amiral japonais débarqua avec une flotte; des camions chargés de soldats se répandirent dans les rues, pendant que des avions bombardaient la gare du Nord et les faubourgs environnants. Tchapei fut dévasté. Six cent mille Chinois se réfugièrent dans la concession. La presse commerciale, qui était la plus grande imprimerie de toute la Chine, brûla ainsi que l'Université chinoise, des écoles, des magasins. Brusquement, après s'être emparés de la ville, les Japonais se retirèrent, s'excusant de ce que Tokyo appela « une erreur ».

Mais cinq ans plus tard, en 1937, les Japonais occupèrent définitivement Shanghaï. Un prolétariat organisé aurait pu leur résister, ou du moins transporter les usines à l'intérieur du pays; aucune force ne s'opposa à l'agression japonaise et

Shanghaï ravagée devint « un cimetière de l'industrie chinoise [1] ». La plupart des machines furent emportées au Japon, huit cent mille ouvriers mis en chômage; deux millions de Chinois se réfugièrent dans les concessions; il y en avait plus d'un demi-million sans aucun abri, qui dormaient dehors. Trois cent mille s'étaient entassés dans une « zone neutre » qui constitua un véritable camp de concentration. Les gens mouraient comme des mouches de la famine, du choléra, du typhus. Les Japonais occupèrent Nankin, Pékin, malgré la guerre de résistance conduite avec mollesse par Tchang Kaïchek, avec énergie par les guérillas rouges. Une partie de la bourgeoisie accepta de collaborer avec les Japonais; une importante fraction refusa et mit son espoir dans la révolution. « D'une part le caractère révolutionnaire, d'autre part l'esprit de compromis, voilà la double face de la bourgeoisie chinoise » écrivait Mao Tsé-toung [2] en 1940.

Il ressort de cette histoire que la lutte des classes ne s'est pas du tout déroulée en Chine selon le schéma familier à l'Occident. En France, en Amérique, le patron dépend de l'ouvrier en tant que capitaliste et en tant que consommateur; ses compatriotes exigent qu'il exploite les travailleurs non seulement à son profit mais aussi dans l'intérêt du pays : au cours du XIXe siècle, le prolétariat, producteur des richesses nationales, a eu vite fait de devenir une force. Les industriels étrangers avaient fondé leurs droits sur la Chine par la force des armes; ils n'hésitaient pas à les défendre par les armes : impossible aux Chinois d'exercer aucun contrôle, aucune pression. Quant à eux, ils n'avaient nullement souci de l'intérêt général, mais de leur bénéfice immédiat. Tout comme dans les colonies proprement dites, leur politique consistait à tirer de l'indigène une force de travail maxima pour un prix minimum. La réserve de main-d'œuvre étant inépuisable, la vie humaine comptait à leurs yeux pour zéro. Plutôt qu'à une cité industrielle classique, Shanghaï ressemblait à un immense camp de travail forcé, où les compradores jouaient le rôle de « Kapos », où les étrangers étaient des maîtres absolus.

Ce qui aggrava encore la condition des ouvriers, c'est qu'ils furent victimes, non seulement de l'avidité à court terme des

1. Edgar Snow « Scorched earth ».
2. Nouvelle démocratie.

Occidentaux, mais de la cupidité de certains de leurs compatriotes. Le système des contrats avait été rapidement aboli en Europe; mais en Chine, le patron étranger, incapable d'avoir avec l'ouvrier chinois un contact direct, dut recourir à un intermédiaire; il donnait une certaine somme à un entrepreneur qui s'engageait à lui fournir un travail déterminé; d'une part, il choisissait, après marchandage, celui qui lui consentait le prix le plus bas; d'autre part, l'entrepreneur s'efforçait de réaliser les plus gros bénéfices possibles sur le dos des ouvriers : ceux-ci ne recevaient que 70 %, voire 50 % ou même 20 % de la somme payée par le patron. On exigeait d'eux un nombre accablant d'heures de travail. Jamais le *sweating system* ne fut poussé plus loin. Recevant des salaires de famine, logés dans des taudis, travaillant dans des conditions sanitaires abominables pendant des journées de douze et parfois quinze heures, obligés par la misère d'envoyer à l'usine leurs femmes et leurs enfants, la condition des ouvriers était pire qu'en aucun pays du monde; il n'y a que l'Egypte et les Indes où le niveau de vie des travailleurs ait jamais été aussi bas, ont conclu tous les enquêteurs, et encore dans ces deux pays ils étaient logés moins sordidement qu'à Shanghaï.

« Probablement la Chine a les pires conditions de travail du monde, non seulement par comparaison avec l'Europe et l'Amérique, mais même avec les Indes et le Japon. En Chine, il n'y a encore aucune espèce de loi effective qui protège les ouvriers », écrivait en 1924 M. Thomas Tchou, un des dirigeants du département industriel de l'Y.M.C.A.[1].

Les familles ouvrières vivaient pour la plupart dans des sortes de huttes, abritées par des nattes de paille. Dans sa thèse sur « Le Mouvement ouvrier en Chine[2] », Tsing Khintchouen, commentant une enquête de M. Tchou qui présente, dit-il, « toutes garanties de véracité et d'exactitude », conclut : « Les ouvriers vivent entassés dans des bouges dont le nombre n'a cessé d'augmenter; ces taudis sont si horribles qu'on n'en a jamais vu de pareils dans les pays d'Occident, ni même en Chine, sauf en période extraordinaire de famine, d'inondation ou de calamités analogues. » Quand ils n'avaient pas de familles, les ouvriers couchaient dans des dortoirs,

1. Cité par A. Anderson « Humanity and Labour in China ».
2. Lyon, 1929.

souvent infestés de vermine, et où ils s'entassaient côte à côte sur les *K'ang;* dans beaucoup de manufactures, ils dormaient dans les ateliers-mêmes, sur le sol ou sur des banquettes.

D'après l'enquête commencée [1] en 1928 par le bureau municipal de Shanghaï : « On peut dire en un mot que le niveau de la vie ouvrière à Shanghaï est supérieur à celui des autres villes de Chine, mais il est inférieur à celui des autres pays du monde. Et le budget familial des ouvriers est en déficit. Pour combler ce déficit, un quart des recettes provient d'emprunts à un intérêt excessivement haut; ou bien l'ouvrier demande de l'argent aux établissements de prêts sur gages. Peu à peu l'intérêt de ces emprunts est accru et le déficit budgétaire s'aggrave. »

Nombreux étaient en effet, à Shanghaï, les monts-de-piété portant sur leur fronton l'indication : prêt à 18 %.

Dans une lettre reçue par A. Anderson au cours de son enquête sur les conditions de travail des ouvriers, l'un d'eux écrit : « Nous travaillons jour après jour, sans jamais un jour de congé. Nous travaillons par équipes de douze heures, jour et nuit : avec le temps d'aller et venir à l'usine, cela fait quatorze heures. Quand nous passons de l'équipe de jour à celle de nuit, il y a seize heures de travail. Nous n'avons pas de siège. Peut-on traiter ainsi des êtres humains ? Nous sommes presque tous illettrés. On nous traite comme des prisonniers, des animaux, des machines. On peut nous appeler les animaux-outils d'un monde de ténèbres : quand verrons-nous le jour ? » Tsing Khin-tchouen (*Le mouvement ouvrier en Chine*) donne les chiffres suivants : « Dans les industries employant un outillage mécanique, on travaille fréquemment de quatorze à dix-sept heures par jour. A Shanghaï, dans les filatures de soie, la journée est fréquemment de quatorze heures et demie et les tricoteuses fonctionnent souvent quatorze, seize et même dix-sept heures par jour... Dans les aciéries, la journée est de douze à dix-huit heures; elle est de dix à quatorze heures dans la construction mécanique, atteignant même quinze ou seize heures avec le travail supplémentaire. »

Parmi tant de faits scandaleux, un de ceux qui frappaient

---

1. En 1937, Lou Ye-wen, dans sa thèse sur « Les œuvres sociales dans les chemins de fer chinois », donnait ces résultats comme actuellement valables.

le plus vivement les observateurs étrangers, c'est l'absence de toute mesure de sécurité dans des manufactures où le travail était souvent dangereux : « Les sorties de secours, escaliers et autres issues sont fréquemment bloqués par du matériel, et les portes barrées. Beaucoup de vieux bâtiments n'offrent aucune sécurité. Des officiers de la Brigade du feu ont fait des inspections et attiré l'attention sur cette situation, mais on en a à peine pris note », signalait en 1924 la *Gazette municipale de Shanghaï.* « Une nuit, rapporte A. Anderson, une petite filature de Shanghaï a brûlé dans le quartier chinois. Les ouvrières étaient enfermées à clef et on a rapporté dans la presse quotidienne que des centaines de femmes moururent dans l'incendie, ou en sautant par les fenêtres. Les autorités chinoises n'engagèrent aucune action. »

Réwi Alley, qui fut inspecteur sanitaire à Shanghaï dix ans plus tard, témoigne [1] qu'en 1935 la situation ne s'était pas améliorée : « Mon principal souci, c'était le nombre d'ouvriers qui tombaient dans les fourneaux en même temps que le charbon. J'allais voir le manager américain, à Riverside. Il mâchonnait pensivement un cigare pendant que j'expliquais que les ouvriers qui travaillaient nus en haut des tas de poussier devaient être attachés par une ceinture et une légère chaîne de sécurité. Ainsi, quand le charbon s'effondrerait sous leurs pieds, ils ne le suivraient pas dans les flammes : « Christ ! criait ce représentant d'un pays chrétien, si ces animaux stupides ne font pas attention, qu'est-ce que j'y peux ? » Si je parlais de poursuites judiciaires, de procès, il souriait. En ce temps d'exterritorialité, les étrangers étaient jugés par leurs propres tribunaux et échappaient à la loi chinoise. Chaque fois qu'un ouvrier mourait ainsi, on informait la cour, qui répondait qu'elle « parlerait » à la direction... Un Japonais qui dans un coin secret de sa maison avait des ouvriers qui fabriquaient des narcotiques en tua un. Le tribunal japonais lui infligea un yen d'amende... Un jour j'allai dans un atelier où un des apprentis avait été battu à mort par le directeur : « C'était une mauvaise tête ! » criait ce gentleman. La police l'arrêta, mais quand je repassai quelques mois plus tard, il était de nouveau là. Il y avait bien d'autres façons d'en finir avec les gens. Dans les chaleurs de l'été, dans les chambres sans ventilation, ils mou-

1. *Yo Banfa,* n. 61 et suivantes.

raient de fatigue, en titubant entre les machines non surveillées, ils étaient attrapés par un pan de leur vêtement. La nuit on jetait leur cadavre aux ordures ou dans la rivière... Des urinoirs pestilentiels, aucun endroit pour se laver, les gencives sanglantes, le trachome, la nourriture avariée, les accidents, tels étaient alors les gages des ouvriers que personne ne regardait comme des hommes... Je me rappelle l'usine, dirigée par des gangsters, où je fus appelé un matin de Noël pour voir les cadavres des ouvriers tués par une explosion de gaz inflammable; les ateliers de chromage, où les apprentis étaient couverts d'une poussière rongeuse; ils dormaient dans cette poussière, les mains et les pieds profondément mordus par le chrome qui attaquait jusqu'à l'os leur chair suppurante... La filature Shen Shing construisit des latrines qui bloquaient les portes de sortie. Un incendie se déclara, provoquant une panique. Beaucoup d'ouvrières moururent écrasées en essayant de franchir les portes. On avait plusieurs fois enjoint au directeur de garder la sortie libre : la cour le traita avec la plus tendre considération, ne lui infligeant que de négligeables amendes. De même lorsque la rampe d'un escalier se brisa dans une filature de soie et que treize enfants s'écrasèrent au sol, morts; et quand quatre cents femmes périrent dans l'explosion d'une usine de caoutchouc; quand quatre-vingt-dix femmes et enfants furent brûlés vifs dans l'explosion d'une usine de celluloïd, etc., etc. »

Je cite encore le témoignage d'un Anglais, E. R. Hughes, chargé de cours de religion et de philosophie chinoise à l'Université d'Oxford et qui écrit en 1937 [1] : « Les quartiers pauvres s'étendent dans le voisinage des usines en même temps que s'accroissent toutes les misères qui guettent le travail à bon marché non réglementé... L'ouvrier d'usine vit dans un local d'une pièce ou dans une hutte de boue, ou dans un dortoir dont les lits sont occupés vingt-quatre heures selon le principe *Box and Cox.* Il mange du riz moulu à la machine [2], des légumes qui ont été exposés sur un éventaire poussiéreux ou des conserves à bon marché. Ces conditions de vie abaissent non seulement le niveau de santé, mais aussi celui de la moralité. Les maladies, la prostitution et le crime sont plus répandus parmi les travailleurs des villes que parmi

1. L'invasion de la Chine par l'Occident, pp. 261-262.
2. C'est-à-dire démuni des vitamines indispensables.

ceux des campagnes... La plupart des usines ont été bâties dans une pensée économique, sans souci du bien-être des ouvriers, et beaucoup de petites industries, qui se servent de l'énergie électrique en location, sont installées dans de simples maisons d'habitation, ou des hangars. Il arrive fréquemment que les machines importées en Chine ne soient pas munies des appareils de protection exigés par la législation occidentale et celles fabriquées localement, d'après les modèles importés, en sont aussi dépourvues. Peu ou pas de règles interdisent l'usage de procédés ou de matériaux dangereux. Les enfants par exemple sont employés dans les fabriques d'allumettes à enduire l'extérieur des boîtes de substance chimique... Le nombre quotidien des heures de travail varie selon les industries... Dans beaucoup, c'est douze heures pour les femmes et les enfants comme pour les hommes... Le travail des femmes et des enfants étant moins cher est plus recherché. Un grand nombre sont ramenés des villages à la suite de contrats prévoyant qu'ils seront logés dans les dortoirs de la compagnie et que la pension sera déduite de leurs gages. Leur condition est à peine différente de l'esclavage. »

Sous la pression de la S.D.N., la Chine s'était engagée à adopter les règles du B.I.T.; mais le conseil municipal de Shanghaï avouait en 1935 : « La réalisation d'un meilleur système de sécurité et d'hygiène ne peut être que le résultat d'un long travail... Le conseil aura fort à faire pour arriver à un accord avec les propriétaires et les directeurs des manufactures. »

A côté des ouvriers employés dans les usines il y avait tout un prolétariat qui travaillait au-dehors ; ils essayaient de gagner leur vie comme dockers, comme conducteurs de pousse-pousse; leur travail leur laissait un peu plus de répit, mais la rançon c'est qu'ils côtoyaient constamment la famine; minés par la sous-alimentation, quantité d'entre eux mouraient de tuberculose; on ramassait chaque année sur les trottoirs de Shanghaï de vingt mille cadavres.

Le sort des femmes était particulièrement lamentable; pour un travail aussi accablant, elles touchaient à peine plus de la moitié du salaire d'un homme : « La moyenne du salaire mensuel dans une grande industrie était de 20 dollars 65 pour l'homme, 13,92 pour la femme, 9,80 pour l'enfant. Depuis 1929, la législation ouvrière intervient; elle indique dans l'article 24 que... si la capacité des deux sexes est égale, le gain doit être égal... Mais dans la pratique, jusqu'à présent, cette loi est restée lettre morte [1]. »

Il existait certains règlements pour protéger les femmes en couches, mais qui n'étaient pas appliqués; souvent, dès qu'on s'apercevait qu'une ouvière était enceinte, on la renvoyait. Les parents et les aînés des enfants travaillant à l'usine, les plus petits étaient confiés à n'importe qui, et souvent les mères les emmenaient à l'atelier; on installait des berceaux entre les machines ou dans les latrines. « Dans de nombreux cas, ils suivaient leurs parents à l'usine et les attendaient tout près des machines qui provoquent parfois des accidents terribles. Mais le pis est la santé de ces enfants [1]. »

Dès l'âge de cinq ans, l'enfant ne se bornait plus à attendre : il travaillait. C'est ici le chapitre le plus noir de cette histoire. L'insuffisance des salaires représentait pour les patrons une double économie : elle obligeait les ouvriers à leur vendre le travail de leurs enfants, qu'on payait un prix dérisoire. « La proportion de recette nous indique ainsi que le travail des enfants est très nécessaire pour la famille », conclut Lou Ye-wen dans l'enquête déjà citée. Outre ceux qui placés par leurs parents continuaient à vivre dans leur famille, beaucoup étaient achetés à des paysans pour une bouchée de pain par des rabatteurs, qui se fournissaient de préférence dans les régions ravagées par la famine. Sous prétexte de rentrer dans leurs frais, les directeurs d'usine les faisaient travailler pendant quatre ans sans leur payer de salaire; ils les nourrissaient d'aliments avariés et les faisaient dormir dans des dortoirs surveillés afin qu'ils ne puissent s'enfuir : c'était pratiquement des esclaves. Il arrivait aussi que l'enfant fût payé à forfait par son entrepreneur, lui-même payé par le manufacturier selon la tâche produite; le contracteur avait tout intérêt à exiger le maximum de travail, et à réduire le plus possible ses frais : « Le contracteur se fait quatre dollars par mois sur chaque enfant. Les enfants sont misérablement logés et nourris. Ils ne reçoivent pas d'argent et leur condition et pratiquement celle d'esclaves [2]. »

Le travail des enfants fit en 1923 l'objet d'une vaste enquête ; et la « Child labour commission » nommée par le

---

1. Ecrit en 1937 par Lou Ye-wen, ouvrage cité.
2. A. Anderson.

conseil municipal de Shanghaï, tint trente-trois réunions, entendit quantité de témoins, et ses membres prospectèrent directement les usines. Les conclusions du rapport qu'elle déposa en 1924 sont terrifiantes :

« Il n'y a pas de doute que la pratique générale pour la grande majorité des Chinois, c'est de faire travailler les enfants aussi tôt que possible. Cette pratique s'observe à Shanghaï comme dans le reste de la Chine... »

A partir de l'âge de cinq ans on les employait à mettre en boîte des allumettes : « On voit des enfants d'à peine cinq ans travailler avec une incroyable rapidité... On emploie du phosphore blanc dans ces usines et il y a eu des cas d'empoisonnements. Malgré les risques d'incendie, aucune précaution n'est prise. »

Des enfants de moins de neuf ans travaillaient dans des fabriques de tabac et de cigarettes, de coton et surtout de soierie où on les employait à dévider des cocons. Un Américain, Hauser, écrit en 1936 :

« On mettait les enfants dans des ateliers pourvus de machines spéciales, faites tout exprès à leur taille; ils y restaient debout du matin au soir, déroulant les cocons de leurs petites mains plus vite que ne pouvaient faire des mains d'adultes. Le travail s'accomplissait au-dessus de récipients remplis d'eau bouillante, et les petites mains prenaient au bout de peu de temps un aspect lamentable. Les yeux aussi. »

Les fenêtres des ateliers demeuraient constamment fermées même au cœur de l'été quand la température atteignait 40° : on craignait qu'un courant d'air ne brisât les fils de soie.

Les enfants travaillaient dans ces conditions pendant des journées de douze à quinze heures, restant debout pendant six heures d'affilée. Sous-alimentés, anémiés, ils mouraient de tuberculose comme des mouches; le trachome les rendait aveugles; et les accidents de travail dus à la fatigue étaient terriblement fréquents.

« Tous les experts médicaux ont reconnu que les conditions de l'industrie, à Shanghaï, sont extrêmement néfastes à la santé physique et morale des enfants employés là », conclut la Commission. Et A. Anderson écrit :

« Dans l'ensemble, ils présentent un spectacle lamentable. Leur santé est misérable, il n'y a sur leurs visages aucune expression de joie ou de bien-être. Ils semblent malheureux physiquement et mentalement. »

Parmi ses souvenirs les plus affreux, l'auteur décrit : « Une petite fille de sept à huit ans, tombant de sommeil dans l'atmosphère d'étuve d'une filature de soie, le corps enflé, portant sur son visage un masque de souffrance désespérée que j'ai vue se tenir debout toute une journée, remuant les cocons dans l'eau presque bouillante. Ce petit garçon de onze ans que j'ai découvert dans une vieille fabrique d'allumettes, empaquetant des allumettes au phosphore blanc, avec à la pommette une blessure suppurante et l'expression de quelqu'un qui endure de terribles souffrances. Une grande salle de filature de coton, mal éclairée, poussiéreuse, surchauffée, où des enfants en sueur travaillent de nuit sous le contrôle de contremaîtres, parmi des machines sans aucune sécurité. »

Un de ces enfants, tombant de sommeil, s'écroula sur la machine qui le blessa de telle sorte qu'il fallut l'amputer à la hauteur de la cuisse. Dans les fabriques d'allumettes, les enfants de cinq à six ans mangeaient avec des doigts tachés de phosphore; leur nourriture était déposée sur des bancs que rien ne protégeait du phosphore. Loin de veiller à leur sécurité, les contremaîtres les battaient à la moindre occasion, et parfois à mort. La nuit, les enfants se cachaient pour dormir un instant, et on les réveillait avec des coups.

Tsing Khin-tchouen rapporte : « Dans certaines manufactures d'allumettes, on travaille de quatre heures du matin à huit heures du soir. Cet horaire s'applique également aux enfants. Il est cause de grande fatigue et donne lieu à des accidents fréquents... La plupart des ouvriers accidentés sont amenés à l'hôpital le soir : ce sont surtout des enfants qui sont atteints de blessures aux mains. »

La Commission conclut que la situation était inadmissible; elle réclama que les enfants ne puissent être employés avant l'âge de dix ans, qu'on interdît de les faire travailler plus de douze heures par jour; on réclama qu'un jour de repos leur fût alloué toutes les deux semaines et qu'autant que possible on leur évitât le travail de nuit. Mais si modérées que fussent ces réformes, elles ne furent pas réalisées. Il y eut des lois promulguées par le gouvernement de Pékin et plus tard par le Kuomintang, mais elles demeurèrent lettre morte. Quand Rewi Alley inspecta les usines de Shanghaï, il fut témoin des mêmes spectacles de cauchemar [1].

1. Yo Banfa.

« Les filatures de soie de Shanghaï comptent parmi les endroits les plus cauchemaresques que j'aie inspectés, avec leurs longues rangées d'enfants, dont beaucoup n'avaient pas plus de huit à neuf ans, qui se tenaient debout pendant douze heures au-dessus de cuves bouillantes où baignaient les cocons, les doigts rouges et gonflés, les yeux enflammés, aux muscles relâchés, beaucoup pleurant sous les coups du contremaître qui marchait de long en large, utilisant comme fouet un morceau de fil de fer, calibre 8; leurs petits bras étaient souvent brûlés, en guise de punition, s'ils faisaient une maladresse; les ateliers étaient remplis de vapeur, et dans la chaleur de Shanghaï, c'était pour moi insupportable de rester là trois minutes...

... Une maison d'habitation, bâtie pour une ou deux familles, avait été convertie en usine employant plusieurs centaines d'enfants à fabriquer des ampoules électriques... Ils travaillaient de l'aube à la nuit, dans des greniers surpeuplés, les jambes gonflées de béri-béri, leurs corps en sueur couverts de morsures de poux et de poussière. Un jour, bientôt, leur cœur, devenu trop gros, s'arrêterait de battre.

« ... Le Tien Kai Ziang donnait des subsides à des orphelinats pour qu'ils lui fournissent des enfants. Ils fabriquaient des douilles électriques. Les enfants dormaient à côté des machines et travaillaient quatorze heures par jour. Il y avait à la porte un gardien, armé, pour empêcher les enfants de fuir. Le contremaître avait le droit de les battre à volonté : ... Tous se blessèrent en travaillant aux machines : sur 29, 11 avaient subi des amputations. Sur 64 qui travaillaient dans un autre atelier, 30 avaient des doigts ou des phalanges manquants... »

La situation des ouvriers n'était pas moins abominable dans le reste de la Chine. On a vu quel était le sort des enfants travaillant dans les mines. Quant aux adultes, aucun dispositif de sécurité ne les protégeait, aucune hygiène ne les défendait contre les maladies professionnelles. A Houchen, 3.000 mineurs furent tués au cours d'une seule explosion ; 800 furent noyés en 1935 dans le puits de Hunshan (Chantong). Dans la mine d'antimoine de Hsi Kouangshan (Honan), il y eut, entre 1898 et 1947, plus de 90.000 ouvriers qui moururent de silicose. Partout le niveau de vie était encore plus bas qu'à Shanghaï.

Le prolétariat chinois était si peu nombreux, on l'avait réduit à une telle impuissance qu'il ne joua dans la révolution qu'un rôle secondaire. En 1945, la défaite japonaise consommée, le Kuomintang s'installa de nouveau à Shanghaï. Les Occidentaux acceptèrent l'abolition des traités inégaux et du privilège d'exterritorialité. Cependant, les communistes qui manifestèrent pour la paix et contre le régime furent exécutés. En 1927, les ouvriers avaient soumis la ville et créé pour la contrôler une armée populaire; en 1949, ils demeurèrent passifs; ce fut l'armée rouge, composée presque exclusivement de paysans, qui libéra Shanghaï.

Cette grande cité où se concentrait presque toute l'industrie légère — la seule que possédât alors le pays — incarnait aux yeux des Chinois l'oppression impérialiste : ils ne l'aimaient pas. Ils jugeaient irrationnelle la concentration des usines dans les ports côtiers et en particulier à Shanghaï qu'en 1949 le Gouvernement envisagea de décongestionner; mais la population se montra rétive et, en dépit des pressions qu'on exerça sur elle, s'entêta à rester sur place. Quelques fabriques de textiles furent transportées à T'ien-tsin; on évacua 400.000 réfugiés, désireux de regagner leur pays d'origine. Mais le gouvernement s'inclina devant la résistance des masses, et l'idée de vider Shanghaï fut abandonnée. Certaines manufactures, celles de tabac entre autres, ont été fermées, mais d'autres se sont développées. Shanghaï concentre 29 % des fabriques de produits de consommation, 31 % des ouvriers, 38 % du capital investi; elle compte 800.000 ouvriers et 500.000 artisans salariés. C'est à Shanghaï que se sont posés avec une particulière acuité les problèmes concernant la reconstruction de l'industrie légère.

Mao Tsé-toung l'avait prévu bien des années auparavant : « Après le triomphe de la révolution, on peut s'attendre à ce que l'économie capitaliste se développe dans une certaine mesure dans la société chinoise. C'est là ce qu'exigera une nouvelle révolution démocratique dans un pays économiquement arriéré comme la Chine. » En 1949, il déclara : « La bourgeoisie nationale est, au stade actuel, d'une importance primordiale... La Chine doit inviter la bourgeoisie nationale à participer à la lutte commune. » En conséquence, après la libération, on expulsa plus ou moins poliment les capitalistes occidentaux; on nationalisa les biens des « capitalistes bureaucrates » qui servaient à titre officiel les intérêts du

Kuomintang, et en particulier les banques, mines, industries et firmes commerciales appartenant aux « quatre familles ». Mais on respecta les droits de la bourgeoisie nationale. A côté des entreprises dont l'Etat assuma seul la direction, des entreprises privées subsistèrent; dans certaines d'entre elles l'Etat investit des capitaux, les transformant ainsi en entreprises mixtes. Tous les capitalistes n'acceptèrent pas de collaborer avec le régime. 240 grands capitalistes quittèrent Shanghaï, 1.800 manufactures et 7.100 firmes commerciales demandèrent l'autorisation de fermer leurs portes. Mais beaucoup d'entreprises reçurent au contraire de l'Etat un appui qui leur permit de se remettre sur pied.

Signalant l'idiosyncratie dualiste de la bougeoisie, Mao Tsétoung avait conclu qu'il fallait « être vigilants avec cette couche sociale ». Une politique de collaboration avec le capitalisme présentait d'évidents dangers. « Nous voulons supprimer le capitalisme, non les capitalistes », affirmait le gouvernement. Mais nombre de capitalistes étaient trop profondément aliénés au capital pour accepter cette distinction. Ils ne souhaitaient pas du tout aider à l'édification du socialisme. En revanche, ils comptaient profiter de la « période de transition » pour poursuivre activement la recherche de leurs bénéfices personnels. La guerre de Corée, l'espoir de la défaite du socialisme leur firent perdre toute prudence : exactions et fraudes, entre autres les fraudes fiscales, se multiplièrent. Pour les combattre, le gouvernement lança la campagne des « cinq anti », dirigée aussi contre les fonctionnaires corrompus qui se faisaient complices de ces vols. On estime à sept cents millions de dollars U.S.A. l'ensemble des sommes détournées par les capitalistes depuis la libération. Dans la mesure du possible, on leur fit rendre gorge, et on en emprisonna un grand nombre pour des temps plus ou moins longs. Certains préférèrent le suicide à la ruine et on vit des banquiers sauter des fenêtres du Bund. Les anticommunistes présentent cette campagne comme une persécution de victimes innocentes; elle fut peut-être sévère, mais certainement justifiée. Tout le monde est d'accord sur la corruption qui régnait en Chine en 1949 : le personnel Kuomintang que, faute de cadres, le régime dut utiliser, n'était pas devenu en 1952 miraculeusement honnête. Quant aux capitalistes, les exactions et les fraudes ont toujours été la monnaie courante de leur honnêteté. En fait, les détracteurs du régime cachent à peine que s'ils dénoncent l'iniquité de cette répression, c'est au nom du « droit à l'injustice » qu'ils reconnaissent aux capitalistes. Un certain M. Dransard [1], entre autres, nous conte la triste histoire de Chang Kuoleang, roi des noix de Longuyen, que sept de ses employés accusèrent de fraudes et exactions. Il « se hâta d'aller confesser quelques opérations frauduleuses et quelques cas de fraude fiscale ». Comme on lui reprochait encore d'autres délits, il invita à un grand banquet ses employés, leurs femmes et leurs enfants, les empoisonna tous et périt avec eux. M. Dransard commente : ce banquet était « une suprême protestation contre le régime communiste : impossible pour un « honnête homme » de vivre dans cette société. La seule issue est le suicide. » On ne saurait mieux dire que *riche* est à priori et en tout cas l'exact synonyme *d'honnête* : car enfin Chang Kuoleang, de l'aveu de son hagiographe, avait commis quantité de fraudes et ensuite n'hésita pas à empoisonner des femmes et des enfants. Tous les ennemis de Mao Tsétoung n'ont pas l'agréable naïveté de M. Dransard; mais leurs réquisitoires s'inspirent d'un même esprit : la malhonnêteté est un droit sacré de cet honnête homme qu'est par définition un bourgeois riche. On ne nie pas les fraudes, les détournements, la corruption : on s'indigne que le régime ait décidé d'y mettre un terme.

La confiance que les dirigeants font aux capitalistes n'est, même aujourd'hui, pas aveugle : il doit y en avoir 2 % à 3 % qui essaient de tricher, estime-t-on. Mais ils sont pris dans un si rigoureux engrenage qu'ils n'ont pas le choix : ils suivent le chemin tracé. S'ils le font avec assez de bonne grâce, ils garderont en tant que cadres un rôle important dans l'économie socialiste. En 1955 il existait un grand nombre d'entreprises privées fabriquant des machines, des produits chimiques et pharmaceutiques, du caoutchouc, du papier, des textiles. A Shanghaï, on en comptait 30.000 dont 10.000 employant plus de 16 ouvriers. Les quatre grandes usines textiles privées de Shanghaï possédaient 20.784 broches de plus qu'avant la libération. La valeur de la production privée s'était élevée de 85 % environ entre 1949 et 1954. C'était les usines mixtes qui totalisaient le plus gros chiffre

1. Vu en Chine.

d'affaires : 40 % de la production totale. Mais une grande partie du capital qui s'y trouvait investi était privé.

On a encouragé les Chinois d'outre-mer à investir des capitaux dans les entreprises de la République chinoise. Ils sont environ douze millions qui vivent en Thaïlande, à Malacca, en Indonésie, au Viet-Nam, en Birmanie : la Chine les considère comme des nationaux et voudrait qu'on leur reconnaisse à tous la double nationalité [1]. C'est d'outre-mer qu'était partie la révolution bourgeoise de 1911 et ils la soutinrent activement. Beaucoup d'entre eux sympathisent avec le régime actuel. Des compagnies mixtes se sont créées pour faciliter leurs investissements : à Canton se sont ouvertes la « Compagnie de la Chine du Sud »; la « Construction industrielle des Chines d'Outre-Mer », la « Compagnie d'Investissement de Canton ». Il y en a une aussi à Fou-tcheou. La fabrique de jute Houa Kien, la fabrique de sucre du sud de la Chine, et bien d'autres ont été créées avec des capitaux d'outre-mer. Même lorsque l'économie sera entièrement socialisée, ces capitaux demeureront la propriété personnelle de ceux qui les ont investis; ils recevront un intérêt d'au moins 8 % par an.

Tout en conservant le capitalisme et le profit, le régime n'en a pas moins amorcé la marche vers le socialisme; il n'a maintenu ni la liberté d'entreprise, ni la concurrence. Le secteur privé lui-même est planifié et sévèrement contrôlé. 15 % des firmes se fournissent elles-mêmes en matières premières et vendent à des particuliers une partie de leurs produits : elles doivent cependant satisfaire, pour une grande part, à des commandes passées par l'Etat. Dans 85 % des cas, l'Etat fournit les matières premières et c'est lui l'unique client; souvent il délègue des cadres pour participer à la direction; c'est lui qui inspire le plan de production.

Les profits ne sont pas fixés de façon immuable. Quand les agences commerciales de l'Etat passent des contrats avec les industries privées, les prix qu'elles offrent permettent des bénéfices de 10 à 30 % ou même davantage : ces bénéfices ont beaucoup augmenté depuis 1953. Le profit est divisé en quatre parties : 1° une part va aux impôts. L'impôt est progressif : il prend de 5 à 30 % du revenu net; dans certaines branches particulièrement utiles au pays, le chiffre peut être

1. Le fait est acquis en Indonésie depuis un récent traité.

abaissé. 2° Une partie est versée à un fonds de réserve. 3° Une autre est consacrée au bien-être des ouvriers et au bonus. 4° Le capitaliste garde comme dividende environ 25 % du profit net, et parfois davantage. Il peut à son gré le réinvestir ou le dépenser. Le statut est identique en ce qui concerne les capitaux privés investis dans les entreprises mixtes.

Certaines marchandises, lorqu'elles quittent l'usine, sont frappées d'une « taxe de mutation »; cette taxe s'applique à 56 produits : cigarettes, vin, allumettes, etc. Environ 176 produits sont en outre frappés d'une taxe au moment de la revente. Il existe aussi pour certaines entreprises une taxe d'affaires.

C'est dans le secteur privé que la planification est le moins facile; et les statistiques ont montré que la hausse de la production y était moins rapide qu'ailleurs. Le régime a donc décidé à la fin de 1955 d'en hâter la liquidation. Le rapport de Li Fou-tch'oue prévoyait qu'il cesserait d'exister vers 1957. Ces prévisions ont été dépassées. Le 15 janvier 1956, plus de 200.000 personnes ont célébré devant T'ien An Men l'entrée de Pékin dans la « société socialiste », c'est-à-dire l'abolition du secteur privé. Des « compagnies de branches » avaient centralisé l'activité des entreprises mixtes qui ont absorbé toutes les entreprises privées. A Shanghaï, le 21 janvier, on a tiré des feux d'artifice et des coups de canon pour fêter la fin des entreprises privées. Le mouvement s'est propagé à travers toute la Chine.

La disparition du secteur privé représente un grand pas en avant dans la voie de la socialisation. Le contrôle et la planification sont renforcés. Mais une entreprise mixte peut comprendre jusqu'à 85 % d'investissements privés. Le capital n'a pas encore disparu. On prévoit qu'il faudra encore quinze ans avant que toute l'économie soit socialisée.

Il est piquant de voir les anticommunistes reprocher à la fois au régime de permettre encore le profit et de liquider le capitalisme; il cumulerait l'injustice bourgeoise et le sacrilège mépris de la propriété privée. La contradiction s'efface, et ces critiques apparaissent comme absurdes, dès qu'on considère la Chine dans son devenir. Ici, comme partout, c'est l'efficacité qui prime. Il était impossible de désorganiser brutalement la vieille société sans nuire gravement à la production; l'absence de cadres rend nécessaire l'utilisation des anciens administrateurs et techniciens; mais on se les serait radicalement aliénés en les dépossédant et ils auraient saboté la reconstruction : on a respecté leurs droits. Cependant les communistes n'ont jamais caché que le socialisme était leur premier objectif et qu'ils conservaient le capitalime à seule fin de le supprimer : il n'y a là aucun double jeu. Quant aux industriels qui se résignent à leur sort, ce ne sont ni des dupes ni des victimes bêlantes comme le prétendent, entre autres, les Gosset. S'il leur est interdit de réaliser des bénéfices aussi exorbitants que naguère, ils n'en demeurent pas moins des privilégiés : ils le resteront encore dans quinze ans si l'Etat les transforme en cadres appointés. Ce qui les incite à la résignation, et qui aidera la socialisation à s'opérer sans violence, c'est que les nouvelles générations ne souhaitent aucunement reprendre l'héritage paternel; pénétrées de l'idéologie socialiste, elles répugnent à profiter de la survivance du capitalisme. Si on se place dans une perspective socialiste, on ne peut qu'admirer la prudence du gouvernement chinois; il s'est assuré à peu de frais la collaboration indispensable de la bourgeoisie; et il a manœuvré de façon que celle-ci pût être progressivement expropriée sans recours à la violence.

C'est grâce à cette sagesse que les industries de Shanghaï sont en plein essor. Lorsque j'ai visité la ville, une exposition installée au rez-de-chaussée du « Palais de la Culture » témoignait de ce développement rapide. Il est d'autant plus remarquable que les Japonais et les Occidentaux avaient eu soin de réduire les ouvriers chinois à la condition de simples manœuvres : tous les techniciens étaient des étrangers. En 1950, personne à Shanghaï ne savait réparer un téléphone. A présent, des usines en fabriquent. Dans les stands de l'exposition on voyait aussi des bicyclettes, des machines à écrire, un appareil de radiographie, des machines agricoles, des phonographes, et des soies brodées ou brochées, des cotonnades aux dessins recherchés, des toiles de laine de bonne qualité.

Les usines textiles, qui ont toujours été la principale richesse de Shanghaï, se sont beaucoup développées depuis la libération; on en a ouvert de nouvelles, et les anciennes ont été équipées de façon moderne. Jusqu'en 1950, presque toutes les machines étaient importées; mais on a transformé des stations de réparation en fabriques, et une grande usine de machines à tisser vient de se créer dans le Chan-si. La production s'est considérablement accrue, mais elle demeure insuffisante, puisqu'on est obligé de rationner le coton : 15 mètres de cotonnade par tête et par année. Le plan quinquennal prévoit qu'en 1957 on aura créé 39 nouvelles fabriques, comprenant en tout 1.890.000 broches. En attendant, on lutte énergiquement contre tout gaspillage. On a réussi à réduire la quantité de coton brut utilisée pour produire un ballot de fil de coton : entre 1954 et 1955, elle est descendue de 430,8 livres à 427 livres.

La manufacture d'Etat n° 17 groupe quatre fabriques : deux où on se borne à filer le coton, deux où à la fois on le file et le tisse; j'ai visité une de celles-ci. Elle contient 140.000 broches à fil simple, 29.700 à fils combinés, 2.784 métiers à tisser. Elle fait travailler 7.216 ouvriers et employés, dont 4.724 sont des femmes.

Un technicien me guide à travers les ateliers. « Naguère, dit-il, il y avait un dicton : c'est le vent qui balaie la maison, et la lune qui l'éclaire. Nous avons changé ça. » En effet, les ateliers sont propres, bien ventilés, bien éclairés. Les femmes travaillent en combinaison de coton bleu, les cheveux protégés par une casquette; elles ont toutes un aspect net et sain, et semblent attentives, mais non harassées; elles surveillent d'un air détendu le tournoiement des fuseaux, renouant un fil, rechargeant une broche. Toutes les machines sont munies de dispositifs de sécurité. Une crèche est installée à proximité des ateliers; des ouvrières, assises sur des bancs, allaitent leurs enfants ; elles les font téter plusieurs fois par jour, à raison de vingt minutes par séance, et ce temps n'est pas déduit des heures de travail.

Le rendement s'est beaucoup élevé depuis 1949, grâce à des rationalisations proposées par des ouvrières dont je vois des photos dans le bureau du directeur. Ho Chien-hso, âgée de 19 ans, et député, a inventé une méthode accélérée; on nettoie la machine en cours d'opération, tout en inspectant systématiquement les fuseaux de façon à éviter pannes et gaspillage. Li Feng-tan, 22 ans, elle aussi député, ayant appliqué cette méthode, est parvenue à contrôler 500 fuseaux au lieu de 384, et est même montée jusqu'à 960. Grâce à des machines neuves, fabriquées en Chine, on arrive à surveiller à la fois 1.400 broches. D'autre part chaque machine produit 30 % de plus qu'autrefois. Dans l'ensemble, la production du fil de coton s'est accrue de 230 % depuis 1949. Cependant on n'atteint pas encore le niveau souhaité. Les inondations de 1954 ont ruiné une grande partie des récoltes et la matière première a fait défaut. La qualité obtenue n'est pas entièrement satisfaisante. « Malgré tout, jamais nous n'avons été en dessous du plan », conclut le directeur.

Le premier plan quinquennal prévoyait que trente-neuf usines textiles de considérable importance seraient construites au cours de ces cinq années. Il promettait aussi une hausse de la fabrication du papier et du sucre brut. Le deuxième plan insiste sur la nécessité de développer davantage les industries de consommation. Mais ce programme ne peut être réalisé que si l'industrie lourde fait d'abord un bond en avant. Actuellement, 80 % des objets de consommation sont encore fournis par des artisans. Pour passer de l'artisanat à une vaste industrie légère, il faut des machines : la Chine doit être en mesure de les fabriquer elle-même. L'industrie légère souffre aussi de la pénurie des matières premières : or le rendement du coton, de la soie n'augmentera sérieusement que le jour où l'agriculture sera mécanisée. Tout converge donc pour assurer à l'industrie lourde la primauté.

« Pour voir la Chine nouvelle, il faut aller en Mandchourie », m'ont dit les Chinois. La Chine a commencé à édifier à l'intérieur du pays, et en particulier dans le Sikiang, de vastes combinats. Mais pour l'instant, l'industrie lourde est presque entièrement concentrée dans le Nord-Est. J'ai donc pris un soir le train pour Chen-yang — l'ancien Moukden — capitale de cette province au destin singulier.

La Mandchourie est une immense plaine, formée par voie d'érosion, qu'entourent des collines de moins de 300 mètres d'altitude. Jusqu'au XIIIe siècle, elle n'a été habitée que par des Mandchous et d'autres tribus de la race toungouse : c'était des nomades qui vivaient de chasse et d'élevage. Au XVIIIe siècle, Nourgatsi fonda le royaume mandchou en soumettant à son autorité les clans nomades vivant dans les forêts du Nord; il déclara la guerre à la Chine qui possédait le sud de la province. En 1622, il s'empara de la région, fit de Moukden sa capitale et tenta en vain de forcer la Grande Muraille. Son fils Abaquaï descendit en 1629 jusqu'aux portes de Pékin et offrit un sacrifice sur les tombeaux des empereurs de sa race, les Kin.

Après la chute du dernier empereur Ming, détrôné par Li le Téméraire, les rois mandchous devinrent en 1644 empereurs de Chine. La plupart de leurs sujets se fixèrent en Chine et la Mandchourie se dépeupla : cependant les empereurs en interdirent l'accès aux Chinois jusqu'en 1878. A partir de 1900, l'immigration fut fortement encouragée : il n'y avait alors que 27 habitants par kilomètre carré en Mandchourie, contre 250 dans la grande plaine. Et pourtant cette province à demi vierge possédait une terre très riche, dont l'humus noir est particulièrement propice à la culture des céréales et du soja. Bien que située à la même latitude que l'Espagne et la France, la Mandchourie a des hivers rigoureux : le thermomètre descend jusqu'à —30° ; mais ses étés sont aussi chauds que ceux de Canton, si bien que le coton peut y pousser. C'est un climat stimulant comme celui du Bas-Canada. On comprend que les paysans du Hopei et du Chan-tong qui dans leurs provinces surpeuplées, ravagées tour à tour par les inondations et la sécheresse, vivaient au bord de la famine, s'y soient précipités. L'histoire de la Chine, c'est avant tout celle de l'expansion du paysan chinois : il a peu à peu colonisé au cours des siècles les riches vallées situées au sud du Yang-tzé. Cette fois, une véritable « ruée » se produisit vers le Nord, comparable à celle qui domestiqua l'ancienne Prairie américaine et le Bas-Canada. D'abord l'immigration fut saisonnière parce que les Chinois supportaient mal la dureté des hivers mandchous : ils venaient se louer au printemps, et repartaient à l'automne ; mais ensuite, beaucoup d'entre eux se fixèrent dans le Nord-Est. Entre 1923 et 1929, il y en eut 5.219.278 qui entrèrent en Mandchourie, et 54 % s'y installèrent définitivement. Les deux tiers voyageaient par mer et débarquaient à Dairen; les autres voyageaient par terre, et beaucoup d'entre eux à pied. De 8.500.000 habitants en 1905, la population avait atteint, en 1941, 38 millions, dont 95 % de Chinois. La superficie des terres cultivées doubla entre 1915 et 1932 : elle était alors de 12.516.000 hectares. Les principales cultures sont le kaoliang, qui représente 25 % de la production agricole, et le soja — également 25 %. On fait aussi pousser du blé, du millet, du lin, de la betterave, et même un peu de riz : mais le sol sablonneux rend difficile l'irrigation des rizières. Les paysans sont assez riches pour nourrir des bêtes de trait : ils utilisent surtout des chevaux et des mulets.

Au début du xxe siècle, Russes et Japonais se disputèrent la Mandchourie; le traité de Portsmouth, qui conclut en 1905 la guerre russo-japonaise, reconnut la prépondérance des intérêts japonais dans le sud du pays; la Russie, qui avait construit dans le Nord le Transmandchourien, y conserva son influence. En 1931, les Japonais chassèrent de Moukden les garnisons chinoises et occupèrent tout le pays, Nord et Sud. Le 1er mars 1932, ils l'érigèrent en Etat indépendant, le Mandchoukouo, et en proclamèrent empereur, sous le nom de K'ang-tô, le dernier empereur manchou détrôné en 1912 par la révolution chinoise. Le sous-sol de la Mandchourie est riche en minerai de fer et en charbon : ils décidèrent de l'exploiter. Ils construisirent des chemins de fer, des routes. Sous leur domination, le régime économique fut typiquement colonial : la Mandchourie envoyait au Japon des matériaux bruts et des produits à demi finis. Les ouvriers chinois ont gardé un souvenir horrifié de l'oppression japonaise. Ils étaient traités comme un bétail. Dans les usines, dans les mines, aucune mesure de sécurité n'était prise. Me montrant les mines de Fou-chouen, un technicien m'a dit : « Au temps des Japonais, tous les jours il y avait des morts. » L'exploitation économique se doublait d'une terreur politique : il suffisait qu'une guérilla eût traversé un village pour que tous les habitants fussent massacrés.

La Mandchourie fut libérée en 1945 par les Russes. Mais l'U.R.S.S., alliée des U.S.A., s'était engagée à observer en Chine une politique de neutralité; elle n'intervint que tardivement dans la lutte qui mit aux prises les armées nationalistes et communistes. Cependant, en 1948, celles-ci occupaient la Mandchourie et dès cette année-là, on y effectua la réforme agraire. Des sabotages exécutés par les Japonais et par le Kuomintang avaient ruiné un certain nombre d'usines : entre autres An-chan avait été dévasté par les nationalistes. Néanmoins les hauts fourneaux, les usines, les chemins de fer constituaient un équipement industriel d'une considérable valeur : le seul que possédât la Chine. Il était essentiel d'en entreprendre au plus vite la reconstruction. Avant même que Mao Tsé-toung n'eût proclamé à Pékin la république populaire, les Russes reconnurent, au mois d'août

1949, le gouvernement provisoire de la Mandchourie, qu'on appela ensuite gouvernement populaire du Nord-Est.

Ces circonstances expliquent que la Mandchourie ait joué le rôle d'une région pilote. La formation des équipes d'entraide et des coopératives paysannes y fut tout de suite plus poussée que dans le reste de la Chine. Mais c'est surtout en tant que centre industriel qu'elle se trouva à l'avant-garde de la marche vers le socialisme. Les usines, les combinats repris sur les Japonais appartinrent immédiatement à l'Etat; celui-ci n'eut pas à concilier la révolution socialiste avec un provisoire respect du capitalisme national. C'est de Mandchourie que partirent tous les grands mouvements de masse. C'est là que les syndicats commencèrent à se développer, qu'on établit dès 1948 le système des salaires étendu en 1950 à toute la Chine, qu'on introduisit sur une grande échelle l'émulation du travail; les lois sur la Sécurité sociale y ont été mises en vigueur dès 1949, alors qu'elles furent instituées seulement en 1951 dans le reste de la Chine.

Etant donné l'importance du rôle joué par la Mandchourie dans l'économie chinoise, l'homme qui présidait à ses destinées se trouvait assumer d'énormes responsabilités. Il se nommait Kao Kang. Il avait été en 1937 le principal représentant du parti communiste dans le Nord-Ouest et y avait conduit une brillante guerre de résistance. Reconnu par les Russes gouverneur du Nord-Est avant même la proclamation de la République, il y incarna à la fois le gouvernement, le parti communiste et l'armée. Il dirigea la reconstruction de manière si efficace qu'en 1950 il y avait 40 % du budget régional qui étaient déjà investis dans de nouvelles industries. Il occupait la neuvième place au comité central et concentrait entre ses mains tant de pouvoir qu'on l'a appelé parfois « le Staline de la Mandchourie ». Le gouvernement central ne songeait cependant pas à réduire son importance puisque le 15 janvier 1952, il fut nommé directeur du plan quinquennal : ce choix était logique, car l'avenir de la Chine dépendait essentiellement du développement de son industrie lourde qui reposait presque entièrement dans les mains de Kao Kang. Il semble que ce soit précisément à propos du « plan » que des divergences se produisirent entre lui et le gouvernement. Le détail n'en est pas connu. En tout cas, le 24 décembre 1953, pendant une réunion du Bureau politique, de violents discours furent dirigés contre les factieux qui semaient la division à l'intérieur du parti : Kao Kang ne fut pas cité, mais il était clairement visé. A partir du 20 janvier 1954, on ne le vit plus jamais apparaître en public. De nouveau Lieou Chao-Ki l'attaqua sans le nommer à la quatrième session plénière du comité central, en février 1954. L'année suivante, en mars et en avril, la conférence nationale du P.C., puis le comité central condamnèrent solennellement Kao Kang, ainsi que Pao Chou-che accusés d'avoir conspiré contre le parti et le peuple. Ils furent chassés du parti. On accusait Kao Kang d'avoir depuis 1949 tout mis en œuvre pour « prendre le pouvoir dans le parti et dans l'Etat ». Il se suicida et son acte fut condamné comme une preuve de son manque de loyauté et de patriotisme. Une nouvelle « révélation sur l'alliance de Kao Kang et de Pao Chou-che » déclara : « Dans le Nord-Est et en d'autres endroits, il a créé et répandu des rumeurs calomnieuses contre le Comité central, se faisant valoir à ses dépens afin de semer la discorde. Il a maintes fois violé la politique du comité central touchant le travail dans le Nord-Est, il a tenté de diminuer le rôle du parti... et de faire du Nord-Est le royaume indépendant de Kao Kang. » Bref, on lui reprochait d'avoir voulu régner de façon dictatoriale sur le parti et sur le pays.

Que signifie au juste cette accusation ? L'hypothèse la plus plausible, c'est que détenant, par suite de sa situation objective, une énorme puissance, Kao Kang a voulu faire prévaloir une politique personnelle qui s'opposait à celle du gouvernement [1]. Les Rousset et autres voyants ont présenté l'affaire comme une véritable révolution politique et la conséquence d'une crise qui aurait profondément ébranlé le régime. Mais leurs assertions ne reposaient sur rien, sinon sur leurs désirs et leurs espoirs. Après la disparition de Kao Kang, l'économie chinoise a continué à se développer selon la même ligne générale et le parti communiste n'a présenté aucun signe de dépérissement.

Je me suis donc réveillée un matin dans un train qui roulait au milieu d'une plaine couverte à perte de vue de kaoliang. A neuf heures, je débarquais à Moukden. C'est une ville de deux millions et demi d'habitants, qui mesure quinze

1. On a émis l'hypothèse que le plan de Kao Kang aliénait radicalement la Chine à l'U.R.S.S., tandis que le gouvernement a cherché à assurer au pays le maximum d'autonomie.

kilomètres de long sur dix kilomètres de large. Au fronton de la gare, il y a une colonnade rouge, en bois peint, soutenant un linteau violemment colorié : bleu, vert cru, indigo. Sur l'esplanade, un cylindre de brique commémore je ne sais plus quoi. Deux immeubles d'un rouge orangé ouvrent une grande avenue qui file en ligne droite vers le centre de la ville. Au milieu de la place s'élève un kiosque de dix mètres de hauteur, de forme circulaire, mais reposant sur une base octogonale et qu'abrite un toit pointu. C'est de là que les officiels assistent aux fêtes et aux défilés. Un petit square sec entoure cet édifice dont la couleur rouge tire l'œil. L'hôtel, auquel on accède par une rampe, ressemble du dehors à un établissement de bains. Les chambres sont aménagées selon la tradition mandchoue; le lit, large et bas, ressemble à un k'ang; le matelas est nu; les couvertures sont empilées dans un des angles. L'usage est de dormir enroulé dans une courtepointe que protège une housse blanche, boutonnée tout autour. Sur une table, on a posé une énorme bouteille thermos décorée de fleurs et de colombes, pleine de thé.

Un écrivain de Moukden, une jeune secrétaire de l'Association, un photographe nous accompagnent à travers la ville: nous voilà sept, sans compter les deux chauffeurs. Il ne pleut plus, il fait même très beau; malgré la différence de latitude, cette matinée ensoleillée est aussi chaude que les matins pékinois. Cependant la ville me paraît bien laide; les rues sont droites et ternes, les magasins tristes; il y a quelques artères commerçantes, vivantes et colorées; mais la plupart des avenues courent entre de sombres murs de brique, derrière lesquels fument des usines, entre des immeubles aux vitres noires, parfois brisées, où sont installés des bureaux. De loin en loin poussent timidement quelques arbres. Il y a un parc aux portes de la ville : des bosquets, des étangs, des lotus, de petits ponts. Les seuls monuments de Moukden, ce sont les tombeaux des premiers empereurs mandchous. L'architecte qui les a édifiés avait visité Pékin et il a imité le style des sépultures chinoises. Une large allée funéraire, plantée d'ifs et de cyprès, bordée d'éléphants de pierre, conduit à des pavillons surélevés par des terrasses, et dont l'architecture est identique à celle du palais de Pékin. Dans le dernier se trouve le tombeau impérial : mais, selon la coutume, le cadavre — afin de déjouer les mauvais esprits, et les éventuels violeurs de sépultures — a été enseveli hors de l'enceinte sacrée, dans un tumulus caché quelque part dans la montagne.

J'étais venue en Mandchourie pour voir des usines : j'en ai vu. A Chen-yang, j'ai visité une usine de machines-outils, une autre d'outils à air comprimé. Dans une micheline spécialement frétée pour transporter une délégation de femmes allemandes, je me suis rendue à An-chan, à 120 kilomètres au sud de Chen-yang. La ville a 730.000 habitants, groupés autour d'un immense combinat. La Mandchourie est le centre industriel de la Chine, et le cœur de la Mandchourie, c'est An-chan. Elle était presque entièrement détruite quand, en 1949, les experts russes vinrent aider les Chinois à réorganiser la production. La reconstruction dura deux ans. Le 26 décembre 1953, trois grandes usines furent ouvertes : une laminerie où l'on fabrique de grandes plaques d'acier, une usine entièrement automatisée où l'on fabrique des tubes d'acier sans soudure, et les hauts fourneaux automatiques qu'on désigne sous le chiffre : N° 7. L'inauguration fut célébrée avec la pompe d'une fête nationale. Un film fut tourné sur les industries d'An-chan et projeté avec grand succès à Pékin; on fit aussi une importante exposition sur les réalisations obtenues dans la « Cité de l'acier » dont le nom est célèbre dans le pays entier.

La journée la plus intéressante, ç'a été celle que j'ai passée à Fou-chouen. La ville est située à 60 kilomètres de Chen-yang. La route traverse un doux paysage ondulé qu'arrose un large fleuve; les épis de kaoliang, d'un roux profond et chaud, se dressent plus haut que les blés de France, mais leur moutonnement cuivré, les collines timides à l'horizon, l'eau paresseuse évoquent certains paysages des bords de la Loire. Fou-chouen fait un sombre contraste avec cette campagne aimable. C'est une ville fumeuse et triste, comme toutes les grandes villes industrielles. On y a bâti depuis la libération quelques cités ouvrières; mais dans l'ensemble les quartiers d'habitation rappellent les noirs corons du nord de la France. Elle compte 750.000 habitants; elle en avait seulement 184.000 en 1949 : la population a plus que triplé, par suite du développement industriel. Il y a à Fou-chouen d'importantes raffineries où on fabrique du pétrole, et diverses espèces d'usines. Mais sa plus grande richesse, ce sont les mines : les plus anciennes du pays. Le charbon a été découvert en Chine plusieurs siècles plus tôt qu'en Europe et voilà huit cents ans qu'on a commencé de l'extraire. Marco Polo parle de ces « manières de pierre noire qui s'extraient des montagnes comme par veines, qui brûlent comme des torches, et sont si bonnes à cela que par tout le Cathay on ne brûle pas autre chose ». La mine de Fou-chouen a été une des premières exploitées. Modernisée par les Japonais, elle fournissait en 1936 environ 20 % du charbon chinois. La production globale était alors d'environ 35 millions de tonnes, soit 2,5 % de la production mondiale; l'anthracite représentait 20 % et le charbon bitumineux 80 % du chiffre total. Celui-ci était tombé en 1947 à 19 millions de tonnes. Il s'éleva en 1952 à plus de 63 millions. Le plan prévoit qu'en 1957 la Chine produira 113 millions de tonnes de charbon.

La grande attraction de Fou-chouen, c'est la mine ouverte : une immense faille de 500 mètres de large, 6 kilomètres de long et 200 mètres de profondeur; elle est sinueuse, aussi ne peut-on pas l'embrasser d'un coup d'œil : de notre point d'observation, nous dominons une section de 2 kilomètres de long. Le spectacle est étonnant : une coupe géologique exemplaire. En haut, s'étend une couche d'argile jaune, couronnée d'une muraille rouge qui est fournie par les résidus de la pierre à pétrole; la seconde couche est constituée par une pierre verte, d'une belle couleur maléfique, qu'on n'utilise pas; en dessous, c'est la pierre brunâtre dont on extrait du pétrole; on atteint enfin la couche de charbon bitumineux la plus épaisse du monde entier : 127 mètres; aucune mine d'Extrême-Orient n'est aussi riche. Il faudra cent quatre-vingts années pour l'épuiser; et si la cadence du travail réduit ce chiffre, il existe d'autres filons au-dessous de Fou-chouen. « On repoussera la ville de quelques kilomètres », dit avec un geste large l'ingénieur qui nous guide et qui, comme tous les Chinois, dispose superbement de l'avenir. En attendant, ce n'est pas la matière première qui fait défaut : ce sont, visiblement, les machines. La grande muraille polychrome est découpée en gradins, telle un Colisée géant. Chacun est équipé de rails sur lesquels circulent des trains. Des excavatrices arrachent du sol le charbon et la pierre à pétrole : elles les déversent dans des wagonnets qui les transportent jusqu'à une base où ils se vident automatiquement dans d'énormes bennes; celles-ci remontent automatiquement, le long de la paroi, jusqu'à la station de tri et d'expédition.

L'exploitation est donc parfaitement mécanisée; mais dans la section que j'ai sous les yeux, trois excavatrices seulement sont en action; et elles demeurent immobiles pendant que les trains sont occupés à effectuer le transport. Tout est disposé pour qu'une chaîne de wagons amène le charbon aux bennes sans que les excavatrices cessent leur travail; en fait, chaque convoi doit faire l'aller et le retour : évidemment on manque de wagons et de locomotives; le temps où le train circule est un temps mort. On compense autant que possible cette perte par le roulement ininterrompu des équipes de travailleurs; la main-d'œuvre ne manque pas : nuit et jour des ouvriers se relaient. Le charbon qu'ils extraient sert exclusivement aux besoins de l'industrie lourde : une quantité minime est vendue comme combustible aux ouvriers de la région.

Pour mieux voir la mine, on nous fait descendre par un wagon à crémaillère jusqu'à une terrasse située à peu près à mi-hauteur : la descente, quasi verticale, est impressionnante. Je remarque contre la paroi des conduites d'eau destinées à éteindre les incendies; il y a en effet dans la muraille charbonneuse des crevasses d'où s'échappe de la fumée. La faute en est aux Japonais : ils creusaient des trous au hasard, provoquant des appels d'air et des menaces d'éboulement. Les Chinois sont fiers de la supériorité de leurs méthodes : ils attaquent et détruisent les couches supérieures en même temps qu'ils exploitent les couches inférieures; ainsi la paroi demeure verticale, on évite l'apparition de dangereux surplombs qui finiraient par s'effondrer.

Je n'ai vu que très imparfaitement la Mandchourie. Je n'ai pas visité la fameuse « fabrique de tubes sans soudure », ni « l'usine d'outils à couper » qu'on vient d'inaugurer à Harbine et qui est presque entièrement automatisée. Le journaliste L... m'a décrit l'usine de Tchang-tch'ouen, commencée en 1953 et qui a sorti au cours de l'année 1956 la première automobile chinoise. Immense, équipée de façon ultra-moderne, c'est elle qui doit fournir les tracteurs dont l'agriculture a un besoin si urgent. Il aurait fallu visiter aussi les usines souterraines dont m'a parlé avec admiration Isabelle Blume qui, connaissant bien les mines de Belgique, a pu faire des comparaisons précises. Mon court voyage m'a tout de même donné une idée assez nette de l'effort industriel chinois. Un certain nombre de faits m'ont frappée.

D'abord, l'importance de l'aide apportée aux Chinois par les Russes saute aux yeux. A part quelques machines tchèques et de très rares machines chinoises qu'on m'a signalées avec orgueil, tout l'équipement des usines est d'origine soviétique. L'U.R.S.S. a prêté à la Chine une quantité considérable d'ingénieurs et de techniciens : de 15.000 à 20.000. En 1953, Li Fou-tch'ouen déclara dans son rapport : « L'assistance technique et matérielle apportée par l'Union soviétique s'étend au total à la construction ou à la remise en état de 141 unités industrielles de grande envergure intéressant la métallurgie, l'hydraulique, l'exploitation minière, la construction d'automobiles et de tracteurs, les raffineries, etc. » En 1954, l'U.R.S.S. ajouta encore 15 unités industrielles. Le nombre des projets réalisés par l'U.R.S.S. s'élève donc à 156 [1]. La solidarité de l'U.R.S.S. et de la Chine est un fait impossible à contester. Certains rêveurs antisoviétiques imaginent avec optimisme que la Chine secouera bientôt cette tutelle et constituera une puissance capable de contrebalancer celle de l'U.R.S.S. : c'est pure billevesée. L'industrialisation de la Chine exige plusieurs décades pendant lesquelles elle dépendra de l'aide russe. Une autre sottise c'est de prétendre qu'elle doive payer cet appui par des exportations massives qui la ruineraient. Une chaîne ininterrompue de trains roulant pendant une année ne suffirait pas à transporter de Pékin à Moscou une quantité de grain équivalente aux investissements consentis par l'U.R.S.S., et celle-ci n'a d'ailleurs aucunement besoin du blé chinois. Affirmer que contre « le plat de lentilles soviétiques » Mao Tsé-toung doit payer sa « livre de chair » comme le dit élégamment le Père Trivière, spécialiste antichinois, c'est une assertion que le simple bon sens dément, comme aussi les faits. Il ne s'agit pas là d'un marché au sens capitaliste du mot; en ce sens l'aide russe est bien — comme le proclament tous les discours et rapports des dirigeants chinois — désintéressée. Que l'U.R.S.S. ait ses raisons de souhaiter à côté d'elle une Chine forte, nul n'en doute. Mais il en résulte que ses intérêts sont exactement les mêmes que ceux des Chinois et que ceux-ci tirent de cet accord d'incomparables bénéfices.

1. En avril 1956, Mikoyan a signé un accord augmentant son apport au plan quinquennal de 2 milliards 500 millions de roubles (plus de 200 milliards de francs). L'U.R.S.S. fournira son assistance pour cinquante-six nouveaux projets industriels et participera à la construction de plusieurs chemins de fer.

J'ai dit que certaines usines sont entièrement équipées de la façon la plus moderne, voire totalement automatisées. Mais dans l'ensemble, il faudra encore des années avant que la construction industrielle soit achevée. Aujourd'hui, la plupart des ateliers ont un caractère à première vue déconcertant. Quand on pense à un pays industriellement retardé, on imagine qu'il possède des manufactures vieillottes, utilisant de façon homogène des techniques dépassées. Mais la Chine a sauté une étape : le passé ne lui a pour ainsi dire rien légué et l'U.R.S.S. lui fournit l'équipement le plus perfectionné qui soit. Elle se trouve donc située d'emblée à la pointe du progrès : mais de façon encore incomplète. Si bien que dans les usines l'avenir qui fera de la Chine l'égale des plus grandes puissances industrielles est déjà présent : mais en grande partie, en creux. Le visiteur est étonné par l'hétérogénéité des techniques dont certaines sont les plus avancées, et d'autres les plus arriérées du monde.

Tant qu'on n'a pas pénétré à l'intérieur des bâtiments, on piétine dans le passé : dans l'usine de machines-outils de Chen-yang, les cours sont des chantiers où, comme partout les maçons travaillent sans un instrument mécanique, transportant la terre dans des paniers, aplanissant le sol selon des procédés millénaires. Dans l'atelier cependant des machines toutes neuves rabotent l'acier sous la surveillance d'un petit nombre d'ouvriers : la production est presque entièrement automatisée. On nous montre des aléseuses à trente-neuf forets, des meuleuses, des fraiseuses universelles qui disposent de quatre fraises et de quarante-huit couteaux; elles peuvent travailler sur deux pièces en même temps et fraiser six surfaces à la fois. La fonderie possède un four automatique, et le métal en fusion se déverse automatiquement dans un seau; la circulation des moules où se forment les pièces est également automatique; mais un chaînon manque : pour transporter le métal en fusion et le verser dans les moules, il n'existe pas de dispositif mécanique; le travail se fait à main d'homme, ce qui ralentit l'ensemble de l'opération. Tout est en place cependant pour que bientôt la fonderie fonctionne à plein; et cet avenir a même plus de réalité que le présent : celui-ci aura disparu dans quelques mois, ou peut-être même quelques semaines. Ce trait qui m'a souvent frappée en Chine est ici manifeste : la réalité, c'est l'avenir; littéralement on le *voit;* et le présent a un caractère provisoire, déjà périmé.

J'ai la même impression dans la mine ouverte de Fou-chouen. Là aussi, tout est en place : il manque seulement des locomotives. Dans le combinat d'An-chan, où se fabriquent des tubes sans soudure, l'équipement n'a pas une faille : mais c'est la matière première qui fait défaut; l'usine fonctionne à plein, mais ferme dix jours chaque mois. L'idée générale qu'on retire de ces incomplétudes, c'est celle d'un avenir presque indéfiniment ouvert : nous assistons à un commencement qui enferme en soi, non à titre d'espoir mais comme une très concrète réalité, les possibilités d'immenses développements.

Ce qui ne fait pas défaut, c'est la main-d'œuvre. De même que sur les chantiers, dans les magasins et les bureaux, il y a dans les usines un pullulement de gens qui ne font pas grand-chose ou même qui ne font rien du tout; certains bricolent : ils réparent un appareil de chauffage, ils aplanissent le sol, ils balayent; d'autres attendent. On les embauche à la fois pour éviter le chômage et pour que tout le personnel nécessaire soit en place le jour prochain où machines et matériaux permettront une production accrue. Je demande au directeur de l'usine de machines-outils combien il sort chaque année de machines : « Cette année, nous en fabriquons très peu, dit-il. Les nouveaux bâtiments ne sont pas achevés, et il nous manque du matériel. Mais l'an prochain nous en fabriquerons mille. » Je demande ensuite combien l'usine emploie aujourd'hui d'ouvriers : « Quatre mille. — Et l'an prochain ? — La même chose. » Ainsi entre cette année presque improductive et le moment où l'usine fonctionnera à plein, le nombre des ouvriers n'aura pas changé.

Dans toutes les usines, qu'elles soient ultra-modernes ou encore inachevées, les travailleurs sont soigneusement protégés contre les accidents et les maladies professionnelles. Toutes les machines ont des dispositifs de sécurité. Les hauts fourneaux sont isolés, les fours abrités par des écrans protecteurs, la température automatiquement réglée, la ventilation assurée, particulièrement dans les mines. Le travail le plus pénible, c'est dans les hauts fourneaux d'An-chan celui des ouvriers qui surveillent et dirigent l'écoulement du métal en fusion : avec des bâtons d'acier, ils contrôlent le ruisseau de feu qui s'échappe du four et va se jeter en bouillonnant et en crachant des étincelles dans une énorme cuve. Mais ils sont soigneusement masqués, bardés d'une combinaison protectrice, de lunettes, de gants, de bottes. Il n'y a qu'une demi-heure de fusion toutes les quatre heures, soit deux dans une journée de travail. Ils touchent d'ailleurs des salaires élevés : 80 yens par mois.

Les Chinois sont, me dit-on, d'excellents ouvriers; ils sont adroits, ils savent travailler; ils aiment leurs machines; ils les démontent et les remontent volontiers, ils s'intéressent à leur fonctionnement et veulent les connaître à fond. C'est pourquoi un si grand nombre d'entre eux ont d'heureuses idées de perfectionnement technique. En revanche, les cadres ne sont pas assez nombreux et souvent leur compétence laisse beaucoup à désirer; c'est là un des obstacles qui entravent aujourd'hui le progrès industriel de la Chine. Les 15.000 ou 20.000 experts soviétiques constituent une minuscule élite : on a besoin de centaines de milliers de techniciens; pour les former, il faudrait une armée de professeurs; or, en ce qui concerne les sciences et les techniques le niveau intellectuel de la Chine était, au moment de la libération, extrêmement bas. Autrefois, la Chine a connu un épanouissement scientifique remarquable; en astronomie, en algèbre, en quantité de matières, les Chinois ont été des précurseurs. Mais leur évolution s'est prématurément arrêtée. Le mépris où était tenue la classe marchande a eu pour conséquence que l'étude des nombres ne s'est pas développée. La tradition idéologique qui a prévalu dans l'empire était tout à fait opposée aux méthodes analytiques de la science; il n'y a pas longtemps que les Chinois on commencé à se soumettre aux disciplines scientifiques, et ils ont eu beaucoup de peine à s'y adapter. Il n'est pas étonnant qu'aujourd'hui ils les abordent encore avec une certaine gêne. La solution d'un problème de mathématiques ou de physique réclame des qualités d'analyse et de synthèse et aussi une audace inventive qu'en Chine l'éducation n'a guère encouragées. La situation a changé : mais le passé pèse toujours plus lourd qu'on ne croit. Les Chinois ont été trop longtemps écrasés par l'Occident et eux-mêmes convaincus, dans les domaines scientifique et technique, de la supériorité occidentale pour n'en avoir pas conservé un complexe d'infériorité : cette modestie engendre une timidité néfaste; car en science comme dans les arts, pour inventer, fût-ce au niveau le plus élémentaire, il faut considérer le monde comme sien : sinon on n'ose pas tenter de le dépasser. La crainte de se tromper, un excès de conscience, freinent l'inspiration. Les étudiants ont des résistances morales à vaincre pour devenir des savants ou des ingénieurs de premier ordre. D'autre part, il était naturel qu'on essayât d'accélérer l'instruction des cadres, qu'on réduisît au minimum le nombre des années d'étude : cette préparation hâtive a conduit à des résultats peu satisfaisants. Li Fou-tch'ouen note dans son rapport : « L'insuffisance du personnel scientifique et technique est évidemment un sérieux obstacle. Un des principaux devoirs politiques est de former une grande quantité d'ingénieurs et de techniciens. Le nombre des étudiants s'est accru trop vite : leur science et leur habileté sont insuffisantes. Les usines et les mines ont toutes réclamé qu'on envoie des techniciens d'un niveau plus élevé. »

Cette plainte se retrouve dans une quantité de textes officiels : trop peu de cadres, et trop peu compétents. Les vieux techniciens qui travaillaient au temps des Japonais, habitués aux méthodes japonaises — c'est-à-dire américaines — opposent souvent aux innovations russes une résistance passive : et pourtant, faute de cadres neufs, on est obligé de se reposer sur eux. C'est ce qui explique l'importance des rationalisations inventées par les ouvriers : leur rôle serait beaucoup plus réduit si le personnel technique remplissait plus efficacement le sien. Je citerai à ce sujet deux textes qui m'ont beaucoup surprise quand je les ai lus sans avoir encore compris la situation.

Le premier, c'est une histoire que présente comme vraie la revue *La Chine* [1] dans son numéro de mai 1955. Un ouvrier de Fou-chouen la raconte; il travaille dans une vieille usine qui se bornait autrefois à réparer les machines utilisées dans les houillères et qui a entrepris à présent d'en fabriquer. Cette usine reçut un jour une importante commande d'appareils de sondage. « Lieou Mao-jen qui travaillait à la machine à tailler les engrenages trouvait qu'elle marchait trop lentement... Il alla consulter à la bibliothèque des livres soviétiques et il y trouva que « la rotation en sens inverse est plus efficace »; mais quand il en fit part au contremaître, celui-ci répondit : « Pendant des années nous avons fait tourner la machine dans le sens normal; la rotation en sens inverse abîmera certainement la machine. » Et les autres ouvriers firent chorus avec lui. » Cependant Mao-jen se décida dix jours

1. *China Pictorial,* revue destinée à faire connaître la Chine à l'étranger.

plus tard à expérimenter la méthode soviétique. « A la fin d'un essai de trente minutes, il s'aperçut qu'il avait effectué un travail qui prenait auparavant six heures... La nouvelle se répandit comme une traînée de poudre. »

La morale de cette anecdote, c'est que les ouvriers, contremaîtres et techniciens doivent s'affranchir des anciennes routines et s'ouvrir aux méthodes neuves que proposent les Soviétiques. Mais elle ne serait pas plausible sans la déficience du personnel technique : de jeunes ingénieurs auraient évidemment connu ce procédé et l'auraient expérimenté sans attendre l'initiative d'un simple ouvrier.

L'autre texte est une nouvelle qui ne se donne pas pour vraie, mais du moins comme vraisemblable; elle n'implique pas seulement une résistance des techniciens aux méthodes russes, mais de manière plus générale à toute innovation. Elle est intitulée *Hauts Fourneaux;* elle a été écrite en 1949 par un certain Lou-Chi. En voici un bref résumé :

Tsao est engagé en juillet 1948 dans une fonderie du Nord-Est. Le contremaître Wang lui demande d'un air méprisant : « Vous y connaissez quelque chose ? »; et le jeune ouvrier agacé lui répond : « Un peu. J'ai traîné quelques jours dans une fonderie. » Le prenant au mot, Wang lui assigne un travail de manœuvre : il transportera des briques. Cependant, Tsao s'intéresse au fourneau : il aperçoit à la surface du fer liquide qui s'amasse à la base, des scories qui théoriquement auraient dû s'écouler par une ouverture ménagée à dessein ; en fait, un ouvrier est obligé de les écarter laborieusement avec un long piquet d'acier. Tsao demande à Wang combien on obtient de fer par kilo de coke : « Quatre kilos. Pourquoi si peu ? — Nous n'avons jamais obtenu davantage. » Et Tsao pense : « Il y a quelque chose qui ne marche pas, dans ce fourneau. » Il se convainc de cette idée et examine avec soin les tuyères. A quelques jours de là, le fer ne fond pas. Wang accuse le nouveau coke qu'on vient de lui fournir et qu'il juge de mauvaise qualité. Mais Tsao intervient : en fait il a travaillé dix ans dans un haut fourneau, il connaît la question. « Ce coke est bon », déclare-t-il. Wang fait la sourde oreille, mais les camarades de Tsao, frappés de son air assuré, avisent le directeur qui lui demande d'intervenir. Tsao déclare que les tuyères devraient être non pas droites, mais coudées, et que l'ouverture en est trop large. « L'air ne souffle pas jusqu'aux braises et le feu n'est pas assez chaud. Les scories durcissent, le fer fond trop lentement. » Avec ses camarades, il se met au travail et modifie les tuyères. On produit alors 8 kilos de fer pour 1 kilo de coke; on atteint même 10 kilos 7. Wang reconnaît ses erreurs et se réconcilie avec Tsao.

Les témoignages d'ordre littéraire sont instructifs dans un pays où la littérature est au service du régime; j'en citerai un autre, qui démontre aussi le manque de qualification des techniciens. Une pièce qui a eu un grand succès, *Le Test*, met en scène un directeur d'usine; il vient tout juste d'être nommé et il se prépare avec conscience à ses nouvelles fonctions : il demande à sa fille de quinze ans de lui enseigner la loi d'Ohm et il rêve longtemps sur les rapports de la résistance et du courant. Il est vrai qu'en Chine, un directeur d'usine est un administrateur, non un ingénieur : mais il serait évidemment souhaitable que les deux ne soient pas dissociés.

Cette déficience généralisée influe évidemment sur la qualité de la production. Li Fou-tch'ouen signale les malfaçons, le gaspillage qu'elle a entraînés : « Beaucoup de nos produits sont de basse qualité, et il y a énormément de rebuts... Le taux des rebuts en 1954 a été de 12,5 % touchant la fonte et on a gâché plus de 20.000 tonnes de gueuse. » Dans le premier quart de 1955, 30 % d'un certain acier fourni par An-chan s'est montré inutilisable, à cause d'une composition chimique défectueuse. Les 380 foreuses fournies par l'usine à machines-outils n° 7 de Chen-yang ont dû être refaites, parce qu'on n'avait pas procédé aux essais réglementaires. 40 % des charrues ont été refusées parce que leur courbure ne convenait pas et que le métal n'avait pas la dureté requise.

J'ai appris d'autre part que, tandis que la marge d'imprécision des engrenages est en Europe 0,2 %, il y a en Chine une tolérance de 0,6 %.

Et cependant, malgré tous ces handicaps, la production japonaise de 1939 est dépassée sur toute la ligne; et cette ascension se poursuit régulièrement. Li Fou-tch'ouen annonce que de 1952 à 1957 la production aura monté : pour l'acier, de 1.350.000 tonnes à 4.120.000 ; pour le charbon, de 63.530.000 tonnes à 113 millions; pour l'électricité, de 7.260 millions de kWh à 15.900 millions.

Ces chiffres sont bien inférieurs à ceux qu'obtiennent les

U.S.A., l'Angleterre, le Japon. Mais Li Fou-tch'ouen fait observer que les premières usines de fer et d'acier ont été bâties en Chine seulement en 1907, à Han-yang, et produisaient à peine 8.500 tonnes. En 1933, la production totale était de 25.000 tonnes; et en 1936, de 40.000 : alors les Japonais occupaient le Nord-Est. En 1943, la Chine produisait 1.800.000 tonnes de gueuse et 900.000 d'acier. En 1949, par suite des sabotages du Kuomintang, les chiffres étaient : 246.000 tonnes de gueuse, 158.000 tonnes d'acier. C'est à partir de cette quantité dérisoire que la reconstruction s'est opérée : « Nous n'avons pas de recettes pour produire des miracles », conclut Li Fou-tch'ouen, « cependant nous pouvons assurer qu'il ne nous faudra pas cent ans pour égaler et dépasser le niveau industriel des pays capitalistes. Quelques décades suffiront. Il ne nous faudra que cinq ans pour dépasser ce qu'on a mis des décades à accomplir dans la Chine réactionnaire. »

Parallèlement au développement de l'industrie lourde, la Chine est en train d'exécuter de grands travaux nécessaires pour protéger l'agriculture, pour mettre en valeur le sous-sol, pour assurer la circulation des matières premières et des marchandises, pour créer de l'énergie électrique. On a construit deux routes — 4.200 kilomètres — qui relient le Thibet à la Chine. On a inauguré le 1er janvier 1956 une nouvelle branche du transsibérien qui traverse le désert de Gobi et qui raccourcit de quarante-huit heures le voyage Pékin-Moscou. Une nouvelle ligne de chemin de fer rattache le Sseu-tchouan au reste de la Chine, doublant la grande voie d'eau qu'est le Yang-tzé et permettant au riche bassin rouge d'écouler dans le reste du pays le grain dont il regorge. D'autres lignes sont en construction : à la fin de 1957 la Chine possédera dix mille kilomètres de voies ferrées nouvelles. On est en train d'achever à Han-keou un immense pont, reliant pour la première fois les deux rives du Yang-tzé, ce qui facilitera considérablement le trafic ferroviaire entre le nord et le sud de la Chine. Mais le principal effort porte aujourd'hui sur l'aménagement des fleuves. Il faut d'une part faire échec à la menace permanente que constituent pour les campagnes inondations et sécheresses; d'autre part utiliser l'énergie de la houille blanche.

J'ai dit déjà quels problèmes ont posé de tout temps à la Chine ces fleuves aux eaux tumultueuses et chargées de limon.

Le légendaire empereur Yu, qui régna, dit-on, 2.200 ans avant J.-C., mérita la reconnaissance de son peuple en lui enseignant à bâtir digues et canaux. Le fait est que depuis des milliers d'années les Chinois ont construit des digues en utilisant comme matériaux des sacs de bambou pleins de cailloux. Ces ouvrages primitifs ont subsisté : au Ho-nan, au Chan-tong, on compte 1.100 milles de vieilles digues; soigneusement entretenues, constamment réparées, elles rendent encore des services. Mais l'ensemble du système de régulation dont le nouveau régime a hérité est d'une insuffisance criante. En particulier au cours de l'été 1954 il y a eu une inondation si terrifiante qu'en 1955 les eaux des fleuves n'étaient pas encore rentrées dans leurs lits. Je les ai survolées en avion, en revenant de Canton à Pékin; impossible de savoir où le lit du Yang-tzé commence, où il finit : la vallée est encore inondée sur une centaine de kilomètres de largeur, ou peut-être davantage; la terre est envahie par des affluents, des lacs : à perte de vue, l'eau est partout. Le fleuve Jaune lui aussi avait recouvert un vaste morceau de plaine. J'ai compris alors combien sont gigantesques les projets qu'exposent inlassablement toutes les revues que j'ai feuilletées depuis mon arrivée à Pékin.

Les Chinois sont fiers de la relative victoire qu'ils ont remportée en 1954 contre la crue du Yang-tzé. Plus utilisable que le fleuve Jaune, puisqu'une partie importante de son cours est navigable, le fleuve Bleu n'est pas moins redoutable. Ses eaux sont alourdies par le limon arraché aux terres thibétaines et aux plateaux du Sseu-tchouan; les alluvions surélèvent son lit, encombrent son embouchure. Entre 1868 et 1949, il a débordé plusieurs fois. En 1931, le flot monta jusqu'à 28 m. 28. L'inondation ravagea entre autres le grand centre industriel de Wou-han, en amont de Nankin. Les digues furent rompues, la ville submergée; pendant quatre mois, il resta deux mètres d'eau dans les rues et l'industrie fut paralysée. Il y eut 800.000 sinistrés, 500.000 perdirent leur foyer, et beaucoup leur vie.

Au mois de juin 1954 les pluies furent torrentielles; la rivière Han, et le Yan-tzé qui se rencontrent à Wou-han enflèrent ensemble; dans la seconde moitié de juin, on approcha du point critique : les gens qui passaient sur la rive du fleuve voyaient les bateaux naviguer au-dessus de leur tête. Prévenue par radio, la « commission de lutte contre les inondations » mobilisa une véritable armée de volontaires; 700.000 soldats, ouvriers, paysans, étudiants travaillèrent nuit et jour à consolider les digues. On ouvrit les cinquante-quatre vannes du grand réservoir de Chinghiang, pour y déverser les eaux du fleuve. La crue continua. De nouveaux volontaires vinrent à la rescousse. Les femmes apportaient aux travailleurs de l'eau chaude et du thé; des haut-parleurs diffusaient des chansons, des pièces de théâtre que des artistes chantaient et jouaient gratuitement à leur intention. On continua de surélever les digues qui atteignirent trente mètres de hauteur : l'eau montait toujours; elle toucha la cote 29,73, puis soudain décrut. Wou-han était sauvé après un combat qui avait duré plus de cent jours. Toute la Chine avait collaboré à l'entreprise. On mobilisa plus de mille camions — chiffre énorme étant donné le petit nombre qu'en possède la Chine — 300 péniches, 500 bateaux, 30 locomotives, plus de 600 wagons de marchandises pour transporter les 60 millions de tonnes de terre et autre matériaux. Le gouvernement fournit 300 pompes diesel; le Ho-nan et autres provinces envoyèrent 170.000 troncs d'arbres pour bâtir les digues, et Shanghaï des centaines d'ancres afin d'amarrer les radeaux. Toutes les provinces ravitaillèrent Wou-han en légumes. De partout arrivèrent des experts et aussi des médecins qui venaient combattre les épidémies habituellement consécutives aux inondations.

Nankin et les autres villes de la vallée avaient résisté à la crue avec le même acharnement et le même succès. Seules, de petites bourgades et les campagnes furent sinistrées. Tous les efforts furent concentrés pour réparer les dommages qu'elles avaient subis. On évacua les sinistrés des campagnes selon un plan établi d'avance, et qui permit de sauver même les volailles et les porcs; les enfants furent aussitôt vaccinés. Les réfugiés furent logés à Wou-han dans des écoles, des bâtiments d'administration, etc. La municipalité leur alloua des sommes considérables. On réussit à assécher tout de suite 3/5 des terres inondées et on put planter les récoltes d'automne.

Il n'empêche que le rendement du grain et du coton fut très inférieur à celui des autres années et que tout le pays en a pâti. Le désastre n'a fait que rendre plus manifeste l'urgence des travaux d'endiguement.

Un fleuve déjà a été maîtrisé : le fleuve Houai, au nord de Pékin. Les paysans de la vallée avaient un triste dicton : « Grande pluie, grande inondation; petite pluie, petite inondation; pas de pluie : sécheresse. » En 1950, Mao Tsé-toung déclara : « Il faut régulariser le fleuve Houai. » Depuis, on a bâti 5 réservoirs, créé 17 lacs artificiels qui retiennent les eaux, creusé plus de 2.500 milles de canaux. Un grand canal irrigue la vallée et draine les eaux vers la mer. Les 10 millions de paysans de la vallée vivent en sécurité.

Le projet le plus important, et qui s'échelonne sur de longues années, c'est celui qui concerne le fleuve Jaune. En liaison avec le plan quinquennal, l'exploitation et la réglementation du fleuve Jaune ont fait l'objet d'un rapport spécial que le Congrès national populaire a adopté le 30 juillet 1955. Les travaux envisagés transformeront la condition de 80 millions de paysans. Le bassin du fleuve Jaune est en effet aussi vaste que la France et la Grande-Bretagne mises ensemble. Le fleuve a 4.845 kilomètres de longueur et sa teneur en limon est plus élevée que celle d'aucun fleuve au monde. « Si vous vous trempez une seule fois dans le fleuve Jaune, plus jamais vous ne pourrez vous décrotter », dit un proverbe. On pourrait avec le limon qu'il charrie dans une année bâtir une digue d'un pied carré de section qui ferait vingt-trois fois le tour de la Terre à la hauteur de l'Equateur. Ces dépôts, s'accumulant dans le cours inférieur, ont entraîné des désastres : vingt-six fois le fleuve a changé de cours, et souvent sur une distance de 300 à 400 kilomètres. Quant aux inondations, elles menacent de façon permanente la vallée. L'histoire écrite cite 1.500 catastrophes provoquées par le fleuve. Lorsque les pluies ne tombent pas avec excès, c'est la sécheresse qui dévaste le bassin.

Ce n'est pas d'aujourd'hui que les Chinois ont envisagé de dompter le fleuve Jaune. En 1931, entre autres, un fameux expert chinois proposa un plan pour aménager le milieu de la rivière, seul moyen, estimait-il, d'en contrôler aussi le cours inférieur. Mais le Kuomintang ne le prit pas au sérieux. Des experts américains consultés en 1946 par Tchang Kaï-chek conseillèrent de draguer le cours inférieur; mais quant au cours moyen, déclarèrent-ils, « il faudrait des centaines d'années pour en venir à bout ».

Les dirigeants actuels récusent ce pessimisme; après un énorme travail de prospection, observation, expériences, effectué par des experts soviétiques de conserve avec des ingénieurs chinois, ils ont estimé qu'on pouvait réduire ce laps de temps à quelques décades : ce chiffre n'est pas pour effrayer des hommes qui se sont délibérément installés dans l'avenir. Ils viennent donc d'adopter un « plan à buts multiples pour le contrôle et l'exploitation du fleuve ». C'est un plan « en escalier ». On édifiera quarante-six barrages, étagés d'un bout du fleuve à l'autre. Les hautes terres de loess, aujourd'hui sèches et nues, seront plantées de forêts et de pâturages qui retiendront le limon. L'eau du cours supérieur sera utilisée pour fournir de l'énergie électrique. Des canaux seront creusés de manière à répandre à travers toute la plaine les eaux du cours moyen, qu'on régularisera selon les besoins de la navigation. La troisième section est la plus difficile à contrôler : mais grâce aux aménagements réalisés dans la partie supérieure, on pourra y installer des centrales électriques. La quatrième section, qui est la section clef du cours inférieur, sera aussi aménagée de façon à fournir de l'électricité et à irriguer les campagnes. Il y aura vingt-quatre réservoirs le long des affluents. Le lit, débarrassé des apports de limon, deviendra de plus en plus profond et stable.

Ces travaux ne seront pas achevés avant longtemps. Mais l'essentiel doit être accompli en 1967. Alors les gorges de Sanmen seront aménagées; les barrages qu'on commence d'y édifier seront terminés et feront échec aux crues. Il y aura deux énormes centrales hydro-électriques, chacune d'un million de kW; les barrages et les réservoirs établis au long des affluents fourniront de l'énergie électrique au Kansou, au Chen-si, au Chan-si, au Ho-nan. La surface des terres irriguées sera quatre fois plus étendue qu'aujourd'hui; sur une longueur de 1.100 milles les gros bateaux pourront naviguer sur le fleuve. Au cours de ces transformations, certaines régions seront immergées. On calcule qu'il faudra réinstaller environ 600.000 personnes : d'abord 215.000, et les autres dans les quinze années qui suivront.

Ces projets grandioses ne sont encore que des projets. Mais déjà l'ensemble des réalisations obtenues par la Chine étonne les observateurs; même les anticommunistes ne doutent guère que la Chine ne devienne rapidement une puissance industrielle de premier ordre. C'est précisément parce que cette perspective les épouvante qu'ils multiplient leurs attaques. Leur propagande est invariablement axée sur un thème : le « coût humain » de ces réussites « matérielles » est effroyablement élevé; l'ouvrier chinois est sacrifié à une implacable consigne : produire. Certains cependant considèrent que l'ouvrier constitue en Chine une nouvelle aristocratie et que le sacrifié, c'est le paysan. Quelle est donc en vérité la condition de l'ouvrier chinois ?

Politiquement, sa situation est paradoxale. Li Li-san remarquait le 14 novembre 1949 : « La caractéristique de la révolution chinoise, c'est que les villes n'ont pas été libérées par une insurrection ouvrière, mais grâce aux forces de l'armée populaire. » Or l'armée était essentiellement composée de paysans. Les ouvriers ne représentent qu'une très petite partie de la population : un peu plus de trois millions; on a vu que si leurs luttes furent parfois âpres et sanglantes, elles n'eurent jamais beaucoup d'efficacité. La révolution chinoise a été faite par les ruraux. Cependant, c'est le prolétariat qu'on considère aujourd'hui comme son avant-garde. L'avenir du socialisme est dans ses mains, puisque celui-ci dépend étroitement de l'industrialisation. Sur le drapeau chinois, la grande étoile centrale est celle qui symbolise la classe ouvrière. La voix d'un ouvrier vaut aux élections celle de dix paysans. Ils jouissent d'un grand prestige. Les jeunes villageois rêvent de travailler en usine; les filles des campagnes aspirent à épouser un ouvrier; leurs parents souhaitent un ouvrier pour gendre. Leur condition concrète correspond-elle à la dignité officielle qu'on leur attribue ? Que gagnent-ils ? Comment vivent-ils ? Quels sont leurs droits ?

Les Chinois ont repris à leur compte la thèse du stalinisme — qui fait loi aussi dans les démocraties populaires — selon laquelle la construction du socialisme exige un large éventail des salaires. S'inspirant de cette doctrine Mao Tsé-toung écrivait en 1929 [1] : « L'égalitarisme absolu a la même origine que l'ultra-démocratisme en politique : l'économie artisanale, la petite exploitation paysanne. Moyens pour éliminer ces tendances : il faut expliquer que l'égalitarisme absolu n'est qu'une illusion de petit propriétaire paysan et qu'il ne peut y avoir d'égalitarisme absolu non seulement lorsque le capi-

1. L'élimination des conceptions erronées dans le parti, décembre 1929.

talisme n'a pas encore été détruit, mais même plus tard, sous le socialisme, alors que la répartition des biens se fera selon le principe : « de chacun selon ses capacités, à chacun selon son travail », et conformément aux nécessités du travail. »

Ce sont les nécessités du travail qui priment aujourd'hui. La notion abstraite d'égalité s'efface devant des considérations d'efficacité. L'ouvrier qualifié est mieux payé que le manœuvre. Cependant le régime a rejeté le système compliqué qui réglait naguère les salaires : dans les aciéries de Tang-chan par exemple, on distinguait jusqu'à 176 degrés de qualification. Le système de salaire différencié actuellement en vigueur a été introduit en 1948 en Mandchourie et en 1950 dans le reste de la Chine; il a réduit à huit le nombre de degrés de qualification. En 1951 fut établi un index universel, appelé *fen*, fixé par les autorités régionales et basé sur le prix de quatre à cinq denrées essentielles : nourriture, vêtements, huile, sel, charbon. A Pékin l'index était calculé les 5, 10, 20 et 25 du mois. Depuis la stabilisation de la monnaie, cet ajustement n'est plus nécessaire et le salaire se définit en yens. Tous les ouvriers appartenant à une même catégorie de travail reçoivent le même salaire. Il y a une gratification spéciale, pouvant atteindre 30 % du salaire de base, pour les ouvriers ou employés spécialement qualifiés; des primes sont accordées aux meilleurs ouvriers. Lorsque dans une entreprise la production augmente, les salaires s'élèvent. Par suite de la primauté de l'industrie lourde, les salaires y sont supérieurs à ceux de l'industrie légère. Dans la mine de Fouchouen, le salaire moyen atteignait par mois en 1954 le chiffre de 68 yens, et en 1955 celui de 70 yens. Les ouvriers qui surveillent la coulée de fonte des hauts fourneaux d'An-chan — travail qualifié et très dur — touchent de 80 à 140 yens. Les salaires de l'usine textile de Shanghaï étaient en moyenne de 61 yens par mois, les ouvriers qualifiés touchant 89 yens, les manœuvres (balayeurs, etc.) environ 40 yens; il y en avait 1 % qui ne recevaient que 34 yens.

Quel pouvoir d'achat correspond à ces chiffres ? Les vêtements de la population ouvrière sont décents. La nourriture est, m'assure-t-on, bon marché et abondante : je le crois car personne, ni les ouvriers, ni leurs familles, ne semble sous-alimenté. A Shanghaï le budget alimentaire se décompose ainsi : 53 % de céréales dont 90 % de riz; 18 % de légumes, 16 % de viande, œufs, poissons; 8 % de condiments, 3 %

de fruits; 2 % divers. Le riz étant meilleur marché que les autres denrées, on voit qu'il constitue l'aliment de base. Il est rationné, mais chaque adulte a droit par mois à 25 livres, ce qui est largement suffisant; les enfants touchent un peu moins.

En revanche l'ouvrier chinois est mal logé. Certains célibataires couchent dans des dortoirs attenant à l'usine et mangent dans des cantines. Les familles vivent à l'étroit. Mais il faut être d'une considérable mauvaise foi pour imputer cette pénurie au régime. J'ai dit dans quels taudis était parquée naguère la population de Shanghaï; le bombardement japonais de 1932 a rasé de vastes quartiers ouvriers : les maisons ont été remplacées par des baraquements. D'autre part, dans les agglomérations industrielles, le nombre des habitants s'est rapidement multiplié : il a triplé à Fou-chouen en moins de six ans. Il était impossible au gouvernement de faire sortir de terre, pendant cette difficile période, des cités neuves susceptibles d'abriter convenablement tous les travailleurs.

On a commencé cependant à en construire. J'ai visité à Moukden, à la lisière de la ville, une cité ouvrière bâtie depuis 1952. Elle abrite 7.000 familles, soit environ 35.000 personnes. Chaque logement comporte deux grandes chambres claires, une cuisine et des w.-c. personnels. Dans chaque chambre, un vaste lit où quatre ou cinq personnes peuvent dormir côte à côte : les couvertures molletonnées, aux couleurs vives, constituent la principale richesse mobilière. On estime qu'un ménage et quatre à cinq enfants peuvent vivre ici dans des conditions acceptables. Le prix du loyer est de 8 à 10 yens. Les murs sont décorés de ces chromos qu'on appelle « Images du Nouvel An » et qui ont remplacé les anciennes images religieuses; de celles-ci il ne reste pas une trace, et rien n'évoque l'antique culte des ancêtres : si elle se survit dans les campagnes, chez les ouvriers la religion semble bien morte.

A Shanghaï, j'ai vu, à quelques kilomètres du centre, une cité ouvrière nouvellement bâtie: le « Village de la source douce ». Elle est habitée par 4.000 familles, c'est-à-dire par environ 20.000 personnes. Les maisons construites en 1952 et 1953 ont deux étages, et celles de 1954 en ont trois. Des pelouses séparent les rangées de maisons, qui possèdent chacune un petit jardin, planté de fleurs et souvent décoré de rocailles.

Chaque logement comporte une ou deux pièces, assez grandes, et une cuisine. Les w.-c. sont à l'étage. Il y a l'eau courante et l'électricité. La cité comprend deux écoles primaires, une secondaire, une crèche, un jardin d'enfants que nous visitons et où les écoliers nous chantent sans aucune timidité, en chœur, et puis isolément, un tas de chansons. On trouve aussi au « Village de la source douce » une poste, trois marchés, des coopératives, un dispensaire. Deux nouvelles lignes d'autobus le desservent. Les usines ont des camions qui viennent chercher et qui ramènent les ouvriers; beaucoup de ceux-ci possèdent des bicyclettes. On accueille ici de préférence les ouvriers d'élite et aussi, parmi les ouvriers ordinaires ceux qui étaient auparavant les plus mal logés, par exemple ceux qui vivaient dans des cabanes de paille ou sur des bateaux. Pour être admis dans la cité, il faut en général une recommandation du syndicat, et une autre fournie par les responsables du quartier où l'on habitait précédemment. Il existe dix villages semblables, abritant environ 200.000 personnes.

C'est encore très peu. Et c'est pourquoi le gouvernement poursuit un autre genre d'effort : il s'attache à rendre décents les anciens quartiers où s'entassaient naguère les taudis. On m'a menée voir dans la zone nord un district appelé Pan Kia-wan. Contrairement à ce qui arrive dans les autres pays, les quartiers pauvres semblent en Chine moins sordides de près que de loin. Ce qui me frappe en entrant dans celui-ci, c'est d'abord l'absence de toute mauvaise odeur : partout ailleurs dans le monde, la pauvreté empeste; ici, les ruelles étroites, les cours et, autant qu'on peut voir, l'intérieur des maisons sont d'une impeccable propreté. On a comblé les égoûts, bâti trois latrines publiques munies de chasses d'eau, créé de nombreuses prises d'eau. Chaque jour la population collecte les ordures et les évacue; trois fois par mois, elle balaie les rues. En 1950, 70 % des maisons étaient en terre et en bambou, avec un toit de chaume; il n'en reste que 30 % de cette espèce. La plupart sont en briques, crépies à la chaux blanche; elles se louent de 4 à 6 yens par mois, mais beaucoup appartiennent aux ouvriers qui, grâce à l'élévation des salaires, ont pu les construire eux-mêmes. 3.400 familles, c'est-à-dire 14.000 personnes, vivent dans ce district, semblable à des centaines d'autres : presque tous les faubourgs de Shanghaï ont été ainsi aménagés.

La maison que je visite est en terre, très modeste, mais

meublée de sièges de bambou si polis, si patinés qu'ils ont l'air précieux. Au mur du fond est collée une image rouge représentant trois dieux guerriers; au-dessous, le portrait de Mao Tsé-toung; la poutre maîtresse est décorée de papiers découpés : les poutres du plafond sont visibles, les murs crépis en blanc. Une échelle donne accès à un grenier aménagé en pièce d'habitation. Au rez-de-chaussée, il y a la salle principale, une chambre, une cuisine. Le sol est en terre battue; les sièges sont des bancs, deux chaises, un fauteuil; je remarque une radio et, bien entendu, une grande bouteille thermos. Sous ce toit vivent un ménage, une vieille mère et sept enfants. La femme est une ouvrière du textile et gagne 60 yens par mois; le mari travaille pour le même salaire dans une minoterie; la maison leur appartient; ils mettent 20 yens de côté par mois. Avant, ils n'arrivaient pas à joindre les deux bouts : ils pouvaient acheter un sac de riz de 100 livres contre 4 aujourd'hui. Les aînés des enfants vont à l'école; autrefois 30 % seulement des enfants apprenaient à lire, maintenant il y a place pour tous dans les classes : la moitié y vont le matin, les autres l'après-midi. Pour les adultes, il existe quatre cours du soir, groupant chacun 300 élèves. Chaque mois ont lieu des séances de cinéma. On me dit encore que 8.800 mètres carrés de sol ont été pavés : autrefois, quand il avait plu, on pataugeait dans la boue pendant toute une semaine, on ne pouvait sortir que botté. Le quartier s'est organisé contre les incendies, il possède des pompes. On a installé trois cabines téléphoniques. Alors qu'avant on franchissait la rivière sur un bac qui coûtait 4 c. — d'où une dépense de 16 c. par jour — un pont a été construit qui relie ce faubourg à la ville. Un comité élu est chargé de l'administration du quartier. Le chef est un permanent appointé. Il existe 6 sous-comités et 6 associations de femmes.

Comme dans beaucoup de pays au développement industriel rapide, le niveau de vie de l'ouvrier est en Chine supérieur à celui de son habitat. Un ouvrier célibataire qui gagne 50 à 60 yens peut déposer de l'argent à la banque. De même un couple où les deux conjoints travaillent : ils peuvent s'acheter une bicyclette, une radio, ou mettre de l'argent à la Caisse d'épargne. Une employée avec qui j'ai parlé à Fou-chouen est mariée à un ouvrier de la mine et ils ont trois enfants : ils gagnent à eux deux 110 yens par mois; elle s'est acheté un vélo-taxi qui lui sert à conduire chaque matin ses enfants à la crèche de l'usine, et ils déposent de l'argent à la banque chaque mois.

La semaine de l'ouvrier chinois est de quarante-huit heures; il arrive cependant que, sous le nom de « travail de choc », on lui impose des heures supplémentaires. Il travaille d'ordinaire selon un système de roulement, si bien que chacun se repose un jour par semaine, mais que les usines ne s'arrêtent jamais. Il a congé les jours de fête : sept à huit jours par an. Il jouit donc d'assez peu de loisirs. Mais lui aussi a conquis un bien tout neuf, intéressant à la fois son présent et son avenir : la sécurité. Le système d'assurances, établi par la loi du 26 février 1951, que compléta celle de 1953, garantit l'ouvrier contre les accidents, la maladie, la vieillesse. L'argent de la caisse d'assurances est entièrement fourni par l'entreprise. Une somme équivalant à 3 % du montant total des salaires — mais qui n'est pas prélevée sur les salaires — doit être versée par la direction pour constituer un fonds qu'administre le Syndicat. En cas d'accident de travail, l'ouvrier est soigné gratuitement jusqu'à la reprise du travail, et on continue à lui payer son salaire. S'il est définitivement invalide, il touche une pension qui varie selon ses charges et ses besoins : elle s'élève de 60 à 75 % de son salaire. En cas de maladie, tous les frais sont à la charge de l'entreprise; pendant 6 mois, il touche de 100 % à 60 % de son salaire; ensuite, de 60 à 40 %. A partir de 60 ans, un ouvrier qui a travaillé pendant 25 ans, dont au moins cinq ans de suite dans l'entreprise dont il relève, touche une pension qui varie entre 50 et 70 % de son salaire, selon la longueur de son temps de service. Les femmes touchent la retraite à partir de 50 ans, si elles ont fait 20 ans de travail. Dans les usines où le travail est particulièrement dur — principalement dans les mines — l'âge de la retraite descend à 55 ans pour les hommes et 45 pour les femmes. Les femmes ont droit à chaque grossesse à 56 jours d'absence, avec plein salaire. Tous les frais de grossesse et d'accouchement sont à la charge de l'entreprise, et la mère touche une prime à la naissance de l'enfant. Si un ouvrier meurt et laisse sa famille dans l'indigence, celle-ci reçoit une pension qui va de 25 à 50 % du salaire. Il y a quantité de sanatoriums où l'on soigne les travailleurs; j'en ai visité plusieurs, ainsi qu'une maison de retraite pour les vieux. C'était toujours des endroits d'une hygiène, d'un confort remarquables. De même les crèches attachées aux usines et où on garde gratuitement les enfants.

Un autre avantage dont bénéficie l'ouvrier chinois, c'est la possibilité concrète d'élever son niveau technique, et en conséquence sa condition. Dans toutes les usines, il y a des cours du soir. Les ouvriers les moins avancés suivent des classes primaires; il n'existe pratiquement plus d'analphabètes parmi eux; il en reste environ 2 % ne connaissant que 500 caractères et ne sachant pas écrire : pas davantage. Des cours techniques permettent à ceux qui le désirent de devenir des spécialistes. S'ils réussissent, on leur accorde trois ans de congé payé pour qu'ils suivent dans des « écoles accélérées » des cours qui leur permettent d'entrer dans des écoles supérieures et de devenir des cadres. Cette spécialisation est vivement encouragée puisque, on l'a vu, l'industrie pâtit du manque de cadres. Les jeunes, en particulier, quand ils entrent à l'usine, ne se trouvent pas devant un avenir fermé.

Les dirigeants reconnaissent que le niveau de vie du peuple chinois est dans son ensemble insuffisant. Dans le « rapport sur le plan quinquennal », Li Fou-tch'ouen écrit : « Nous ne nions pas que le niveau de vie actuel de notre pays ne soit encore relativement bas. » Mais étant donné le point de départ de la reconstruction et la radicale indigence de la Chine en 1949, comparer le standard de vie de l'ouvrier chinois à celui du prolétaire d'Occident serait absurde. En revanche si on confronte sa condition avec celle de la génération précédente, on voit qu'elle a été radicalement transformée; elle est extraordinairement privilégiée par rapport à celle des autres travailleurs d'Asie. A propos des lois concernant la Sécurité sociale, les Gosset reconnaissent : « Pour qui a un peu parcouru l'Asie de l'Inde à l'Indonésie, en passant par tout le sud-est asiatique, il y a de quoi s'émerveiller ! » Reprocher au régime de ne pas hausser davantage les salaires, de ne pas accroître la quantité des produits de consommation, c'est lui faire grief de ne pas courir au suicide; si dans un bref délai la Chine ne possède pas en quantité suffisante, tracteurs, charbon, énergie électrique, elle est ruinée et tous les Chinois avec elle. C'est ce qu'explique Li Fou-tch'ouen : « La satisfaction des besoins du peuple est commandée par les forces productrices et les ressources matérielles que la société a à sa disposition. Une amélioration du niveau de vie doit être basée sur le développement de la production et l'élévation du rendement. Notre rendement industriel et agricole s'est accru d'année en année, mais demeure encore très bas; l'ensemble de la production est peu considérable. Si nous voulons développer la production et maintenir un taux élevé de développement de façon à créer les bases matérielles d'une amélioration de la vie du peuple, il nous faut étendre la construction de l'industrie lourde et des autres branches de notre économie... Donc nous ne pouvons pas utiliser tous les bénéfices pour améliorer le standard de vie : nous devons en investir une partie dans la construction du pays. »

Le but, conclut-il, est d'élever finalement le standard de vie du pays : mais il ne peut être réalisé tout de suite. Cela ne signifie pas qu'on négligera les problèmes vitaux qui se posent aux gens, aujourd'hui. « La chose correcte, c'est d'intégrer l'intérêt immédiat du peuple avec ses intérêts lointains, et, tout en donnant la priorité aux besoins de la construction, d'élever de façon convenable son standard de vie. »

Li Fou-tch'ouen concluait qu'il fallait renforcer les consignes d'économie; il voulait qu'on diminuât les capitaux investis dans les « constructions improductives », c'est-à-dire qu'on freinât l'édification des cités ouvrières, hôpitaux, etc. Chou En-laï, en septembre 1956, à l'issue du huitième congrès du P. C. chinois, a mis au contraire l'accent sur la nécessité d'accroître le bien-être ouvrier. Cette différence n'implique aucun tournant brutal : il s'agit d'une de ces incessantes corrections qui assurent en Chine le maintien de la ligne « juste ». Le principe fondamental est entériné : la majeure partie des capitaux doit être investie dans l'industrie lourde. Cependant on est en droit d'espérer que dans l'intégration de l'intérêt immédiat du peuple à ses intérêts lointains on mettra dorénavant davantage l'accent sur le premier et qu'on va s'attacher sérieusement à élever le standard de la vie ouvrière.

Le problème du juste rapport entre l'intérêt immédiat de chacun et les intérêts lointains de tous se pose de façon aiguë à propos des libertés ouvrières. L'immense rôle assigné au prolétariat dans la construction du socialisme, la responsabilité de ces trois millions d'hommes par rapport aux six cents millions de Chinois explique que ces libertés soient réduites : mais dans quelle mesure eux-mêmes s'y résignent-ils ? Quels droits leur reconnaît-on ? Quels moyens ont-ils de les faire respecter ? C'est un point qu'il est assez difficile d'élucider.

La lutte des classes n'est pas terminée en Chine, déclarent les dirigeants. Mais on a vu que la transition du capitalisme au socialisme ne doit plus dorénavant s'effectuer sur un mode révolutionnaire : c'est en édifiant positivement le socialisme qu'on achèvera de liquider le capitalisme. Les entreprises privées et mixtes obéissent à des directives qui émanent de l'Etat : celui-ci a en fait la haute main sur toute la production. Dans tous les secteurs, qu'ils soient ou non entièrement nationalisés, l'ouvrier travaille donc dans l'intérêt du pays tout entier, c'est-à-dire pour lui-même. Il serait absurde d'envisager que sa volonté puisse entrer en conflit avec les besoins de la production.

Telle est la thèse officielle ; elle a pour conséquence que les ouvriers ne possèdent pas le droit de grève; si des conflits mettent aux prises travailleurs et responsables, ils ne sauraient constituer une opposition radicale; il suffira pour les trancher d'un arbitrage; les dissensions concernant les questions de salaire, de durée du travail, d'engagement ou de licenciement du personnel, d'assurance, de discipline sont portées devant le bureau de travail local. Si sa médiation échoue à établir un accord, on prévient le bureau central, et on intente une action devant le tribunal populaire qui décide en dernier ressort. Quant aux organisations syndicales, elles s'occupent surtout de questions d'assurances, de retraite, d'organisation. Elles ne sont pas faites pour soutenir les intérêts des ouvriers contre ceux de la production puisque ceux-ci s'accordent nécessairement.

J'ai objecté à la présidente d'un syndicat de Shanghaï que cet accord pouvait être du moins provisoirement brisé; il se peut que le « plan » exige de l'ouvrier un effort trop considérable et le rôle du syndicat devrait être de défendre ses intérêts immédiats; il devrait garantir le juste équilibre entre l'avenir et le présent, entre la collectivité et les individus. Impossible de lui faire considérer sincèrement le problème : il n'y a jamais de conflit, affirme-t-elle; le « plan » est établi avec l'assentiment des ouvriers. Il est vrai que ceux-ci ne sont pas réduits à l'obéissance passive. A partir des directives fournies par l'Etat, les normes du travail sont fixées par une collaboration du directeur et des travailleurs; au besoin, elles sont révisées. Chaque atelier prend des mesures pour accomplir la partie du plan qui le concerne. Les ouvriers discutent entre eux des demandes à adresser à l'administration : telle quantité de matière première, tels outils devront leur être fournis à tel ou tel moment. Mais ces initiatives s'inscrivent à l'intérieur d'un programme d'ensemble, et le problème est de savoir quelle prise effective l'ouvrier a sur celui-ci. En 1953, Li Li-san, qui présidait la Fédération du travail, a demandé une accentuation du contrôle de la base sur la direction des entreprises : il a été destitué. On a décidé au contraire de renforcer la discipline de production et de demander aux ouvriers un effort massif. On a développé « l'émulation au travail ». Comme en U.R.S.S., les photos des héros du travail sont affichées dans les usines; on décore leurs établis d'un drapeau rouge et les exploits de certains d'entre eux reçoivent une large publicité.

Dans l'ensemble cette émulation a un caractère collectif; on affiche sur les murs les « engagements de travail » pris par chaque équipe et un compte rendu des résultats obtenus; ce sont les ateliers plutôt que les individus qui entrent en compétition; ainsi sont partiellement évités les possibles excès du stakhanovisme. Il semble que l'effort demandé aux ouvriers ne soit généralement pas excessif. Les normes fixées par le plan sont extrêmement modérées, Guillain les juge même quelque peu dérisoires. Le rythme du travail, dans les usines que j'ai visitées, m'a paru presque nonchalant. Mais il n'empêche que la direction exige parfois des ouvriers un trop grand effort; il lui arrive d'instituer à la fin du mois des « heures de pointe » qui sont exactement des heures supplémentaires; ou d'imposer une cadence si poussée que des ouvriers se sont évanouis de fatigue.

Les « cadres » m'ont si mal renseignée sur ces problèmes que j'ai été surprise de les trouver franchement exposés dans une pièce qui a eu une large diffusion et les honneurs de la traduction : *Le Test*. Elle met résolument en lumière les conflits qui parfois opposent la direction et les travailleurs, et les difficultés qu'éprouvent ceux-ci à faire entendre leur voix. Je la raconterai donc en détail.

Un certain Yang, qui a été un héros de la guerre de libération, mais qui, une fois nommé directeur d'usine, s'est laissé griser d'importance, traite les ouvriers de manière dictatoriale; il les accable de conférences politiques au lieu d'étudier sérieusement avec eux les problèmes du travail. Une scène du début montre Yang aux prises avec le chef délégué d'un atelier, Hsu, qui lui a demandé une entrevue.

YANG : *Quelles sont ces choses urgentes dont vous voulez me parler ?*

HSU : *Toujours les mêmes problèmes. D'abord, la base fera des commentaires désobligeants si on repousse encore la proposition de rationalisation du camarade Ma Hsiao-pao sur la façon d'éviter les courts-circuits dans les câbles électriques. Et puis, les ouvriers disent que le travail de choc, à la fin du mois, c'est tout simplement une manière de rétablir les heures supplémentaires. Je suis d'accord pour remettre au mois prochain la discussion de la première question. Mais la seconde est urgente. Si on ne la règle pas tout de suite, non seulement on n'arrivera pas à remplir le plan, mais les accidents vont se multiplier.*

YANG : *Qui parle d'heures supplémentaires ?*

HSU : *Les ouvriers, bien que naturellement le mot officiel soit « travail de choc ».*

YANG : *Je sais qu'il y a des mécontents. Mais il s'agit seulement d'une poignée d'ouvriers qui ont encore une mentalité rétrograde. Il n'y a qu'une chose à faire : il faut les critiquer, leur expliquer leur erreur, les instruire idéologiquement et les inciter à réfléchir. Qu'ils comparent leur vie d'avant la libération avec celle qu'ils ont maintenant ! S'ils se plaignent dès qu'on leur demande un effort, comment faut-il les qualifier ? ils sont rétrogrades, voilà tout.* (On sent qu'il s'écoute parler et se prend à son rôle de chef.)

HSU : *Pas d'accord. J'ai entendu ce que disait Chang Ta-mei, pendant votre discours : « Les machines peuvent se passer de sommeil, mais les gens, non ! » C'est l'ouvrière la plus active de toute l'équipe de Ma. On ne peut pas la traiter de rétrograde.*

YANG : *Eh bien ! si même des activistes rechignent, cela veut dire que vous avez fait du bien mauvais travail politique !*

HSUEH (autre chef d'atelier qui cherche à flatter Yang) : *Si on rassemblait ce soir les chefs d'équipe et les activistes en un meeting ? Le directeur et le vice-directeur pourraient leur parler...*

HSU, brusquement : *Non. Il n'y a eu que trop de meetings*

et de parlotes. Laissez-les rentrer chez eux se reposer. Ils sont vraiment surmenés.

... YANG, explosant : *Bien sûr, il faut voir les problèmes du point de vue des masses; mais il faut considérer aussi celui de l'Etat.*

Là-dessus, on annonce un nouvel accident : il y en a eu cinq pendant ces trois derniers jours.

Heureusement, un nouveau directeur, Ting, vient d'être nommé; Yang n'est qu'un vice-directeur, il n'occupait que provisoirement la première place. Ting est mis au courant de la situation par le secrétaire du parti communiste, qui se reproche de n'avoir pas su aider Yang à se corriger de ses défauts. Un des principaux est de faire sans cesse des discours, qui fatiguent les ouvriers, au lieu d'aller au fond des problèmes. Hsu de son côté avoue à Ting qu'il a écrit au journal du parti pour signaler le désordre de la production. Yang, furieux de son opposition, voudrait le licencier, mais Ting s'y refuse. La discussion est portée devant le parti. Yang est durement critiqué et on lui enlève son poste. Ting interdit les heures supplémentaires, même si elles sont volontaires : on doit exécuter le plan par des moyens normaux. Mais comme on procède à certaines rationalisations, comme on supprime les palabres inutiles et que l'ordre règne dans l'usine, le rendement s'accroît, et les ouvriers viennent proposer eux-mêmes qu'on élève le prorata de la production.

Malgré l'euphorie de la conclusion, *le Test* est une sévère critique de la situation des travailleurs. Car enfin, si Ting ne remplaçait pas Yang, celui-ci continuerait d'étouffer les revendications des ouvriers. Leur seul recours, selon la pièce, c'est d'écrire au journal du parti : mais si la ligne générale est de passer outre le mécontentement ouvrier, la lettre ne sera pas publiée. Son auteur risque en outre d'être licencié : il faut beaucoup de courage pour oser ce qu'a osé Hsu.

Le succès officiel du *Test* indique que le gouvernement avait dès 1955 l'intention de réprimer ces abus. A l'usine comme aux champs, au stade où en est la Chine, la contrainte paye mal. On peut empêcher les mécontents d'ouvrir la bouche dans les meetings : on ne saurait les obliger à se conduire en « héros du travail ». Le facteur humain joue un rôle des plus importants : la preuve, c'est l'inégalité de rendement des ateliers. La fatigue, la résistance passive de l'ouvrier nuisent à la production. Les dirigeants l'ont compris et la politique ouvrière a évolué pendant cette dernière année. On combat de plus en plus sévèrement la « Sturmoutchina » qui se produit à la fin de chaque mois et de chaque année, et qu'il a été si difficile naguère d'éliminer des entreprises soviétiques; elle entraîne une augmentation des accidents de travail, l'usure des machines, celle des hommes, et un accroissement des rebuts. Une fois instaurée, la cadence irrégulière constitue un cercle vicieux dont il est difficile de sortir; mais un grand effort est fait en ce sens. On insiste aussi beaucoup aujourd'hui sur la nécessité de subordonner la quantité des produits à leur qualité : trop souvent l'obligation de réaliser les normes conduisait à sacrifier celle-ci à celle-là; les ouvriers, travaillant trop hâtivement, « loupaient » des pièces que le directeur prétendait faire accepter par l'Etat : les « contrôleurs » sont exhortés à prévenir soigneusement ces abus et à redoubler d'exigence. D'autre part on a compris les dangers d'un « activisme » outrancier. Il y a eu à Pékin, à la fin de septembre 1955, une grande conférence de jeunes activistes. Ils étaient 1.527, dont 368 femmes, venus de tous les coins du pays pour confronter leurs expériences, leurs travaux, leurs réalisations; il y avait des paysans, des mineurs, des agronomes, des architectes. Ce sont ces éléments « avancés » qui se chargent d'instruire intellectuellement et politiquement leurs camarades et d'élever les normes de la production. Ils ont pris des résolutions en ce sens. Cependant, en mai 1956, Lieou Chao-ki a mis en garde les activistes; les abus de la bureaucratie, la multiplication exagérée des conférences et des meetings politiques risquent de les couper des masses et de les transformer en éléments rétrogrades. En juin, la presse chinoise a lancé une vaste campagne contre les excès « activistes ». Elle a cité le cas du chef d'une équipe de maçons qui pendant deux cents jours n'a pas travaillé parce qu'il était pris par des activités sociales. Elle a souligné que les meetings trop fréquents étaient pour l'ouvrier une source de fatigue supplémentaire : mieux vaut le laisser récupérer ses forces que de l'endoctriner sans merci.

Fait plus important et plus significatif : au congrès de septembre 1956 on a vu réapparaître Li Li-san qui a de tout temps incarné les revendications ouvrières. Président de la Fédération du travail, il a été écarté par deux fois de la scène politique : avant la guerre, et de nouveau en 1953.

Son retour signifie une accentuation du contrôle ouvrier sur la direction des entreprises. Il faut espérer que sous son influence les syndicats assumeront leur véritable rôle qui est non de soumettre le travail à la raison d'Etat, mais de défendre les travailleurs. En Pologne, les ouvriers élisent d'une part des délégués gestionnaires et de l'autre des délégués syndicaux parce qu'ils estiment que même les membres d'un comité ouvrier sont nécessairement entraînés à faire passer l'intérêt collectif avant celui de leurs camarades [1]. A plus forte raison des cadres nommés par l'Etat sont fatalement portés à tout subordonner à la production : pour rétablir l'équilibre, les syndicats doivent incarner et soutenir les revendications ouvrières. Une authentique collaboration de la gestion et de la main-d'œuvre exige que la contradiction qui les oppose soit constamment surmontée, mais jamais niée.

S'il est hors de doute qu'un accroissement du bien-être et des libertés ouvrières est nécessaire, on est néanmoins en droit d'affirmer que le régime a déjà transformé de manière radicale la condition ouvrière. Les « animaux-outils » sont devenus des hommes. Le chemin qui les conduira vers un standard de vie plus élevé et de plus grandes libertés est précisément celui que la Chine est en train de suivre : s'enrichir, produire. La thèse officielle est dans l'ensemble vraie : l'ouvrier travaille pour lui-même. Il faut seulement trouver entre ses intérêts immédiats et ses intérêts futurs le juste rapport : méconnaître les premiers serait compromettre gravement tout l'avenir.

1. Un délégué polonais disait à Claude Bourdet : « C'est une absurdité de confier aux mêmes hommes le soin de défendre les ouvriers et le soin de tenir compte des intérêts de l'Etat et de l'usine. » Cf. *France-Observateur*, 15-11-56.

V

LA CULTURE

En 1942, au plus fort de la lutte révolutionnaire, Mao Tsé-toung déclarait au forum de Yenan : « Nos tâches culturelles consistent à la fois dans l'extension générale de la culture et dans son élévation ainsi que dans un juste rapport entre les deux. Pour le peuple, la chose essentielle c'est l'extension culturelle; cependant celle-ci ne se sépare pas de son élévation. » La consigne : étendre la culture, a été reprise avec force en 1949 et les intellectuels occupent aujourd'hui une place de premier plan; c'est un des traits saillants de la Chine nouvelle : l'importance accordée au développement intellectuel du pays.

Politique et culture y ont toujours été intimement liées; à partir du règne de Wou-ti les empereurs s'appuyèrent sur les lettrés et recrutèrent les fonctionnaires d'après leur connaissance des classiques; un des objectifs principaux des réformateurs et révolutionnaires bourgeois fut d'arracher la culture des mains des mandarins; les intellectuels se tinrent à l'avant-garde du mouvement qui prolongea la révolution bourgeoise jusqu'à l'avènement de la République populaire. Le passé ne saurait cependant suffire à expliquer une société qui s'est constituée en rompant avec lui; assurément, il influence les projets des dirigeants; héritiers d'une riche civilisation, ceux-ci ne confondent pas la future grandeur de la Chine avec la seule prospérité matérielle; ils veulent qu'elle s'égale à l'Occident non seulement sur le plan économique, mais intellectuellement et artistiquement. Cette ambition à long terme ne rend pas non plus compte des soucis culturels actuels du régime, de leur ampleur, de leur urgence. Ceux-ci ne se comprennent qu'à la lumière de la situation présente : l'homme est à la fois la fin et le moyen des transformations économiques et sociales; la culture, c'est l'homme lui-même en tant qu'il se parle de soi et du monde qui est sien; tout en exprimant la condition humaine, elle doit contribuer à la changer; la révolution technique n'étant pas achevée, la culture est aujourd'hui l'instrument privilégié d'un progrès dont elle constituera demain le couronnement.

Aujourd'hui comme en 1942, « la chose essentielle c'est l'extension culturelle ». Un régime qui favorise délibérément l'obscurantisme, comme celui de Franco, de Salazar, manifeste par là sa collusion avec la classe privilégiée : rendre la vérité accessible au peuple reviendrait à l'appeler à la révolte. Le gouvernement chinois a conscience de servir la nation entière : il tient la vérité pour son plus sûr allié. Son effort pour la propager a un double caractère : négatif et positif. On combattra la superstition, et on développera l'instruction.

La consigne : « Lutter contre les superstitions » est inscrite officiellement dans le programme gouvernemental. Cependant un article de la Constitution déclare que « toutes les religions sont tolérées ». La religion des Chinois étant essentiellement superstitieuse, le problème qui s'est posé aux dirigeants était complexe. Pour en comprendre exactement les données, pour apprécier la solution qui lui a été apportée, il faut examiner le contenu de la religion chinoise.

La Chine étant un peuple paysan, sa religion primitive fut celle de tous les paysans du monde; le double rapport de l'agriculteur chinois à ses champs et à sa famille s'exprima par un animisme et par le culte des dieux lares. Des sorciers servaient d'intermédiaires entre l'homme et la nature soumise à d'invisibles génies; leur principale fonction était de prédire l'avenir. Le plus célèbre des livres confucéens, le *Yi King*, était un manuel de divination. On utilisait deux sortes principales d'oracle : la tortue, et l'achillée. Le devin touchait avec un fer chaud les écailles de la tortue — de préférence la plaque ventrale — il s'y produisait des fissures dont on interprétait la configuration; le procédé était aussi utilisé avec des omoplates de bœuf. L'achillée était découpée en minces bâtonnets qu'on jetait dans une cuve d'eau et dont on examinait la disposition. Dans les deux cas, l'interprétation était basée sur une science compliquée des nombres, illustrés par différents hexagrammes.

Le tissu de rites, de tabous, de pratiques magiques et divinatoires qui constituait la religion se couronnait d'une cosmologie. Soumis au rythme des saisons, aux lois et aux caprices du ciel, les paysans chinois concevaient l'univers comme régi par la ronde des cinq éléments et surtout par l'alternance de deux principes opposés et complémentaires : le yan, correspondant au côté ensoleillé des montagnes, le yin, à leur versant ombreux ; le mouvement indéfiniment répété de cette roue maintient un ordre immuable, le tao, dans lequel se résume la profonde unité du monde et qui est éternel.

Quand, au ve siècle av. J.-C., la culture s'épanouit en Chine, la religion n'en fut pas enrichie. Les clercs, qui étaient des administrateurs impériaux, se souciaient exclusivement des intérêts de l'administration : ils cherchèrent à assurer la stabilité de la société; ils consolidèrent la famille et l'aliénèrent aux ancêtres. Sous la figure du culte des Lares, la soumission à l'ordre établi résuma pour le peuple toute la religion. Naguère la masse avait été associée aux cérémonies célébrées par les seigneurs; elle fut exclue des sacrifices que le seul empereur était autorisé à offrir au Souverain d'en-haut.

L'ensemble des devoirs sociaux qui leur étaient imposés ne suffirent pas à combler les aspirations des paysans. En Grèce, à Rome, les citoyens demandèrent aux mystères une compensation à la froideur impersonnelle des cultes officiels; de même les Chinois cherchèrent l'espoir d'un salut individuel dans des doctrines hétérodoxes : le taoïsme et le bouddhisme.

Sur le vieux fonds de la pensée chinoise, les Pères taoïstes avaient élaboré une sagesse radicalement opposée à celle de Confucius : ils cherchaient le salut dans une sorte de mysticisme quiétiste. Ce n'est pas sous cette figure que les paysans l'adoptèrent. Ils demandaient à la religion une prise sur la nature et un refuge contre la mort; ils intégrèrent certains thèmes taoïstes à l'ancien chamanisme. Le salut fut conçu par eux non comme renoncement à soi, mais comme une survivance individuelle : n'imaginant pas qu'aucune réalité pût être immatérielle, ils s'efforcèrent de perpétuer l'existence du corps lui-même. Loin de se soumettre aux lois naturelles, le taoïsme populaire prétendait agir sur elles. La mystique taoïste dégénéra en magie : on chercha la pierre philosophale, on élabora des recettes d'immortalité, diététiques, alchimiques, respiratoires. Le taoïsme s'appropria les divinités locales et domestiques du vieil animisme et les hiérarchisa, superposant à l'administration humaine des fonctionnaires divins; ceux-ci régentaient l'existence des vivants et prenaient en charge les âmes des défunts; on se les rendait propices par des sacrifices et diverses pratiques. Influencé par le bouddhisme, le taoïsme commença sous les Han, vers 175-179, à s'organiser en communautés où se célébraient des cérémonies publiques. Le clergé se divisa en deux catégories : les *tao che* qui pratiquaient la vie monacale et l'ascèse à la manière des bonzes bouddhistes; et des prêtres séculiers qui se mariaient et qui étaient en fait des sorciers : ils traversaient des flammes, marchaient sur le tranchant des sabres, se transperçaient les joues avec des aiguilles, exorcisaient les maisons hantées, guérissaient les malades, faisaient tomber la pluie. A leur tête il y avait une espèce de pape : il descendait d'une famille qui s'était rendue célèbre en accomplissant d'extraordinaires prodiges, celle des Tchang. Au début du XXe siècle vivait encore dans un grand palais du Kiangsi un magicien qui prétendait appartenir à leur lignée. Il montrait fièrement aux visiteurs une longue rangée de jarres pleines de démons captifs; il possédait un sabre qui exterminait les mauvais esprits à dix mille lieues à la ronde. Il était le seul sorcier qui sût combattre la possession par le renard. Grand fumeur d'opium, il concédait, moyennant finances, un diplôme d'initiation aux aspirants sorciers; mais il n'avait aucun pouvoir sur les *tao che :* il n'a jamais rien existé qui ressemblât à une église taoïste organisée. La plupart des sorciers se passaient de diplômes : n'importe qui pouvait s'improviser sorcier, même des femmes. Divination et magie allaient souvent de pair avec d'autres activités clandestines : chez le sorcier on fumait l'opium, et la sorcière se doublait parfois d'une entremetteuse.

Cependant, du fait qu'il était né en marge d'une société oppressive, par réaction contre une morale d'aliénation, le taoïsme était apte à cristalliser les tendances révolutionnaires de la paysannerie. Les sorciers exploitaient la masse des ruraux, et cependant ils lui appartenaient et certains s'en voulaient solidaires : la grande famille des Tchang distribuait du blé aux indigents, elle réparait les routes et les ponts. Dans les époques de crise, le désespoir et les espoirs des paysans s'incarnèrent dans leurs chefs religieux. Ce furent les Tchang qui prirent la tête de la grande jacquerie nommée « Révolte des Turbans jaunes ». La plupart des insurrections paysannes furent organisées par des sectes taoïstes; elles dirigèrent le mouvement des Boxers. Avant la libération, il y avait une multiplicité d'associations secrètes, d'un caractère religieux, qui groupaient les éléments d'un *lumpen prolétariat :* paysans ruinés, artisans en chômage. Ces sociétés, ramifiées dans toute la population, étaient souvent armées. Elles luttaient contre les bureaucrates et les propriétaires fonciers; mais elles étaient essentiellement anarchiques. « Ces gens sont capables de lutter avec le plus grand courage, mais ils sont enclins aux actions destructives », disait à leur propos Mao Tsé-toung [1] en mars 1926. Dans les zones rouges, elles furent souvent utilisées par les réactionnaires contre la révolution.

L'évolution du bouddhisme fut en Chine analogue à celle du taoïsme. Le bouddhisme a des affinités avec la doctrine attribuée à Lao tseu. Ces deux sagesses considèrent le monde comme un tissu d'illusions; l'infini dont la plénitude équivaut au vide absolu ne s'atteint que par le renoncement à la vie individuelle; la morale à laquelle on aboutit est un quiétisme asocial. Mais la religion taoïste contredisait Lao tseu, bien qu'elle se réclamât de lui; elle était intéressée, matérialiste, superstitieuse. Dans sa pureté, le bouddhisme s'y opposait donc radicalement; il prêchait le renoncement à tous les biens que les paysans chinois convoitaient : prospérité de la famille, immortalité personnelle. L'aventure de son infiltration en Chine repose sur une série de malentendus.

Historiquement, les circonstances en sont assez incertaines. Une légende rapporte qu'en 64 ap. J.-C., l'empereur Ming Houang aperçut en rêve un homme couleur d'or : on lui expliqua que c'était un Bouddha, divinité de l'Ouest. Sur son invitation, deux missionnaires parvinrent trois ans plus tard dans la capitale, Lo-yan, montés sur un cheval blanc qui donna son nom au premier monastère bouddhique. La

1. Sur les classes de la société chinoise.

légende fut sans doute forgée par le monastère même. Il est probable qu'en fait les premiers missionnaires s'introduisirent par « la Route de la Soie », à la suite des commerçants qui apportaient à la Chine les tapis de Perse et du Cachemire. Ce qui est certain c'est qu'en 65 une communauté bouddhique existait près de Lo-yang et qu'une église se développa dans la ville pendant le siècle suivant.

Les Chinois furent frappés par les superficielles analogies qui rapprochaient ce culte de celui qu'ils pratiquaient : ni l'un ni l'autre ne comportait de sacrifice, tous deux conseillaient aux fidèles la méditation, des pratiques respiratoires, un certain régime alimentaire. On crut que les hommes de l'Ouest connaissaient des moyens inédits d'accéder à l'immortalité et on souhaita éprouver leurs procédés.

Le malentendu se fortifia du fait que les textes bouddhiques furent révélés aux Chinois par des traducteurs taoïstes. En 148 arriva en Chine un missionnaire, An Che-kao, fils, disait-on, d'un roi parthe; bientôt, d'autres affluèrent ; pour faire connaître aux Chinois leurs livres sacrés, ils durent demander secours à des rédacteurs indigènes ; frappés par les similitudes que j'ai signalées, les taoïstes les aidèrent volontiers : mais par le choix des fragments, par l'interprétation qu'ils en donnèrent, par le vocabulaire qu'ils lui prêtèrent, ils déformèrent le bouddhisme et celui-ci passa longtemps pour une simple variété de leur doctrine. La légende voulait que Lao-tseu fût parti vers l'Ouest, monté sur une vache, pour aller y prêcher sa doctrine : on supposa qu'elle en revenait, déformée. Plus tard, des pèlerins chinois, désireux de remonter aux sources, s'en allèrent chercher des livres aux Indes. Un bureau de traduction fut créé au Ve siècle, et le travail qui se poursuivit jusqu'au VIIe donna naissance à ce qu'on appela « le bouddhisme chinois ».

C'est sous la forme Mahayana que le bouddhisme pénétra en Chine. Cette secte, dite du Grand Véhicule, qui date du premier siècle de notre ère, et qui s'est répandue aussi dans l'Asie centrale, propose un enseignement plus facile que la secte Hinayana. Selon celle-ci, il faut traverser quantité d'épreuves et d'avatars afin d'obtenir le salut, c'est-à-dire la fusion avec le Nirvana où l'individualité se perd. La première au contraire promet au croyant une immortalité personnelle. Après la mort, l'âme descend dans les enfers, où elle est transportée dans le paradis sur lequel règne le Bouddha Amithaba (en chinois O-mi-to) ; cette « terre pure », située à l'ouest du monde, jouit d'un printemps perpétuel ; les corps y ressuscitent, au sein de fleurs de lotus qui croissent sur de merveilleux étangs; ils sont non matériels, mais éthérés; les vêtements et les aliments se présentent sur un simple désir. A vrai dire, cette survie n'est pas théoriquement éternelle, mais pratiquement, les fidèles la pensaient telle. L'accès du paradis leur était facilité par la médiation des Bodhisattva, qu'on nomme en chinois P'ou-sa; ce sont des saints et des sages qui ayant mérité l'immortalité, au lieu d'y entrer tout de suite, choisissent de se réincarner parmi les hommes afin de leur montrer le chemin du salut. Les plus célèbres de ces divinités salvatrices sont Avalokiteçvara, le Bouddha Providence, et Amida, Bouddha Métaphysique qui est le père d'Avalokiteçvara et qu'on preprésente souvent niché dans les cheveux de celui-ci. Au VIIIe siècle naquit en Chine la secte contemplative dhyana (Tch'an en chinois) qui s'employait à méditer en union avec O-mi-to) : elle professait une sorte de quiétisme, fondé sur la confiance en la bonté du Bouddha, et sur l'abandon à ses volontés.

Les moines bouddhistes s'efforcèrent de répandre leur doctrine dans les campagnes; ils rédigèrent des versions des livres saints dans un mélange de prose et de vers facilement accessible, le *pien-wen.* Mais en tant qu'il constituait une Eglise distincte possédant son clergé, ses temples, ses dogmes, ses rites, le bouddhisme fut sévèrement persécuté à partir du VIIIe siècle : on chassa alors de leurs monastères 12.000 bonzes et nonnes.. Au IXe siècle, une autre persécution laïcisa 26.000 moines et nonnes et fit fermer 4.600 bonzeries et pagodes. Au Xe siècle, le bouddhisme fut interdit et 3.000 temples durent fermer. Ce furent les dynasties étrangères qui lui manifestèrent de nouveau quelque faveur. Le chamanisme des Mongols était éclectique : ils redoutaient toutes les Puissances et respectaient donc toutes les religions. Qoubilai invita à sa cour en 1267 un moine thibétain, le lama Phags-pa : c'est sous la forme du lamaïsme thibétain qu'on vit le bouddhisme réapparaître en Chine au XIIIe siècle. Ses successeurs poursuivirent cette politique et un véritable cléricalisme lamaïque se développa dans l'Empire. Plus tard les Mandchous à leur tour, pour des raisons politiques, favorisèrent les lamas. Et l'empereur K'ien-long, au XVIIIe siècle, leur offrit, au cœur de Pékin, le temple qu'on appelle parfois « la cathédrale lamaïque ».

Le lamaïsme était une synthèse du bouddhisme Mahayana importé des Indes et de la vieille religion thibétaine Bon-Po. Celle-ci était une sorte de chamanisme, présentant de nombreux points de ressemblance avec le taoïsme qui peut-être avait influencé son développement. On comprend que le lamaïsme ait pu être accueilli avec faveur par des esprits imbus de traditions taoïstes, puisqu'il en était lui-même imprégné.

Dans son ensemble, le bouddhisme persécuté ne se survécut qu'en se dégradant; il fut, comme le taoïsme, contaminé par l'animisme rural. Avalokiteçvara devint une femme, Kouanyin, la déesse la plus populaire de toute la Chine : non seulement elle sauve les âmes, mais on l'invoque pour avoir des enfants. Ainsi paradoxalement, tandis que Bouddha avait prêché le renoncement à la vie, il prit en Chine la figure d'une divinité assurant la pérennité de la famille. La religion monachiste et mystique des Hindous se transforma en une religion destinée à assurer aux hommes le bonheur individuel en ce monde et dans l'autre. Ses prêtres — du moins l'immense majorité — se désintéressèrent des spéculations doctrinales : ils ne cherchèrent qu'à gagner leur vie; ils différaient peu des prêtres taoïstes et les paysans recouraient à la fois aux uns et aux autres. Les premiers se spécialisaient surtout dans les rites funéraires : ils priaient pour les défunts et présidaient les cérémonies mortuaires. La divination, la magie, le spiritisme étaient plutôt l'affaire des taoïstes.

Ainsi, le développement culturel de la Chine n'enrichit pas sa religion. Les fonctionnaires confucéens firent de la culture un privilège de classe. Les idéologies taoïstes et bouddhistes n'atteignirent le peuple que sous un travestissement grossier. Aucune Eglise organisée n'en perpétua la pureté. Les hommes à qui on attribuait des pouvoirs surnaturels avaient cessé d'être des clercs. La religion se réduisit à un ensemble de superstitions. Elle amalgama le culte des ancêtres, l'animisme, des thèmes taoïstes, les idées bouddhistes de paradis et de métempsychose. Morts et génies se confondirent. Divinités, bodhisattvas, grands ancêtres et héros composèrent un seul Panthéon. Les croyants fréquentaient toute espèce de temples : les uns bouddhistes, d'autres taoïstes, certains dédiés à tel dieu ou tel héros, et d'autres où tous les cultes se confondaient. La caractéristique essentielle de cette religion c'est qu'elle était utilitaire; elle s'adressait à des dieux personnels, mais elle ne comportait ni dogme ni mystique : elle se définissait par un ensemble de pratiques divinatoires, de rites, de tabous, de recettes magiques. Les relations avec les génies ou avec les défunts s'établissaient ordinairement sans intermédiaire; le culte se célébrait essentiellement à l'intérieur du foyer : les fidèles officiaient eux-mêmes, les prêtres n'intervenant que dans d'assez rares circonstances.

Il existait selon les régions une grande variété de traditions et de coutumes. Cependant les descriptions fournies avant la libération par les sociologues et les divers observateurs convergent sur bien des points. La vie du paysan chinois y apparaît comme tout entière commandée par sa croyance aux esprits : ceux-ci sont partout présents. Pour les conjurer, on brûle en leur honneur, et à l'endroit où s'exerce leur puissance — au pied des arbres, au bord des ruisseaux — du papier sacré; ou bien on écrit sur une feuille de papier rouge une formule de prière; on la colle sur les bornes, les pelles, les pioches, les bateaux. On protège la maison en affichant aux portes des images sacrées représentant des dieux guerriers : ils en gardent l'entrée contre les mauvais esprits. Des amulettes, des pratiques défendent l'individu contre tous les maléfices, de sa naissance à sa mort. Grâce à la nécromancie on contrôle les grandes forces impersonnelles : le vent et l'eau. Les conduites d'eau sont construites, les sillons des champs tracés selon des impératifs magiques. Des devins consultent les sorts, disent la bonne aventure, prescrivent des charmes. Des almanachs fixent, d'après les principes magiques, les dates des semailles, des récoltes, etc. Le spiritisme permet d'entrer en communication avec les âmes des morts.

Chaque foyer possède un petit autel des ancêtres, devant lequel sont posés un brûle-parfums et des cierges qu'on allume à certains jours. Aux anniversaires de naissance et de mort de l'ancêtre — et en quelques autres circonstances — on expose la tablette qui perpétue symboliquement son existence; on lui offre des fleurs, de l'encens et des aliments que consomment les membres de la famille. Au moins une fois l'an une cérémonie a lieu sur les tombes; on brûle du papier monnaie, on tire des pétards, on offre aux défunts un peu de nourriture. Les riches organisent de grands pique-niques. A différentes dates, on rend aussi un culte aux dieux de la maison. On compte treize fêtes principales dont la plus importante est celle du dieu de la Cuisine. Le vingt-quatrième jour du douzième mois, celui-ci monte au ciel pour faire aux divinités supérieures un rapport sur la famille dont il a la garde et dont le destin sera fixé, l'année suivante, d'après ce compte rendu; afin de gagner ses bonnes grâces, on lui offre le jour de son départ un repas de six plats, avec un gâteau à la farine de haricots rouges : puis on place son image dans un palanquin de papier, et on brûle le tout. Le jour de son retour, on colle sur le sanctuaire une image neuve.

Dans chaque village, il y avait un ou plusieurs « halls des ancêtres » où se déroulaient plusieurs fois par an des rites compliqués : on suspendait au mur les portraits peints de l'ancêtre, on disposait des offrandes sur les tables, on jouait de la musique et on tirait des pétards; puis le maître de cérémonie appelait les noms des membres de la famille, par ordre de parenté : chacun versait du vin dans une coupe et se prosternait trois fois. La famille devait avoir préparé des gâteaux, des fruits, des bonbons, selon les prescriptions de l'almanach, et les distribuait aux différents groupes.

Outre ces halls, il existait des temples qui, la plupart du temps, ne relevaient d'aucune confession particulière. Ordinairement, les croyants visitent le temple à titre individuel. Chacun allume des bâtonnets d'encens et les dépose dans un réceptacle; il se prosterne devant le dieu, donne un peu d'argent au gardien et interroge les sorts. Ceux-ci se présentent sous diverses formes. Une des plus répandues, ce sont les *pei* : on les fabrique en coupant en deux morceaux la racine incurvée d'un bambou; on les jette à terre, trois fois, et on note les combinaisons qui ont un sens faste ou néfaste.

La religion prenait des figures différentes selon les classes qui la pratiquaient. Dans les classes supérieures, l'animisme s'effaçait au profit de la tradition; la superstition devenait une symbolique. Mais à travers ces sublimations le rôle de la religion demeurait identique : elle aliénait la société présente à son passé.

Un des objectifs que se proposèrent au début du XXe siècle les jeunes révolutionnaires bourgeois fut de jeter par-dessus bord la religion traditionnelle : comme leur position était purement théorique, ce radicalisme leur était facile. Le Kuomintang entreprit de combattre pratiquement les superstitions qui entravaient la modernisation de la Chine : mais il le fit avec mollesse. Le problème qui s'est posé au parti communiste chinois, ç'a été de conduire cette campagne de manière efficace sans toutefois scandaliser ni indisposer les masses.

On a interdit aux sorciers d'exercer leur art; ceux qui ne possédaient pas de terre en ont reçu leur part, à condition de devenir des paysans comme les autres. Les sectes taoïstes ont été dissoutes. On a vu que Mao Tsé-toung en avait souligné depuis longtemps le caractère ambigu. Anarchistes, les taoïstes avaient toujours été hostiles à la fois à l'ordre et au progrès; héritiers d'une vieille tradition naturiste, dégradée en animisme, ils considéraient les machines comme des inventions sacrilèges : au début du siècle, des sociétés taoïstes avaient convaincu les paysans que les chemins de fer troublaient le repos des génies de l'air et de l'eau et qu'il fallait détruire les voies ferrées. Des sociétés analogues existaient au moment de la libération. Quand il s'agit non plus de détruire l'ordre ancien, mais de construire un monde neuf, l'anarchisme perd son ambiguïté : il devient une force rétrograde; ces sectes devaient être liquidées. En décembre 1950 fut dissoute à Pékin celle du « Savoir unifié » — Yi-Kouan-tao — qui professait un syncrétisme où se mêlaient des éléments bouddhistes et chrétiens ; c'était une sorte de franc-maçonnerie dont les membres s'entraidaient financièrement. On arrêta un certain nombre de ses dirigeants, accusés d'activités contre-révolutionnaires, et l'association fut interdite. Elle fut également supprimée à Shanghaï deux ans plus tard. Elle se perpétua cependant sous forme clandestine; dans les campagnes, la résistance contre-révolutionnaire — dirigée par d'anciens « fonciers » et certains paysans riches — se concentre d'ordinaire autour d'anciennes sectes taoïstes. En 1955 on a arrêté à Shanghaï, dans le Hopei, le Yun-nan et d'autres provinces un grand nombre de chefs de confréries taoïstes. Bien entendu, ces mesures sont dénoncées comme dictatoriales par les ennemis du régime ; les catholiques, qui n'ont jamais manifesté à la religion chinoise le moindre respect, pour qui les taoïstes n'étaient jusqu'ici que des suppôts du diable, brusquement s'indignent. Tous ces grands libéraux trouvèrent normal, quand au début du siècle les paysans eurent fanatiquement saboté les voies ferrées, qu'on les massacrât par centaines de milliers. Il me semble moins scandaleux de mettre une poignée de meneurs hors d'état de nuire que de les tolérer et d'exterminer des masses, victimes de leurs mensonges.

En tant que religion, le taoïsme garde droit de cité. Il existe encore des temples taoïstes, gardés par des prêtres célibataires ou mariés qui peuvent recevoir — à condition qu'elles soient modestes — des contributions des fidèles. Dans l'ensemble, la population les méprise. On trouve encore dans certains villages des sorciers que parfois la nuit des paysans vont clandestinement consulter; mais leurs clients se font de plus en plus rares.

En ce qui concerne les bonzes bouddhistes, la politique du gouvernement a été plus complexe. On a pourchassé et interdit ceux qui étaient des sorciers déguisés. Les bonzesses — qui généralement avaient été vouées à la vie monacale par leurs parents, contre leur propre gré — ont été libérées; elles sont rentrées dans le monde et généralement s'y sont mariées. Les sectes bouddhistes ayant un caractère contre-révolutionnaire ont été dissoutes; elles étaient moins nombreuses que les sectes taoïstes. Cependant, comme le bouddhisme est la religion pratiquée par de nombreuses minorités nationales, il a été à ce titre respecté [1]. Temples et monastères ont été, pour une grande part, restaurés par les soins du gouvernement qui voulait manifester au Thibet et à la Mongolie quels égards il accordait à leur religion. Il existe à Pékin et aux environs quelque quatre cents temples bouddhiques. On y fait des conférences sur les Sutra et on y évoque les « Sept » vénérés par le bouddhisme. Deux fois par semaine on y récite les règles Vinaya. Dans les grands monastères ont lieu des cérémonies pour l'expiation des péchés des morts. Les bouddhistes, en échange de la liberté de culte qui leur est concédée, se sont ralliés au régime [2]. En 1952 vingt hautes personnalités bouddhistes appelèrent leurs correligionnaires à former une « Association bouddhiste chinoise » : parmi elles il y avait des « Bouddhas vivants », des bonzes et des laïcs

1. La religion musulmane a été respectée pour la même raison. Je n'en parle pas dans ce chapitre, non plus que de la religion catholique, car elles n'ont jamais intéressé la masse des Chinois.

2. Du moins, dans leur majorité. Il y a eu des bouddhistes réfractaires.

venus de Mongolie, du Thibet, du Turkestan. Le 19 et le 20 mai 1953, les délégués se réunirent à Pékin dans le fameux temple Kouang-tsi pour célébrer la naissance de Bouddha. Les jours suivants furent consacrés à des discussions, et le 30 mai fut fondée officiellement « L'Association bouddhiste chinoise »; elle s'engageait à aider le gouvernement à éliminer les sorciers qui se cachaient sous le couvert de la religion : « Nous célébrons la victoire de la répression des contre-révolutionnaires et la suppression des sectes réactionnaires, car elle a amené les bouddhistes à savoir distinguer les mauvais des bons, à se tenir en éveil contre les complots secrets, et à sauvegarder la pureté de leur religion. » La conférence dura du 30 mai au 3 juin. Présidée par deux Han, deux Thibétains, un Mongol, un Thai, elle comptait parmi ses assistants des Bouddhas vivants et des lamas venus de Lhassa et d'ailleurs; des délégués des sectes rouge et jaune, naguère ennemies, y prirent part en bonne harmonie. Tous les membres de la conférence portaient des robes jaune d'or. Le Dalaï Lama envoya une lettre personnelle. L'association compte parmi ses présidents honoraires le Bouddha vivant de la Mongolie intérieure, le Dalaï Lama, le Pantchen Lama, le révérend Hsu You qui était âgé en 1952 de cent treize ans.

Le bouddhisme en tant que religion organisée et dogmatique n'intéressait pas les paysans chinois. L'équivoque clergé rural ne relevait d'aucune hiérarchie et c'est pourquoi sa quasi-liquidation n'a pas suscité de difficulté majeure : aucune force constituée ne s'est opposée à l'action du gouvernement. La contrepartie, c'est que, étant donné le rôle secondaire des prêtres, les mesures prises contre eux n'ont pas altéré sérieusement les habitudes religieuses de la population. Comme le gouvernement ne veut pas la heurter de front, sacrifices et cérémonies se perpétuent dans les campagnes. Sur les marchés, on vend encore de l'encens; j'ai vu dans des échoppes ce papier d'argent brillant qu'on brûle en l'honneur des ancêtres, des images de dieux, de gardiens, et aussi ces faux objets en papier qu'on réduit en cendres sur les tombes des défunts : maisons, meubles, poupées figurant des serviteurs. Beaucoup de foyers comportent encore un autel où on honore à dates fixes les tablettes ancestrales; les femmes continuent à célébrer couramment le sacrifice au « dieu de la Cuisine »; on le gave moins qu'autrefois, il se contente à présent d'un gâteau en sucre malté qui a la forme d'un melon, mais, les vieilles surtout, s'appliquent encore à l'amadouer. J'ai lu une nouvelle [1] sur ce thème, dans une collection intitulée *Images villageoises.* Une petite fille, Chen, vit avec sa mère qui est vice-présidente de l'Association des femmes et avec sa grand-mère. Elle parle en riant à sa mère :

« Maman, à quoi ça sert-il que tu sois vice-présidente de l'association, si tu ne peux pas persuader grand-mère de ne pas sacrifier au dieu de la Cuisine ? Elle ne te l'a pas dit : mais elle a acheté un melon en sucre. C'est sûrement pour le sacrifice. Ce qui m'étonne, c'est qu'elle n'a pas acheté de dieu; j'ai cherché partout, et je ne l'ai vu nulle part.

« — On n'en vend plus aujourd'hui, il y a trop peu de gens qui en achètent », dit la mère avec véhémence.

La grand-mère a entendu la conversation. Elle s'installe sur le *k'ang,* allume sa pipe, et grommelle :

« Vous ne comprenez rien aux affaires de vos aînés. Tous les ans j'ai sacrifié au dieu de la Cuisine; et je lui faisais ma prière : Vénérable dieu, montez vite au ciel et revenez vite sur terre. Emportez avec vous tous mes malheurs; ramenez-moi joie et fortune. »

Elle se met à rire : elle sait bien que ces prières ne lui ont servi à rien. Tous les ans elle se promet de ne plus recommencer; mais elle n'ose pas s'abstenir. Cette année pourtant, elle décide qu'elle donnera aux enfants le melon de sucre; et c'est ce qu'elle fait. Mais sa fille et sa petite-fille la surprennent en train de parler dans le vide.

« Si vous existez, dieu de la Cuisine, vous ferez bien de monter vite au ciel et d'y rester; ce n'est plus la peine de redescendre; on ne vend même plus votre image; personne ne croit plus en vous, vous ne comptez plus. »

Chen et sa mère éclatent de rire et la grand-mère finit par se joindre à elles.

Cette petite histoire naïve indique comment les Chinois espèrent triompher des vieux préjugés. On ne les combat pas officiellement. On compte sur les générations nouvelles pour aider les anciens à s'en débarrasser. A l'école, l'instituteur en montre la sottise, il conseille aux écoliers d'en convaincre à leur tour leurs parents. Dans l'ensemble, la bataille est en grande partie gagnée. Pour décider du jour des semences, de

---

1. L'auteur est Kin Tchao-yang, un des rédacteurs du magazine « Littérature populaire », publié à Pékin.

celui des récoltes, on ne consulte plus les almanachs, mais le bon sens. On n'hésite plus à percer des portes au sud des villages, à creuser des puits à l'est, si c'est utile : si les anciens protestent, la jeunesse passe outre. On sait à présent que pour irriguer la terre ou la défendre contre les inondations, le travail est plus efficace que l'effigie du dragon. Pour achever de transformer la mentalité paysanne, on compte sur le progrès social et économique. Les résistances diffuses de certains vieux paysans entêtés dans leurs croyances et leurs coutumes ne sauraient lui opposer un sérieux obstacle; aussi ne s'acharne-t-on pas à les vaincre. On cherche à gagner la jeunesse à une vue rationnelle du monde. C'est là le travail qui apparaît aujourd'hui comme essentiel : diffuser l'instruction.

On ne possède pas de statistique précise sur le nombre des illettrés existant en 1949; il s'élevait à environ 80 % de la population. L'énormité de ce chiffre s'explique d'abord par le niveau de vie misérable des paysans chinois; en outre, le langage écrit est difficile à apprendre : au lieu de combiner un petit nombre de signes, le chinois fait correspondre à chaque mot un caractère graphique singulier. Sur les 40.000 caractères catalogués dans les dictionnaires, et dont les lettrés utilisent jusqu'à 20.000, il suffit d'en connaître 4.000 pour lire les journaux et des ouvrages simples; avec 1.800 à 2.000, on peut déchiffrer des textes élémentaires, écrire de courts rapports : mais 4.000 et même 2.000, c'est déjà beaucoup. Grâce aux « clefs » ou « radicaux », quand on a acquis 2.000 caractères, les 2.000 suivants se retiennent plus aisément [1]. Néanmoins l'apprentissage est beaucoup plus long que dans le cas des écritures alphabétiques.

Au fur et à mesure que les communistes occupaient une région, ils apprenaient à lire aux paysans. A la libération, une campagne a tout de suite été lancée. Divers procédés ont été essayés. Entre autres, un instructeur politique de l'armée du sud, Chi Chien-hua, a inventé une « méthode accélérée » permettant de lire et écrire au bout d'un temps d'études très court. On apprend d'abord un alphabet phonétique, puis, par

1. Dans la plupart des caractères, on distingue un élément indiquant la catégorie à laquelle appartient l'objet désigné, et un élément phonétique qui le spécifie; le premier — clef ou radical — se retrouve dans une pluralité de mots.

phrases de deux ou trois mots, les caractères : ainsi peut-on passer en un mois de 300 caractères à 2.000. Introduite en 1951 dans l'armée, acceptée en 1952 par le conseil militaire de Pékin, cette méthode a été largement utilisée : grâce à elle, deux millions d'illettrés ont appris à lire en 1952. Son plus grave inconvénient, c'est que les résultats obtenus sont précaires; la leçon trop vite apprise est souvent vite oubliée. Elle connaît moins de faveur aujourd'hui qu'il y a trois ans; son avantage, c'est que l'élève peut apprendre à lire presque seul; une fois l'alphabet connu, on lui fournit des livres où des caractères sont tracés en regard des symboles phonétiques : ceux-ci lui en livrent le sens, et il les enregistre dans sa mémoire, il les reproduit sur le papier sans avoir besoin de professeur. Mais dans l'ensemble, on préfère aujourd'hui la méthode traditionnellement employée dans les écoles primaires.

L'enseignement est distribué aux ouvriers et aux paysans grâce à des classes organisées depuis 1949 dans toutes les usines, mines, ateliers, villages. En ville, les cours ont lieu le soir. A la campagne la coutume a été d'abord de n'ouvrir les écoles d'adultes que pendant l'hiver; mais d'une année à l'autre, les paysans oubliaient ce qu'ils avaient appris; à présent on répartit plus continûment le programme d'études ; il est plus chargé en hiver, on l'allège quand le travail des champs devient plus absorbant. L'idée générale qui préside à l'éducation des adultes, c'est qu'elle doit s'appuyer sur les connaissances pratiques de chaque catégorie, et chercher à assurer à chacune un développement pratique et technique. On enseigne d'abord aux paysans les noms d'animaux domestiques, d'outils, de plantes, de toutes les choses qui constituent leur entourage. Reprenant un procédé utilisé autrefois dans les régions libérées, on inscrit sur les objets usuels — aussi bien à l'intérieur des maisons que dans les lieux publics — le caractère qui leur correspond; le signe finit par se graver dans les mémoires. Les premiers textes qu'on propose aux débutants traitent des travaux de la ferme. En même temps, on leur apprend l'arithmétique, de façon qu'ils puissent tenir leurs comptes à l'aide du boulier traditionnel. Plus avancés, ils lisent des journaux rédigés dans le vocabulaire basique, des textes politiques, des ouvrages d'intérêt général, des histoires populaires.

On estime que depuis la libération dix millions d'adultes

illettrés ont appris à lire, écrire, calculer avec le boulier. Au printemps 1956, les générations jeunes et relativement jeunes[1] se départageaient en 200 millions d'illettrés et 45 millions de gens instruits. Jusqu'alors la liquidation de l'analphabétisme n'était prévue que pour la fin du troisième plan quinquennal : 1967. Mais la socialisation du pays, et en particulier la collectivisation agricole s'étant accélérées, on a décidé d'accélérer aussi le progrès de la culture. Le développement des coopératives exige que l'analphabétisme soit vaincu dans un délai non plus de dix ans, mais de sept.

Quiconque ignore la Chine jugera, s'il se base sur des statistiques, un tel optimisme insensé. Il y a en Chine moins de 1.400.000 instituteurs primaires ayant en charge 70 millions d'enfants; le nombre des élèves adultes est de 200 à 220 millions; chacun a besoin de trois ans d'étude environ pour acquérir les rudiments indispensables; les chiffres semblent donc inciter au défaitisme. Mais ils semblaient aussi prouver que la Chine ne réussirait pas à se débarrasser des rats, des mouches, du choléra avant de longues années; or elle s'est passée d'ingénieurs sanitaires : elle a mobilisé toute la population. Elle la mobilise de nouveau. Faute d'un personnel enseignant assez nombreux, le principe adopté c'est « le peuple doit instruire le peuple ». La lutte contre l'analphabétisme est, comme la campagne de l'hygiène, un mouvement de masses. Cinq millions de jeunes gens ayant achevé leurs études primaires ou secondaires travaillent à présent la terre et le chiffre augmentera chaque année : il jouent le rôle d'instituteurs bénévoles. De même les 45 millions d'adultes sachant lire et écrire. En octobre 1955, le congrès des jeunes activistes réunis à Pékin avait lancé un appel : chaque paysan, chaque ouvrier instruit doit communiquer ses connaissances au moins à un camarade. C'était insuffisant. La proportion : 200 millions contre 45, implique que chaque professeur improvisé instruira quatre illettrés. Dans les agglomérations importantes, les coopératives organisent des cours, en utilisant au mieux les compétences locales. Là où les fermes sont éparpillées, des volontaires réunissent des paysans par petits groupes tantôt dans une maison, tantôt dans une autre et leur font la classe. Les enfants des écoles partagent leurs

1. On ne tient compte ici ni des enfants et adolescents, ni des gens âgés.

acquisitions avec leur famille. Ainsi le savoir se propage en chaîne.

Pour les cadres — chefs de coopératives, fonctionnaires ruraux — on a instauré un autre système; ils quittent leur emploi pendant des périodes de trois mois qu'ils consacrent exclusivement à étudier, généralement dans la principale localité du *hsien* [1]. Des dizaines de milliers de cadres ont récemment bénéficié de ce système.

Les associations de femmes et surtout les « jeunesses démocratiques » jouent un grand rôle dans ce mouvement. Une chaîne d'« associations contre l'analphabétisme » s'est créée. Elles recrutent et forment des professeurs bénévoles, elles organisent et aident les illettrés. Elles se sont multipliées. Le résultat de cette vaste action, c'est qu'environ 62 millions de paysans fréquentent actuellement les « écoles d'adultes » alors qu'en 1954 on n'en comptait que 28 millions.

Un des problèmes, c'est de créer le matériel nécessaire, en particulier des manuels de lecture : on le résout aussi par un appel à la collaboration de tous. Il n'est pas possible que le gouvernement impose d'en haut un programme standard : il y a trop de diversité entre les provinces; les textes doivent être adaptés à chaque région particulière; ce souci dément le slogan anticommuniste : la Chine populaire, c'est l'uniformité. Dans chaque *hsien* le département de l'éducation, les jeunesses démocratiques, les associations culturelles élaborent des manuels modèles qu'utilisent comme bases les usines et les coopératives. Des équipes volantes les aident à effectuer cette compilation. Par exemple, dans le *hsien* de Houng Chao, Chan-si, 1.800 élèves des écoles secondaires se sont répartis en 95 brigades; chacune a visité une localité différente et en deux jours ils ont aidé les groupes fixes à réaliser 476 adaptations du texte sur le travail et le profit.

Les résultats obtenus permettent de prévoir que d'ici cinq à sept ans, 220 millions d'illettrés auront appris 1.500 caractères et sauront se servir d'un boulier. En deux ans, l'analphabétisme aura disparu des départements d'Etat. Dans cinq ans, le secteur industriel en sera débarrassé. A partir de 1957 s'ouvriront des écoles primaires pour les ouvriers; et la culture populaire s'élèvera graduellement.

1. Division administrative, équivalent à une sous-préfecture.

La formation culturelle que, par-delà la lutte contre l'analphabétisme, on s'efforce d'assurer au peuple chinois est d'abord d'ordre politique. C'est essentiellement à la presse qu'est dévolu le rôle de faire participer les citoyens à la vie du pays. Faute de moyens matériels suffisants, le tirage global des journaux n'atteint quotidiennement que quatre millions d'exemplaires; le nombre des lecteurs est beaucoup plus considérable. Les copies imprimées sont multipliées par des ronéotypes. Dans les rues, les usines, les administrations, les villages, les journaux sont placardés sur des panneaux, et souvent la lecture s'en fait par groupes.

On compte 17 journaux nationaux, dont 6 quotidiens, 7 hebdomadaires, et 4 qui paraissent trois fois par semaine. Il existe 248 journaux locaux ou spécialisés. Le *Journal du Peuple* qui a remplacé l'ancien *Journal de Yenan* est celui qui exerce la plus grande influence : c'est l'organe du P. C. et il correspond à la *Pravda* soviétique; il tire à 730.000. Le plus fort tirage est atteint par l'hebdomadaire *Jeunesse chinoise :* 1.800.000. Il y a vingt journaux publiés dans les langages appartenant aux minorités nationales : thibétain, mongol, ouighour, etc. Certaines publications appartiennent encore à des entreprises privées, tel le *Ta Kung Pao* qui a plus de cinquante ans d'existence et le *Wen Houa Pao*, de Shanghaï. Tous sont contrôlés par le gouvernement. Les nouvelles leur sont communiquées de façon officielle par l'Agence Chine Nouvelle qui leur donne aussi des conseils et des directives.

Puisqu'il n'existe pas en Chine de parti d'opposition, il est évident qu'on ne trouvera jamais dans la presse de critiques « négatives » de la politique suivie par le régime. L'idée de « dictature populaire » est difficilement compatible avec celle de la liberté de la presse telle que la conçoivent les démocraties bourgeoises. La presse est gouvernementale. En revanche elle accorde une large place aux critiques « positives ». D'une part, les journaux sont pour le gouvernement et le parti communiste un instrument d'autocritique : ils signalent les déviations et les erreurs que les dirigeants se proposent de corriger. D'autre part ils sollicitent une collaboration active de leurs lecteurs. Si quelqu'un veut protester contre un abus ou une faute dont s'est rendu coupable une administration d'Etat, ou un organisme particulier, il écrit aux journaux; dans tous les cas intéressants on imprime la lettre et généralement les personnes incriminées y répondent par des excuses. La presse permet donc à la base d'exercer sur les responsables un contrôle sérieux. L'ensemble des lettres reçues réalise un sondage d'opinion dont le gouvernement tient compte.

Sur le chapitre des informations, une rigoureuse exactitude est exigée des journaux. Coquilles et fautes d'impression sont scrupuleusement pourchassées. Les chiffres fournis doivent être justes; toute erreur est relevée avec sévérité. Le quotidien *Kouang-ming* fit en 1954 un de ces faux rapports qui sont fréquents dans la presse occidentale; un reporter imaginatif prétendit qu'ayant visité la petite tribu des Orkura, il avait été émerveillé par l'œuvre du gouvernement : de ces nomades celui-ci avait fait un peuple sédentaire; il leur avait bâti une ville, avec des écoles, des dispensaires, etc. Les autorités chinoises démentirent les faits avec énergie : la ville n'existait encore qu'à l'état de projet. Le *Kouang-ming* fut obligé de publier un éditorial où il adressait des excuses à ses lecteurs.

Les anticommunistes souriront de ces scrupules : le gouvernement ne s'en réserve pas moins le droit de dispenser la vérité à sa guise. En effet. Mais on oublie trop que jusqu'à ce jour la quasi-totalité des Chinois étaient radicalement tenus à l'écart de la vie politique. Ils subissaient leur destin dans la passivité et l'ignorance. Une connaissance « dirigée » représente un immense progrès sur ces ténèbres; et même, elle est seule capable de les dissiper. Proposer au public des thèses contradictoires, tant qu'il n'a pas les bases nécessaires pour juger par lui-même, c'est le jeter dans la confusion [1]. Le premier moment de toute science, c'est le passage du chaos à un ordre rudimentaire : ce qui constitue aux yeux des siècles futurs son insuffisance, c'est cela même qui a permis de le dépasser. Si on est de bonne foi, au lieu de déplorer les limites — aujourd'hui nécessaires — de la liberté de la presse, on admirera l'effort fait par le régime pour la diffuser. Au lieu de réclamer du peuple une obéissance aveugle, il tient à le mettre au courant des événements, à lui en expliquer le sens et les raisons. Il le forme politiquement et par

1. Il est certes souhaitable que la presse soit en tous pays le plus libre possible. Mais le cas de la Chine est particulier, étant donné l'énorme pourcentage de ses analphabètes et le manque de culture politique des masses.

là même le rend apte à acquérir sur la conduite du pays un contrôle de plus en plus large.

L'unique culture de la population paysanne, dans la mesure où elle savait lire, lui était fournie avant la libération par les almanachs et par les albums imagés qu'on appelle les « livres œufs ». Il y a cent ans, un pauvre paysan du Hopei, Lieou, qui possédait un riche répertoire de contes folkloriques, eut l'idée de les dicter à un écrivain public; un charpentier qui connaissait la gravure sur bois les illustra et les imprima. Rédigés en langage populaire, que relevaient quelques expressions empruntées aux lettrés, ces récits se répandirent dans toute la Chine du nord. Lieou installa aux portes de Pékin « le hall des trésors de la littérature » qui s'agrandit sous la direction de son fils et de son petit-fils. Les « livres œufs » racontaient des épisodes tirés des grands romans chinois, des aventures, des contes de fées, des histoires sentimentales. A la libération, les dirigeants décidèrent de les utiliser pour répandre dans les campagnes les idées nouvelles. En 1950, trois romanciers proposèrent leurs services à Lieou Yeou-tche; entre autres Lao Che et Kao Chou-li se mirent au travail. Leurs récits se vendirent à 900.000 exemplaires. Alors on réécrivit dans un esprit nouveau les anciennes légendes et on composa des histoires originales : histoires de héros du travail, de volontaires en Corée, de chasse aux espions Kuomintang, de mariage libre et d'amour. En un an, 10 millions de ces albums ont été vendus. J'ai lu *La lettre express,* traduit en français. C'est l'aventure d'un petit berger qui porte un message d'un groupe de partisans à un autre, à travers un territoire occupé par les Japonais. Les dessins sont d'une grande simplicité, l'histoire aussi, mais elle est bien racontée. Les amateurs de pure littérature déploreront sans doute que la propagande ait remplacé aux veillées les vieux contes : cette littérature-là n'était pas pure non plus. On pourra de nouveau se plaire aux renardes et aux dragons quand personne n'y croira plus. D'ailleurs ces albums ne doivent plus constituer à eux seuls la littérature populaire. Il faut qu'une plus haute culture devienne accessible à tous.

Aussitôt dépassé le stade élémentaire que constitue la lutte contre l'ignorance et contre les superstitions, une question se pose : de quelle culture s'agit-il ? Mao Tsé-toung y a répondu, deux ans avant les *Adresses au forum de Yenan*, dans l'éditorial de la revue *Culture chinoise* qui s'était fondée en 1940 à Yenan. « Il faut », écrit-il, « unir de manière convenable la vérité générale du marxisme et la réalisation concrète de la révolution chinoise : cela veut dire que le marxisme ne sera utile que s'il prend une forme nationale. La culture chinoise doit avoir sa forme propre. C'est une forme nationale. »

Par allusion à la doctrine des trois principes de Sun Yatsen, qu'on appelait le tridémisme, on nomma néo-démisme la plate-forme adoptée par Mao-Tsé-toung. Le marxiste Song Yeou la commenta en déclarant : « La philosophie néodémiste reçoit en le critiquant tout l'apport spirituel allant de Confucius à Sun Wen [1] et le transforme pour en faire le guide de la révolution nationale, l'arme intellectuelle qui conquiert la confiance du pays. » Et encore : « Le néo-démisme fait la synthèse de la réalité universelle du marxisme avec la pratique concrète de la culture chinoise moderne. »

Donc la culture nouvelle sera enracinée dans l'ancienne, elle aura une forme spécifiquement chinoise : l'intime liaison du communisme chinois et du nationalisme l'exige. Les bourgeois — et beaucoup des intellectuels, d'origine bourgeoise — ont rallié la révolution par haine de l'impérialisme étranger; la lutte contre le capitalisme s'est concrètement confondue avec la lutte contre le Japon et l'Occident. Aujourd'hui encore l'adhésion des Chinois au régime est cimentée par le patriotisme : ils savent gré aux communistes de faire de leur pays une grande puissance. Dans le domaine culturel, le nationalisme doit particulièrement s'affirmer, puisque toute culture implique une continuité de tradition.

Cependant, quand on parle de nation, on considère comme constituant une unité la totalité des habitants d'un pays; cette idée peut-elle s'accorder avec celle d'une société scindée en classes ennemies ? Elle est ordinairement utilisée par les classes dirigeantes quand elles veulent nier cette scission à leur profit : ainsi le Kuomintang se disait nationaliste. Il a prouvé au cours de la guerre antijaponaise qu'il usurpait cette étiquette; la République chinoise peut aisément la revendiquer aujourd'hui puisqu'elle est en train de supprimer les classes en tant que telles. Mais quand il s'agit d'endosser

1. Sun Yat-sen.

l'héritage d'un passé divisé, la question devient délicate. Elle a soulevé récemment de sérieuses controverses entre les intellectuels chinois. La culture est une superstructure : il il ne peut rien y avoir de valable dans la superstructure d'une société pervertie, ont soutenu certains critiques. D'autres ont mis en question la notion de superstructure. On a finalement conclu que celle-ci reflète les contradictions de la société : parfois elle se borne à les exprimer, mais parfois elle les dépasse. Il faut distinguer entre ces deux aspects. C'est la solution qu'avait proposée Mao Tsé-toung quand il déclarait à Yenan : « On doit distinguer entre les principes pourris des classes gouvernantes de la féodalité antique, et l'excellente culture populaire de l'antiquité, qui renferme plus ou moins de traits démocratiques et révolutionnaires. » Il a lancé les slogans célèbres : « Faire sortir le présent du passé. » « Faire pousser ensemble toutes les fleurs. » Il a écrit aussi : « Dans la longue période féodale, une brillante culture a été créée. Les produits doivent être purifiés en rejetant la paille féodale, et en recueillant le grain national. »

D'après ces textes, il faudrait donc assimiler national et populaire. Pourtant, si on considère l'histoire de la Chine, cette solution ne paraît qu'imparfaitement justifiée. Et c'est même l'écart existant entre les deux notions qui explique l'attitude ambiguë des Chinois d'aujourd'hui à l'égard de leur passé.

On l'a dit souvent : l'unité de la Chine a été celle d'une civilisation plutôt que d'une nation. Cela tient à de nombreuses causes. Il est arrivé à plusieurs reprises que l'Empire fût unifié; il n'avait pas chaque fois les mêmes frontières ni la même capitale; ses souverains n'appartenaient pas à une même lignée; en fait, au cours des siècles, divers empires se succédèrent, séparés par des périodes d'anarchie. Ils embrassaient un si vaste territoire qu'ils constituaient une confédération plutôt qu'un pays; le Sud, colonisé par le Nord, le Sseu-tchouan, isolé de l'un et de l'autre, sont toujours demeurés fondamentalement distincts. L'empereur Che Houang-ti a standardisé les essieux des roues, donc le réseau routier; mais les routes servaient d'une part à asurer une bonne administration — poste, mouvement des fonctionnaires — d'autre part à amener aux greniers impériaux le blé et le riz des provinces : elles n'ont pas créé entre celles-ci de trait d'union

Militairement, l'empereur ne disposait pas de forces adéquates à l'étendue de ses terres. La France est devenue une réalité concrète quand l'armée du roi a efficacement protégé ses sujets contre les querelles seigneuriales et les invasions étrangères; alors le peuple s'est reconnu dans son souverain; c'est cette alliance qu'illustre l'histoire de Jeanne d'Arc. En Chine, même une fois la grande féodalité abattue, des seigneurs de guerre dominaient les provinces qui souvent préféraient se rallier franchement à eux et faire sécession. Quant aux menaces extérieures, elles avaient un caractère très particulier. Les incursions des barbares étaient néfastes aux provinces qu'ils ravageaient; mais ils n'appartenaient pas à de puissantes nations organisées, capables d'annexer la Chine. En cas d'annexion, les intérêts des vaincus sont ordinairement sacrifiés à ceux des maîtres, leurs traditions, leurs mœurs, leurs langues abolies; rien de tel ne s'est jamais passé en Chine; les barbares étaient trop arriérés et trop peu nombreux pour lui imposer un joug extérieur : elle les absorbait. La guerre se concluait, comme les luttes intestines, par un simple changement de dynastie; les nouveaux empereurs se sinisaient vite et leur administration n'était ni meilleure ni pire que celle des souverains chinois. Ainsi s'explique le nombre considérable de « traîtres » qu'on rencontre dans l'histoire chinoise; le droit des dynasties n'était fondé que sur la force, ce qu'on traduisait, en termes idéalistes, en disant que si elles s'affaiblissaient c'est qu'elles avaient perdu la vertu qui fondait leur droit; le général félon en passant à l'ennemi ne trahissait pas son pays : il épousait les desseins du ciel; ceux qui au XXe siècle collaborèrent avec les Japonais s'inscrivaient dans une longue tradition. La fidélité à une dynastie relevait plutôt de la loyauté féodale que du patriotisme. On ne se pose qu'en s'opposant; le sentiment patriotique s'est développé aussi bien dans la république romaine qu'en France à travers des guerres nationales, menées contre des pays rivaux. Quand l'empire romain embrassa tout le monde connu, le patriotisme s'éteignit : le titre de citoyen romain impliquait une supériorité de classe, non un particularisme national. Les Chinois méprisaient radicalement tous les barbares, c'est-à-dire tous les non-Chinois; ce mépris qui réduisait le monde au seul Empire excluait que celui-ci se revendiquât dans sa singularité. Faute de rapport avec l'Autre il ne posa jamais sa propre identité.

Le sentiment national se développa en France lorsque la nation se constitua à la base comme unité concrète : ce fut l'œuvre de la bourgeoisie; contre des particularismes féodaux, les bourgeois, liés par la communauté de leurs intérêts, créèrent entre tous les points du territoire une solidarité; les rapports étroits qui s'établirent entre le commerce, l'agriculture, l'artisanat firent du pays une unité organique; la coexistence de l'intérêt national et de la lutte des classes constitua une contradiction qui commande l'histoire de la France; à certaines périodes, la contradiction se résolut en une synthèse équilibrée. Le fait primordial de l'histoire de la Chine, c'est que celle-ci n'a pas eu de bourgeoisie. Les principales industries, le sel et le fer, ont été monopolisées par l'Etat deux siècles avant J.-C. Alors que pour combattre la féodalité les rois de France s'appuyèrent sur les communes et sur les grands bourgeois, les empereurs de Chine, pour démanteler la leur, instituèrent une armée de fonctionnaires : ils y furent obligés par l'immensité de leur territoire et par le caractère hydraulique de la civilisation chinoise; les grands travaux nécessaires à l'aménagement des routes et à la lutte contre les inondations ne pouvaient être que des entreprises d'Etat, exigeant un nombre considérable d'administrateurs. Cette classe qui incarnait concrètement l'autorité centrale à travers l'empire ne permit pas qu'aucun autre pouvoir rivalisât avec le sien. On persécuta les marchands : on tenait leurs spéculations pour un vol, leurs enfants n'avaient pas le droit de passer les examens donnant accès au mandarinat; ils furent plus ou moins délibérément écrasés sous les charges fiscales. Malgré des périodes de prospérité — dont témoigne entre autres Marco Polo — ils ne réussirent pas à constituer une classe; leur plus grande ambition était de devenir propriétaires fonciers et ils achetèrent des terres au lieu de créer un capitalisme [1]. En conséquence, les échanges furent toujours rares, les centres commerciaux peu importants; l'artisanat ne se développa qu'à l'échelle de la famille et du village; chaque groupe social — ferme, hameau, bourg, province — vivait en autarcie. Les propriétaires fonciers, parmi lesquels se recrutaient la majorité des

1. On observe des faits analogues à la fin de l'empire romain. Ce qu'il y a eu de particulier en Chine, c'est que la situation s'est prolongée jusqu'à la fin du XIXe siècle.

mandarins, ne possédaient pas d'intérêts communs, certains mêmes favorisaient les sécessions régionales; ils gouvernaient d'après des ordres venus d'en haut; ils n'avaient pas de prise directe sur le développement du pays; et c'est d'ailleurs pourquoi celui-ci demeura stagnant : il lui manqua ce levain que fut en Occident l'esprit d'entreprise bourgeois.

Les empereurs ne remédièrent pas à cette carence. A l'exception de Che Houang-ti qui détruisit la féodalité et créa l'empire, ils n'ont rien fait qui ait jamais influencé de façon décisive le cours de l'histoire. Le territoire rassemblé par Che Houang-ti était trop vaste : ses successeurs ne purent que s'épuiser à en défendre les frontières et à en reconstituer difficilement l'unité. Faute de solidarité économique entre les diverses régions, celle-ci ne se réalisa jamais concrètement. Les guerres n'intéressaient pas l'ensemble du pays; les lettrés les ont blâmées, les tenant avec raison pour des aventures coûteuses et sans lendemain. Parce qu'il manquait de cohésion interne, l'existence de l'empire apparaissait toujours comme précaire; aussi les souverains ne misaient-ils guère sur l'avenir; leur administration était dominée par des soucis fiscaux; ils s'occupaient non à développer les ressources de la Chine, mais à faire rentrer les impôts. Pierre le Grand était un autocrate; mais le nationalisme russe peut se réclamer de lui, car il a mis la Russie sur le chemin du progrès. Les empereurs de Chine ont indéfiniment recommencé les mêmes luttes militaires, le même travail administratif; leurs règnes ont été pour leurs contemporains inégalement heureux; mais tous ont également échoué à forger un avenir neuf. Il est normal que les Chinois d'aujourd'hui les considèrent avec plus d'hostilité que d'amitié car ils ont exploité le peuple sans créer une nation. Quand j'ai visité le musée historique, on m'a montré la statue de Che Houang-ti avec respect : on peut le considérer comme le fondateur de la Chine. A l'égard des Mandchous qui pratiquèrent une ségrégation raciale, qui brimèrent le pays et le vendirent aux Occidentaux, la haine des Chinois est sans équivoque. Quant aux autres empereurs, ils sont tous détestés en tant qu'oppresseurs du peuple; certains sont estimés dans la mesure où ils incarnent un moment de la civilisation chinoise.

Car à défaut d'unité nationale, il y a eu *une* civilisation chinoise et c'est elle qu'évoque le nationalisme d'aujourd'hui : « La Chine a été le berceau d'une des plus grandes civilisations du monde. » Ce leitmotiv se retrouve dans d'innombrables discours officiels. Il est frappant qu'à leur histoire — qui apparaît en fait comme absence d'histoire et non comme la genèse du présent — les Chinois préfèrent l'image qui s'en est perpétuée à travers la culture populaire, c'est-à-dire la légende. Le passé survit non comme suite d'événements datés, mais sous figure de tradition et de symboles. Par exemple, cette période sanglante et anarchique qu'on appelle « époque des Trois Royaumes » ayant inspiré plusieurs siècles plus tard le célèbre *Roman des trois royaumes,* c'est à travers lui que les Chinois la voient : elle est devenue à leurs yeux l'âge d'or de la chevalerie. C'est au Roman, non à l'histoire, que le théâtre et la littérature ont emprunté quantité de héros et nombre d'épisodes. Un de ses personnages fut même élevé au rang de dieu : Kouan-ti, grand général du Roman, reçut dans le panthéon chinois la mission d'empêcher les guerres. Beaucoup d'événements historiques ont subi des transmutations analogues. L'empereur Ming Houang et sa belle concubine, Yang Kouei-Fei ne firent rien pour le bien du peuple; la passion sénile et couarde du premier, les sentiments intéressés de l'autre sont peu exaltants; mais les récits, et surtout la pièce qui racontèrent cette lamentable tragédie amoureuse furent de si belles réussites littéraires et devinrent si populaires que le couple incarna désormais pour les cœurs chinois toute la grandeur de l'amour et ses déchirements.

Si on fait l'inventaire des héros et des thèmes légendaires les plus fameux, on s'aperçoit qu'ils reflètent une éthique assez peu cohérente. Une des plus grandes figures de l'histoire chinoise, c'est Yue Fei, qui défendit jusqu'à son dernier souffle son empereur vaincu; un temple lui est consacré, à Hang-tcheou; une allée gardée par des guerriers de pierre conduit au tombeau où il est enterré; une statue le représente tenant devant sa bouche un morceau de jade : telle était l'attitude que devait adopter devant le Fils du Ciel tout mortel respectueux. C'est donc la soumission de Yue Fei et sa loyauté à l'égard de son souverain qui sont exaltés ici; et la révérence qu'il inspire est si grande que les Chinois avaient naguère coutume de cracher et d'uriner sur les statues des deux traîtres qui le livrèrent à l'ennemi. Cependant le fameux roman *Tous les hommes sont frères* propose à l'admiration des lecteurs cent huit rebelles qui prirent le maquis pour lutter contre les fonctionnaires corrompus en qui s'incarnait l'administration impériale. Le Rebelle a toujours été un type particulièrement cher au peuple chinois : rétrospectivement, il le demeure. On ne compte pas les récits, les opéras, célébrant sa révolte et ses exploits.

Cette ambiguïté s'explique facilement. D'abord il faut noter que Yue Fei a été élevé au rang de dieu quand la Chine du Nord chercha au début du XXe siècle à rénover la religion officielle : un gouvernement militaire en fit le patron des armées. La Chine nationaliste de Tchang Kaï-chek reprit à son compte ce culte; il s'ancra trop solidement dans les esprits pour que les communistes essayassent de l'en déloger; et d'ailleurs, Yue Fei peut aujourd'hui comme autrefois symboliser le civisme et prêcher par son exemple la fidélité au régime établi, c'est-à-dire actuellement, aux dirigeants communistes. Seulement, la Chine d'autrefois ayant en fait vécu sous un régime odieux, les hommes qui s'y opposèrent sont tenus aussi pour des héros. Le communisme nationaliste chinois se réclame à la fois du patriotisme antique et de la lutte des classes : mais jamais la contradiction n'a été levée en Chine entre l'unité et la division de la société; jamais avant le XXe siècle, l'intérêt du pays comme totalité n'a pris concrètement le pas sur les intérêts opposés du peuple et des dirigeants. Il en résulte qu'aucun héros patriote ne défendit les intérêts de la masse populaire : il peut être né dans le peuple — ce qui arriva même à de nombreux empereurs — mais il ne l'incarnait pas; inversement : on ne saurait comparer Yue Fei qui fut seulement loyal à une dynastie et Jeanne d'Arc qui en se battant pour le roi de France se battait pour les paysans français. Un rapide examen du panthéon légendaire des Chinois manifeste donc la contradiction de la notion : « héritage populaire et national ». J'ai dit qu'en présence des grands monuments de Pékin, l'hésitation des Chinois est sensible : ils les admirent, sans les aimer. C'est pour la même raison. Palais et temples sont assurément un héritage national, mais ils ne possèdent pas un caractère populaire.

En quoi donc consiste la culture qui est en Chine authentiquement populaire ? Un des faits qui dominent l'histoire de la culture chinoise c'est que les lettrés qui l'accaparèrent étaient des fonctionnaires voués au service de l'empereur :

leur rapport avec le peuple se distingue profondément de celui que soutinrent avec lui les clercs occidentaux.

Dans la Chine antique, comme en France pendant le haut Moyen Age, les clercs eurent essentiellement pour rôle de servir d'intermédiaires entre des princes adonnés à des activités guerrières et des paysans rivés au sol : sachant compter, et surtout lire et écrire, ils assuraient la communication des hommes entre eux. Dans les deux cas, ils prirent soin d'en monopoliser les instruments. En France, ils utilisaient le latin. En Chine, ils eurent aussi une langue ésotérique. La standardisation des signes graphiques opérée par Che Houang-ti unifia spatialement et temporellement la Chine; identique d'un bout à l'autre du territoire, l'écriture resta immuable à travers les siècles; mais les lettrés opérèrent un clivage social en la mettant au service du Kou wen qu'ils étaient seuls à comprendre et dont ils maintinrent l'usage jusqu'au XXe siècle. Malgré ces importantes analogies, il y eut entre les deux cléricatures une considérable différence : les clercs d'Occident relevaient de l'Eglise et non des princes. En s'imposant à l'empire romain, le christianisme avait assumé son universalité, et dans une certaine mesure son humanisme et son rationalisme. L'Eglise était au plein sens du mot catholique. La religion ne comportait pas seulement des pratiques mais une idéologie; elle avait repris à son compte de vieux cultes animistes, mais en atténuant leur particularisme et leur caractère magique; elle proposait des dogmes et des préceptes de portée universelle qui représentaient un considérable progrès sur les antiques superstitions : elle plaçait l'homme au cœur d'une création faite expressément pour lui. Les clercs affirmaient l'égalité de tous les hommes devant Dieu et dans la mesure où ils prêchaient la paix et la justice, ils servaient le peuple, en s'opposant aux excès des féodaux et des rois. D'autre part, ils se tenaient en étroit contact avec les masses dont ils voulaient sauver les âmes. Les sermons, les cantiques, les bas-reliefs et les vitraux des églises rendaient accessible aux illettrés une culture que la vigilance intellectuelle d'un clergé solidement constitué empêcha de dégénérer : des docteurs garantissaient les bases à partir desquelles se développa l'imagination populaire. On sait combien cette collaboration fut féconde. Des cantiques naquirent les chansons anciennes ; des mystères sortit le théâtre ; les sculpteurs et les peintres furent ordinairement des clercs émanant des couches sociales inférieures. Quand, au XIIIe siècle, la population s'accrut et que les conditions de la vie sociale s'améliorèrent, on vit fleurir un grand art populaire.

En Chine, il y eut au contraire divorce entre la culture et la religion : les clercs étaient des administrateurs laïques; les individus spécialisés dans les pratiques religieuses cessèrent très vite d'être des clercs. Le bouddhisme cependant, quand il s'introduisit en Chine, n'avait pas encore perdu sa richesse originelle; il influença les arts plastiques; des peintres représentèrent dans des grottes vouées au culte de Bouddha les diverses figures du paradis d'Amida. La grande sculpture de l'époque Wei manifeste l'étroite alliance d'une religion et d'un peuple, comme la sculpture romane en France. Mais l'art religieux s'avilit en même temps que le bouddhisme. Le lamaïsme créa une iconographie que lui emprunta le taoïsme et qui évoque par son abondance et sa laideur celle de Saint-Sulpice. Idéologiquement, en tant que sagesses à prétention universelle, le bouddhisme et le taoïsme demeurèrent, comme le confucianisme, l'apanage de la classe privilégiée.

La contrepartie de cette ségrégation culturelle, c'est qu'elle favorisa l'épanouissement d'un folklore, alors qu'en France l'universalisation de la culture nous en a privés. Les qualités plastiques du peuple chinois se manifestèrent dans un artisanat qui prit dans les différentes provinces des figures singulières. A partir des Ming et surtout sous les Mandchous le travail de la porcelaine, de la laque, du cloisonné s'officialisa et dégénéra. Mais des traditions originales et vivantes se perpétuèrent dans les campagnes. Celles-ci virent naître aussi une littérature. Le bouddhisme engendra des histoires de métamorphose, de renards changés en femme, de bêtes fabuleuses. Les contes inspirés par le taoïsme prennent pour thèmes des objets magiques, entre autres des miroirs doués de singulières vertus; ils mettent en scène des sorciers; ils décrivent des phénomènes de désincarnation; ils confondent le rêve et la réalité. Cette mythologie est monotone et un peu fade. Beaucoup plus intéressantes sont les légendes par lesquelles le peuple a traduit sa conception de l'histoire chinoise; ce trésor épique a été exploité de façon variée dans des récits parlés ou chantés, des dialogues, et surtout des pièces de théâtre. A partir des Ming, une importante littérature commença de s'alimenter à ces sources.

La Chine possède donc un riche héritage populaire : mais dans quelle mesure un folklore — issu d'une ségrégation culturelle — peut-il être intégré à une culture qui vise l'universalité ? Ce qui fut national en Chine n'eut pas un caractère populaire : ce qui fut populaire peut-il prendre aujourd'hui une dimension nationale ?

Une autre question se pose. Au début du XXe siècle, la bourgeoisie réussit à arracher aux clercs le monopole de la culture. « L'idiosyncrasie ambiguë » de la bourgeoisie chinoise se refléta dans ses idéologies et dans sa littérature. Dans quelle mesure la Chine communiste se rattache-t-elle au « Mouvement du 4 mai » ? La consigne « faire sortir le présent du passé » n'est pas aussi simple qu'il le paraît.

Une chose est sûre : c'est le souci qu'a la Chine de récupérer son passé. Pendant mon séjour à Pékin ont eu lieu de nombreuses expositions : instruments de musique anciens, porcelaine à travers les âges, poteries. Dans les bâtiments qui flanquent la cour extérieure du Palais impérial est installé en permanence un musée historique : on y voit se dérouler l'histoire de la Chine, depuis le sinanthrope jusqu'aux Song. Elle commence même avec une tranquille innocence au début de l'évolution : un arbre généalogique sort du ventre d'un poisson et s'élève de branche en branche jusqu'à un ouvrier en salopette bleue. On pense à la « Petite cosmogonie » de Queneau :

Le singe sans effort, le singe devint homme,
Lequel un peu plus tard désintégra l'atome.

Cependant l'exposition est très bien faite. On y voit les écailles de tortues utilisées autrefois pour la divination, les tablettes de bambou sur lesquelles furent inscrits au stylet les premiers caractères chinois, des bronzes, des poteries, des sceaux, des estampes. Il y a des statues et des portraits de Confucius, Che Houang-ti, Qoubilai, Mo Ti des tableaux exécutés récemment représentent la campagne chinoise d'autrefois ; des photographies reproduisent les statues des grottes de Long Men. La réussite est d'autant plus méritoire que

Pékin ne possède presque plus de reliques authentiques de son passé. Les puissances occidentales ont rempli leurs musées avec les trésors d'art chinois, et avant de fuir à Formose, Tchang Kaï-chek a opéré une énorme rafle : il y a expédié 300 caisses d'objets archéologiques, contenant entre autres 25.000 « ostéoglyphes » : des fragments d'omoplates de bœufs qui servaient jadis à prédire l'avenir. Les richesses du Musée de Pékin — bronzes, porcelaines, peintures, laque, soie, jade, livres rares — furent embarquées dans 2.972 caisses; 852 caisses furent remplies avec les collections du Musée central; Tchang emporta en outre 120.000 volumes anciens appartenant à la bibliothèque centrale. En octobre 1955, il a expédié en Amérique 4.000 malles remplies de ce butin.

Le gouvernement a essayé de se défendre contre ce pillage. En mai 1950 on a interdit l'exportation des richesses culturelles de la Chine et la rue Lieou-li tch'ang, où se trouvent la plupart des boutiques d'antiquaires, ne vend plus que des copies. Une autre loi promulguée la même année protège les monuments historiques et les sites archéologiques. Mais ces mesures négatives ne sont pas les plus intéressantes : la Chine recrée à neuf ses collections en donnant un nouvel essor à l'archéologie. Il existe des archéologues depuis le règne des Song; jusqu'au XXe siècle, ils ne s'occupaient que d'épigraphie et de typologie. Ce sont surtout des Français qui inaugurèrent l'ère des grandes fouilles : on fit entre 1920 et 1937 de considérables découvertes. Puis, à cause de la guerre antijaponaise et de la guerre civile, les travaux furent interrompus. Ils ont repris en 1950 et la plupart des bronzes, des statues qu'on voit dans les vitrines du Palais ont été découverts depuis cette date. En 1952, un département d'archéologie a été créé à l'Université de Pékin; des cours accélérés permettent aux étudiants une initiation rapide. On compte aujourd'hui environ 270 jeunes archéologues. Ils ont été servis par les circonstances. Comme pendant ces cinq années on a beaucoup remué le sol, bâtissant des routes, creusant des canaux, construisant des usines et des voies ferrées, on a mis à jour beaucoup d'antiquités. Quand on a édifié l'aile nouvelle de l'hôtel de Pékin, on a découvert un lot de porcelaines Ming. D'importants travaux archéologiques ont été aussi conduits méthodiquement. La vieille civilisation chinoise est donc activement revendiquée par les Chinois. La question est de savoir dans quelle mesure, sous quelle forme elle s'intègre aux différents domaines intellectuels et artistiques.

L'IDÉOLOGIE

La confusion du bureaucrate et du clerc explique le monolithisme qui a caractérisé pendant plus de vingt siècles l'idéologie chinoise. Il n'a pas existé d'intellectuels hors de la classe dominante, et ses « membres actifs » ne se distinguaient pas de ses « idéologues conceptifs ». En tant que clercs, les lettrés forgèrent une doctrine que, en dépit de certains courants hétérodoxes, ils imposèrent, en tant que dirigeants, à la société tout entière.

Quand la désagrégation de la féodalité, l'anarchie militaire, les désordres sociaux eurent ruiné l'autorité des princes, l'importance des clercs s'accrut; de serviteurs, ils devinrent conseillers et pour assurer leur influence ils forgèrent des armes conformes à leurs fonctions : des idéologies. Celle qui correspondait le mieux à l'organisation économique et sociale de la Chine devait évidemment triompher : ce fut le confucianisme. Créé pour restaurer la féodalité, il apparut comme inadéquat quand Che Houang-ti transforma le régime en abattant les féodaux et unifiant l'empire : les lettrés se rangèrent dans l'opposition, et les Livres furent brûlés; mais quand le nouvel ordre fut rétabli, l'empereur et les clercs comprirent qu'à nouveau leurs intérêts étaient solidaires: Wou-ti s'appuya sur les lettrés qui adaptèrent aisément leur doctrine aux besoins d'un Etat centralisé. Démêler quelle fut dans l'élaboration du système qu'il patronna la part exacte de Confucius, est aussi oiseux que de chercher ce qui, dans le christianisme, revient au Christ lui-même. La classe des lettrés tout entière institua et maintint l'idéologie qui garantissait politiquement sa suprématie et la justifiait moralement.

Le pouvoir d'un chef militaire dépend de ses armées; si de conquérant il se fait administrateur, les fonctionnaires prennent le pas sur les généraux. Les lettrés s'appliquèrent à persuader le souverain que gouverner, c'est administrer : « L'art de gouverner consiste simplement à ordonner les choses, c'est-à-dire à les mettre à leur place légitime. » Mais quel est le critère de l'ordre et de la légitimité ? Si le gouvernement se réglait sur « la réalité des faits dans le monde présent » comme le voulaient les légistes, la politique deviendrait une pratique accessible à tout homme doué de jugement; elle tomberait entre les mains du vulgaire : c'est précisément ce qui arriva lorsque Che Houang-ti s'entoura de légistes. Les confucianistes se garantirent contre ce risque en substituant à la pratique l'érudition qui était leur apanage. Le secret de l'ordre est dans les Livres légués par un âge d'or révolu : savoir gouverner, c'est d'abord savoir lire, et ensuite apprécier justement le sens des mots. Tels les clercs du Moyen Âge, et pour des raisons analogues, les lettrés chinois mirent au cœur des choses le Verbe; ils posèrent que l'ordre du monde dépendait d'un système de « dénominations justes », ce qui revenait à faire du mot l'essence de la réalité; ainsi subordonnaient-ils la connaissance à la tradition, le jugement à la logique : seul quiconque maîtrise les mots est en mesure de régenter la société. Du coup le voilà qui règne sur l'univers entier; reprenant à leur compte la vieille cosmogonie, les lettrés exploitèrent dans leur sens le monisme qui liait rigoureusement chaque élément au tout : ils en déduisirent qu'en administrant des hommes, on a prise sur le Ciel : « L'ordre du monde et la prospérité des armées dépendent d'une même fortune, les époques troublées et les années misérables d'un même sort. On voit par là que les aménagements humains secondent les voies du ciel », écrivit Tong Tchong-chou. Ce rêve de fonctionnaire mégalomane demeura vivace jusqu'au XXe siècle : on croyait encore vers 1900 que les désordres de l'administration se reflètent au ciel. Inversement, si une dynastie perd le pouvoir, estimait-on, c'est que le ciel lui a retiré son mandat, donc qu'elle a manqué de vertu; le malheur et la chance s'harmonisent avec les voies du ciel : ceci revient à identifier la réussite et les privilèges au mérite. D'aucuns prétendent que le confucianisme subordonne la politique à la morale; déjà Mo Ti dénonçait ce mensonge; il a compris que les privilégiés ne choisissent pas l'ordre d'après une pure idée du Bien, mais qu'ils appellent bon l'ordre qu'ils font régner. Dans toutes les sociétés, les valeurs prônées par l'élite dissimulent une violence. L'attitude des lettrés est analogue à celle des puritains qui confondaient l'homme de bien avec celui qui a du bien, la richesse étant à leurs yeux une grâce divine qui manifeste la vertu.

Dans une telle perspective, l'activité sociale, ayant une portée cosmique, établissant d'emblée une relation avec le pouvoir suprême, équivaut à un exercice religieux. Le puritain faisait son salut dans l'autre monde en accumulant sur terre des capitaux; il était son propre prêtre. Le fonctionnaire chinois lui non plus n'avait pas besoin pour toucher le ciel d'un clergé spécialisé : il lui suffisait de bien faire rentrer les impôts. La bureaucratie tint lieu de religion, ce qui consolida son autorité : ni en dehors d'elle, ni en son sein il n'existait officiellement [1] de groupe détenant un autre pouvoir que le sien. Elle réussit aussi à demeurer une classe homogène et quasi fermée. En Europe, le ferment démocratique contenu dans le christianisme, l'esprit d'entreprise inhérent au capitalisme naissant favorisèrent, au XVIIIe et au XIXe siècle, une poussée des couches inférieures qui se haussèrent aux premiers rangs de la bourgeoisie. Les lettrés veillèrent à ce que les Livres ne fussent pas comme la Bible directement accessibles à tous, et qu'on n'en rédigeât jamais de Vulgate. A partir des T'ang, grâce au système des examens ils se recrutèrent par cooptation, ce qui leur permit de maintenir une stricte orthodoxie doctrinale et de n'ouvrir que parcimonieusement leurs rangs aux gens de peu. Pas plus qu'elle n'était « morale » la société confucéenne ne fut démocratique. D'abord l'éducation, coûteuse, exigeant des loisirs, était réservée aux fils des riches; ensuite les examinateurs tenaient compte des recommandations plus que de la valeur des candidats. Il existe beaucoup de récits et de pièces de théâtre où l'on voit un étudiant pauvre devenir mandarin : cela signifie que, tel le mythe de la bergère épousant un roi, ces cas frappaient l'imagination, non qu'ils étaient nombreux. A de rares exceptions près, la classe des bureaucrates coïncida avec celle des grands propriétaires fonciers, les fonctionnaires enrichis se hâtant d'acheter des terres, les propriétaires riches briguant les charges officielles.

Imposé par des privilégiés, l'ordre confucéen était évidemment un ordre fondé sur le privilège. Confucius ne songea jamais à changer la société hiérarchisée dans laquelle il était né. Sa grande innovation se situe sur le plan de la morale individuelle : c'est la notion de vertu. Au temps où la Chine se divisait en petites seigneuries, les vilains étaient réduits à l'obéissance par la force armée mais les nobles, possédant eux-mêmes des soldats, pouvaient s'insurger contre le suze-

1. L'influence prise par les taoïstes ou les bouddhistes sur certains empereurs ne fut jamais qu'épisodique.

rain ou le trahir : la cohésion du groupe reposait sur leur loyauté; c'était une relation de personne à personne qui fut concrète et vivante tant que les seigneuries demeurèrent réduites; s'il manquait à ses devoirs, la pression sociale acculait le félon au suicide. Quand les royaumes s'agrandirent, ce lien de l'individu à la collectivité se détendit. La pression du groupe fut remplacée par une consigne universelle et abstraite qui ne pouvait être efficace qu'à condition de s'intérioriser [1]. Voilà pourquoi Confucius insiste tant sur la nécessité de « s'observer quand on est seul ». L'intériorisation n'est vraiment garantie qu'au moment où la consigne résiste à l'épreuve de la solitude : c'est là ce qui constitue la « sincérité » que Confucius exige du sage avec tant d'insistance. Mais s'il a inventé en Chine l'idée de « conscience morale », le contenu qu'il lui a donné n'a rien de neuf : agir vertueusement, c'est toujours se conformer aux normes établies. L'individu, comme chez Kant, sacrifiera sa « sensibilité » singulière et se réglera sur le modèle que propose la raison morale : la personne humaine idéale. La différence, c'est que Kant, exprimant la société bourgeoise, conçoit la personne sur le mode de l'universalité, tandis que Confucius la définit selon les hiérarchies féodales. L'honnête homme est celui qui s'identifie exactement à son office : souverain, administrateur, père, sujet, administré, fils. Les caprices des princes, les appétits des fonctionnaires, le mécontentement, le désespoir des opprimés, tous ces mobiles subjectifs doivent s'effacer devant le personnage social que chacun se trouve avoir à incarner. C'est dire que la vérité de l'homme, la source profonde de son individualité et de sa liberté, est niée au profit d'un « surmoi » de type standard, qui s'impose impérativement à chacun : ce que certains réactionnaires veulent nous faire prendre pour une philosophie de la liberté n'est en réalité qu'un moralisme de fonctionnaire.

Non seulement le confucianisme accepte la société telle qu'elle est, mais rites et institutions visent à en empêcher l'évolution : on l'a vu à propos de la cellule basique, la

1. Des sociologues américains ont montré qu'une substitution analogue s'est opérée dans toutes les sociétés évoluées; quand les contraintes traditionnelles se relâchent, on voit naître un moralisme qui s'applique à conditionner la vie intérieure de l'individu. Ainsi le puritanisme apparut-il pour aider le capitalisme naissant à briser les formes traditionnelles. Cf. *The lonely crowd*, par Riesman, Glazer, Denney.

famille. Elle est revêtue d'un caractère sacré et chaque individu lui est aliéné. La piété filiale symbolise le rapport qui lie en général l'inférieur au supérieur. La justice est essentiellement le respect de cette relation. « Le sens de la justice trouve sa plus haute expression dans l'honneur rendu à ceux qui sont élevés en dignité au-dessus de moi. » Il ne s'agit jamais pour l'homme de changer sa condition, fût-elle abjecte, mais d'y consentir : « Le sage règle sa conduite d'après la condition dans laquelle il se trouve... Dans la pauvreté et l'abjection il agit comme il convient à un homme pauvre et méprisé. »

De leur côté les supérieurs ont des devoirs, que précisément leur indiquent les sages pour qui l'arbitraire du prince serait aussi redoutable que l'indiscipline de ses sujets. La vertu est nécessaire aux plus hauts dignitaires et à l'empereur même; elle ne suffit pas à fonder le droit, mais elle en est inséparable. Un texte de *l'Invariable Milieu* indique clairement ce rapport : « Quelqu'un eût-il la dignité requise, s'il n'a pas la vertu nécessaire il ne doit pas se permettre d'introduire de nouveaux rites ou de nouveaux chants. De même, eût-il la vertu nécessaire, s'il n'a pas la dignité requise il ne doit pas se permettre de faire des innovations dans les rites et la musique. » Rites et musiques résumant l'ensemble des institutions, c'est de l'exercice du pouvoir suprême qu'il s'agit ici; on voit qu'il implique l'union de la vertu et de la dignité : celle-ci se fonde sur la naissance et la tradition. Le droit traditionnel doit être confirmé par le mérite de celui qui le détient, mais le mérite ne suffit pas à engendrer le droit. Un tel régime politique est très exactement un « despotisme éclairé ». Il en va de même en ce qui concerne l'ensemble de la classe dirigeante. Les fonctionnaires ont des devoirs qui sont la contrepartie de leurs privilèges : cette éthique ne diffère pas de la morale paternaliste professée par les « bons capitalistes »; c'est celle que prêchèrent les puritains et qui a inspiré maintes encycliques papales. La vertu préconisée se nomme ici « bienveillance » et le sens en est clair; l'illusion amoureusement entretenue par toute classe dirigeante c'est qu'elle est classe universelle, et que ses valeurs existent absolument : entre autres l'élite appelle « bien public » son propre bien. Quand on demande aux dirigeants d'avoir souci du bien de leurs sujets, on songe en fait aux intérêts particuliers de leur propre classe. Il est utile à celle-ci par exemple que le peuple ait à manger. Les gens travailleront mieux, les récoltes seront plus riches, les impôts plus profitables. Mais les limites de la bienveillance sont clairement indiquées par ce texte des *Entretiens*. Tseu Kong interrogeant le Maître sur le gouvernement, Confucius répondit : « Le peuple doit avoir suffisamment à manger. L'armée doit être suffisamment forte, et le peuple doit avoir confiance en son souverain. — Si l'on devait se passer de l'une de ces trois conditions, laquelle pourrait-on supprimer ? — Je me passerais de l'armée. — Et si vous deviez vous passer encore de l'une de ces deux dernières conditions, laquelle exclureriez-vous ? — Il vaudrait encore mieux que le peuple n'eût pas assez à manger. La mort a toujours régné et emporté les hommes; mais une nation ne peut subsister si la confiance en son souverain n'existe pas. »

C'est admettre que la structure de la société a plus d'importance que les hommes de chair et d'os; sur ce point, « l'amour universel » de Mo Ti s'opposait à « l'humanisme » de Confucius; celui-ci a créé le prototype de la morale des élites : du haut en bas de l'échelle, toutes les catégories sociales sont aliénées à l'ordre qui se prétend universel et qui sert en fait les intérêts particuliers des privilégiés. La morale individuelle, l'éthique politique visent cet ultime objectif : maintenir l'ordre. Au temps de Confucius, il fallait le restaurer; sous Wou-ti, on s'attacha à l'aménager. Ensuite il ne fut plus question que de le perpétuer. Rarement conservatisme fut aussi radical : il aboutit en fait à l'immobilisme. Le guerrier souhaite accroître ses conquêtes, le capitaliste son profit, ce qui l'entraîne à favoriser des innovations : le rêve du fonctionnaire, c'est de rester fonctionnaire et d'assurer à ses fils une place de fonctionnaire; il est typiquement l'homme de la répétition; s'il cherche à faire des bénéfices, c'est à la petite semaine et par une méthode improductive : l'exaction. Les lettrés voulurent non faire l'histoire, mais l'arrêter. C'est pourquoi le seul empereur qui ait marqué de façon décisive l'histoire de Chine en remplaçant le monde féodal par un Etat centralisé s'appuya sur le réalisme des légistes, non sur le moralisme confucéen; si celui-ci lui fit opposition, s'il demeura fidèle à l'idéal ancien, c'est précisément parce que tout changement lui répugnait et qu'il condamnait l'action comme telle : il s'accommoda parfaitement de l'empire une fois que celui-ci fut établi et que désormais le seul problème fut de le conserver. Par la suite, les lettrés furent toujours opposés aux guerres; elles ne pouvaient effectivement qu'être vaines étant donné les conditions économiques et sociales qu'ils contribuaient à maintenir. Mais ce n'est pas par humanitarisme qu'ils les condamnèrent : ils furent les instigateurs des répressions les plus sanglantes lorque l'ordre intérieur fut en jeu; leur pacifisme était inspiré par les intérêts de l'administration prise comme fin en soi.

Dans l'ensemble, mieux vaut bien administrer que se battre à tort et à travers. Là où leur immobilisme fut néfaste à la Chine, c'est quand il les incita à juguler l'essor du commerce et de l'industrie, arrêtant ainsi prématurément le progrès de la pensée scientifique et technique. Celle-ci avait pris cependant un remarquable départ. La puissante classe d'industriels et de commerçants qui au début des Han, deux cents ans avant J.-C., vivait de l'extraction du sel et de la fonte du fer avait suscité l'invention de nombreuses machines; les applications du levier et de la roue à aube, connus dès le IVe siècle av. J.-C., se multiplièrent. On créa dans le Sseutch'ouan — qui possédait des mines de sel — un ingénieux système de forage profond; un peu plus tard on utilisa dans les forges des moulins à eau, et des pompes à air qui constituaient de puissants soufflets. Sel et fer furent monopolisés par l'Etat; mais les hauts fonctionnaires favorisèrent eux aussi les découvertes techniques. Le métier à tisser apparut au début de cette ère. Dès le VIIe siècle on jeta par-dessus les cours d'eau des ponts à voûte segmentale et des ponts à chaînes de fer, que l'Europe ne connut que bien plus tard. De leur côté, les empereurs protégeaient l'astronomie et la médecine, la pensée chinoise s'étant toujours intéressée à ces deux organismes : le monde et le corps humain. L'algèbre était au XIIIe siècle plus avancée en Chine que dans aucun autre pays. Cependant, à partir des Ming, la civilisation se figea. Ce fut la conséquence de l'étouffement du mercantilisme par l'Etat. Les mathématiques se développèrent en Occident à partir de l'échange, elles favorisèrent l'épanouissement de la pensée mécaniste qui engendra la science moderne. Le capitalisme créa ainsi l'instrument théorique qui permit les progrès techniques utiles à l'accroissement du profit. Les bureaucrates chinois, dont les seuls ambitions étaient la possession de la terre, n'éprouvèrent pas le besoin de forger, en théorie ni en pratique, des outils neufs. L'algèbre resta figée dans un système de notations rigides. Une idéologie organiciste continua de prévaloir sur la pensée mécaniste. Bien qu'inventifs, les Chinois, privés des bases théoriques qui à ce stade devenaient indispensables, cessèrent d'être des inventeurs. Entre eux et l'Occident, un abîme se creusa de siècle en siècle.

Les bureaucrates ne purent cependant pas arrêter la vie, ni par conséquent enrayer radicalement tout changement. Au sein de l'orthodoxie confucianiste même se produisit une certaine évolution. Les infiltrations du bouddhisme et du taoïsme dans la pensée chinoise firent ressortir les insuffisances métaphysiques du système officiel. Sous les Song, les lettrés tentèrent d'y pallier. Tcheou Touen-yi donna un fondement ontologique à la vieille éthique confucéenne. Tchou Hi, au XIIe siècle, paracheva son œuvre. Il révisa les *Quatre Livres* et fixa par des commentaires l'interprétation à laquelle se conforma dorénavant l'enseignement. D'autre part, il distingua dans l'univers un principe rationnel, Li — sorte de raison cosmique à la fois immanente et transcendante — et un principe matériel, K'i. Plus tard, Wang Yang-ming, qui vécut de 1472 à 1529, influencé par le bouddhisme tch'an, proposa une interprétation idéaliste du confucianisme : il identifiait conscience et conscience morale, et soutint que les objets extérieurs comme les valeurs éthiques n'existent que dans la mesure où nous les pensons.

Ces spéculations ne touchaient pas à l'essentiel. On a beaucoup dit que le néo-confucianisme eût scandalisé Confucius; mais ces jeux de l'esprit qui transportent un homme d'un siècle à un autre n'ont pas de sens; l'homologue de Confucius, à mille ans de distance, différait évidemment de lui. Ce qui est frappant c'est que le confucianisme n'a changé que dans la mesure où il y était obligé pour demeurer le même. Jusqu'au XXe siècle il est resté un parfait instrument d'oppression aux mains d'une classe dirigeante composée de bureaucrates-fonciers visant la répétition et non le progrès.

Subordonant une immense population à une poignée de bureaucrates, aliénant le monde vivant aux ancêtres morts, l'idéologie confucéenne prétendit annihiler l'individu précisément au moment où celui-ci, échappant à la tradition, prenait conscience de soi; beaucoup de lettrés refusèrent cet asservissement et cultivèrent au contraire le souci qui venait de s'éveiller en eux : celui de leur destin personnel. Si le taoïsme et le bouddhisme purent fournir au peuple une évasion, c'est que sous une forme plus subtile ils en avaient d'abord proposé une à l'élite intellectuelle.

Le taoïsme reprit à son compte le vieux fonds de la pensée chinoise, mais pour en tirer des conclusions opposées à celles de Confucius. Loin de soumettre l'univers à la société, il chercha le salut de l'homme dans son juste rapport au cosmos. Le monisme ne laisse d'autre voie au sage que le mysticisme, le fatalisme entraîne nécessairement le quiétisme: ce furent là les thèmes dominants de la philosophie taoïste. Elle enjoint à l'homme d'adopter le point de vue de l'infini, de survoler le monde « du haut du char du soleil ». Par la contemplation, il s'unit à la totalité; son individualité se perd dans l'extase, mais non au profit de la société, à son propre profit; renonçant à tout, il embrasse tout. Ancré dans l'éternité sans bornes, il pose l'équivalence de toutes les valeurs terrestres, confondant même le réel et l'irréel, la perception et le rêve, et considérant la mort avec indifférence. Pratiquement, il prêche un anarchisme naturiste : il faut vivre selon la nature, refuser les machines, le progrès, et mépriser l'ordre social. Tout ce qui relève de l'artifice humain est dérisoire.

Le taoïsme a exercé sur la culture chinoise une grande influence, particulièrement dans le domaine esthétique. Son refus du conformisme encourageait l'artiste à l'originalité; ennemi de la vie sociale, il incite le sage à préférer aux cités les charmes sauvages de la nature : par là s'introduisit dans la sensibilité chinoise un goût des montagnes, des forêts, des lacs, des sites les plus sauvages, qui n'apparut en Occident qu'à partir du XVIIIe siècle; contestant toutes les valeurs reconnues, il l'invitait aussi à s'arracher aux limites de la condition humaine et à sortir de sa peau par le rêve; il prônait sinon le dérèglement de tous les sens, du moins l'extravagance et les extases de l'ivresse. Délires imaginatifs, paysages, plaisirs du vin nourrissent la poésie chinoise : celle-ci est en très grande partie d'inspiration taoïste. De même la peinture où le pinceau des artistes fixa tant de cimes abruptes, d'arbres et d'eaux. Seulement, du fait qu'il se cantonnait dans la non-action, le taoïsme n'a pas eu de prise sur l'ordre social; il a suscité, en tant que secte populaire, de nombreuses et terribles jacqueries; mais dans l'ensemble, il a laissé le champ libre au confucianisme. Episodiquement, les écoles se disputèrent les faveurs impériales et il y eut alors entre elles des querelles acharnées. Mais le quiétisme taoïste s'accommoda de la victoire du confucianisme. Les deux se conciliaient dans la vie des Chinois. Un « honnête homme » observait socialement les préceptes du confucianisme; en tant qu'artiste ou simplement qu'individu, il se réclamait du taoïsme. Cette compromission en assagissant le taoïsme le diminua. Au gouffres et aux pics chers aux anciens ermites, le foncier lettré substitua ses parcs décorés de rocailles et de bassins. Sur les soieries peintes, le grandiose se fit décoratif. On but l'extase dans un bol de vin de riz. La contestation métaphysique s'amenuisa en ironie, le quiétisme justifia l'apathie. Et la nostalgie de l'infini se satisfit de la confortable morale de la « médiocrité ».

La sagesse bouddhiste n'était pratiquement guère éloignée de la philosophie taoïste. La secte tch'an qui influença particulièrement les lettrés chinois prêchait la non-action et même la non-parole. Quand un disciple posait à un maître tch'aniste une question sur Bouddha, le maître battait l'indiscret ou le renseignait sur le prix des légumes. Il lui arrivait de rassembler autour de lui le peuple comme pour lui adresser un discours : et puis il gardait avec ostentation le silence. Le bouddhisme était donc lui aussi un quiétisme qui laissait la voie libre au confucianisme. En fait, les métaphysiques attribuées à Lao-tseu et à Bouddha couronnèrent le système confucéen d'une manière parfaitement adéquate : au point que le néo-confucianisme leur fit d'importants emprunts quand il prétendit à une autonomie ontologique. Ces philosophies immobilistes qui affirmaient l'identité du positif et du négatif, sans s'élever à l'idée de synthèse dialectique, s'harmonisaient avec une société qui faisait de l'histoire un perpétuel recommencement; elles l'exprimaient et elles y avaient leur racine. N'apercevant sur terre aucun devenir, aucun but, convaincus qu'il n'y a rien à *faire* en ce monde, les philosophes chinois prirent la stagnation dans laquelle vivait leur pays pour une image de l'éternité. Tous s'accordaient par delà leurs querelles à affirmer : « Le tao est immuable. »

Un des premiers soucis de la bourgeoisie occidentale, ç'avait été d'arracher aux clercs cette importante fonction : assurer par le langage la communication entre les hommes. Elle s'était créé ses propres clercs et des instruments adéquats à ses besoins pratiques; elle s'était mise à écrire dans le langage vulgaire qu'elle avait codifié et enrichi; la vieille scolastique avait été balayée par un courant technologique et scientifique. La bourgeoisie chinoise accomplit avec des siècles de retard la même révolution : elle enleva aux clercs le monopole d'une culture qu'elle s'appliqua à moderniser.

Dès sa naissance, à la fin du XIXe siècle, elle comprit qu'il était vital pour elle de s'égaler à l'Occident sur les plans scientifiques et techniques. Elle envoya ses fils à l'étranger avec la consigne d'assimiler les connaissances et les méthodes des Occidentaux. La première expérience fut un échec. Les étudiants qu'accueillit une université américaine furent maintenus sous la tutelle de maîtres chinois qui les obligèrent à conserver leurs nattes et leurs robes de soie, et à consacrer une grande partie de leur temps aux classiques chinois; ils n'apprirent pas grand-chose, sinon le dégoût des vieilles coutumes; quand un fonctionnaire vint de Chine s'enquérir de leurs progrès, ils refusèrent de le saluer du *k'o-t'eou* [1] traditionnel : ils furent rappelés. En 1875, un ingénieur français emmena de jeunes Chinois faire leur apprentissage en France. L'année suivante, sept autres accompagnèrent en Allemagne un officier allemand, et il y en eut trente qui partirent pour l'Angleterre et pour la France. Après la défaite que leur infligèrent les Japonais en 1894, les Chinois se convainquirent encore plus fortement de la nécessité de se moderniser. A partir de 1905, quand le gouvernement eut modifié les écoles, les étudiants chinois affluèrent au Japon, en Amérique, en France, en Angleterre. En même temps, on traduisait en masse les livres occidentaux; il s'agissait avant tout de dérober aux étrangers le secret de leur puissance militaire : on choisit d'abord des ouvrages sur l'art de la guerre, la stratégie, la balistique. Mais bientôt le programme s'élargit. Un étudiant, Yen Fou, rapporta d'Angleterre des traductions de Spencer, Huxley, Stuart Mill et familiarisa les Chinois avec les philosophies occidentales. A propos de *Evolution and Ethics* de Huxley, Hou Che nota plus tard : « Dès son apparition, le livre fit le tour de la Chine et devint le livre de chevet des étudiants. » Yen Fou traduisit aussi Spencer,

1. Sorte de prosternation.

Stuart Mill, Hume, Adam Smith, cependant que Ma Kiun-wou traduisit Darwin dont la thèse évolutionniste séduisit tout de suite les Chinois. La Chine s'initia aussi à la littérature occidentale. Un lettré nommé Lin Chou traduisit à lui seul 93 livres anglais, 25 français, 19 américains, 6 russes; il ne connaissait aucune langue étrangère; il s'associait avec des Occidentaux sachant un peu de chinois, qui lui rendaient compte du texte : alors il prenait son pinceau et le transcrivait en chinois classique; ainsi furent révélés Dickens, Walter Scott, Stevenson, Victor Hugo, Dumas, Balzac, Cervantès, Tolstoï, etc. Lin Chou eut de nombreux imitateurs. Beaucoup de livres furent aussi traduits en chinois à partir de traductions japonaises.

Une des revendications primordiales des « réformateurs » qui tentèrent en 1898 de remplacer l'autocratie par une monarchie constitutionnelle, ce fut que l'empereur dépossédât les clercs au profit de la bourgeoisie; leur leader, K'ang Yeou-wei, était un intellectuel, auteur d'un vaste ouvrage de philosophie politique; il s'appuya sur les intellectuels pour répandre ses idées : il organisa l'association « La force par l'étude » qui se ramifia à travers plusieurs provinces. Un des premiers décrets de l'empereur lui donna satisfaction. « Le fondement de l'éducation reste toujours le Canon des Sages, mais en même temps on devra étudier toutes les branches du savoir européen appropriées aux besoins actuels. Evitons le psittacisme et l'imitation servile de théories fumeuses, renonçons à la logomachie. Ce que nous voulons faire c'est éliminer toutes les choses inutiles et approfondir un savoir qui, sans renier les principes anciens, reste en harmonie avec l'époque. »

Après l'échec des « Cent jours », K'ang s'enfuit et s'exila. Leang K'i-tch'ao, un autre grand intellectuel, se réfugia au Japon d'où il exerça une considérable influence [1]. Pour échapper à la censure mandchoue, beaucoup d'éditeurs installèrent leurs presses à Tokyo ; entre 1903 et 1907, sept revues y furent fondées et imprimées. Livres et journaux défendus étaient expédiés à des maisons installées dans les concessions de Shanghaï; de là on les introduisait en contrebande à l'intérieur du pays.

Cependant la bourgeoisie était devenue trop puissante

1. Leang se rangea plus tard aux côtés de Sun Yat-sen tandis que K'ang demeura toujours hostile à la République.

pour que l'impératrice lui tînt tête plus longtemps : l'ancien système des examens fut aboli en 1905; on nomma ministre de l'Instruction publique un ardent zélateur des idées modernes, T'sai Yuan-p'ei.

Aussitôt que la dynastie mandchoue eût été renversée, la jeune bourgeoisie se déchaîna impétueusement contre la culture féodale. Un jeune professeur de philosophie, Hou Che, formé à l'université de Columbia et qui enseignait à Pékin, prit la tête du mouvement qu'on appela d'abord « Renaissance ». Il fut épaulé par une revue tout récemment fondée, *Jeunesse nouvelle,* que dirigeait Tch'en Tou-sieou. Le grand réveil nationaliste du 4 mai 1919 renforça ce mouvement qui prit désormais le nom de « Mouvement du 4 Mai ».

Au moment de la « Réforme des cent jours » le confucianisme gardait encore son prestige et on tenta alors de le concilier avec la culture occidentale. Créé pour restaurer la féodalité, il avait su s'adapter aux besoins d'un empire centralisé; avec quelques aménagements, il pouvait être utilisé par une monarchie constitutionnelle. L'humanisme confucéen s'accorde fort bien avec l'idée d'une « démocratie » solidement hiérarchisée et tempérée par d'immuables institutions. Les bourgeois cultivés remplaçaient les clercs, mais ils se ralliaient eux aussi à un idéalisme moraliste; il n'était pas question d'attaquer le principe de l'Ordre, ni les droits de l'Elite. K'ang Yeou-wei et T'an Se-tong prêchaient que la réforme devait s'opérer à partir d'une conversion morale et l'éthique servir de fondement à la politique. De son côté, Leang K'i-tch'ao chercha à faire la synthèse du confucianisme et du bouddhisme. Il distingua deux sortes de confucianisme : l'une, inférieure, qui s'exprime dans le Che king, le Chou king, et le Li Ki, est de tendance conservatrice, et trahit la vraie pensée du Maître. Le confucianisme supérieur, le seul authentique, inspire le Yi king et le Tch'ouen ts'ieou : il est démocratique et progressiste.

En dépit de cette théorie, seuls les conservateurs continuèrent, au début du XXe siècle, à vénérer Confucius. En 1907, un décret spécial l'éleva au rang de dieu [1]. On imposa aux magistrats et aux élèves des écoles des rites en son honneur.

1. On a vu que le Confucianisme n'avait jamais été une religion, bien qu'il encourageât le culte des ancêtres. Des éléments confucéens ont été assimilés sous une figure dégradée, par la religion dite « syncrétique »; mais on ne saurait parler de « religion confucianiste ».

Des sociétés se créèrent pour propager son culte sur lequel on essaya de fonder une religion nationale. Ce fut en vain. La jeune bourgeoisie répudia avec énergie le confucianisme; elle voulait changer le monde et refusait les idéologies qui professaient l'immobilisme. Pratiquement, le confucianisme se confondait avec l'ordre ancien : on ne pouvait détruire celui-ci sans abattre celui-là. La première nouvelle écrite par Lou Sin, *Le journal d'un fou,* qui eut un énorme retentissement, était dirigée contre le féodalisme et contre le confucianisme. « La doctrine de Confucius est incompatible avec la liberté, avec un régime constitutionnel », déclara Tch'en Tou-sieou dans son article « Confucianisme et constitution ». Dans un autre : « Le chemin de Confucius et la vie moderne », il montra que le confucianisme niait les droits humains les plus élémentaires puisqu'il exigeait la soumission absolue des sujets à l'empereur, des enfants à leurs parents, de la femme à son époux. Hou Che s'insurgea lui aussi contre cette sagesse périmée : attaquer la famille traditionnelle, réclamer l'émancipation des femmes, refuser le vieux système des examens et se détourner des classiques, c'était rejeter à la fois le « tchouhisme », tout espèce de néo-confucianisme et le confucianisme même.

Unanime dans ses refus, la nouvelle intelligentsia se divisa quand elle en vint à se donner positivement une idéologie : cette scission reflétait la contradiction interne de la bourgeoisie. Politiquement devenue classe dirigeante, elle demeurait économiquement brimée; elle n'avait pas concrètement accédé à la direction du pays. L'autocratie mandchoue était balayée, non l'impérialisme étranger; hormis quelques trusts puissants qui confondaient leurs intérêts avec ceux du Japon et de l'Occident, le capitalisme chinois se trouvait étranglé par le régime semi-colonial imposé à la Chine; les « membres actifs » de la bourgeoisie préféraient au désordre cet ordre oppressif, ils pactisaient, mais ils étaient mécontents. Parmi ses « idéologues conceptifs » certains se satisfirent de cette incomplète victoire et s'efforcèrent de donner à leur classe la culture correspondant à son nouveau statut. Cependant, la bourgeoisie chinoise ayant fait sa révolution dès sa naissance, avant de s'être créé une superstructure, la majorité des intellectuels échappa à cette aliénation idéologique qui explique en France l'existence de nombreux écrivains de droite. Au lieu de défendre des valeurs figées, la plupart prolongèrent un combat dont l'issue les laissait irrités, et ils réclamèrent un bouleversement radical de la société : une nouvelle révolution. Faute d'une tradition sur laquelle il leur fût possible de s'appuyer, l'aile droite comme l'aile gauche se tournèrent vers l'Occident. La première se rallia aux penseurs des classes dirigeantes. La seconde franchit d'un bond une étape et adopta un point de vue prolétarien.

Huxley, Darwin étaient déjà célèbres. L'influence de Nietzsche grandit. Kropotkine fut vulgarisé, entre autres par le romancier Pa Kin. Les idées de Wundt, Hartmann, Schopenhauer, Bergson, Hegel, Kant se répandirent. Bertrand Russel vint faire une série de conférences en Chine et la logique connut un regain de faveur. Mais ce fut surtout Dewey, venu lui aussi propager en Chine son système, qui fut choisi par la droite comme maître à penser. Hou Che, formé en Amérique, s'en fit le disciple décidé. Ce pragmatisme idéaliste convenait admirablement à une classe homologue de celle qu'il exprimait aux U.S.A. : neuve, active, décidée à développer dans les cadres du capitalisme des techniques agrandissant sa prise sur le monde, et soucieuse en même temps de sublimer ses privilèges. Hou Che propagea les thèses qui conviennent le mieux à l'essor d'une bourgeoisie montante : libéralisme, individualisme, scientisme, anarchisme, matérialisme, scepticisme à l'égard des vérités établies, critère pratique de la connaissance; sous forme de relativisme, il posait le primat de la conscience sur l'objet, c'est-à-dire un idéalisme. Moralement, cette philosophie s'attachait surtout à rejeter les vieilles traditions, et ne proposait qu'un individualisme anarchique. Cette déficience n'était pas sensible en Amérique, où une solide armature puritaine garantit l'harmonieux rapport du capitalisme et de la volonté divine. Privée de cette base optimiste, le pragmatisme échouait à fournir une éthique dans un pays où la société avait toujours fait appel pour assurer sa cohésion au ciment de la moralité. Une polémique qui en 1923 mit en question le rapport de la morale et de la science traduisit ce malaise. Ting Wen-kiang, pragmatique et scientiste, soutenait que la science suffit à définir les conduites de l'homme. Tchang Tchouen-mai, philosophe idéaliste, revendiquait les droits de la liberté humaine. Cette querelle fit grand bruit.

Quand Tchang Kaï-tchek eut établi sa dictature, le pragmatisme sceptique de Hou Che lui apparut comme définitivement insuffisant. Il prétendit rallier les Chinois à l'idéal de la « Vie nouvelle » qui opérait une synthèse entre les valeurs nationales et les vertus confucéennes. Fong Yeou-lan, qui plus tard adhéra au marxisme, élabora en 1939 un système, « La Nouvelle norme », où il proposait comme base que la morale individuelle et de l'organisation sociale le principe confucéen du *Li* qui est à la fois la norme et la raison. S'inspirant de Tchou Hi, il donnait à l'ancienne philosophie un caractère positiviste. De son côté, Ho Lin s'appuyait sur Wang Yang-ming pour rénover le confucianisme dans un sens favorable au Kuomintang.

Cependant la gauche de l'intelligentsia bourgeoise s'était mise à l'école de la révolution russe. Tch'en Tou-sieou s'était séparé de Hou Che, et de conserve avec un camarade, Li Ta-tchao, il étudia à Pékin le marxisme. Ils avaient groupé un certain nombre de jeunes gens autour d'une revue, *La critique hebdomadaire.* Invité à Shanghaï par des groupes socialistes et anarchistes, Tch'en s'y rendit. Les réunions d'étude avaient lieu dans la concession française : on avait camouflé l'endroit en école de langues étrangères. Un envoyé du Komintern, Voitinsky, aida les jeunes marxistes chinois à créer une revue et à former « l'Association de la jeunesse socialiste ». En 1921, Tch'en convoqua un meeting qui aboutit à la création du parti communiste chinois, et le marxisme commença à se répandre. Tch'en l'exposa pour la première fois en 1923 à propos de la querelle entre moralisme et scientisme. Cependant son importance fut d'abord d'ordre pratique. Tch'en entra en conflit avec Mao Tsé-toung en 1927, à propos des révoltes des paysans et il perdit le rôle doctrinal qu'il avait jusqu'alors détenu. Sur le plan intellectuel, le marxisme se manifesta avec éclat en 1928. Une polémique s'ouvrit sur l'histoire de la société chinoise entre T'ao Hi-Cheng, érudit spécialisé dans l'étude de l'antiquité, et Kouo Mo-jo. Celui-ci appliquait au passé de la Chine des schémas marxistes : il distinguait une période communiste, une période d'esclavage, une période anarchique, une autre féodale, et enfin une période capitaliste. T'ao reconnaissait l'existence de la première et de la dernière, mais pour les époques intermédiaires, il refusait la classification de Kouo Mo-jo. La controverse popularisa largement les thèses du matérialisme historique. Une autre mit aux prises, de 1929 à 1934, Tchang Tong-souen, ami de Tchang Tchouen-mai, dont j'ai parlé plus haut, comme lui antimarxiste, et Yeh Ch'ing qui défendait le matérialisme dialectique; le premier publia ses articles dans une revue, *Renaissance,* et la revue *XX*e *siècle* imprima les essais du second. Les uns furent rassemblés en 1934 sous le nom *La polémique du matérialisme dialectique,* et les autres un an plus tard composèrent les *Polémiques Philosophiques.* Professeurs d'université, directeurs de revue, quantité d'intellectuels prirent part à cette querelle. Cependant Hou Che demeura à l'écart. Sa revue *La critique philosophique,* où il écrivit régulièrement entre 1927 et 1937, se désintéressa du débat.

On continua à traduire les livres de Marx, ainsi qu'un grand nombre d'œuvres et de commentaires marxistes. Une nouvelle dispute éclata en 1934, cette fois-ci entre marxistes. Yeh Ch'ing, dans un ouvrage intitulé : *Où va la philosophie ?* en prédisait l'extinction. Ai Ssu-ch'ih, grand propagandiste du matérialisme dialectique, le reprit vertement : il l'accusa d'avoir mal interprété les idées d'Engels et affirma que, sous sa forme marxiste, la philosophie ne pouvait disparaître. En 1936, dans *Problèmes philosophiques,* Yeh récidiva : matérialisme et idéalisme finiraient par se fondre en une synthèse où la philosophie s'anéantirait au profit de la science. Son adversaire rétorqua de nouveau que sous sa figure dialectique, la philosophie durerait autant que la société. Beaucoup d'autres discussions secondaires témoignèrent pendant ces années de la vitalité de la pensée marxiste. Elles furent interrompues par la guerre antijaponaise. Mais l'étude du marxisme se poursuivit à Yenan sous la direction de Mao Tsé-toung et de Ai Ssu-ch'ih.

Le marxisme a triomphé : que demeure-t-il donc des anciennes sagesses. Qu'est devenu entre autres le confucianisme?

Dans un article de *Diogène* aussi étourdi que pédant, Etiemble a prétendu qu'en Chine c'est aujourd'hui un crime féodal d' « honorer Maître K'ong » et de lire les classiques. Constatant que les dirigeants communistes, et Mao Tsé-toung lui-même se réfèrent souvent à Confucius, à Mencius, voire à Tchou Hi, il s'étonne de ce désordre d'esprit. Il s'indigne qu'on porte aux nues Lao-tseu, ennemi du progrès, détracteur de l'antiphysis, alors qu'on condamne la pensée de Confucius qui est, selon Etiemble, révolutionnaire. Il affirme au passage que Kouo Mo-jo nourrit pour le confucianisme une secrète tendresse, insinuant par là qu'il existe des germes de division au sein du parti. Bien entendu, c'est par le machiavélisme qu'il explique l'attitude du régime : en « persécutant » les confucianistes, Mao Tsé-toung jugule « la seule pensée chinoise capable de lui résister ».

Toutes les allégations contenues dans cet article sont mensongères. « Honorer Maître K'ong » est aujourd'hui plutôt un devoir qu'un crime. La politique culturelle de Mao Tsé-toung contredit, on l'a vu, celle qu'il reproche à Hou Che : ce sont les révolutionnaires de 1917-1919 qui foulèrent aux pieds le vieux sage. Soucieux d'intégrer la tradition nationale, le communisme chinois tient au contraire Confucius pour un grand homme : il faut certes, dans son enseignement comme dans maintes œuvres anciennes, distinguer le bon grain de la paille féodale; mais replacée dans le contexte de son époque, sa pensée est éminemment respectable. Non seulement on a laissé son effigie dans les temples [1] — ce qui ne prouve pas grand-chose — mais dans les musées et les expositions culturelles j'ai souvent vu son portrait en bonne place et le guide parlait de lui avec révérence. La revue *China reconstructs*, où ne s'expriment que les opinions officielles, appelle Confucius « un des plus remarquables penseurs et maîtres de l'ère féodale ». La lecture des classiques n'est interdite à personne et Etiemble lui-même reconnaît que les dirigeants marxistes les citent souvent.

Cette attitude polie ne le satisfait pas. Il exige qu'on salue en Confucius un grand philosophe révolutionnaire dont le néo-confucianisme aurait trahi l'authentique pensée. On a vu qu'en fait maître et disciples n'ont visé qu'à justifier une société d'oppression. Le secrétaire du cabinet japonais, Akiru Kazami, ne s'y trompait pas qui disait aux généraux chargés d'occuper la Chine : « Tout ce dont vous avez besoin pour gouverner les Chinois, ce sont les Analectes de Confucius. » Assurément il y a de la nouveauté dans la doctrine de Confucius; tout penseur est un novateur; mais à ce compte, il faut tenir saint Thomas d'Aquin pour un révolutionnaire. Est-ce la déformation professionnelle qui incite Etiemble à exalter une morale de fonctionnaires et de cuistres ? Il a su dans sa jeunesse ce que c'était que la révolte : je m'étonne

1. Il y a des temples voués au culte de Confucius, comme d'autres le sont à Yue Fei ou à d'autres grands hommes. On trouve aussi sa statue dans des temples non spécialisés, en vertu du syncrétisme de la religion.

qu'elle lui paraisse aujourd'hui conciliable avec la résignation à la misère et à l'abjection prêchée par Maître K'ong. En vérité il est plaisant de voir l'auteur de *l'Enfant de chœur* jeter feu et flamme en faveur d'une doctrine qui a exalté par-dessus tout la discipline et les valeurs familiales. Etiemble est si émerveillé par les lueurs qu'il possède sur la culture chinoise que dans tous ses articles, quel qu'en soit le sujet, il cite le Yin, le Yang, le Tao; je suppose que c'est ce snobisme qui l'aveugle : il lui suffit qu'une sagesse soit chinoise et vieille de vingt-cinq siècles pour qu'il confonde la volonté de maintenir le monde tel qu'il est avec celle de le changer.

Sur un point Etiemble a raison : Lao-tseu n'est pas lui non plus un révolutionnaire. Aussi est-il faux que le régime l'exalte aux dépens du confucianisme. Les intellectuels du 4 mai lui ont témoigné ainsi qu'à Mo Ti de la sympathie, et le régime actuel lui en manifeste; c'est que l'esprit qui anime le taoïsme est avant tout un esprit de contestation; les maîtres taoïstes se moquaient des institutions, des rites, des dignités, et vertus sociales; ils postulaient l'égalité de tous les hommes. Contre le vieil ordre social, le révolutionnaire peut pendant un temps s'allier à des anarchistes : le taoïsme est anarchiste; il représente un moment négatif, il répudie les antiques hiérarchies et constitue en quelque sorte l'antithèse du confucianisme. Mais quand vient le moment positif où la synthèse s'opère, quand le révolutionnaire au lieu de combattre le passé s'emploie à bâtir l'avenir, l'alliance se brise; l'anarchiste devient un ennemi [1]. Dans cette perspective, il est facile de comprendre ce que les communistes peuvent accepter de Lao-tseu et ce qu'ils en refusent.

Il saute aux yeux que ces anciennes sagesses sont incompatibles avec le marxisme du simple fait qu'elles impliquent un monde sans classe et qu'elles nient l'histoire. Kouo Mo-jo étant depuis longtemps un marxiste systématique, insinuer qu'il incline vers le confucianisme, c'est proférer une absurdité que tous ses écrits et ses discours démentent. Quant à l'accusation de machiavélisme dirigée contre Mao Tsé-toung, elle montre qu'Etiemble ignore ce que c'est qu'une idée ;

1. On a vu que toutes les grandes révoltes paysannes, des Sourcils Rouges aux Boxers, ont été déclenchées par des sectes taoïstes contre la société confucéenne. Mais par la suite ces sociétés secrètes ont servi la contre-révolution et le régime les a dissoutes.

l'existence qu'il attribue aux idéologies est d'ordre purement livresque; mais une doctrine a ses racines et sa vérité dans la société qu'elle exprime. La Chine nouvelle refuse le confucianisme pour une raison d'une limpide clarté : il constituait la sublimation idéologique de l'ordre social qu'a détruit le communisme chinois. Il n'est pas en soi « la seule pensée capable de résister » à Mao Tsé-toung. Les gens qui s'opposent au régime peuvent aussi bien utiliser ce vieil instrument que s'en inventer d'autres. Et en vérité, si Etiemble était un peu mieux informé, il saurait que le confucianisme ne représente aucunement le plus sérieux adversaire des théoriciens marxistes; ceux-ci n'ont pas eu besoin de partir en guerre contre lui pour la bonne raison qu'il est depuis longtemps liquidé; malgré la tentative de Tchang Kaï-chek pour le ressusciter, il n'a pas survécu au « Mouvement du 4 Mai ». L'idéologie dont les intellectuels considérés comme non progressistes ont hérité c'est celle que se forgea alors la bourgeoisie : l'amalgame de pragmatisme et d'idéalisme que Hou Che emprunta à Dewey. Ai Ssu-chi, un des penseurs les plus importants du parti, attaque sans trêve non pas Confucius, mais Hou Che; on lui reproche son subjectivisme et son agnosticisme. La « refonte de la pensée » entreprise en 1951 fut dirigée contre Hou Che. Il y eut une avalanche d'articles qui le prirent à parti à travers toute la Chine. En 1954, après la polémique du *Rêve de la chambre rouge*, les intellectuels ouvrirent une campagne contre les survivances de l'idéalisme de Hou Che. L'objectif numéro un, c'est « d'éliminer le poison persistant de la philosophie réactionnaire de Hou Che », écrivait Wang Jo-chouei le 5 novembre 1954. Il est clair qu'une conception moderne du monde, telle que le marxisme, ne peut sérieusement s'affronter qu'avec d'autres visions du monde également modernes. Les superstructures du monde antique ne sauraient l'intéresser que de façon rétrospective.

Cependant le « néo-démisme » défini à Yenan réclame que la culture chinoise se rattache à ses traditions. Les marxistes chinois se conforment à ce programme en citant volontiers les vieux maîtres; sur certains points, ils font des emprunts délibérés aux sagesses passées; dans l'ensemble, celles-ci colorent de façon plus ou moins fortuite leur idéologie. Ainsi, tout en rejetant les idées sociales de Confucius, ils ont conservé certains thèmes de sa morale individuelle, entre autres celui de la *culture de soi,* lié à l'idée de *sincérité.* Le vrai sage ne se contente pas de professer l'amour de la sagesse : il la cherche sincèrement, il la met en pratique même quand il n'a pas de témoin. « L'homme supérieur veille sur lui-même quand il est seul », dit Confucius. « Le Maître dit : les odes de Che king sont au nombre de trois cents; un seul mot les résume : avoir des intentions droites [1]. » Sous les Ming, un fameux philosophe confucéen, Lieou Tsong-tcheou, a fait de « l'attention à soi-même », c'est-à-dire d'une certaine « vigilance intérieure », la base de la morale. J'en ai indiqué la raison : il s'agissait d'intérioriser les consignes garantissant l'ordre social. Le problème est analogue aujourd'hui. Le parti communiste ne peut exercer à tout instant une pression directe sur ses militants; ceux-ci se trouvent égaillés dans un immense pays de 600 millions d'hommes, et combattent souvent dans la solitude : le parti n'a sur eux de prise sûre que si leur adhésion vient du fond de leur cœur. C'est pourquoi Mao Tsé-toung dans ses essais éthiques, Lieou Chao-ki dans son livre célèbre : *Comment être un bon communiste*, reprennent le thème confucéen de vigilance intérieure qu'illustrent aussi quantité de romans et de récits contemporains; un bon communiste, c'est celui qui ne milite pas seulement du bout des lèvres : un conformisme extérieur, un enthousiasme superficiel ne suffisent pas; il faut qu'il soit sincère, et sa sincérité se mesure à ses actes : particulièrement à ceux qu'il accomplit sans témoins. Comme exemple d'authentique moralité, les communistes ont souvent cité un héros de l'époque Song, nommé Wen T'ien-hsiang, qui refusa de trahir la dynastie même lorsque celle-ci eut été anéantie par les Mongols; jeté en prison, rien ne put lui arracher un reniement. Résister à l'épreuve de la solitude, c'est à cela qu'on reconnaît le vrai communiste.

Les marxistes récusent la notion de « nature humaine »; on observe cependant chez les marxistes chinois un optimisme qui rappelle celui de Mencius [2]. Nul n'est à priori voué au

1. Entretiens de Confucius.

2. En fait je ne crois pas juste de mettre sur un même plan Mencius qui croyait la nature humaine bonne, et Siun Tseu qui la pensait mauvaise. Seuls ceux qui en postulent la perversité affirment de manière positive l'existence d'une « nature », réalité chargée de forces maléfiques, dur noyau qui résiste à toute tentative de rationalisation sociale. Dire comme Mencius que « *tout homme est bon, comme toute eau s'écoule vers le bas* » et que le mal vient « *des événements qui égarent son cœur* », c'est au fond considérer l'homme comme conditionné par sa situation; en dehors de celle-ci, il n'existe qu'abstrai-

mal; à personne il n'est interdit de devenir un héros; il suffit d'éduquer les gens, de leur expliquer la vérité pour qu'ils accèdent au bien; et c'est là la première tâche à laquelle doit se vouer ce nouveau sage qu'est le communiste. D'après un commentaire de la *Grande Etude :* « Le caractère ts'in, aimer, doit être remplacé par le caractère *sin*, renouveler. Sin, renouveler les autres hommes, faire disparaître les anciens défauts. Cela veut dire que le sage, après avoir cultivé en lui-même ses brillantes vertus, doit étendre son action aux autres hommes et faire en sorte qu'ils se débarrassent des impuretés qui les souillent depuis longtemps [1]. » Le « tcheng-fong » ou « réforme des mauvaises tendances » préconisée par Mao Tsé-toung peut être rapproché du *sin* confucéen. Dans tous les domaines, c'est un des slogans de la Chine d'aujourd'hui : réformer, refondre la mentalité ancienne, se *rénover* et rénover les autres. Et on sait l'importance qu'a l'idée de « rééducation » des délinquants et des contre-révolutionnaires : les séances de rééducation qui se déroulent dans les « centres » de ce nom, et dans les prisons, perpétuent la tradition confucéenne.

On retrouve même, chez les communistes chinois, des traces de cet optimisme politique qui dans la vieille Chine liait la *vertu* au *mandat*. Le Ciel voulait qu'une dynastie en perdant

---

tement; si on le prend en situation, son intériorité est tout entière définie par l'extériorité. « *Si les haricots et le millet étaient aussi abondants que l'eau et le feu, il n'y aurait pas dans tout le peuple un seul de ces êtres qu'on appelle de mauvais hommes* », dit Mencius. L'idée de « nature humaine » intervient dans son système comme les imaginaires dans certains calculs : elles les facilitent mais n'apparaissent pas dans le résultat. Aussi les discours de Mencius aux souverains traitent-ils de la tenure des terres, des taxes, des secours à accorder aux vieillards, et non du cœur humain. « *Les gens du commun, lorsqu'ils sont dépourvus de moyens d'existence, perdent tout principe fixe et, le cas échéant, ils tombent dans la licence et la dépravation, et il n'y a rien qu'ils ne pourraient faire. Les laisser tomber dans le crime pour ensuite leur infliger des châtiments, c'est les prendre au piège, comme on prend au piège des animaux sauvages... Un prince éclairé qui veut régler les moyens d'existence de son peuple s'assurera en premier lieu qu'ils sont suffisamment à leur aise pour s'occuper de leurs parents et pour entretenir leur femme et leurs enfants, que, dans les bonnes années, ils ont à chaque repas autant qu'ils peuvent manger, et que dans les mauvaises années ils sont au moins à l'abri de la famine. Ce n'est que lorsque cela est assuré que le prince « galopera vers la bonté » et le peuple n'aura pas de peine à le suivre. Mais avec des moyens si réduits qu'ils sont constamment en danger d'inanition, comment s'attendre à ce qu'ils cultivent la morale et les bonnes mœurs ?* » C'est à bon droit que des marxistes ont décelé chez Mencius un courant de pensée matérialiste : il subordonne résolument la morale à l'économie.

sa vertu perdît son mandat, donc son pouvoir. Ainsi, la corruption du Kuomintang a entraîné sa ruine, et c'est par son honnêteté, son altruisme, son humanité, que l'Armée rouge a conquis le cœur et l'appui de la paysannerie chinoise. Dans le recueil *Guide de la pensée*, auquel collaborèrent en 1949 Mao Tsé-toung et Lieou Chao-ki, est rappelée l'histoire fameuse de Li le Téméraire : il dut à ses vertus de renverser la dynastie Ming; mais il se laissa griser par sa victoire et commit des fautes qui entraînèrent sa chute : il fut renversé par les Mandchous. Son succès et son échec sont présentés comme le symbole des dangers qui menacent le parti communiste : il faut que celui-ci continue à mériter le pouvoir, sinon il échouera. On ne doit pas cependant s'abuser sur l'importance de ces analogies : elles demeurent très superficielles. L'idée d'intérioriser la vertu est aussi bien chrétienne que confucéenne, elle apparaît dans toutes les morales proprement dites et ce sont les circonstances qui donnent aujourd'hui au communisme chinois un caractère moral : l'individu n'est pas encore solidement intégré, il faut faire appel à la voix de sa conscience faute d'une suffisante pression sociale. Mais les objectifs à atteindre, et par conséquent le contenu concret des notions de bien et de mal, sont radicalement différents de ceux que proposaient les anciennes sagesses.

Je l'ai dit déjà : le vrai problème idéologique de la Chine d'aujourd'hui, ce n'est pas le rapport du marxisme avec les doctrines passées mais avec les philosophies modernes. Jusqu'en 1956, toute doctrine autre que le matérialisme historique était condamnée. Il s'est produit un grand changement au cours de cette dernière année. Déjà en janvier 1956, Chou En-laï, dans son « Rapport sur la question des intellectuels », critiquait énergiquement le sectarisme; il considérait cependant que le matérialisme et l'idéalisme s'opposaient comme le socialisme et le capitalisme dont ils constitueraient les superstructures, et qu'entre eux il y a donc une lutte implacable. L'« adresse » prononcée le 26 mai 1956 par Lou Ting-yi, chef de la section de propagande du Comité central du P. C., rend un tout autre son. Sous l'évidente influence de la déstalinisation, Lou Ting-yi déclare que la vie intellectuelle en Chine doit devenir largement libérale. Certes, la lutte des classes se reflète dans les querelles philosophiques; l'idéalisme bourgeois de Hou Che a été justement condamné ainsi que la sociologie bourgeoise professée par certaines écoles. Cependant il faut distinguer la politique de la culture : celle-ci exprime la lutte des classes d'une manière moins directe, « plus sinueuse »; méconnaître cette différence, c'est faire preuve de simplicisme « gauchiste ». Tant qu'il existe des classes, l'opposition matérialisme et idéalisme se manifeste sous forme de contradiction de classe : mais cette opposition se perpétuera dans la société socialiste et jusque dans la société communiste. Justement parce que les communistes, en tant que matérialistes dialectiques, comprennent la nécessité de ce dualisme, ils refuseront dorénavant d'entraver la propagation de l'idéalisme. La diffusion de l'idéalisme doit être autorisée au même titre que celle du matérialisme, et les deux écoles doivent s'affronter en toute liberté. Le recours à des mesures administratives dans les questions idéologiques est inefficace : il faut définitivement le refuser. Si le matérialisme est destiné à vaincre un jour l'idéalisme, c'est à condition que les deux doctrines mûrissent sans contrainte.

Aucune démocratie populaire n'a jamais poussé si loin le libéralisme. La ligne adoptée aujourd'hui en Chine contredit résolument celle qui était observée quelques mois plus tôt et qui condamnait la philosophie à une stricte orthodoxie. Non seulement l'idéalisme était combattu, mais le risque de se voir taxé d'idéalisme paralysait tout philosophe indépendant. Ces chaînes sont brisées. En théorie du moins il n'existe plus aucune restriction à la liberté de penser. Des doctrines inédites peuvent naître et se développer, sans se soucier de l'étiquette sous laquelle elles seront rangées : aucune attitude n'est plus hérétique. Le refus du monolithisme ouvre au marxisme même de fécondes perspectives. Les intellectuels chinois se trouvent désormais en mesure d'inventer à neuf une idéologie exprimant adéquatement le monde nouveau.

LITTÉRATURE

Les admirateurs de la vieille Chine ont soutenu qu'elle portait au pinacle la littérature, puisqu'elle en faisait la clef de voûte de la société; en vérité, la littérature fut au contraire ravalée par les Chinois au rang d'instrument de la classe dirigeante; source de privilèges, les privilégiés l'ont monopolisée plus radicalement qu'en aucune autre civilisation. Créé pour permettre la communication, le langage est devenu entre les mains des mandarins un instrument de séparation : ils maintinrent jusqu'au XXe siècle l'usage du Kou wen dont Hou Che disait : « Il ressemble au bas latin de l'Europe médiévale, mais il est encore plus mort, car le latin peut encore aujourd'hui être parlé et compris tandis que le Kou wen est devenu inintelligible aux lettrés eux-mêmes. » Lire était difficile : lire les classiques, impossible pour un Chinois non spécialisé. D'ailleurs, d'après les sujets qu'elle traitait, la littérature classique se voulait résolument ésotérique. Les œuvres composées par une élite bureaucratique, à l'usage de l'élite, poursuivaient surtout des buts éducatifs; ou bien, se prenant elles-mêmes pour fins, elles visaient la perfection formelle. Elles se réduisaient à un petit nombre de genres, définis avec rigueur. La compilation que fit exécuter en 1772 l'empereur K'ien-long est confirmée par la liste que dressa en 1776 le critique Yao Naï : essais, commentaires politiques, épitaphes, épigrammes, poésies, oraisons funèbres, histoires. Ni pièce de théâtre, ni roman. A la fin du XVIe siècle, un lettré, Yuan Tcho-lang, fit grand bruit en protestant contre cet académisme. Soutenu par ses deux frères, il déclara que « l'écrivain d'une époque doit écrire dans la langue de l'époque »; il voulait que chacun écrivît dans son style, ce qui lui plaisait. Il prêcha dans le désert. La ségrégation culturelle se perpétua. Rares étaient, je l'ai dit, les mandarins qui sortaient du peuple, et dès qu'ils en sortaient, ils ne lui appartenaient plus; dans presque toutes les histoires plus ou moins légendaires de fonctionnaires « parvenus », ceux-ci oublient leur humble famille dès qu'ils accèdent au pouvoir; s'ils écrivaient, ils étaient aussi conformistes que les autres.

Cependant, la situation de l'écrivain au sein de la société a toujours été ambiguë. Marx reconnaît à l'intellectuel bourgeois la capacité de dépasser au profit de l'universel le point de vue de sa classe. En Chine, les changements de dynastie, les révolutions de palais, les crises sociales ainsi que les circonstances de leurs propres vies, amenèrent certains lettrés à prendre du recul par rapport à l'ordre établi. Il y eut des historiens, des essayistes qui critiquèrent ou même attaquèrent le gouvernement; plus d'un écrivain manifesta dans les cadres imposés des conceptions originales. Ce furent surtout les poètes qui échappèrent au conformisme; sans doute se recrutèrent-ils parmi les plus individualistes des lettrés; non seulement ils développèrent des thèmes anarchistes, mais ils exprimèrent la misère du peuple, ils dénoncèrent les guerres, l'exploitation; c'est certainement la poésie qui représente le courant le plus vivant de la littérature classique chinoise, celui où la forme a réussi à se charger d'un contenu humain et même populaire.

En marge de la littérature reconnue il se forma une autre tradition qui n'adopta pas le langage des clercs et ne se coula pas dans les formes officielles. Des contes folkloriques furent rédigés par des lettrés, à titre de divertissement, d'abord dans le pien-wen des bouddhistes puis en langue parlée, ou pai houa. Après l'invention de l'imprimerie, au Xe siècle, sous les Song, les recueils de contes, récits et drames dialogués se multiplièrent; ils servaient d'aide-mémoire aux conteurs, de livrets aux acteurs, et ils amusaient les gens qui savaient lire. Ce genre s'enrichit quand les techniques nouvelles de l'imprimerie permirent aux livres de se multiplier. A partir des Ming, on coordonna en de longs romans les légendes populaires; ce travail fut effectué en partie par des lettrés, en partie par des candidats recalés qui possédaient une culture sans avoir pu accéder aux charges officielles; proches du peuple par leur pauvreté, ceux-ci ne trahirent pas en la rédigeant la littérature parlée. Ainsi naquirent les fameux romans : *Histoire romancée des trois royaumes, Tous les hommes sont frères, Le pèlerinage vers l'Ouest*, le *King-p'ing-mei*.

Sous les Mandchous, la décadence du monde féodal se refléta dans la littérature; elle commença à s'évader des règles formelles; des genres nouveaux se développèrent. Le roman devint autre chose qu'un divertissement : maint auteur tenta d'y exprimer sa vision du monde. *Le rêve de la Chambre rouge* entre autres est caractéristique de cette période; à la fois réaliste, subjectiviste, pessimiste, il manifeste le nouvel individualisme des écrivains chinois. Nombreux sont les ouvrages où l'auteur — comme celui du *Rêve* — se projette dans ses héros, mêlant à la fiction des éléments autobiographiques. Un des auteurs les plus connus de cette époque, P'ou Son-ling, composa des récits, des chansons, des ballades populaires. Il critiqua les officiels corrompus, il s'attaqua aux riches et aux puissants. En même temps, il essayait d'élever le niveau culturel des masses en rédigeant des manuels sur l'agriculture, les herbes médicinales, les traditions folkloriques. A l'âge de soixante-treize ans, il raconta dans une courte autobiographie la vie de sa famille. La vogue des autobiographies était alors considérable; ce développement du subjectivisme est dû en partie à l'influence du bouddhisme qui entraînait ses adeptes à l'examen de conscience et leur donnait le goût de la vie intérieure.

Le genre romanesque se dégrada au début du XIXe siècle : beaucoup de romans d'aventures, de cape et d'épée, relevaient de l'industrie plus que de la littérature. Mais il avait accompli lui aussi une synthèse de la culture classique et de l'inspiration populaire. Les poètes exprimèrent sous forme érudite les sentiments des masses; les romanciers employèrent leur culture à maîtriser à la fois des thèmes et le langage populaire.

« J'estime que la littérature ne doit plus être l'apanage exclusif de quelques individus, mais un courant puissant, capable de se répandre dans les masses. La littérature ne doit pas être séparée de la vie », écrivait Hou Che dans son journal en juillet 1916. Comme les bourgeois français de la Renaissance, les nouveaux intellectuels chinois réclamaient en premier lieu qu'on écrivît dans leur langue, c'est-à-dire qu'on abandonnât le Kou-wen en faveur du pai-houa. Ils voulaient aussi qu'on brisât les formes classiques. Hou Che exposa ces revendications dans le manifeste publié par la revue *Jeunesse Nouvelle* et qu'il avait intitulé « Suggestions pour un plan de réforme littéraire ». Tch'en Tou-sieou l'appuya par un article : « La révolution littéraire », que suivit un second manifeste de Hou Che : « Conception historique de la littérature ».

« N'imitez pas les anciens », conseillait Hou Che. « Ecrivez naturellement dans un langage que chacun puisse comprendre. » La revue *Nouvelle Jeunesse* donnait l'exemple : elle était entièrement rédigée en pai-houa [1]. La campagne se poursuivit pendant plusieurs années. « Rejetons toute littérature noble, recherchée, obséquieuse, et construisons une littérature simple, expressive, populaire », écrivait Tch'en dans *Jeunesse Nouvelle*. « Rejetons la littérature classique, caduque, ampoulée, et élaborons une littérature réaliste, fraîche, sincère. Rejetons la littérature académique, obscure,

1. On sait que le langage parlé se diversifie en de nombreux dialectes. On avait choisi celui de Pékin, ou mandarin.

difficile et créons une littérature vivante, transparente, courante. » Plus de quatre cents périodiques rédigés en pai-houa, une profusion de romans, de drames, de récits reprirent avec enthousiasme ce mot d'ordre; désormais on utilisa le pai-houa dans les traductions; les revues les plus sérieuses l'adoptèrent, et pour démontrer qu'il se prêtait à l'exposé des idées les plus abstraites, Hou Che composa en 1919 une *Histoire de la philosophie chinoise* en pai-houa : beaucoup de savants et d'érudits l'imitèrent. Ces audaces suscitèrent chez les conservateurs une violente opposition. Mais les novateurs eurent gain de cause. En 1920, le ministre de l'éducation décida : « Toutes les écoles élémentaires dans leurs premières et secondes classes doivent utiliser le langage populaire. On doit supprimer dans ces classes tous les textes de style ancien. En troisième et quatrième ils peuvent être utilisés jusqu'en 1923 : alors on les supprimera. » Il y eut une explosion de joie dans les milieux intellectuels. La littérature féodale avait fait son temps : une littérature bourgeoise allait naître.

Les hésitations de la bourgeoisie entraînèrent au sein de la nouvelle intelligentsia une scission idéologique; elles se reflètent aussi de manière complexe dans l'histoire littéraire de cette période. L'école du Croissant groupa autour de Hou Che des professeurs de faculté, des écrivains, des poètes ralliés à une pensée idéaliste et, esthétiquement, au symbolisme. Considérant leur classe comme classe universelle, détentrice de principes et de valeurs éternels, ils prirent pour fin en soi la culture et l'art et se désintéressèrent de la politique. Cette attitude est classique. Elle ne rallia cependant qu'un très petit nombre d'intellectuels; la grande majorité souhaitait une nouvelle révolution. Mais de quelle espèce ? La Chine devrait-elle suivre le chemin que lui indiquait l'U.R.S.S. et créer la dictature du prolétariat ? existait-il une autre voie ? D'autre part, il y avait une valeur qui s'imposait à la plupart des écrivains : cette culture même pour laquelle ils avaient combattu. Ses intérêts se confondaient-ils avec ceux de la révolution ? La situation était, pour ceux qui la vivaient alors, si embrouillée qu'on comprend que pendant plusieurs années la gauche intellectuelle ait été divisée.

La littérature doit être « engagée » : là-dessus tous les écrivains de gauche s'accordaient. Sur la nature et les limites de cet engagement, ils hésitaient. Le groupe « Littérature » qui se créa en janvier 1921 autour de Mao Touen et de Lou

Sin affirma dans un manifeste le rôle politique de la littérature : « Nous refusons que la littérature soit un divertissement, un amusement, un passe-temps. Son objet doit être le sang et les larmes que fait verser l'oppression. » A plusieurs reprises Mao Touen condamna les théories de l'art pour l'art. « La littérature n'a pas seulement pour mission de refléter les temps actuels », écrivit-il, « elle doit aussi les influencer. Il ne suffit pas qu'elle ressuscite le passé, il lui faut préparer l'avenir. » Cependant Mao Touen se réclamait alors de Zola et de Tolstoï, ni lui ni Lou Sin n'étaient des marxistes. L'idée de subordonner la littérature à la lutte des classes leur déplaisait. Mao Touen disait de la littérature prolétarienne : « Elle contredit l'essence même de la littérature en ne considérant celle-ci que comme un instrument de propagande, au sens étroit du mot. » Lou Sin partageait ce point de vue et revendiquait la liberté de l'écrivain.

Le même problème se posa au groupe « Création » que fondèrent en 1922 des étudiants qui revenaient du Japon. Le plus important d'entre eux était Kouo Mo-jo : il hésitait alors entre Tolstoï et Lénine; il avait été influencé par les philosophes et les poètes allemands, et sa haine du féodalisme allait de pair chez lui avec un idéal romantique. Il déclarait : « Le propre de la poésie est d'exprimer les sentiments avec une spontanéité quasi inconsciente; elle est la vibration de la vie même, la voix de l'âme. » Les poèmes qu'il réunit plus tard dans le recueil *Déesse* se conformaient à ce programme. A côté de lui Yu Ta-fou qui s'était gavé au Japon de littérature et d'alcool — il avait lu en quatre ans plus de mille romans et en était resté un peu sonné — peignit dans des nouvelles et des romans les drames de l'adolescence. Ils pensaient qu'au sein d'une société pourrie l'art et la littérature pouvaient constituer un monde à part. Mais bientôt ils éprouvèrent eux aussi le besoin de s'engager. Yu Ta-fou écrivit : « Notre littérature se fera l'écho du désespoir humain. Ce cri d'alarme sera un soulagement pour les âmes en détresse. En même temps elle sonnera le tocsin de la révolution contre l'organisation injuste de la société actuelle. » Vers 1923, Kouo Mo-jo adopta le point de vue « prolétarien ». « Nous nous opposons à l'hydre capitaliste ! Nous nous opposons à toute religion qui renie la vie ! Nous nous opposons aux littératures d'esclaves ! Notre mouvement veut manifester l'esprit de la classe prolétarienne, l'humanité jeune ! » En 1925 il expliqua ainsi son évolution : « Jadis, j'honorais et je vénérais les hommes individualistes et libres. Mais ces dernières années, j'ai pris plus intimement contact avec la masse que submerge la misère. J'ai appris que l'immense majorité des hommes se voient dénier l'indépendance, la liberté, l'individualité. » L'incident de Nankin Road fortifia « Création » dans son attitude révolutionnaire. Yu Ta-fou et Kouo Mo-jo se rendirent à Canton pour se consacrer à la politique. Le premier trouva l'action décevante; il partit pour Shanghaï où il mena une vie de misanthrope et quitta la Chine en 1939 pour finir obscurément à Sumatra en 1945. Kouo Mo-jo publia en 1926 un ouvrage, *Littérature et révolution,* où il défendait la thèse soutenue deux ans plus tôt par Tcheng Tchen-to : « Toute littérature qui n'est pas révolutionnaire usurpe le nom de littérature. Il faut la refuser. » Un autre groupe, « le Soleil », séparé de « Création » par des questions de personnes plutôt que de doctrine, optait aussi pour une littérature radicalement politisée.

Lou Sin, cependant, maintenait sa position : il faut que la littérature jouisse d'une certaine autonomie. Il fonda en 1924 la revue *Yu-sseu* à laquelle collaborèrent un écrivain satirique et humoriste, Lin Yu-tang, et le romancier Lao Che. Il polémiqua contre Création et le Soleil d'une part, contre le Croissant d'autre part. Son attitude demeurait la même qu'au temps de « Littérature ». Il écrivait entre autres : « La littérature doit être l'expression de la vie sociale complète. Si donc elle ne doit pas être exclusivement révolutionnaire, elle portera néanmoins des empreintes révolutionnaires, car elle reflète la société actuelle qui est animée d'un esprit de révolte. »

Finalement, les écrivains de gauche estimèrent qu'au lieu de s'entêter dans leurs divergences, ils feraient mieux d'affirmer leur acord. En 1935, la ligue des écrivains de gauche réunit Création, Soleil, Mao Touen, Lou Sin qui fut nommé président. La plate-forme adoptée était résolument prolétarienne. « Notre art est antiféodal, anticapitaliste, et même opposé à la petite bourgeoisie, car celle-ci a renié sa condition. Nous devons entreprendre la création d'une littérature prolétarienne. » Trouvant ce programme trop radical, quelques écrivains, qui cependant se réclamaient du marxisme, formèrent en 1932 le groupe des « Contemporains ». Mais ils restèrent unis avec les membres de la « Ligue »; le front des intellectuels de gauche ne fut pas entamé.

Sur le plan culturel, ceux-ci ne rencontraient pour ainsi dire pas d'adversaires. En 1930, les nationalistes formèrent une société, « Littérature nationaliste », dont le manifeste proclamait : « La plus haute destinée de la littérature est de réaliser les idées et l'esprit de la race à laquelle elle appartient. Son plus haut idéal, c'est le nationalisme. » La collusion du Kuomintang avec l'impérialisme étranger réduisait « l'idéal nationaliste » à un pur *flatus vocis*. La bourgeoisie n'acceptait sa situation qu'à coups de compromis, et grâce aux ressources de la mauvaise foi : en s'exprimant positivement, elle n'aurait pas pu éviter de mettre au jour ses contradictions, servant ainsi la cause révolutionnaire. Les écrivains décidèrent donc de ne rien dire : ils dirent des riens, comme fait aujourd'hui en France une importante fraction de la droite littéraire [1]. Lin Yu-tang, qui s'était séparé de Lou Sin, prit la tête d'une école « humoristique ». J'ai lu en anglais un certain nombre de ses essais : il cultive la frivolité avec l'application d'un Jacques Laurent. Cette faillite de la littérature de droite, le succès croissant des écrivains de gauche amenèrent le Kuomintang à recourir à la violence. Les « bandits de la culture » furent traqués. Une police spéciale était chargée de dépister ceux qui se cachaient dans les concessions de Shanghaï et elle avait pour consigne, si besoin en était, de les kidnapper. Le 1er février 1931, plusieurs membres de la Ligue furent arrêtés : on en fusilla un certain nombre, et d'autres furent enterrés vivants. Entre 1931 et 1932, il y eut quarante écrivains qui furent exécutés. En 1934, le Bureau de Propagande prohiba cent quarante-neuf livres d'auteurs en vogue, dont plusieurs ouvrages de Lou Sin.

Pourtant les activités des écrivains de gauche ne se ralentirent pas. Lou Sin traduisit Pékhanov et nombre de grands auteurs russes. Les Chinois se familiarisèrent avec Gorki, Tolstoï, Tourgueniev, et aussi avec des écrivains français : Hugo, Maupassant, Zola. Le genre littéraire dont le développement fut, pendant toute cette période, le plus remarquable, ce fut le roman. Déjà Leang K'it-chao en avait souligné l'importance sociale. Il attribuait en partie les maux

1. En France, la bourgeoisie décline; en Chine, elle était opprimée. La situation est différente. Mais dans les deux cas, le souci de ses littérateurs est de masquer *l'échec* par la frivolité.

de la Chine à ses anciens romans et incita les écrivains à en composer de neufs pour répandre leurs idées politiques et sociales. Lou Sin fit à l'Université de Pékin un cours sur le roman chinois qui fut publié en livre et qui eut un retentissement considérable : s'insurgeant contre le mépris où l'avait tenu les lettrés, il démontra la valeur des grands romans écrits depuis les Ming. L'exemple des littératures étrangères encouragea aussi les Chinois : ils composèrent à partir de 1925 quantité de romans qui s'attaquèrent aux traditions familiales, aux tabous sexuels, à la structure économique de la vieille société. Le plus célèbre fut *Famille* de Pa kin dont j'ai déjà parlé. Mao Touen toucha un vaste public en décrivant dans *Crépuscule* la nouvelle bourgeoisie chinoise. Lao Che intéressa surtout les Pékinois en peignant à travers l'histoire du pauvre coolie « Cœur Joyeux » la vie et la société de Pékin. Il utilisa non seulement le langage parlé, mais l'argot propre à Pékin.

De tous les écrivains de cette période, le plus grand et le plus fameux fut Lou Sin. Les Chinois le considèrent aujourd'hui comme leur Gorki. Son portrait préside à toutes les réunions et congrès d'écrivains. Sa maison de Shanghaï est un lieu de pèlerinage où une foule afflue chaque jour. Il incarne cette intelligentsia qui de 1917 à 1936 forgea la langue et la littérature modernes et les mit au service de la révolution.

Son vrai nom est Tcheou Chou-jen. Il naquit en 1881 dans le Tchekiang et fit ses études supérieures à Nankin. Un ami de jeunesse a raconté que pendant son adolescence il se posait anxieusement trois questions : quelle est la vie idéale ? Quel est le principal défaut du peuple chinois ? Comment y remédier ? Comme beaucoup de jeunes gens de sa génération, il pensa que la Chine avait besoin avant tout de savants. Il avait perdu de bonne heure son père, victime de superstitions populaires : au lieu de le soigner scientifiquement, on l'avait soumis à une médication magique. C'est sans doute cette mort qui décida le jeune homme à choisir la médecine. Il partit l'étudier au Japon. Mais il changea bientôt de voie. Il a raconté lui-même dans quelles circonstances : « De temps en temps, à la fin des classes de bactériologie, on nous montrait des films d'actualité. Naturellement, à l'époque, il était toujours question des victoires remportées par les Japonais contre les Russes. Cette fois, on voyait des Chinois qui avaient espionné pour le compte des Russes, qui avaient été pris par les Japonais, et exécutés, sous l'œil d'autres Chinois. Et moi aussi, j'étais là, dans la salle de classe, et je regardais.

« — Bravo ! crièrent les étudiants.

« Ils applaudissaient tous les films; mais ce jour-là leurs bravos me firent mal aux oreilles. Plus tard, en Chine, j'ai vu des badauds qui regardaient fusiller des criminels en applaudissant comme s'ils étaient saouls. Hélas ! Personne ne peut rien y faire ! Cependant ce jour-là, en cet endroit, cela me décida à changer de voie. »

Ce qui avait bouleversé Lou Sin, c'était de voir des Chinois assister au supplice de leurs compatriotes sans la moindre révolte. Il découvrit alors quel était le défaut majeur de ses compatriotes : l'apathie. Il devait souvent le leur reprocher. « Nous devenons facilement esclaves, et une fois réduits en esclavage, nous sommes très contents », écrivit-il amèrement à plusieurs années de là [1]. Et encore : « Si nous n'avons ni sagesse, ni bravoure véritable, mais seulement de l'humeur, nous sommes en grand danger. » Il décida que la tâche essentielle, c'était de vaincre cette passivité : il choisit la littérature. Il publia des articles et des traductions qui eurent peu de succès et à partir de 1910, il enseigna, tout en préparant une étude sur le roman chinois.

L'échec de la révolution de 1911 le persuada de la vanité de son effort : inutile de parler si personne n'écoute ni ne répond. Il se replia sur lui-même et se mit à vivre en solitaire. « J'avais perdu l'enthousiasme et la ferveur de ma jeunesse », avoua-t-il dix ans plus tard. Il passait alors son temps à copier des textes anciens, ne parlant qu'avec les rares amis qui venaient le visiter dans sa retraite. Ching Hsing-yi, un des rédacteurs de *Jeunesse nouvelle*, vint un soir le trouver. « Tu dois écrire », lui dit-il. Lou Sin raconte qu'il lui répondit : « Imagine une maison de fer, impossible à détruire, où dorment des gens qui vont bientôt mourir asphyxiés, mais sans souffrance, puisque la mort les prendra pendant leur sommeil. Si on crie, et qu'on en réveille quelques-uns qui connaîtront alors les affres de l'agonie, leur rend-on service ?
— S'ils s'éveillent, il y a un espoir qu'ils détruisent la maison », dit Ching Hsing-yi.

Lou Sin misa sur cet espoir. Il écrivit une nouvelle inspirée

1. Tombes.

du *Journal d'un fou* de Gogol où il dénonçait le vieil ordre social basé sur le confucianisme. D'autres suivirent, toutes d'un caractère violemment révolutionnaire. Elles furent rassemblées en plusieurs recueils. *Le cri* en contient quinze, datant de 1918-1922. *Perplexité* onze, composées entre 1924-1925. *Vieux contes* huit, rédigées entre 1922 et 1925. Outre ces nouvelles, Lou-Sin écrivit plusieurs récits autobiographiques qu'il réunit sous le titre de *Fleurs du matin.* Il traduisit beaucoup de contes et de fables, et raconta en leur donnant un sens symbolique, de vieilles légendes chinoises. Il commenta dans *Herbes sauvages,* sous forme de paraboles et de notes impressionnistes, les événements survenus à Pékin entre 1924 et 1926 : il s'attaqua au régime militaire auquel était alors soumise la Chine du Nord. Ces huit années furent littérairement les plus fécondes de sa vie. Le court récit intitulé *Histoire d'Ah. Q.* lui valut une immense popularité. Plus tard, il renonça aux œuvres d'imagination pour des raisons qui ressortent de celles qu'il a composées.

Nouvelles, contes, récits reflètent la déception éprouvée en 1911 par Lou Sin. Il n'éprouve que du dégoût pour la bourgeoisie qui s'est laissée frustrer de sa victoire et qui a pactisé avec l'oppression. « Je détestais ma propre classe, sans éprouver la moindre pitié pour sa misère et son effondrement », écrivit-il plus tard. Il réserve sa compassion pour les pauvres gens, particulièrement les paysans, dont le sort demeura inchangé quand une clique de dirigeants en remplaça une autre; il a décrit leur désarroi dans la nouvelle *Tempête dans une tasse de thé* et aussi à l'arrière-plan de l'histoire d'Ah. Q. Dans ce minable héros, Lou Sin a incarné les défauts que depuis longtemps il reprochait au peuple chinois : misérable, méprisé, privé de femmes, privé de tout. Ah. Q. transforme en « victoire morale » chacune de ses défaites; cette résignation fanfaronne le voue au pire destin : il finit exécuté, bien qu'il n'ait commis aucun crime, et sans rien comprendre à son malheur. Lou Sin tout au long du récit se moque avec cruauté de ses travers; il éprouve pourtant pour lui une évidente sympathie, et le blâme finalement ne retombe pas sur sa tête, mais sur la société qui l'a fait tel qu'il est. Presque tous les personnages de Lou Sin — paysans arriérés, intellectuels ratés, fous, drogués, mendiants — sont comme Ah. Q. des consciences mystifiées; les conditions économiques et la morale traditionnelle leur barrent toutes les issues; certains désespèrent, d'autres se résignent, presque tous se débattent vainement, cherchant d'absurdes consolations dans leur vie intérieure, ou demandant du secours aux institutions et aux superstitions-mêmes qui les écrasent. L'impuissance de ces victimes, leur semi-complicité avec leur malheur donnent aux nouvelles de Lou Sin un accent désespéré. Les Chinois le comparent à Gorki; à mon avis, il s'apparente bien davantage à Tchékov. A travers des intrigues qu'il se soucie à peine de nouer, il montre que la situation actuelle refuse à l'individu toute possibilité de salut. Cette conclusion n'est pas indiquée de façon didactique : Lou Sin crée une atmosphère étouffante qui prend insidieusement le lecteur à la gorge. Ses héros apparaissent d'ordinaire dans une sorte de clair-obscur. Il y a souvent — comme chez Tchékov — un narrateur, qui est supposé être l'auteur lui-même, et qui assiste du dehors aux événements : ceux-ci lui échappent en partie et ils tirent leur épaisseur de ce demi-mystère. Cet art qui suggère beaucoup plus qu'il ne dit est parfaitement adapté à son objet : exprimer des êtres obscurs à eux-mêmes, tout entiers définis par des circonstances qui les dépassent; il lui suffit de décrire celles-ci pour rendre compte de leur intériorité; jamais il ne fait de psychologie au sens analytique du mot : entre le dehors et le dedans, pas de distance. Cela ne signifie pas que la subjectivité soit absente de ses œuvres; loin de là; les situations paraissent intolérables parce qu'on sent à chaque instant la présence de la conscience qui les vit; on pourrait dire au contraire que chez Lou Sin la subjectivité est partout. C'est une des divergences fondamentales qui le séparaient avant 1930 de la littérature dite prolétarienne. La prétendue objectivité du réalisme socialiste ne pouvait pas le satisfaire; pour lui, prendre conscience du monde ne se réduisait pas simplement à le refléter. Ses réticences s'expliquent par des raisons encore plus profondes. Lou Sin était alors obstinément pessimiste; il considérait comme mensonger l'espoir en des lendemains qui chantent; il avait pris la plume cependant pour appeler ses compatriotes au combat; il ne pouvait donc pas refuser toute chance à l'avenir; s'il écrivait, c'est que la maison de fer n'était pas indestructible. Cette contradiction s'exprime dans la préface qu'il rédigea en 1922, en tête du recueil *Le cri*.

« En dépit de mon intime conviction, je ne pouvais pas dire qu'il n'existait aucun espoir, puisque l'espoir réside dans l'avenir... Puisque mon cri est un appel aux armes, je dois évidemment obéir aux ordres de mon général; c'est pourquoi je ne m'en tiens pas toujours à la vérité... Nos leaders étaient alors contre le pessimisme. Et quant à moi, je ne tenais pas à communiquer le sentiment de solitude, que j'avais trouvé si amer, aux jeunes encore en train de faire des rêves bleus, comme j'en avais fait à leur âge. Il est donc clair que mes nouvelles ne sont pas des œuvres d'art; mais je suis content qu'on les lise. »

En fait, c'est de façon à peine perceptible qu'il a nuancé d'un peu d'optimisme deux de ses récits. Mais l'idée d'altérer le moins du monde la vérité lui paraissait contredire les exigences de la littérature : il concevait l'œuvre d'art comme un témoignage absolument sincère. Il ne renonça jamais à cette position; cependant il voulait la révolution : il en résulta un conflit qui ne fut résolu que par sa mort.

Son pessimisme en effet ne lui servait pas de refuge contre l'action. Nommé professeur à l'Université de Pékin, son cours sur le roman chinois eut un énorme succès : on se bousculait pour l'entendre. Il parlait lentement, sans élever la voix, le visage impassible : il aimait à faire rire mais ne riait jamais. Alors à l'apogée de sa gloire, il usa de son crédit pour soutenir les étudiants contre le gouvernement. « Une vie à moitié vivante, voilà l'erreur totale, car avec l'apparence de la vie, elle mène en fait à la mort. Il faut que notre jeunesse sorte de la prison antique. Hier, alors qu'ils n'avaient rien fait d'autre qu'assister à un meeting, beaucoup d'étudiants ont été frappés, certains même tués... » Le ton de ses protestations, son enseignement, les attaques de Yu-sseu contre la littérature de droite, les critiques dirigées par Lou Sin contre le gouvernement entraînèrent sa destitution; sa revue fut interdite, et son nom inscrit sur la liste noire. En 1926, des professeurs suspects de communisme ayant été exécutés, il quitta Pékin et se réfugia dans le Sud. Il enseigna quelque temps à Amoy, mais s'y déplut et s'installa, en 1927, à Canton où l'Université Sun Yat-sen l'accueillit avec empressement. Après l'émeute de 1927, il partit pour Shanghaï où pendant quelque temps il demeura caché chez un ami japonais.

La Chine du Sud, le Kuomintang, représentaient le seul bastion de la liberté, l'unique chance d'une transformation sociale. La trahison de Tchang Kaï-chek sapa ces derniers espoirs. Lou Sin semble avoir alors sombré dans un découragement total. « Révolution, contre-révolution, non-révolution », écrivait-il en 1927. « Les révolutionnaires sont tués par les contre-révolutionnaires, les contre-révolutionnaires par les révolutionnaires. Les non-révolutionnaires sont tantôt soupçonnés d'être révolutionnaires et tués par les contre-révolutionnaires, tantôt d'être contre-révolutionnaires, et tués par les révolutionnaires. Ou bien encore des gens qui ne sont rien du tout sont tués par les révolutionnaires et par les contre-révolutionnaires. Ah ! révolution ! révolution ! » La même année, il écrit dans *Herbes sauvages :* « Autrefois, mon cœur était plein de chants passionnés : le sang et le fer, la flamme et la ferveur, la justice et la vengeance !... L'espoir ! l'espoir ! Avec cé bouclier on résiste aux embûches de la nuit obscure et du néant : bien que derrière ce bouclier ce soit encore la nuit obscure du néant. C'est ainsi que ma jeunesse a passé peu à peu. Du moins voyais-je s'épanouir à mes côtés certains printemps. Mais aujourd'hui je me sens si solitaire ! Ces printemps se sont-ils fanés eux aussi ? La jeunesse a-t-elle vieilli dans le monde entier ? »

Pour Lou Sin, douter de la jeunesse, c'était toucher le fond du désespoir, car c'est en elle qu'il avait mis toute sa confiance. « Sauvez les enfants ! » c'était là le « cri » qui concluait sa première nouvelle. Dans une autre, *Le Pays natal,* il avait écrit : « J'espère que la vie des jeunes ne sera pas aussi instable que la nôtre. Je veux qu'ils aient une vie nouvelle que nous ne connaissons pas. » Aussi, malgré son désarroi, quand il pense à la jeunesse, il retrouve sa foi dans l'avenir. Dans *Herbes sauvages,* il écrit : « L'armée de la jeunesse se lève devant mes yeux. Les jeunes sont devenus violents ou vont le devenir. J'aime ces âmes sanglantes qui se forgent dans la douleur : elles témoignent que j'appartiens à un monde vivant. »

Un peu plus loin, il fait une apologie passionnée du héros révolutionnaire : « Le rebelle héroïque ouvre ses yeux sur le monde et se tient droit. Il voit les usines abandonnées, les tombeaux couverts de buissons. Il se remémore les vieilles douleurs qui ne finissent pas. Il contemple les vestiges de ce qui a été. Il connaît tout ce qui est mort, tout ce qui vient de naître, et tout ce qui n'est pas encore né. Il a compris les actes du Créateur. Il va se lever pour ressusciter la race humaine, ou pour faire périr tous les fils du Créateur. Aux yeux du rebelle, le monde est changé. »

D'abord il luttera contre l'hypocrisie : « Sur la tête des ennemis flottent toutes sortes de drapeaux, ornés de toutes sortes de beaux noms : philanthropes, intellectuels, écrivains, génies, sages. Ils portent des manteaux décorés de toutes sortes de broderies : science, vertu, génie national, logique, justice, civilisation orientale. Le rebelle brandit sa lance, il sourit et d'un seul coup il transperce leurs cœurs. Tout s'écroule; mais sur le sol traîne seulement un manteau : il ne couvrait que du vide. Il est vainqueur, il est le criminel qui a transpercé les philanthropes. »

Sur le plan politique, Lou Sin ne renonce donc pas à l'espoir. Mais sur le rôle révolutionnaire que peut jouer la littérature, il est devenu fort sceptique. Il écrit dans *Vent chaud :* « Il faut que tombent les vieilles idoles pour que l'humanité progresse. » Mais il ne pense plus que l'écrivain puisse aider à les renverser. « C'est la politique qui pousse, la littérature ne fait que suivre le bouleversement. S'imaginer que la littérature peut modifier la situation, c'est de l'idéalisme : les faits ont démenti ces espoirs [1]. » Il dit aussi : « Le révolutionnaire n'ouvre pas la bouche : il tire. Le faible parle et il est massacré. Le chat qui prend une souris ne crie pas, c'est sa victime qui crie [2]. »

Cependant, si l'écrivain renonce à l'illusion qu'un livre est une arme politiquement efficace, il ne méprisera pas l'objectif qui est authentiquement celui de la littérature : exprimer le monde dans sa vérité. Ce n'est même qu'en dissociant l'action et le dévoilement qu'il accomplira sa véritable mission. Lou Sin refuse toutes les évasions : « Il y a des écrivains qui veulent quitter la vie, qui parlent de fleurs et d'oiseaux. J'estime que la littérature est le sentiment qu'on a de la vie présente [3]. » Mais aussi bien que l'esthétisme, la littérature prolétarienne elle aussi est une fuite : « Actuellement les soi-disant révolutionnaires parlent de lutter et de dépasser leur époque. Mais dépasser une époque, c'est la fuir. Si on n'a pas le courage de regarder en face la réalité, comment s'arroger le titre de révolutionnaire [4] ? » Et plus loin : « Nos écrivains révolutionnaires ont peur des ténèbres, ils disent que nous attendons l'avenir et veulent sauter à pieds joints

1. San-hien-t'si.
2. C'est tout.
3. Pièces fugitives.
4. San-hien-t'si.

par-dessus le temps : fermer les yeux, telle est ta victoire finale, grand héros révolutionnaire ! »

Somme toute, en politisant radicalement la littérature, on perd sur les deux tableaux. On écrit de mauvais livres et on ne sert à rien. « Les belles œuvres ne sont pas le résultat d'un commandement, elles n'acceptent pas la contrainte, mais elles jaillissent du fond du cœur. Pour faire la révolution, il faut des révolutionnaires : mais la littérature révolutionnaire n'est pas une chose urgente. »

Entre littérature et révolution, Lou Sin finalement choisit la révolution. « A cette époque », explique-t-il, « je réalisai que la classe prolétarienne était maîtresse de l'avenir [1]. » Pour la servir, il accepta en 1930 de présider la « ligue des écrivains de gauche » vouée à la littérature révolutionnaire. Mais il est remarquable qu'il se cantonna alors dans la polémique et dans un travail de traduction. Il fit connaître aux Chinois Plékanov, Fadéev, Tchékov, Gogol, Pio Baroja : ses traductions remplissent deux volumes. Il n'écrivit plus ni récits, ni nouvelles.

Cette attitude s'éclaire si on la compare à celle de l'écrivain le plus proche de Lou Sin, Mao Touen. Il a partagé lui aussi en 1927 les désillusions de Lou Sin. Parlant des années qui précédèrent la trahison de Tchang Kaï-chek, il écrit : « Il semblait alors qu'un âge d'or allait venir. Hélas, l'événement dissipa ces espoirs lumineux et une profonde douleur pesa sur les cœurs. » Dans son roman *Agitations*, il décrit le chaos que fut la révolution de 1927, les hécatombes, la trahison. Et commentant un autre roman, *Recherches*, il écrit : « J'avoue que le ton de tristesse profonde des héros m'est personnel; mais l'insatisfaction des jeunes, leur détresse, leur recherche d'une voie, l'échec de toute leurs entreprises est un fait véritablement objectif. » Tout en dénonçant les tares de la société, en montrant la nécessité de la transformer, Mao Touen s'efforce cependant de dépasser le pessimisme : « J'ai fait l'expérience des difficultés de la Chine en ébullition. J'ai ressenti les dangers de la désillusion et toutes les contradictions de la vie humaine jusqu'à en devenir pessimiste. Je veux maintenant éclairer d'un rayon de lumière cette vie confuse et sombre. »

C'est cette dernière démarche que Lou Sin n'a pu se décider à effectuer. Il pouvait faire taire ses inquiétudes, ses doutes,

1. C'est tout.

et miser activement sur un avenir meilleur; il a toujours refusé d'exprimer positivement un espoir qui ne suffisait sans doute pas à vaincre la tristesse que lui inspirait le présent.

L'année 1936 marque la fin d'une ère. La guerre sino-japonaise commençait. En décembre 1935, Mao Tsé-toung avait fait adopter par les communistes la tactique du front national uni. Les écrivains de tous les partis décidèrent de former un front commun. Certains communistes soutenaient que seul le prolétariat est l'authentique adversaire de l'impérialisme et que la littérature devait continuer à se situer sur le terrain de la lutte des classes. Mais la majorité des écrivains opta pour l'union. Kouo Mo-jo, qui venait de passer six ans exilé au Japon, Mao Touen, Lou Sin furent les premiers à se rallier. « Je souscris sans condition à cette politique, parce que je suis non seulement écrivain, mais Chinois », écrivit Lou Sin. Atteint de tuberculose, il mourut peu après, laissant un fils de dix-sept ans auquel il enjoignit dans son testament : « Evite ceux qui te conseillent la tolérance à l'égard de tes ennemis. » Plus de vingt mille personnes défilèrent devant son cercueil pendant les trois jours qui précédèrent ses funérailles. Sa mort coïncida avec la fin de la « culture bourgeoise » proprement dite. Sa vie et sa carrière reflètent le drame d'une classe à qui son émancipation politique ne rendit que plus intolérable l'oppression économique, qui, frustrée de sa victoire, impuissante, désespérée, n'eut pas d'autre issue, venant à peine de naître, que de se nier au profit du prolétariat.

« La fédération antijaponaise des écrivains de toute la Chine » fut créée en 1938. Lin Yu-tang y rejoignait Kouo Mo-jo. On nomma comme président Lao Che qui fut réélu chaque année. L'union sacrée produisit presque exclusivement une littérature de propagande. On écrivit des romans patriotiques, et surtout quantité de pièces de théâtre, plus efficaces que des livres dans un pays où 80 % de la population est illettrée. Kouo Mo-jo et Ts'ao Yu entre autres composèrent de nombreux drames.

Les écrivains se dispersèrent. Certains demeurèrent en zone Kuomintang et furent persécutés. En 1946, Wen Yi-touo, ancien symboliste du *Croissant* devenu révolutionnaire, fut exécuté. Cependant Mao Touen travailla pendant quelque temps à

Hong-Kong avec un groupe d'écrivains communistes. La plupart des intellectuels rallièrent Yenan. Les *Adresses au Forum* délivrées en 1942 par Mao Tsé-toung entérinèrent la mort de la littérature bourgeoise. La question était désormais de créer une culture populaire. La seule esthétique admise fut le réalisme socialiste, et la tâche principale l'extension de la culture plutôt que son élévation.

Depuis le Mouvement du 4 mai, il ne s'était guère écoulé plus de vingt ans. On comprend qu'en un laps de temps si bref, la Chine n'ait pu connaître la grande éclosion qui, en un siècle, dota la Russie d'une littérature prestigieuse. La dissociation de la culture classique et de la culture populaire ne permit pas à la civilisation chinoise d'engendrer un Shakespeare ou un Cervantès. Leur réconciliation au sein d'une culture bourgeoise ne put, faute de temps, compenser cette carence. Quand le nouveau régime entreprend son œuvre culturelle, il a derrière lui des œuvres intéressantes mais non une grande tradition.

Le 19 juillet 1949 se créa à Pékin la « Fédération nationale de littérature et d'art » présidée par Kouo Mo-jo. Elle avait pour vice-président Tche Yang, vieux communiste de Yenan. Son but était « d'unir toute la littérature patriotique et démocratique, et tous les artistes, de conserve avec le peuple chinois pour éliminer définitivement les survivances de l'impérialisme, du féodalisme, et du capitalisme bureaucratique ». Elle donna naissance à l'Association des écrivains présidée par Mao Touen. Celui-ci, au cours du meeting où fut célébré en 1952 le dixième anniversaire du Forum de Yenan, reprit et commenta avec force les thèses proposées en 1942 par Mao Tsé-toung : l'écrivain doit servir les masses et pour y réussir il lui faut se créer une mentalité nouvelle. Le rôle de l'Association, c'est de le diriger dans les voies du marxisme-léninisme; et d'autre part de faire, dans une perspective marxiste-léniniste, la critique de la littérature ancienne et de la littérature occidentale. On va voir d'abord comment la Chine nouvelle récupère son ancienne littérature; puis on examinera les problèmes que pose aujourd'hui la création littéraire.

Les thèses néodémistes de Yenan ont été souvent reprises depuis la libération : la Chine doit assumer son héritage culturel. C'est ce qu'a répété en 1953, au congrès des écrivains, le poète Fong Chih; il faut en particulier diffuser les anciens romans et récits populaires, quitte à opérer préalablement certaines révisions. Chou Yang déclara la même année : « La récupération et l'étude systématique de notre héritage artistique national est devenu un des points les plus importants de notre travail touchant la littérature et l'art. » Le supplément du quotidien *Kouang-ming*, intitulé *Patrimoine littéraire*, se voue à cette tâche. Le ministre de la Culture a créé un département de « Recherches littéraires » qui étudie d'un point de vue marxiste-léniniste la littérature occidentale et la littérature ancienne. Au grand étonnement de leurs adversaires qui concevaient le communisme comme un retour à la barbarie, le régime a fait réimprimer intégralement le fameux *Rêve de la Chambre rouge* [1], puis *Tous les hommes sont frères* et *Le Roman des trois royaumes*. En 1954, un comité représentant toutes les associations littéraires a décidé de fêter le 200e anniversaire de Wou King-tzeu, auteur du roman satirique *La Vie des lettrés*; et le 250e anniversaire de Hong Cheng, qui écrivit l'histoire de la belle concubine impériale Yang Kouei-Fei. Le critique le plus officiel d'aujourd'hui, Feng Hsueh-feng, ayant déclaré que le réalisme socialisme n'exclut pas le romantisme, on a réédité aussi les œuvres des poètes K'iu Yuan et Tou Fou, dont on loue le profond amour du peuple. Non seulement l'ancienne littérature est diffusée à travers la Chine, mais on la traduit largement en anglais afin de la répandre dans toute l'Asie. J'ai pu lire ainsi beaucoup des commentaires dont la critique accompagne les rééditions importantes. En voici le thème général.

Les œuvres du passé ont des défauts et des insuffisances inhérentes à la période où elles ont été créées; mais certaines représentent un dépassement du moment qu'elles expriment; ou bien elles se révoltent franchement contre l'oppression, ou du moins elles critiquent la société de leur temps. Replacées dans une perspective dialectique, elles manifestent une vérité, incomplète sans doute, mais positive. La condition même des artistes qui les ont composées reflétait cette ambiguïté. Tou Fou, par exemple, descendait d'une grande famille aristocratique, mais son père était un mandarin pauvre, et il vécut lui-même dans la misère, ce qui lui a permis de com-

1. Cette réédition a ému entre autres nombre de lettrés anticommunistes réfugiés à Hong-Kong; elle a modifié l'idée qu'ils se faisaient du régime.

prendre la condition opprimée des fermiers et de sympathiser avec leur révolte. Il en était de même pour Yuan Tsi, poète qui vécut trois siècles après J.-C. et disciple de l'école réaliste qui s'opposait à toutes les classes dirigeantes : son anarchisme reflétait la révolte du peuple contre ses oppresseurs.

Trois commentaires m'ont paru particulièrement significatifs : la revue *Chinese litterature* a traduit des extraits du grand historien Sseu-ma Ts'ien qui, entre 145-86 av. J.-C., a composé des *Mémoires historiques* couvrant trois mille ans d'histoire chinoise. Il faut louer, dit le critique, la valeur et l'importance scientifique de son œuvre, ainsi que ses dons d'écrivain; mais il faut surtout l'admirer d'avoir fustigé les tyrans et pris parti pour les héros qui combattirent l'oppression. Sseu-ma Ts'ien sympathisait avec les masses travailleuses, et haïssait leurs exploiteurs. Il ne juge pas ses héros d'après les critères de la morale féodale; c'est en tant que défenseurs du peuple qu'il les exalte. Littérairement, il possède l'art de peindre le typique au sein de l'individuel, conformément aux prescriptions du réalisme socialiste.

Un autre numéro de la même revue donnait des fragments de la pièce fameuse *Le Palais de l'éternelle jeunesse* qui raconte la tragique histoire d'amour de l'empereur Ming Houang et de sa belle concubine. Le critique reproche à l'auteur d'avoir peint leur passion avec trop de complaisance; mais il le félicite d'avoir dénoncé la luxure des dirigeants féodaux, leur égoïsme et leurs caprices : la belle Yang, qui a du goût pour le fruit tropical appelé lichee, mobilise des courriers et dépense des fortunes pour s'en faire apporter du Sud, en toutes saisons. Dans l'ensemble, la pièce condamne avec virulence les vices des hauts fonctionnaires, et souligne l'intégrité des paysans et des gens du peuple.

La *Vie des lettrés* a été écrite au milieu du XVIIIe siècle par Wou King-tseu. L'auteur appartenait à la classe dirigeante, mais sa famille était appauvrie, déclinante, et c'est ce qui permit à Wou de montrer la décadence des mandarins et la pourriture de la structure politique du temps. Lou Sin, dans son *Histoire du roman,* considère que c'est là le premier roman chinois qui constitue une satire sociale et il estime que comme tel il a rarement été surpassé. Wou King-tseu passa sa vie dans la pauvreté, il fut même obligé de vendre sa bibliothèque pour pouvoir manger; souvent à bout de ressources, il ne subsistait que grâce à la charité de ses amis : c'est cette dure expérience qui fut la source de son réalisme. A un moment, il fut tenté par le succès et essaya d'obtenir un poste officiel; mais il choisit tout de même l'indépendance et la misère, et finalement il n'a eu que mépris pour le système d'examens qui existait en son temps. Il manifeste de la sympathie pour les familles d'ancienne souche, et estime les vertus confucéennes, mais il ne faut pas voir là une tendance conservatrice : les vieilles familles dataient de la dynastie chinoise des Ming tandis que les parvenus avaient fait fortune sous les Mandchous. L'attitude de l'auteur est donc nationaliste et non réactionnaire.

Personnellement, il m'a semblé, touchant ces deux dernières œuvres, que le critique ne distribuait pas de façon très exacte les ombres et les lumières. Dans *Le Palais de l'éternelle jeunesse,* la sympathie de l'auteur pour les deux impériaux amants est manifeste : la critique sociale demeure marginale. Certes, *La Vie des lettrés* est une satire : mais moins clairement dirigée qu'on ne le dit; l'ironie de Wou King-tseu est souvent ambiguë, il y a beaucoup de nonchalance et de gratuité dans les épisodes que j'ai lus.

Des discussions passionnées se sont ouvertes à propos du roman *Tous les hommes sont frères.* Hou Che n'y voyait qu'une histoire de voleurs : pour les communistes, ces brigands sont en fait des héros populaires, en rébellion contre l'ordre social. De même, le *Pèlerinage vers l'Ouest* n'est pas seulement une suite d'aventures romanesques; l'auteur y peint la révolte des opprimés contre la classe dirigeante; le fait est particulièrement frappant touchant l'épisode du « roi des Singes » qui a inspiré le célèbre opéra : *Révolte dans le royaume des cieux.*

L'épisode le plus spectaculaire qui ait marqué cette entreprise de récupération, c'est la fameuse affaire du *Rêve de la Chambre rouge.* Ce roman, de près d'un million de caractères, date de la fin du XVIIIe siècle. Il peint, à travers l'histoire d'une famille, la décadence de la classe des propriétaires bureaucrates, et prophétise par là même la ruine de l'ordre féodal. Les deux amoureux qui en sont les principaux héros se révoltent contre le vieux système, et leur amour se fonde précisément sur leur espoir commun en un monde meilleur; mais cet espoir est déçu, le vieil ordre social les écrase. Ce livre était détesté par les mandarins mandchous qui le jugeaient séditieux. A partir de 1911, il connut, pour cette raison, une immense popularité : on en composa tant de commentaires qu'autour de lui naquit ce qu'on appela la « Science rouge ». Hou Che appréciait surtout le fait qu'il était écrit en langage populaire; il en louait le naturalisme, sans y voir une œuvre critique ni révolutionnaire. En 1923, un de ses disciples, le professeur Yu Ping-po, publia une série d'essais sur le *Rêve*. Quand, en 1950, le roman eut été réédité, un éditeur réimprima les essais de Yu Ping-po, qu'il fit précéder d'une préface : on avertissait le lecteur que cette étude se bornait à apprécier le *Rêve* selon des standards purement littéraires. Yu Ping-po n'accordait en effet au roman aucune portée sociale. Selon lui, en tant que roman de mœurs, *le Rêve* s'apparente par son naturalisme avec le fameux roman, à demi pornographique, de l'époque Ming, intitulé le *King-p'ing-mei*. D'autre part, Yu lui attribuait des arrière-plans taoïstes : le thème central du livre serait que « l'amour est un songe creux »; les événements ne serviraient qu'à illustrer cette thèse : ceci sous-entend la perspective taoïste où rêve et réalité sont indistincts, toutes les aventures humaines flottant dans les brumes de l'infini.

L'ouvrage de Yu Ping-po fut un succès; on en tira six éditions et vingt-cinq mille exemplaires [1] furent mis en circulation. Plusieurs revues, entre autres la *Gazette littéraire*, qui est sur ce plan la plus importante, en firent des critiques fort louangeuses.

Cependant, en 1954, deux jeunes étudiants firent paraître dans un mensuel publié par l'Université de Chan-tong une vive attaque contre le livre de Yu; la *Gazette littéraire* reproduisit leur article, mais le critique officiel du P.C., Feng Hsueh-feng, le fit précéder d'une introduction fort réticente. Les étudiants envoyèrent un nouveau papier au supplément du Kouang-ming *Patrimoine culturel*. Ils démolissaient l'interprétation de Yu Ping-po, inspirée, disaient-ils, de l'idéalisme de Hou Che. A leur avis, en dépit d'un certain fatalisme, d'une certaine tendance au nihilisme, et malgré l'attachement qu'il éprouvait encore à l'égard de sa propre classe, l'auteur du *Rêve* a fait une œuvre profondément réaliste; il

1. Le chiffre est minime à côté de certains autres que je cite plus loin; mais il s'agit alors de livres largement populaires. 25.000 est un chiffre élevé pour un ouvrage aussi spécialisé.

a peint la désintégration de l'aristocratie; il a prêché, non l'évasion par le rêve, mais la lutte contre le féodalisme. L'amour des deux héros a véritablement un contenu révolutionnaire.

Ce genre de débats ne nous est pas étranger; en France, la gauche et la droite revendiquent, par exemple, Stendhal avec passion. Ce qu'il y a de singulier dans cette affaire, c'est la signification sociale et politique qu'elle a prise, l'ampleur des conséquences qu'elle a entraînées.

Le *Journal du Peuple* [1] intervint dans le débat, quinze jours après la parution du second article; c'était le 23 octobre 1954, la veille du Congrès de littérature tenu par l'Association des écrivains; il approuvait les deux étudiants et rappelait un article écrit en 1925 par Yu où celui-ci déclarait que la littérature n'est qu'une affaire de goût. Le *Journal du Peuple* accusait le professeur de subjectivisme et d'idéalisme. Il ajoutait que le débat était publiquement ouvert et invitait tous les intellectuels à y prendre part. Il faut, concluait-il, « purifier la recherche littéraire de ses idées subjectives et bourgeoises, apprendre à appliquer les points de vue, idées, et méthodes marxistes ». Le congrès qui s'ouvrit le lendemain reprit ces thèses. Kouo Mo-jo et les plus grands critiques s'accordèrent à condamner l'idéalisme de Yu. Alors le *Journal du Peuple* attaqua la *Gazette littéraire* qui avait décerné des louanges au professeur et parlé avec réserve de ses adversaires. Il en profita pour adresser d'autres reproches à la revue : elle publiait trop d'articles d'écrivains connus, mais qui avaient gardé une mentalité bourgeoise; de jeunes auteurs se voyaient au contraire refuser des essais écrits dans une perspective marxiste. L'affaire se développa. Chou Ou-chang, auteur d'un ancien livre sur le *Rêve*, écrit sous l'influence de Lou Sin, attaqua la *Gazette* et d'autres firent chorus. Kouo Mo-jo déclara le 8 novembre 1954, au cours d'une interview : « Le problème dépasse la critique d'une personne ou d'un livre. Il s'agit de la lutte idéologique entre la pensée marxiste et la pensée idéaliste. » Feng Hsueh-feng publia dans sa revue une autocritique où il rendait justice aux deux étudiants. Le 23 novembre, l'Association condamna de nouveau le livre du professeur Yu qui au cours d'un meeting reconnut ses erreurs.

---

1. J'ai dit qu'il jouait à Pékin un rôle analogue à celui de la *Pravda* à Moscou.

Les étudiants Li Hsi-fan et Lan Ling, tous deux diplômés de l'Université de Chan-tong, travaillaient à présent l'un à la « Recherche littéraire », l'autre comme professeur dans une école accélérée. Tout en les couvrant de louanges, on leur reprocha d'avoir mis sur un piédestal le héros du *Rêve*, Kia Pao-yu; certainement c'était un révolté qui refusait l'ordre établi; mais, issu d'une famille féodale, sa rébellion ne pouvait être qu'incomplète : elle garde un caractère négatif et nihiliste. Là-dessus s'ouvrirent des discussions passionnées : on se demanda si le *Rêve* annonce vraiment la naissance d'un capitalisme chinois ou s'il témoigne seulement de la désagrégation d'une classe.

Cette affaire [1] entraîna des conséquences qui la débordaient considérablement et dont je parlerai plus loin. On ne peut évidemment que déplorer le caractère *ex-cathedra* des interventions officielles, leur dogmatisme dictatorial et la rétractation publique réclamée au professeur Yu. Cependant les fautes commises en ce cas particulier ne doivent pas nous faire mésestimer l'attitude observée par le régime à l'égard du passé chinois : il en reprend à son compte les richesses et c'est un fait qui a pour l'avenir de la culture une extrême importance. Il est remarquable par exemple que le personnage de Kia Pao-yu soit discuté aussi passionnément que chez nous Julien Sorel. Sans doute ce parti pris de récupération entraîne-t-il des interprétations forcées; les critiques cèdent à la tentation d'altérer le sens des œuvres dont ils revendiquent l'héritage. L'un d'eux, Sa Fang, a récemment protesté contre ce qu'il appelle « la maladie des citations tronquées » : pour prouver qu'un auteur était contre le féodalisme, il ne suffit pas, dit-il, de pêcher dans son œuvre des phrases isolées, il faut en comprendre l'ensemble. Dans l'adresse qu'il a prononcée en mai 1956, Lou Ting-yi signale, touchant le rapport à l'héritage national, deux tendances erronées : souvent on raye négligemment d'un trait de plume des œuvres valables; c'est la tendance qui prévaut actuellement. Mais parfois aussi on dissimule sous un vernis les défauts du patrimoine culturel; c'est une attitude qui manque d'honnêteté. Quant à moi, j'ai constaté un évident abus : étant donné qu'en Chine le mariage n'était pas libre, il est facile de considérer n'importe quelle histoire d'amour

1. Elle est à l'origine de ce qu'on a appelé « l'affaire Hou-Fong ». Cf. pp. 380 et suivantes.

comme une dénonciation de la vieille société féodale. N'empêche. L'essentiel est que les anciens chefs-d'œuvre soient rendus accessibles à tous. Je ne reprocherai même pas à leurs exégètes d'en atténuer la complexité. Beaucoup de lecteurs abordent sans aucune formation les grandes œuvres du passé, et celles-ci sont difficiles et déconcertantes si on n'en possède aucune clef; il est indispensable de les situer et de les expliquer. Au moment où des millions d'hommes commencent seulement à s'instruire, un excès de subtilité serait néfaste : l'explication doit être simple et univoque. Il faut que certaines bases soient d'abord solidement acquises pour que se développe une culture qui permettra un jour de les contester.

Diffuser la culture passée n'est évidemment pas le principal objectif du régime : il souhaite l'éclosion d'une littérature vivante, exprimant la nouvelle société. Dans quelle mesure cette ambition est-elle réalisée ?

Le parti communiste a adopté, à l'égard des intellectuels de la vieille société, le principe de la « prise en charge intégrale ». On leur a donné à tous des emplois convenables, à certains des postes responsables, on a fourni aux chômeurs du travail ou tout au moins des secours. D'autre part on a formé un nombre considérable de nouveaux intellectuels et on leur assure à tous les moyens de gagner leur vie. Dans l'ensemble, la situation matérielle des écrivains n'a jamais été aussi prospère. L'extension de la culture a multiplié le nombre de leurs lecteurs. Les librairies sont nombreuses à Pékin; dans les parcs, il y a des kiosques pleins de livres et de revues; les gens, surtout les jeunes, les feuillettent, et parfois les lisent longuement, debout, comme font les étudiants parisiens sous les galeries de l'Odéon. Il y a quatre-vingt-dix maisons d'édition et il est courant de tirer un livre à cinquante mille exemplaires. L'ouvrage de Lieou Cao-ki *Sur le parti* a tiré à deux millions et demi. On a vendu quatre millions de copies de *l'Histoire du parti communiste* écrite par Hou K'iao-mou. Les romans de Ting Ling et de Tcheou Li-po, tous deux récompensés par le Prix Staline, ont atteint le demi-million. Selon le nombre de caractères, le prix d'un volume varie entre 1 yen et 1,20 yen; le pourcentage touché par l'auteur étant de 10 % à 15 %, on voit que les bénéfices peuvent être très élevés; c'est au point que le gouvernement, bien que ne professant pas l'égalitarisme, envisage actuellement de les limiter. En outre, si un écrivain souhaite voyager, s'informer, s'il a besoin de loisir pour étudier ou pour créer, de soins ou de repos en cas de maladie, quantité de facilités lui sont accordées. Ces avantages se paient : en Chine, quiconque reçoit doit donner; le *service* exigé de l'écrivain n'est pas une vaine formule; en acceptant certains privilèges, il s'engage à répondre aux demandes qui lui seront adressées. Congrès et réunions réclament sa présence; les enfants, les paysans qui commencent à lire ont besoin de livres qui leur soient accessibles; il faut instruire et former les écrivains débutants : c'est à leurs aînés que revient cette tâche. Les écrivains sont appelés à participer de mille manières à cette vaste entreprise qu'est l'éducation du peuple chinois. Chou En-laï a même signalé dans son rapport de janvier 1956 que le service social exigé d'eux est souvent excessif : il réclame qu'il soit réduit à 1/6 de leurs heures de travail, c'est-à-dire huit heures par semaine sur les quarante-huit que doivent fournir les travailleurs de toutes catégories.

D'autre part, les conditions de leur travail créateur sont austères. Pour parler aux masses, pour les exprimer, il faut les connaître; la plupart des intellectuels sont là-bas comme ici d'origine bourgeoise : il leur sera nécessaire de faire des stages dans des usines ou des villages. Il est faux que — comme l'ont insinué certains journalistes — ces stages leur soient imposés. D'abord, personne n'est jamais obligé d'écrire; et chacun décide librement du sujet de son prochain livre. Ce qui est vrai, c'est que « l'Association », en liaison avec le ministère de la Culture, lance des appels : en ce moment par exemple, on réclame des livres sur les coopératives et la collectivisation; nul n'est tenu d'obéir à ces consignes; mais en vertu de l'engagement implicite dont j'ai parlé, la plupart des écrivains s'y conforment. Et elles exigent d'eux une expérience que seul un stage leur permet d'acquérir. Mme Cheng m'a raconté récemment comment s'est déroulée depuis 1949 sa carrière littéraire : son exemple montre bien quelle part est laissée à l'initiative d'un auteur, et dans quelle mesure son choix est orienté par des pressions extérieures.

Le premier ouvrage qu'elle publia au lendemain de la libération ne s'alignait sur aucun programme : elle avait eu envie de l'écrire, c'est tout. Elle y racontait, sous forme romancée, sa jeunesse, sa formation intellectuelle, l'évolution de ses idées au cours de la guerre antijaponaise, et la crise morale qui se termina par son adhésion au communisme. Ce livre achevé, elle passa une année à enseigner dans une université, puis elle souhaita en écrire un autre. Comme Ting-ling, comme Tcheou Li-po elle avait activement participé à la réforme agraire; on demandait alors aux écrivains de raconter comment s'était opéré ce grand bouleversement et d'en éclairer le sens; elle relata son expérience, à la fois pour son plaisir, et pour faire œuvre utile. Elle eut alors l'idée de parler de la condition des ouvrières du coton et pendant quelques mois travailla dans le syndicat d'une usine de tissage; il lui sembla que les connaissances qu'elle avait acquises lui demeuraient trop extérieures; faute de se sentir inspirée, elle renonça à son projet. Originaire des environs de Hang-tcheou, où on cultive le thé, elle pensa qu'elle se familiariserait plus aisément avec la vie paysanne : elle passa deux ans dans un village, s'intéressant activement aux coopératives, se liant avec des paysans « individuels »; elle écrivit avec élan le roman dont en ce moment elle revoit les épreuves : *Le Thé printanier*.

Dira-t-on que de telles conditions de travail font trop peu de part aux caprices de l'inspiration ? Pourtant nos critiques ont souvent rompu des lances en faveur d'« œuvres de circonstance » appartenant au passé; ils ont maintes fois expliqué que la contrainte est une des sources de l'invention, qu'un écrit, un tableau, un oratorio composés « sur commande » ne manquent pas nécessairement de spontanéité. En effet : Esther et Athalie, Bach, le Tintoret prouvent assez qu'un chef-d'œuvre peut naître à partir de consignes reçues de l'extérieur. Proposer, fût-ce impérieusement, des thèmes à un écrivain, ce n'est pas le condamner à la médiocrité.

Ce qui est plus néfaste, c'est de lui dicter à priori la manière dont il doit les traiter. Mais avant d'aborder cette question, une mise au point me paraît nécessaire. M. Guillain travestit la vérité quand il prétend que « l'Association » exerce sur les auteurs un contrôle tyrannique. Il cite avec indignation le cas d'un *jeune* écrivain à qui elle a conseillé, après lecture de son manuscrit, de parler moins d'agronomie et davantage de problèmes humains — avis qui me semble à priori judicieux. Ecrire étant un métier qui s'apprend, l'idée *d'aider* un auteur novice n'a rien à mes yeux de ridicule. Il y a aujourd'hui en Chine quantité de jeunes ouvriers, soldats, paysans qui sont avides de s'exprimer, sans en avoir techniquement les moyens : dans les usines, à l'armée, des groupes d'écrivains se chargent de les instruire et de les diriger. On a créé un « Institut central de littérature » patronné par « l'Association », qui permet aux débutants d'acquérir la culture qui leur manque et de développer leur talent s'ils en ont : les jeunes bourgeois de chez nous suivent des cours analogues dans les lycées et les facultés. Et M. Guillain ignore-t-il qu'en France, en Amérique, un jeune auteur est bien chanceux si on lui imprime son premier livre sans l'obliger à des coupures, des retouches, des refontes plus ou moins justifiées ? C'est l'éditeur qui lui impose ces modifications, ou un lecteur de la maison, ou, aux U.S.A., l'agent littéraire : je ne trouve pas scandaleux que des conseils lui soient en Chine dispensés par des écrivains professionnels plutôt que par des trafiquants de littérature.

Quant aux écrivains de métier, l'Association n'intervient pas dans leur travail. Il n'existe pas de censure préventive. Une fois le livre publié, s'il paraît contraire à la constitution et aux lois, on forme un comité judiciaire provisoire, avec la participation des écrivains, pour décider s'il doit ou non être mis sous séquestre; le cas est très rare. La preuve que les éditeurs et les directeurs de revue choisissent sans contrôle officiel les textes qu'ils impriment, c'est le scandale suscité par certains de ceux-ci et la sévérité des blâmes que leur ont infligés les critiques. Ainsi en 1951 on projeta sur les écrans chinois l'histoire d'un personnage célèbre du XIXe siècle, Wou Hsin, que le film représentait comme un héros révolutionnaire; les critiques décernèrent de grands éloges au scénariste et au metteur en scène. Soudain la *Gazette littéraire* et un éditorial du *Journal du Peuple* déclarèrent que Wou Hsin avait été en réalité un valet de la féodalité; sous le couvert de l'ascétisme, il prêtait de l'argent aux paysans à des taux exorbitants; s'il créait des écoles, c'était pour y propager des idées réactionnaires et il servait avec zèle les intérêts des propriétaires fonciers. On adressa alors de vifs reproches aux auteurs du film, les accusant d'avoir falsifié l'histoire; on blâma les intellectuels de s'être faits complices de cette mystification. Il est évident que s'il y avait eu une censure préalable, elle n'eût pas laissé passer ce film, ni les nombreux articles qui l'avaient approuvé. De même, l'épisode de la *Chambre rouge* n'aurait pas eu lieu si une censure avait interdit l'essai de Yu Ping-po.

Ceci dit, il est bien évident que dans la Chine d'aujourd'hui, n'importe qui ne peut pas faire publier n'importe quoi. Les blâmes émanant des journaux du P.C., de l'Association des écrivains, du ministre de la Culture, des grandes revues et des magazines ont un tel poids que les éditeurs sont attentifs à ne pas déchaîner ces foudres. L'auteur lui aussi les redoute et il exerce sur son œuvre une sérieuse autocensure : il a souci d'être « dans la ligne ». Le premier trait qui frappe le lecteur occidental quand il aborde la littérature chinoise d'aujourd'hui, c'est son conformisme.

Condamner ce conformisme est facile; mais il ne faut pas perdre de vue que la situation est en Chine radicalement différente de ce qu'elle est en France, et cela pour une raison dont nous n'avons pas lieu de tirer fierté; il existe chez nous deux littératures : celle qui intéresse Jean Paulhan et celle dont se nourrissent des millions de Français, qui va de *Confidences* aux bandes comiques de *France-soir*, en passant par la série noire et les *Carnets du Major Thompson.* L'une vise la qualité, l'autre se satisfait de réussites quantitatives; il est évident que les écrivains travaillant dans la branche « publique » ont abdiqué toute liberté : ils obéissent aux directeurs de magazines et ils appliquent les recettes qui sont censées assurer le succès; quant aux lecteurs qui consomment ces produits, ils n'en tirent certes aucun bénéfice intellectuel; au contraire : on ne cherche qu'à les abêtir. La Chine juge scandaleuse cette division du travail. Le problème qui se pose à elle, c'est de créer une littérature populaire qui ait une valeur culturelle. L'entreprise est donc incomparable à celle des écrivains bourgeois, et il serait absurde de la juger d'après nos critères occidentaux. Il est évident qu'elle ne favorise pas l'apparition d'un Proust ou d'un Kafka. Mais d'autre part *Ouragan* de Tcheou Li-po, qui tire à cinq cent mille exemplaires, est nettement supérieur non seulement à Max du Veuzit, à la série des *Caroline* et autres romans de midinettes, mais aux *best sellers* bourgeois tels que les *Jalna* ou les *Hommes en blanc.*

Ce que j'ai dit à propos de la presse vaut aussi pour la littérature : puisqu'il s'agit d'instruire des masses illettrées, un certain dirigisme s'impose. Simone Weil, qui n'est pas suspecte de sympathie pour les régimes autoritaires, réclamait qu'on traduisît devant les tribunaux les auteurs qui mentent au public; elle estimait à juste titre qu'une mystification intellectuelle est chose aussi grave que la falsification d'un remède ou la malfaçon d'un pont. Même dans une société relativement cultivée comme est la nôtre, les gens manifestent à l'imprimé un excessif respect : à priori, ils le considèrent comme porteur de vérité. Le Chinois qui s'éveille à la culture, pour qui le simple fait de déchiffrer un texte tient encore un peu du miracle, prend toute parole écrite pur parole d'Evangile; il est aussi incapable de dépister l'erreur que dans une eau en apparence limpide le microbe du choléra : c'est au régime de lui fournir une nourriture saine. Quand il s'adresse à un public averti, le rôle de l'écrivain, c'est de lui dévoiler le monde dans son ambiguïté, c'est de critiquer et de contester; mais il faut que le lecteur soit au niveau de la critique et de la contestation, sinon l'ambiguïté se tourne en confusion. Des gens égarés dans l'ignorance, sur qui pèsent encore des superstitions et des préjugés ont d'abord besoin qu'on leur fournisse des bases, c'est-à-dire qu'on leur donne une image claire du monde; à ce stade, clarté va de pair avec simplicité; la complexité viendra plus tard.

La simplicité n'exclut pas la vérité : la tâche de l'artiste pourrait être de les concilier. Malheureusement, sur les directives données par Mao Tsé-toung se sont greffées des règles peu compatibles avec la sincérité littéraire. Tchou Yang déclare judicieusement que « l'écrivain a besoin de liberté dans le choix du sujet et la manière de le traiter »; mais il ajoute : « L'écrivain doit décrire des héros et ne pas en mentionner les aspects qui ne sont pas héroïques. » C'est instaurer un nouvel académisme. J'admets que dans une société tout entière tendue vers l'avenir, où un nouveau type d'homme est en train de se créer, la littérature doive manifester cette marche en avant et représenter des « héros positifs »; mais il est regrettable que, leur déniant leur contingence et leur vérité, on leur substitue des clichés. Mme Cheng m'a raconté que son roman autobiographique avait été accueilli fraîchement par la critique parce qu'on reprochait à l'héroïne une évolution trop hésitante : on souhaitait une conversion plus brutale; le livre ne fut pas réédité; cependant des lecteurs écrivirent aux journaux pour protester contre cette sévérité; en 1953 le congrès des écrivains prit la défense du livre qui fut alors réimprimé. En 1952, la *Gazette littéraire* a rapporté les fameuses discussions soviétiques touchant « l'absence de conflits » et Mao Touen a rappelé aux écrivains la nécessité de fonder leurs livres sur la contradiction, et d'étudier celle-ci en profondeur; beaucoup se contentent de glisser à la surface : « En conséquence, des phénomènes sociaux riches et complexes deviennent sous la plume de ces écrivains des choses simples dépourvues de toute ambiguïté. Ils sont desséchés et mis en formule. » Il reconnaît qu'en particulier « les héros n'ont aucune personnalité, ce sont des squelettes impuissants à porter un témoignage idéologique. Ils deviennent des idoles, ces idoles que Marx a critiquées. (« Les portraits déifiés et raphaéliques de cette sorte perdent toute vérité descriptive. ») Les héros de nos romans n'ont ni vie, ni vitalité, ce sont des pantins tristes et ennuyeux. » Malheureusement, après ces pertinentes critiques, il conclut de façon déconcertante que, pour les rendre réels, il faudrait les peindre plus héroïques encore. « Nous devons exiger que nos écrivains fassent porter tous leurs efforts sur le problème des personnages, particulièrement sur celui de la création des personnages positifs... Ils devraient nous en donner une image plus puissante, plus synthétique, plus typique, plus idéale, plus dynamique que ne nous en offre la vie réelle. » Ce caractère entier et idéal du héros positif est ce qui gêne le plus dans toute la littérature chinoise contemporaine. Mao Touen constate durement que « le niveau artistique et idéologique de nos œuvres n'est pas assez élevé ». Mais la première condition pour qu'il s'améliorât ce serait — comme il l'indique en d'autres textes — d'affronter la réalité, fût-ce celle d'un héros, dans sa complexité et son ambiguïté. C'est le conseil qu'il donne touchant les situations envisagées : il ne faut pas les simplifier; mais il ne l'étend pas aux personnages et il en résulte que la littérature actuelle demeure trop édifiante pour entraîner artistiquement ou idéologiquement la conviction.

Beaucoup de romans et récits que j'ai lus m'ont instruite; ils ont une incontestable valeur documentaire; si les conflits restent superficiels, du moins sont-ils mis en lumière. Conflits entre générations à propos du mariage libre, de la religion, du travail de la femme, des nouvelles méthodes d'agriculture; entre un mari encore imbu d'idées « féodales » et sa femme progressiste; conflit chez une jeune paysanne entre sa soif d'instruction et les tâches qui la sollicitent au village; conflit à l'usine entre un directeur obsédé par « le plan » et les ouvriers qu'il surmène; entre un chef d'atelier qui vise uniquement la quantité et le contrôleur qui, exigeant la qualité, rejette impitoyablement les pièces manquées. Ces thèmes sont somme toute plus intéressants que ceux que traite languissamment la littérature bourgeoise. Mais l'excès d'optimisme défigure ces récits. Un trait m'a frappée : dans la plupart des romans, la première partie, critique et négative, est très supérieure à la seconde qui amène un dénouement positif. Dans *Le soleil brille sur la rivière Sang kan* de Ting Ling, dans *Ouragan* de Tcheou Li-po, on décrit d'abord un village, au moment où va s'effectuer la réforme agraire; les habitants sont présentés, tels qu'ils sont, à la fois conditionnés et libres, enracinés dans le passé, timidement tournés vers l'avenir : il y a des méchants, des bons, mais aussi des hésitants, des mystifiés, des hommes de bonne volonté, mais arriérés, d'autres lucides mais craintifs; ils se débattent au milieu de contradictions qui viennent des circonstances et d'eux-mêmes. On croit à leur existence et à leurs drames. Soudain apparaît un « héros positif », un cadre du parti, qui lève avec une aisance déconcertante toutes les difficultés. De même *La force motrice* de Tsao Ming nous montre des ouvriers du Nord-Est qui essaient de remettre en marche une centrale électrique sabotée par les Japonais et par le Kuomintang. Ils accordent leur confiance à de beaux parleurs qui ne la méritent pas, ils font quantité de sottises et frôlent le désastre : on s'intéresse à leurs erreurs. Survient un cadre communiste qui en un tournemain met tout en ordre. Dans *Les plaines en feu*, on est pris par l'histoire des premières guérillas antijaponaises : les tâtonnements des chefs, les fautes de certains soldats, leurs progrès, leurs reculs attachent; et puis vers la fin, on sombre dans l'héroïsme intégral.

J'ai fait part de mes critiques aux écrivains que j'ai rencontrés, à Mao Touen lui-même : tous étaient d'accord pour les trouver fondées. Ils disaient avec modestie que leur littérature n'en est encore qu'à ses débuts, qu'il faudra du temps avant qu'elle ne produise des œuvres vraiment satisfaisantes. Cependant ils n'envisageaient pas de modifier leurs principes. Sans doute pensent-ils que le public n'est pas encore assez mûr pour qu'on se risque à lui livrer des récits plus nuancés.

Ou peut-être se rendaient-ils compte que la difficulté est plus sérieuse encore et impossible à vaincre avant quelques années. La différence entre le naturalisme et le réalisme socialiste c'est en principe que la première école présente le monde comme un spectacle figé, tandis que la seconde le saisit dans son dynamisme. Mais un auteur peut-il rendre le mouvement de la vie s'il ne l'épouse pas lui-même ? Même s'il passe plusieurs mois parmi des ouvriers et des paysans, il ne devient pas l'un d'eux : il n'est pas vrai qu'on puisse s'identifier à autrui du dehors; une condition se partage totalement, ou pas du tout. Ecrire, ce n'est pas enregistrer une connaissance, mais prolonger une expérience. Sans discuter ici le problème épineux de la subjectivité, on peut affirmer que le système des stages est pratiquement insuffisant à combler le fossé qui sépare l'écrivain de la masse. Ting Ling a discuté la question dans un intéressant article *Vie et création* [1]. Elle rapporte d'abord les propos que lui ont tenus certains écrivains : « Tolstoï, Tchékov et Tsao Sive-k'in [2], m'ont-ils dit, ont produit des chefs-d'œuvre en partie parce que c'étaient des génies, en partie parce qu'ils avaient l'avantage de peindre les gens parmi lesquels ils vivaient... De qui parle l'écrivain d'aujourd'hui ? demandèrent ces camarades. D'ouvriers, de paysans, de soldats, de héros et d'héroïnes qui sont si loin de lui qu'il doit aller vivre au milieu d'eux s'il veut les voir et les entendre parler. Il cherche des modèles au moment où il commence à écrire. Pendant son bref stage parmi eux, il peut arriver à connaître leurs visages, mais superficiellement. Autour de lui, il n'y a que des intellectuels d'origine petite-bourgeoise... » Ting Ling admet que de telles conditions de travail sont mauvaises; dans *Les plaines en flamme* l'auteur, qui a participé dix ans aux guérillas antijaponaises, relate une expérience qui est vraiment sienne : aussi son roman est-il bon. De la Corée où il n'a passé qu'un an, il a rapporté des nouvelles de qualité inférieure. Ce qu'il faut, conclut-elle, c'est se mettre à l'école de la vie en s'engageant profondément dans l'entreprise socialiste sans se contenter d'expériences qui demeureraient extérieures. « On ne peut pas acquérir l'expérience de la vie à moins de se plonger en elle et de participer à ses luttes. » S'intéresser à une question, simplement parce qu'on a envie d'écrire, rassembler des matériaux après avoir choisi arbitrairement un

1. Paru dans *Chinese littérature* 1954, N° 3.
2. Auteur du « *Rêve de la Chambre rouge* ».

sujet, c'est une regrettable façon de procéder : il faut vraiment vivre dans la masse, partager intimement son existence, il faut que mon présent, mon avenir se confondent avec le sien. Ting Ling a bien compris qu'il faut qu'une expérience soit *mienne* pour que je puisse valablement tenter de la communiquer à d'autres. Elle-même, engagée depuis longtemps dans la lutte révolutionnaire, son mari fusillé par le Kuomintang, emprisonnée, travaillant à Yenan au sein du parti communiste, puis participant activement à la réforme agraire, elle a vraiment plongé dans la vie du peuple. Mais elle ne dit pas comment les écrivains d'aujourd'hui pourront pratiquement l'imiter. Les temps ont changé. La seule action authentique qui s'ouvre à l'intellectuel c'est précisément d'écrire : faire des stages plus longs, partager le travail des ouvriers, des paysans, ce serait toujours une façon de *s'informer* et non de *vivre*. Les conseils donnés par Ting Ling théoriquement judicieux deviennent pratiquement très vagues. Mao Touen avait développé les mêmes idées : « Il faut absolument que l'écrivain soit concrètement au cœur de la mêlée, il ne saurait être un pur spectateur. » Mais la solution qu'il indique — faire des stages, et éclairer par une forte culture marxiste léniniste, animer par un authentique enthousiasme révolutionnaire, les connaissances qu'on en tire — ne paraît ni bien précise, ni suffisante. On est en droit de penser que, tant qu'ils se borneront à « aller aux masses », les écrivains resteront impuissants à les exprimer; ce qu'il faudrait c'est qu'ils « viennent des masses ». Il y a de jeunes auteurs qui, je l'ai dit, sortent des couches populaires; seulement, sauf de rares exceptions, ils ne sont pas encore vraiment des écrivains; sans tradition, sans assurance, maîtrisant à peine le langage, ils éprouvent devant le papier blanc ce vertige qui saisit habituellement les gens incultes : ils sont les premiers à se soumettre aux conventions et aux clichés. On observe un divorce, sans doute actuellement inévitable, entre matière et forme : les aînés possèdent l'instrument, mais non l'expérience vivante qu'ils se proposent de traduire; les jeunes, en qui s'incarne le mouvement de l'histoire, manquent de technique et de connaissances. La littérature chinoise aura ses chances quand se sera opérée une réconciliation; un jour, pour les ouvriers et les paysans, la culture sera devenue chose familière; le langage ne les intimidera plus; alors ils seront capables de parler d'eux-mêmes avec franchise. En attendant, la littérature ne peut guère être qu'une pré-littérature; c'est ce que prévoyait Mao Tsé-toung quand il disait à Yenan que la culture ne saurait s'élever qu'après s'être universellement répandue.

Ces réserves faites, il faut bien de la mauvaise foi pour condamner l'effort culturel chinois sous prétexte que l'artiste ne jouit pas là-bas de la même liberté qu'en Occident : notre pseudo-libéralisme implique le mépris de la masse qu'il met à la merci d'un certain nombre de profiteurs spécialisés dans la feuille imprimée. Il est frappant que la grande majorité des intellectuels se soient ralliés au régime, et nombre d'entre eux très activement. Quelques-uns se sont enfuis à Formose, à Hong-Kong ou en Amérique : mais peu. Ceux qui sont restés en Chine et que le régime a pris en charge avaient souvent derrière eux ce que Chou En-laï appelle « un passé compliqué »; certains avaient été franchement anticommunistes. Cependant, dans son rapport de janvier 1956, Chou En-laï estime qu'aujourd'hui 40 % sont des progressistes qui soutiennent avec énergie le socialisme, 40 % sont des sympathisants qui remplissent correctement leurs tâches, bien que se montrant politiquement nonchalants; un peu plus de 10 % sont rétrogrades et un petit nombre décidément contre-révolutionnaires. Je remarque que parmi les « progressistes » on compte tous les plus grands écrivains de l'époque. De l'aveu même des missionnaires de Shanghaï, et d'autres sinologues dénués de toute sympathie pour le marxisme, les noms les plus célèbres de la littérature chinoise c'était vers 1940 Kouo Mo-jo, Mao Touen, Pa Kin, Lao Che, Ts'ao Yu, Ting Ling : tous appartiennent aujourd'hui à l'Association des écrivains. Ni Pa Kin, ni Lao Che, ni Ts'ao Yu n'étaient communistes; les deux derniers ont séjourné en 1946 en Amérique, ils auraient pu y rester; Pa Kin aurait pu quitter la Chine. En fait, la question ne s'est même pas posée; ils ont adhéré sans hésitation au régime, et ont mis leur plume à son service. Les contre-révolutionnaires qui s'en étonnent et qui cherchent à leur conduite de ces clefs psychologiques chères aux rédacteurs de *Preuves*, montrent qu'ils ne comprennent rien à la situation. D'abord cette « liberté de l'écrivain » dont l'intellectuel occidental prétend faire une valeur éternelle n'a jamais existé en Chine. Persécutés par les Mandchous et par Tchang Kaï-chek, emprisonnés, exilés, fusillés, décapités, enterrés vivants, les écrivains considèrent depuis longtemps la littérature comme une forme de lutte, et dangereuse. Dans les moments où ils n'étaient pas traqués, ils souffraient de se sentir inefficaces. « Avant nous étions seuls, notre voix n'éveillait pas d'écho, ou en tout cas, nous ne l'entendions pas, me disent-ils tous. Maintenant, nous savons pour qui nous écrivons : on nous écrit, on nous critique, on nous approuve, il y a entre le public et nous un dialogue. C'est un immense encouragement. » Le contact avec le public, s'il invite, comme j'ai dit, au conformisme, n'en est pas moins stimulant. Aujourd'hui l'écrivain compte, il le sait, il en est heureux. On a vu que déjà en 1936, quand il était question non de socialisme mais de lutte nationale, tous les écrivains, même les plus frivoles, avaient accepté d'un élan de « s'engager ». Ce n'est pas le communisme qui les a convaincus d'abdiquer, du moins en partie, leur autonomie. La volonté d'agir a toujours été ancrée dans leur cœur et ils n'ont jamais fait l'erreur de confondre liberté et gratuité. Ils ont aidé à combattre le Japon; maintenant ils aident à bâtir le socialisme; dans un cas comme dans l'autre ils pensent accomplir ainsi la véritable mission de l'écrivain.

Je ne dis pas qu'ils ne souhaiteraient pas parfois pouvoir la concilier avec des soucis d'ordre plus purement esthétiques. Parlant d'une de ses pièces, Lao Che écrivait en 1954 dans *People's China* qu'il était heureux qu'elle ait eu du succès et contribué à propager l'idée de mariage libre, mais qu'il ne la regardait pas comme une œuvre d'art. Pa Kin avoue qu'il trouve difficile de peindre des héros dans le style imposé. Mao Touen aimerait avoir des loisirs pour écrire : ses fonctions de ministre de la Culture le dévorent. Sans aucun doute, ils sont conscients des faiblesses de l'actuelle littérature chinoise, mais comme tous les Chinois, ils font confiance à l'avenir.

Le fait est que le changement de ligne réalisé au printemps 1956 autorise bien des espoirs. Lou Ting-yi ouvre à la littérature, aussi bien qu'à l'idéologie, les chemins de la liberté. Il faut que de multiples écoles rivalisent : le réalisme socialiste n'est plus la seule esthétique admise. « Nous estimons qu'il constitue la meilleure méthode de création, mais il n'est pas la seule. A condition de se mettre au service des ouvriers, des paysans et des soldats, l'écrivain est libre d'adopter la méthode de son choix. » On peut décrire la société nouvelle et des personnages positifs, mais aussi la société ancienne et des personnages négatifs. Rien n'interdit de faire intervenir des êtres irréels, tels que les génies peuplant les paradis, ou des bêtes qui parlent. Les matières traitées doivent êtres aussi variées que possible. Quant aux problèmes proprement esthétiques, toutes les opinions sont permises, il faut que les littérateurs en discutent librement.

Mao Touen, de son côté, à la troisième session du Congrès national populaire, a longuement commenté la consigne : « Faites pousser ensemble toutes les fleurs. » « Il faut, dit-il, laisser les diverses écoles entrer librement en compétition... Tout en encourageant le réalisme socialiste, nous estimons que l'écrivain doit être libre d'adopter la méthode de création qui lui convient le mieux... Touchant les théories littéraires, il y a aujourd'hui beaucoup de questions qui ne sont pas résolues... Il faut les discuter franchement, sans rechercher une fallacieuse unanimité, sans s'arrêter trop vite à des conclusions. » Mao Touen réclame une critique moins simpliste et moins sectaire : au lieu de citer Marx à tort et à travers, au lieu de coller sur les écrivains des étiquettes arbitraires, les critiques devraient analyser concrètement les œuvres dont ils parlent. Quant aux écrivains, ils se limitent à un trop petit nombre de thèmes; tous traitent les mêmes sujets, qu'ils envisagent sous un même angle, ce qui donne à la littérature chinoise une regrettable uniformité. En vérité « tous les aspects des réalités de la vie peuvent inspirer l'art ». Au lieu que les romanciers s'imitent les uns les autres, il faut désormais créer un climat où « tout le monde éprouvera le besoin d'être original ».

Il serait à mon avis trop optimiste de supposer qu'il suffit de ces nouvelles directives pour que du jour au lendemain la littérature chinoise produise des chefs-d'œuvre. La consigne d'une efficacité immédiate demeure, et elle est certainement nuisible à la richesse et à la sincérité d'un livre. Paradoxalement, ce qui appauvrit la littérature chinoise contemporaine, c'est l'importance même de sa fonction. Je l'ai indiqué déjà : faute de pouvoir transformer dès aujourd'hui les techniques, on recourt aux superstructures pour modifier les infrastructures. Ainsi la littérature se trouve-t-elle posséder une dimension économique. En 1955, le slogan : « Les écrivains, aux champs ! » mobilisait les écrivains pour la campagne de collectivisation. La mécanisation de l'agriculture aurait rendu toute propagande verbale inutile : la littérature a dû pallier la pénurie des tracteurs. Le rôle pratique qu'elle joue est infiniment plus considérable qu'en aucun autre pays : seulement la voilà asservie à des fins qui n'ont plus rien de culturel.

C'est justement cela qui permet d'escompter pour elle des lendemains meilleurs : une fois dépassé ce stade de déficience et d'urgence que traverse l'économie chinoise, la littérature se trouvera concrètement libérée, au sens où l'on parle d'une libération de l'énergie atomique. Délivrée du soin d'assurer la cohésion de la société, elle pourra alors l'exprimer et la contester; elle ne demeurera pas un « service », elle se proposera des objectifs plus vastes, et moins immédiats : connaître l'homme dans sa vérité, par exemple.

D'ores et déjà, le climat intellectuel de la Chine a changé. Les dirigeants professent à présent que l'union des intellectuels doit se fonder non sur l'obéissance machinale, mais sur le libre consentement : « Le parti communiste doit protéger la liberté de la pensée dans les domaines de la littérature, des arts, de la recherche scientifique. Il doit assurer la liberté des débats et permettre à chacun de conserver ou réserver son opinion. » Lou Ting-yi précise que les différentes opinions doivent s'affronter en toute indépendance, sans que la discussion puisse être tranchée par des ordres administratifs; la minorité a le droit de maintenir sa position personnelle, elle n'est pas obligée de s'incliner devant la majorité. La critique ne doit plus être ce qu'elle a été trop souvent naguère : une attaque visant à anéantir l'adversaire, mais un commentaire bienveillant, cherchant à dégager ce qu'il peut y avoir de positif dans l'erreur même. L'intellectuel critiqué répondra s'il le juge bon par une contre-critique. Même quand une erreur est manifeste — ce qui se produit surtout dans le domaine scientifique — celui qui l'a commise n'est aucunement forcé de se livrer par écrit ou publiquement à une autocritique. L'ensemble de ces principes semble très exactement dirigé contre les abus dont l'affaire de la *Chambre rouge* nous a fourni un exemple. Transformer l'erreur en une faute humiliante, c'est encourager la stagnation culturelle; l'intellectuel n'ose plus prendre aucun risque, il s'impose une autocensure qui le paralyse. L' « Adresse » prononcée par Lou Ting-yi vise à dissiper cette terreur, en déniant aux intellectuels communistes toute supériorité sur ceux qui n'appartiennent pas au parti, et en instaurant dans la nouvelle intelligentsia un climat de confiance et d'amitié.

LA RÉFORME DE L'ÉCRITURE

Le problème du langage est le problème-clef de toutes les littératures; ce fait est particulièrement patent en ce qui concerne la Chine. C'est en figeant le langage sous la figure du kou-wen que les bureaucrates impériaux ont accaparé la culture féodale. La montée de la bourgeoisie entraîna immédiatement une révolution linguistique : désormais on écrivit en pai-houa. Dans son effort pour devenir populaire, la culture exige une nouvelle réforme : celle des signes employés. Les promoteurs d'une littérature prolétarienne la réclamèrent dès 1919. Le régime actuel est résolu à l'accomplir.

Impossible de diffuser la culture si la lecture et l'écriture demeurent les opérations compliquées qu'elles sont aujourd'hui, déclarent les dirigeants. Les enfants des écoles passent douze ans à apprendre ces rudiments : même s'ils acquièrent en même temps d'autres connaissances, c'est trop; leurs études sont à cause de ce handicap plus lentes que celles des écoliers des autres pays. Les illettrés ont besoin de plusieurs années pour apprendre simplement les caractères les plus usuels. Les étudiants sont sans cesse arrêtés par des obstacles que suscite l'écriture traditionnelle : l'étude des sciences et des techniques en est entravée. Il arrive fréquemment aux lecteurs d'ouvrages difficiles de tomber sur des caractères qu'ils sont incapables de prononcer et dont ils ignorent le sens; ou de connaître oralement des mots dont ils ignorent les correspondances écrites. La transcription des noms étrangers pose d'insolubles problèmes : le nom de Dostoïewsky par exemple peut s'écrire de six manières. Ce qui est plus grave, c'est qu'on ne sait comment transcrire les termes scientifiques empruntés aux langues étrangères et qu'on est très embarrassé pour former les mots nouveaux qu'exige le développement des techniques. Impossible d'expédier directement un télégramme en chinois; on est obligé de recourir aux langues occidentales; ou bien on les rédige en chiffres : chaque nombre de quatre chiffres représente un certain caractère; la lecture en est longue et on commet souvent des erreurs. Quant aux machines à écrire, elles sont si complexes qu'elles permettent à peine d'écrire plus vite qu'à la main. Pour toutes ces raisons, le gouvernement a définitivement pris la décision de réformer l'écriture; sur les moyens à employer, la discussion demeure ouverte; mais sur le fond, le débat est clos; tous les journaux, tous les appareils officiels soutiennent ce projet.

La phonétisation du chinois est une entreprise complexe qui exigera des années. On a décidé d'avoir recours en attendant à une mesure provisoire : simplifier les caractères. C'est un des travaux auxquels se consacre le « Comité de recherche pour la réforme de l'orthographe » créé en 1952 et qui publie chaque mois un journal : *Langue et littérature.*

Le problème ne date pas d'aujourd'hui. Lorsque l'usage du pinceau succéda à celui du stylet, les caractères à la fois s'embellirent et se compliquèrent. Sous les Souei et les T'ang les bureaucrates impériaux et en particulier les greffiers des tribunaux leur substituèrent des signes plus rudimentaires; les deux systèmes coexistèrent, l'un étant réservé à l'imprimé, et l'autre employé dans l'écriture cursive. La nouvelle simplification introduite actuellement par le régime se réalise de deux façons : on réduit le nombre de traits qui composent les caractères les plus complexes; et on réduit le nombre des caractères eux-mêmes. En janvier 1955 le comité a fait connaître le plan détaillé de ce projet; on l'a discuté à travers tout le pays et à partir du mois de mars, journaux et revues ont commencé à utiliser à titre expérimental 141 des simplifications indiquées par le plan. Un nouveau programme fut bientôt établi. Sur 7.000 caractères basiques, on a commencé par en éliminer 1.093, qui faisaient double emploi avec d'autres plus simples. On a réduit le nombre d'éléments de 519 caractères et de 54 radicaux. La transformation des 54 radicaux signifie que tous les caractères dont ils font partie sont du même coup simplifiés : le chiffre s'élève à plus de 1.700. Le travail ainsi amorcé va se poursuivre.

Un autre changement, lié à celui-ci, c'est qu'un certain nombre de journaux, entre autres le quotidien *Kouang-ming*, ont adopté une typographie horizontale : le texte se lit non plus verticalement, mais de gauche à droite, comme en Occident; les Chinois écrivant les chiffres de gauche à droite, cette disposition est beaucoup plus rationnelle en ce qui concerne les ouvrages scientifiques. Elle sera universalisée [1].

Les réactionnaires de Hong-Kong trouvent ces simplifications « légèrement vulgaires ». Elles rendent assurément plus faciles la lecture et l'écriture. Le véritable inconvénient de cette réforme, c'est que l'étude des caractères simplifiés représente un travail supplémentaire pour ceux qui savaient déjà lire; inversement, ceux qui apprennent des caractères sous leur forme neuve ne peuvent pas déchiffrer un texte vieux de quelques années. Le résultat c'est qu'il faut se mettre en tête deux systèmes : beaucoup de gens se demandent si l'adoption de cette mesure transitoire n'a pas plutôt contribué à embrouiller les choses.

De toute façon, elle ne saurait suffire. L'objectif visé à présent, c'est la phonétisation. Sur ce plan non plus, la tentative n'est pas neuve. Dès le IIIe siècle après J.-C., certains lettrés comprirent l'utilité d'une transcription phonétique de la langue. Pour indiquer la prononciation d'un caractère, on inventa de le décomposer en deux caractères connus dont l'un contenait le son correspondant à la consonne et l'autre celui qui correspond à la voyelle [2]. C'est le système Fan-ts'ie (couper-réunir). Par exemple, pour rendre le son Kan on le désigne par les caractères K (uo) et (h) an. Le procédé a été mis au point vers 270 après J.-C., peut-être sous l'influence du sanscrit. Un grand dictionnaire publié sous la dynastie Souei, en 1601, utilisait cette méthode qui a été pratiquée jusqu'à nos jours dans la plupart des dictionnaires classiques. Il a fallu entre-temps rectifier le système pour qu'il rendît adéquatement la prononciation en usage sous les Song : c'est celui de 1067 qui s'est perpétué. D'autre part, à la fin de l'époque T'ang, un moine bouddhiste choisit dans l'écriture dite des tribunaux trente-six lettres qui devaient servir de guide phonétique. Les véritables pionniers de la phonétisation furent les pères jésuites Ricci et Trigault qui firent éditer des bibles en chinois romanisé : mais elles étaient destinées aux étrangers qui parlaient le chinois sans savoir le lire.

---

1. A partir du 1er janvier 1956, tous les journaux de Pékin l'ont adoptée.

2. Chaque caractère correspondant à un monosyllabe, il suffit d'indiquer une consonne et une voyelle.

Les Japonais ayant réussi à phonétiser leur écriture vers l'an 1900, un linguiste chinois se proposa de les imiter; il établit un alphabet analogue au leur, en se basant sur le dialecte parlé dans le nord de la Chine; on en composa un autre, correspondant au dialecte du Sud; mais cette tentative ne donna guère de résultats. De son côté un jésuite, le père Lamasse, proposa un projet de « romanisation interdialectique » qui permettait de transcrire phonétiquement une pluralité de dialectes, mais qui était d'une extrême complication. Le gouvernement s'intéressa à ces recherches. En 1913, sur l'initiative du grand maître de l'Université de Pékin, T'sai Yuan-p'ei, on élabora un « alphabet phonétique national » et on publia officiellement en 1920 un « Dictionnaire de phonologie nationale » où des signes phonétiques se combinaient avec l'alphabet roman. Le gouvernement nationaliste décida en 1930 que les signes de « l'alphabet phonétique national » prendraient désormais place dans les livres de classe à côté du texte traditionnel afin d'en faciliter la lecture; mais jamais on ne tailla les nouveaux blocs nécessaires à leur impression.

Le problème intéressait tout particulièrement les écrivains révolutionnaires. Lou Sin écrivait : « Il ne reste que la voie de la romanisation des caractères, problème inséparable de la littérature populaire. J'estime que la réalisation actuelle n'en serait pas très difficile. » Dans le recueil *Littérature enluminée*, il écrit : « Si on continue à utiliser les caractères chinois, on gaspillera non seulement sa matière cérébrale mais encore son temps, son encre, son papier... Si nous voulons continuer à vivre, je prie les caractères chinois de faire le sacrifice d'eux-mêmes. Maintenant il n'y a plus d'autre voie que la romanisation... Les caractères sont un précieux legs de nos ancêtres, soit. Mais que vaut-il mieux choisir : nous sacrifier aux caractères, ou les sacrifier à nous ? Que celui qui n'est pas fou me réponde... Si les Chinois veulent survivre, qu'ils commencent par rejeter ce noyau qui obstrue leur intellect : les caractères. » Il a redit dans *Mélanges* : « Si on veut élever le niveau de la culture chinoise, il faut préconiser la langue populaire, la littérature populaire dont l'écriture sera un alphabet romanisé. »

En 1919, des intellectuels chinois s'étaient réunis avec des intellectuels soviétiques pour étudier la question; de leur collaboration sortit en 1927 un alphabet latin qui devait s'appliquer à plusieurs dialectes. A Shanghaï se créa en 1934 une « Société d'études pour la romanisation » destinée à approfondir ce projet; puis s'y ouvrit en 1936 une imprimerie où l'on édita des livres en « latinxua » ou « romanisation soviétique ». Ce fut cette écriture qu'à partir de 1937 les communistes enseignèrent avec un certain succès dans les camps de réfugiés; elle servait surtout à composer des tracts et des textes de propagande. Mais quand il s'agit de rédiger des ouvrages compliqués, elle est tout à fait insuffisante.

Après la libération, les communistes ont de nouveau cherché une méthode de romanisation. Un problème théorique s'est posé à eux : ils se sont demandé si leur entreprise ne contredisait pas la théorie stalinienne du langage qui définit celui-ci non comme une superstructure ou un produit de classe, mais comme l'expression directe du peuple; ils ont conclu que le chinois parlé émane du peuple : mais en Chine le langage écrit a été monopolisé par la classe dirigeante qui en a fait un de ses privilèges et l'a utilisé contre le peuple qu'elle maintenait dans l'ignorance. Aussi Mao Tsé-toung a-t-il déclaré en 1951 : « L'écriture doit être réformée, elle doit devenir phonétique, comme le sont toutes les langues écrites du monde. » C'est dans cet esprit que s'était organisée en 1949 à Pékin l'« Association pour la réforme de l'écriture chinoise » présidée par Wou Yu-tchang qui est aussi président de l'Université populaire.

Ce qu'on objecte souvent à cette tentative, c'est que le chinois est une langue monosyllabique et qui n'utilise pas même toute la gamme des consonnes, des voyelles et des diphtongues, le *r* par exemple n'existant pas; sur les combinaisons possibles, seulement 58 % sont réalisées; le nombre des phonèmes est ainsi réduit à 412; on peut les modifier en les modulant sur quatre tons ce qui donne environ 1.280 sons distincts; il en résulte nécessairement qu'un même son a une quantité de sens et correspond à une pluralité de caractères. Un texte écrit parfaitement clair deviendrait à l'audition équivoque à cause de la multiplicité des homonymes.

Mais un linguiste chinois a écrit récemment un article où il soutient que le chinois parlé n'est pas monosyllabique, et des sinologues français spécialisés en linguistique me l'ont confirmé. Les phonèmes originaux n'apparaissent que rarement seuls; ce sont leurs combinaisons qui forment des mots.

Ainsi le terme *tche* signifie plus de quarante choses et correspond donc à plus de quarante caractères; il se prononce de quatre manières différentes; la première intonation correspond à neuf sens : mais parmi ces homonymes, il n'y en a que deux qu'on utilise isolément; les autres entrent dans des complexes qui permettent de les comprendre, sans ambiguïté; des seize phonèmes qui ont en commun la quatrième intonation, un seul est employé isolément. C'est la cuistrerie des mandarins qui a répandu l'idée d'un chinois monosyllabique; détenteurs exclusifs de l'écriture, ils ont voulu y voir la vérité de la langue et faire du caractère la substance réelle du mot; le discours parlé serait d'après eux une sorte de transcription inadéquate du langage écrit. Mais la vérité d'une langue, c'est dans la bouche du peuple qui la parle qu'on la découvre; s'il y a inadéquation, c'est la transposition écrite qui est fautive. On a d'abord parlé le chinois, et rien ne permet de supposer qu'il fût originairement monosyllabique. Quand on inventa les caractères, on fit correspondre chacun d'eux à un phonème monosyllabique, et on composa à partir de ces signes des mots où le caractère ne représentait plus qu'un son : mais ceux-ci existaient synthétiquement avant qu'une analyse, à la fois idéologique et phonétique, les fixât sous la figure d'une pluralité d'éléments. La phonétisation part évidemment non des caractères mais du discours parlé et elle n'est donc pas du tout impossible.

Une difficulté beaucoup plus réelle, c'est que, alors que l'écriture est identique dans toute la Chine, les idiomes parlés varient du sud au nord. Au temps du Père Ricci, les Cantonnais comprenaient le langage du Nord; mais sous les empereurs mandchous, et par protestation contre les usurpateurs, l'usage du « mandarin » — dialecte de Pékin — a décliné dans le Sud. Il a été remis en vigueur sous la République : cependant il y a encore des écoles du Sud qui n'utilisent pas le mandarin; et le langage populaire est tout à fait différent de celui qui est parlé dans le Nord. Un mot, désigné par un même caractère, qui se prononce *Wou* à Pékin se prononce *ng* à Canton : il y a plus de distance entre les deux dialectes qu'entre le français et l'italien. Le nom de notre interprète se prononce à Pékin *Tsa* et à Shanghaï *Tsé*. Rien que de Pékin à Moukden, le fait est frappant : Tsai et Mme Cheng avaient grand mal à comprendre les Chinois du Nord et à se faire comprendre par eux. Les tentatives de phonétisation « interdialectique » s'efforçaient de tourner cette difficulté; mais on aboutissait à de telles complications qu'elle n'a jamais pu être sérieusement appliquée. Les spécialistes ont décidé aujourd'hui qu'une seule solution restait ouverte : abolir cette gênante diversité, unifier la langue parlée. C'est le mandarin qui a été choisi comme langage standard parce que c'est celui qui est le plus répandu : c'est lui qui depuis les Song et les Yuan a été employé par la littérature populaire, et dont le Mouvement du 4 Mai a préconisé l'usage. Pendant ces dernières décades, c'est toujours à lui qu'on se référait quand on indiquait dans les dictionnaires des équivalents phonétiques des signes écrits. Ces temps derniers, la radio, le cinéma, le théâtre, ont favorisé son expansion à travers toute la Chine. On va désormais travailler activement à le répandre, de manière que syntaxe, vocabulaire, prononciation se trouvent unifiés. L'idée d'unité nationale, si importante dans la Chine d'aujourd'hui, s'en trouvera renforcée. On pense qu'une quinzaine d'années suffiront pour que cette standardisation soit achevée. Alors la phonétisation deviendra possible. Dans son rapport officiel, Wou Yu-tchang, le 15 mars 1955, en a de nouveau souligné la nécessité. Le chinois ancien n'est plus un instrument adéquat aux besoins du pays.

Pendant l'hiver 1956, l'alphabet qui servira de base à la romanisation a été établi; il comprend les lettres de notre alphabet et quelques voyelles supplémentaires. Les premiers temps, on l'imprimera en regard des vieux caractères, puis ceux-ci seront graduellement éliminés. L'étude de l'écriture « ancienne » sera réservée à la couche la plus cultivée de la population. Des linguistes me disent qu'il est souhaitable que cette culture supérieure soit largement répandue : les anciens livres seront indéchiffrables à ceux qui connaîtront seulement l'écriture phonétique, et étant donné qu'ils sont rédigés en kou-wen, la transcription alphabétique en sera impossible; il faudra les traduire, comme on traduit en français les œuvres latines. Cette réserve ne constitue pas une objection. En France, jusqu'à ce siècle, tous les jeunes gens qui se destinaient aux professions libérales étaient obligés de savoir le latin : pourquoi une grande partie de l'élite intellectuelle chinoise n'apprendrait-elle pas le langage ancien ? L'accroissement de cette élite sera favorisé par l'extension de la culture due à la phonétisation; il n'est pas interdit de supposer qu'en conséquence le nombre des Chinois connaissant les caractères pourrait être dans vingt ans beaucoup plus élevé qu'aujourd'hui.

Les mandarins de Hong-Kong protestent : la calligraphie était longue à apprendre, expliquent les journaux nationalistes, mais elle constituait à elle seule toute une éducation artistique; avec elle, de hautes valeurs vont disparaître. Etiemble, qui se prend pour un mandarin, fait chorus. « Privée de caractères, la Chine perd son caractère [1]. » Il prouve par ce maigre calembour que la Chine se réduit pour lui à quelques anciens livres. En vérité si la réforme suscite de la part des anticommunistes une sévère résistance, c'est parce qu'elle a pour but de démocratiser concrètement la culture et de multiplier les élites : en défendant les caractères, les élus d'hier plaident pour leurs privilèges.

On aurait tort de croire que les Chinois d'aujourd'hui méconnaissent la valeur esthétique de leur écriture. Tels l'empereur K'ien-long, Kouo Mo-jo, Mao Tsé-toung se plaisent à tracer des inscriptions de leur main. Mais parlant au nom du peuple entier ils reprennent à leur compte l'alternative de Lou-Sin : « Nous sacrifier aux caractères ou les sacrifier à nous. » Le choix est fait.

LE THÉATRE

Le théâtre a été en Chine un genre privilégié; il a fourni à une population illettrée son principal moyen d'expression, et c'est essentiellement autour de lui qu'a cristallisé le riche folklore paysan. Les lettrés cependant en ont créé à leur usage des formes ésotériques. Cette dualité a entraîné au temps des Mandchous une véritable « lutte des classes » culturelle; néanmoins c'est en ce domaine que la collaboration de la littérature classique et des traditions populaires a été la plus féconde.

Les origines du théâtre chinois sont à la fois sacrées, aristocratiques et populaires. Autrefois, des danses et des pantomimes accompagnaient les cérémonies religieuses. Le Chou king signale des ballets liturgiques, évoquant des héros mythiques ou historiques. D'autre part, d'après le Lie Tseu, des

1. La formule sous-entend le postulat auquel adhère tout « civilisé occidental » : avant tout, il faut *différer*.

théâtres d'ombres et de marionnettes ont diverti les grands et le peuple depuis la plus haute antiquité. Des bas-reliefs du Chan-tong, des peintures murales datant des Han représentent des baladins, jongleurs, montreurs de tours, et aussi des acteurs masqués. Des bouffons amusaient princes et empereurs; des musiciens accompagnaient les banquets de longs récits chantés. L'histoire mentionne à l'époque des cinq Dynasties, des acteurs qui jouaient des comédies et des farces; elle signale chez les Ts'i du Nord, entre 550 et 577, des ballets et des pantomimes militaires, sans doute influencés par les coutumes et la musique de l'Asie centrale; les danses et pantomimes importées de ces régions étaient fort à la mode sous les T'ang, époque où furent créés les premiers conservatoires de musique et de danse. Les acteurs portaient des masques ou se peignaient le visage : les ivrognes par exemple s'enduisaient la figure de vermillon. Ils jouaient des comédies dialoguées, sans musique, plus ou moins improvisées, et dont le contenu était ordinairement satirique. Ces divertissements encore rudimentaires se sont développés et compliqués sous les Song du Sud. Alors naquit le théâtre proprement dit. Il se développa de deux manières. Les empereurs et les riches mandarins entretinrent des compagnies attachées à leur service : une des plus célèbres fut la « troupe de l'intérieur », composée d'eunuques qui donnaient des représentations dans l'enceinte du palais impérial; elle existait encore sous le règne de Ts'eu-hi. D'autre part, dans les campagnes, des troupes ambulantes se déplaçaient de village en village. Chaque région se créa au cours des siècles ses propres traditions : le jeu des acteurs, les costumes, le style, le type d'accompagnement musical différaient de l'une à l'autre.

D'après les collections officielles, le théâtre littéraire comprenait sous les Song 280 pièces; dans le répertoire des Kin on en comptait 680. Mais aucune n'a survécu. Les premières pièces qui aient été conservées remontent à la dynatie Yuan. Elles obéissaient à des lois rigoureuses; elles comportaient quatre actes, et parfois un prologue; il y avait neuf personnages : chacun annonçait au public, dans un court monologue, le rôle traditionnel qu'il incarnait; l'influence des histoires chantées de la période antérieure se faisait encore sentir : au cours de chaque acte, un seul personnage chantait, les autres se bornant à déclamer; il chantait différents airs, mais qui devaient tous avoir la même rime. La plupart des auteurs habitaient dans la région de Pékin, aussi appelat-on ce théâtre « théâtre du Nord »; ils émigrèrent presque tous à Hang-tcheou quand les Mongols eurent conquis la Chine et des écrivains du Sud prirent leur succession : le style du théâtre fut modifié, ainsi que la musique d'accompagnement. Alors s'introduisit la coutume de résumer le sujet de la pièce dans un prologue; on supprima la division en actes; le dialogue devint plus littéraire, et il fut permis de faire chanter plusieurs acteurs. Ces règles furent observées, avec quelques variantes, sous la dynastie Ming. Le nombre des actes cessa alors d'être limité et à l'intérieur de chacun d'eux la rime ne fut plus immuable. Le théâtre devint de plus en plus raffiné : sous la figure qu'on appela K'ouen-k'iu il n'était guère accessible qu'aux lettrés. La tradition Ming se prolongea sous les Mandchous. Les pièces étaient alors des œuvres littéraires que leurs auteurs signaient. « La guitare », « Le pavillon des pivoines », « Le pavillon de l'ouest », « Le palais de l'éternelle jeunesse » comptent parmi les plus célèbres.

Vers l'an 1600, on vit apparaître, outre les troupes privées et les troupes rurales, un théâtre public, destiné aux habitants des villes. Pour plaire à une large audience, les auteurs prirent l'habitude de mêler au langage classique le vulgaire paihoua; sous les Mandchous, le théâtre, devenu populaire, fut considéré comme un genre méprisable : on a vu qu'il n'apparaît pas dans les listes officiellement dressées par les lettrés. Ce furent alors les chefs de troupe ou les principaux acteurs qui se chargèrent de composer les pièces; parfois ils se faisaient aider par un lettré, mais celui-ci exigeait le secret : une grande partie du répertoire est anonyme. En général, les auteurs ne composèrent plus d'œuvres originales; ils empruntèrent leurs sujets aux grands romans populaires, entre autres au *Roman des Trois Royaumes* et à *Tous les hommes sont frères*. Les guerres qui aboutirent à l'avènement des Mandchous mirent à la mode les drames militaires. Les livrets de ces opéras n'étaient pas considérés comme définitivement fixés; chaque époque et même chaque troupe en présentait au public des arrangements différents. Les acteurs qui, sans appartenir à la classe des lettrés, ne se livraient à aucun travail productif, furent victimes d'une ségrégation; tels les fils des bouchers, des coiffeurs, des marchands, leurs fils n'avaient pas le droit de passer les examens, donc d'accéder au mandarinat.

Au XIXe siècle se créa le genre qu'on appela « Opéra de Pékin » ou Opéra classique; il absorba le K'ouen-k'iu, trop difficile pour l'ensemble du public, ainsi que divers opéras locaux. C'est essentiellement lui qui incarne à l'étranger le théâtre chinois traditionnel. Il est connu en France par les représentations qu'a données en 1955 la plus célèbre troupe de Pékin, par les livres et les articles qu'elles ont suscités [1]. Il se caractérise par un certain genre de musique, de chant et de déclamation, par l'absence de décor, dont tiennent lieu quelques accessoires, par des maquillages violents et rituels, et par tout un ensemble de conventions et de symboles : les mouvements des mains entre autres jouent un grand rôle et s'inspirent de la symbolique bouddhique. Les costumes sont habituellement ceux que portaient les Chinois sous la dynastie Ming, mais stylisés; le trait le plus saillant, ce sont les manchettes blanches, longues de trente-cinq centimètres et cousues à l'intérieur des manches : on les utilise dans quantité de jeux de scène. Cependant des opéras locaux, qui s'écartent plus ou moins du style et des conventions dites classiques, subsistèrent dans les provinces.

La bourgeoisie ne pouvait pas se contenter de ce théâtre féodal et populaire : il lui fallait *son* théâtre. Celui-ci naquit dans la plus moderne des villes de Chine, à Shanghaï, en 1906. On commença alors à représenter dans des décors des pièces divisées en actes et en scènes. L'acteur Wang Tchong-tcheng écrivit le premier drame moderne : *Le cri d'indignation des esclaves noirs,* d'inspiration révolutionnaire, qu'on joua en costumes occidentaux, avec accompagnement de musique chinoise. Wang organisa ensuite une troupe théâtrale et fit représenter une pièce entièrement dialoguée : *L'Histoire de Kia-Yin.* Par suite de spéculations malheureuses, le propriétaire du théâtre dut fermer ses portes. Wang fut engagé par un autre directeur. Il adapta *La Dame aux Camélias* qui remporta un triomphe d'abord à Shanghaï, puis à Ti'en-tsin et à Pékin. Marguerite Gauthier rappelait aux Chinois la « sing-song girls » de quantité de leurs romans et de leurs contes, et ils éprouvaient pour elle tant de sympathie que l'auteur ne la faisait pas mourir, mais la mariait heureu-

1. Claude Roy « L'Opéra chinois ». Mayoux : « Le théâtre chinois » dans le numéro spécial d'Europe d'août-septembre 1955.

sement à l'homme qu'elle aimait. On joua aussi avec succès *La Case de l'oncle Tom* et *Salomé*. Wang écrivit de nouvelles pièces révolutionnaires, entre autres : *La vie humaine comme un brin de paille* où il s'attaquait au régime et à la corruption des mandarins mandchous. Il fut arrêté, et fusillé à T'ien-tsin en 1910.

Cette même année on bâtit à Shanghaï le premier théâtre « à l'européenne », c'est-à-dire comportant des coulisses et dont la scène au lieu de s'avancer dans la salle était au contraire construite en retrait. On y joua l'opéra classique dans des décors réalistes; et aussi des pièces modernes écrites en langue populaire; mais on conserva beaucoup des conventions du théâtre traditionnel, entre autres le soliloque par lequel s'annoncent les acteurs. C'est ainsi que la pièce *Napoléon*, jouée en 1912, commence par ces mots : « Moi, Napoléon, empereur de France, héros sans pareil de l'univers... », etc. Une des pièces qui eut à l'époque le plus de succès fut un drame en vingt-trois tableaux : *Les prisonniers de la fumée*, qui s'en prenait au gang de l'opium et dénonçait les méfaits de la drogue.

C'est à cette époque qu'on essaya d'acclimater en Chine l'industrie du cinéma; cette tentative ayant échoué, son promoteur, Tcheng Tcheng-ts'ieou rassembla ses artistes en une « Société du peuple nouveau » qui joua, en style moderne, des pièces d'amour et des pièces révolutionnaires. Ce « théâtre nouveau » adaptait à des sujets contemporains la composition de l'opéra classique, en supprimant un grand nombre de conventions.

En 1916, on bâtit à Pékin le premier « théâtre à l'européenne ». La revue *Jeunesse nouvelle* consacra en 1918 un numéro spécial à Ibsen dont l'influence devint aussitôt prépondérante. *La grande affaire* de Hou Che et *Insomnie* de Ngo-Ying Yu-ts'ien s'inspirent de *Maison de Poupée*.

A partir de 1930 se répandirent en Chine les idées du metteur en scène soviétique Stanilawsky. Elles influencèrent les pièces que suscita la résistance antijaponaise : le théâtre supplanta alors les autres genres littéraires parce qu'il constitue la propagande la plus efficace. Ts'ao-yu qu'on appelle « le géant du théâtre chinois » — et Kouo Mo-jo — qui avait déjà composé des drames politiques, sur des thèmes historiques — écrivirent à cette époque la plupart de leurs œuvres; Kouo Mo-jo rédigeait ses pièces en une dizaine de jours. Il travailla davantage sa tragédie *K'iu Yuan* dont le héros est le vieux poète de ce nom. Mao Touen donna en 1945 une comédie de mœurs *Autour de la fête des morts,* qui montrait la misère des petits artisans étranglés par le capitalisme. Des troupes d'amateurs, et les soldats eux-mêmes donnaient des représentations dans les zones de guérillas. Les observateurs étrangers — Snow, Belden — furent étonnés par cet art fruste mais convaincant. « La révolution fut le berceau du nouveau théâtre », écrivit Ts'ao Yu en 1946, « et celui-ci, depuis les premiers jours où il eut à lutter pour vivre, n'a jamais oublié ses responsabilités vis-à-vis des spectateurs. Il s'est efforcé d'être le miroir de nos espoirs et de nos craintes, et de refléter sincèrement les nombreuses phases des changements politiques, culturels et sociaux qui ont résulté du contact de la civilisation occidentale avec la vieille Chine. Au début, il s'est montré sans fard théâtre de propagande. »

Le théâtre conserve la faveur du public, d'autant plus que le cinéma est encore peu développé. Il existe en Chine aujourd'hui environ 2.000 troupes, groupant 200.000 artistes, sans compter ceux des villages; chaque jour, un million de spectateurs remplissent les théâtres. Il y en a 168 à Shanghaï où jouent 8.000 acteurs; à Pékin, à la fin de 1953, on trouvait 20 théâtres, et 46 troupes dont 37 privées. Les cachets des acteurs sont standardisés; ils touchent tous un salaire mensuel fixe, plus ou moins élevé selon la catégorie où ils sont classés. On a réformé l'apprentissage, naguère très pénible pour les enfants car les prouesses acrobatiques de l'opéra classique exigent un difficile travail. La censure s'exerce plus rigoureusement sur la scène que sur les livres. Les directeurs des compagnies privées ou étatisées doivent soumettre tous les six mois leur programme et les livrets des pièces au ministère de la Culture.

Quand je suis arrivée en Chine, j'étais particulièrement curieuse du théâtre chinois moderne; peu de temps avant mon départ, j'avais vu *Le Cercle de craie* de Brecht, dont le héros est une figure populaire en Chine, et qui se situe en Asie : peut-être est-ce là ce qui m'avait incitée à rêver que les Chinois, utilisant les ressources de l'opéra classique, avaient réussi comme Brecht à inventer un art dépassant de façon inédite le réalisme. Je me suis vite rendu compte en causant avec Ts'ao Yu et avec Lao Che qu'actuellement les Chinois visent de tout autres objectifs.

D'abord ils se demandent quelle place ils doivent réserver à l'opéra traditionnel; celui-ci a un caractère équivoque, à la fois populaire et féodal. Certains réclamèrent en 1950 qu'on le rejetât en bloc. Mais Tcheou Yang, fidèle aux thèses de Yenan, déclara : « Il faut garder les éléments nationaux et supprimer les féodaux. » Il expliqua que l'opéra reflétait à la fois la mentalité de la classe dirigeante et la lutte du peuple contre ses oppresseurs. Il défendit la position qui est celle des artistes soviétiques : les « superstitions religieuses » doivent être rejetées, mais non les « légendes populaires ». En 1951 on décida qu'on interdirait sur la scène tout épisode pornographique — les vieux opéras étaient extrêmement licencieux — qu'on n'y verrait plus de scènes de torture ni de femmes aux pieds bandés. Ces réserves faites, il fallait encourager l'opéra.

Néanmoins, une révision plus poussée du répertoire s'imposait; l'entreprise n'avait rien de sacrilège puisque la majorité des pièces ne comportent pas de version fixe : les Mandchous en éliminaient les éléments nationalistes et révolutionnaires, ils en accentuaient le caractère féodal; le régime nouveau prolonge en quelque sorte cette tradition lorsqu'il fait l'opération inverse. Le reproche qu'on adresse aujourd'hui au théâtre ancien, c'est qu'il montre la contradiction de l'ancienne société, mais sans la lever : la version remaniée proposera au public une solution positive. Par exemple, l'opéra intitulé *La Coupe aux papillons* raconte l'histoire suivante : Un vieux pêcheur vend sa fille au fils d'un général; mais quand il réclame d'être payé, on le bat jusqu'à ce qu'il en meure. Un jeune homme, Tien Yu-chuan, indigné par ce crime, tue le fils du général; grâce à la complicité de la jeune femme, il réussit à s'enfuir; elle fuit avec lui, ils tombent amoureux l'un de l'autre et il lui fait cadeau de « la coupe aux papillons ». Plus tard, sous un faux nom, Tien sauve la vie du général qui lui donne sa fille en mariage. Un jour on découvre sa vraie identité : mais le général lui a tant de reconnaissance que loin de lui faire aucun mal, il l'autorise à épouser la fille du pêcheur. Les critiques chinois estiment que cette pièce, tout en dénonçant l'oppression, pactise avec elle. Pour lever cette contradiction, on a donné à la nouvelle version une conclusion différente : la fille du pêcheur refuse d'épouser Tien parce qu'il a composé avec l'ennemi. On a adapté dans le même sens la *Révolte au royaume du Ciel*[1] que nous avons vue à Paris. Sous les Mandchous, la pièce s'intitulait *Troubles dans le royaume du Ciel* et le Singe, en qui s'incarne l'esprit de rébellion, était puni; les dieux remportaient la victoire. Aujourd'hui, le Singe triomphe. D'autres révisions furent beaucoup plus contestables, et ont été condamnées : ainsi, une certaine troupe, jouant *La Tisserande et le Bouvier*, imagina de remplacer la vache par un tracteur, les pies par des colombes, et de mettre sur la scène les tanks et les avions de Truman.

En 1954, la question de la réforme de l'opéra fut de nouveau à l'ordre du jour. Dans la revue *Théâtre*, le député directeur de l'Institut d'Opéra chinois, Ma Shao-po, publia un article : *Nouvelles réformes nécessaires dans l'Art de l'Opéra de Pékin*. Les mois suivants, en novembre et décembre, « l'Union des acteurs et auteurs dramatiques » organisa quatre discussions entre des auteurs, des acteurs et des metteurs en scène connus. On se querella assez vivement, d'abord oralement, puis à travers une série d'articles. Tout le monde accordait que des réformes étaient nécessaires : il fallait planifier la mise en scène, réviser les livrets, améliorer le jeu des acteurs et la musique d'accompagnement. Mais à partir de là, deux clans s'affrontaient. Lao Che soutenait que l'art de l'opéra est un tout, dont on ne peut pas modifier analytiquement certains éléments. Par exemple, m'expliqua-t-il, des décors réalistes jureraient avec les costumes traditionnels : impossible de passer sous une porte véritable si l'on est coiffé de ces hautes plumes qui caractérisent les généraux. Il faut donc considérer l'opéra comme un art à part, singularisé par son symbolisme, et le représenter selon les règles établies; on créera à côté un autre théâtre, répondant à d'autres besoins du public, et affranchi des traditions. L'autre clan réclamait au contraire que l'opéra classique même fût modifié; les soliloques par lesquels les personnages s'annoncent sont démodés; les décors, trop sommaires, ennuient : il faut les enrichir et les varier; le maquillage massif, qui change les visages en masques, interdit toute mimique nuancée. Si on palliait ces défauts, si on utilisait habilement décors, éclairages, fard, et qu'on rendît plus réaliste le jeu des acteurs, l'Opéra de Pékin serait à

1. Tiré du célèbre roman : *Le voyage vers l'Ouest.*

même de représenter la vie des gens d'aujourd'hui, et pas seulement des légendes périmées.

Pour l'instant, l'opéra subsiste sous sa forme classique. Je n'ai pas vu beaucoup de spécimens de « l'Opéra de Pékin » proprement dit, parce qu'à ce moment-là les troupes les plus importantes faisaient des tournées à travers le monde. Cependant la première représentation à laquelle j'ai assisté était dans ce style. Je connaissais un peu le théâtre chinois. A San Francisco, la salle ressemblait à celles qu'ont souvent décrites des Occidentaux terrifiés : pendant des heures interminables, les spectateurs — tous chinois — entraient, sortaient, allaient, venaient, certains mordant dans des sandwiches; des femmes allaitaient leurs bébés. A Pékin, on crachait naguère en abondance les graines de tournesol, les pépins de melon. A présent l'atmosphère d'un grand théâtre pékinois est bien différente; d'abord, depuis qu'il n'existe plus de classe oisive, les spectacles sont limités : ils commencent à 7 h. 1/2 du soir et finissent avant 11 heures. On a pris l'habitude depuis le XIXe siècle, de donner un programme varié : généralement une farce, et plusieurs autres pièces. Les interminables drames en faveur autrefois — tel *le Serpent blanc* — se débitent en fragments. Le public écoute, silencieux, immobile, et manifeste avec réserve. Ce soir-là, il y avait beaucoup de délégations étrangères, groupées aux premiers rangs de l'orchestre : les Espagnols et les Portugais d'Irkoutsk, des Danois, des Russes, des Hindous. Dès le lever du rideau, les interprètes se sont mis tous ensemble à chuchoter : j'ai admiré la bonne grâce des Chinois qui subissaient sans protester ce jacassement.

Le rideau s'est levé sur une scène du *Serpent blanc*. Ensuite, on a donné un opéra Hou-pei : une brève comédie de mœurs rappelant de loin les farces de Molière. Le vieux Ma To, qui a promis sa fille à un étudiant pauvre, étant devenu riche, veut rompre ces fiançailles; un valet, Ko Ma, qui se trouve être un cousin du jeune homme, use de différents stratagèmes pour venir au secours de celui-ci; c'est une sorte de Scapin, mais le ressort psychologique sur lequel il fonde ses ruses est spécifiquement chinois : plus un homme est riche, plus il doit veiller à « garder la face ». Par crainte de « perdre la face », Ma To est amené à offrir une collation à l'étudiant, à lui prêter des habits, et de fil en aiguille à consentir au mariage. Le public rit beaucoup; mais faute de comprendre le texte, je ne m'amuse qu'à demi, car c'est une pièce bavarde.

La seconde partie du programme est un drame héroïcocomique qui me plaît bien davantage. Il est tiré d'un roman ancien, mais accommodé au goût du jour. Le héros de cette aventure est une sorte de Falstaff, buveur et braillard mais loyal et courageux, qui appartient à une armée de partisans retranchée dans la montagne et que la famine menace. Il se propose pour descendre dans la plaine chercher du ravitaillement : le chef consent, mais il exige que le brave soldat s'engage par serment à ne pas boire une seule goutte de vin; le soldat promet; tandis qu'il dévale gaiement la colline, un drame se déroule au village : le seigneur féodal convoite la ravissante fille de l'aubergiste; aidé par ses sbires, il l'enlève brutalement et, afin de détourner les soupçons, il se fait passer auprès de l'infortuné père pour le chef des partisans. C'est donc dans les larmes, et la bouche pleine de malédictions que l'aubergiste accueille son ami le soldat; celui-ci refuse d'abord de croire son chef coupable; puis convaincu, il boit par représailles plusieurs bols de vin, et remonte vers le quartier général, décidé à tuer le criminel avec son grand couteau. Ses compagnons le désarment. Il expose ses griefs. Pour se disculper, le chef descend avec lui au village. L'aubergiste se rend compte qu'il a été abusé : c'est le « foncier » qui est coupable. Accompagné de quelques camarades, le soldat va tuer le tyran et rend la jeune fille à son père. Preuve est faite une fois de plus que les partisans sont de sincères amis du peuple qui jamais ne pillent ni ne violent. Désespéré d'en avoir douté, le héros se jette aux genoux de son chef et réclame la mort; le chef se borne à le morigéner avec douceur; il l'exhorte à se corriger de ses défauts personnels : emportement, étourderie, vif penchant pour la boisson; une fois cette hétéro-critique achevée, il lui pardonne.

Malgré l'évidence des allusions, la pièce ne prend à aucun moment un caractère édifiant; comique, poétique, dramatique, elle m'a tenue en haleine d'un bout à l'autre. Le rôle du chef était joué par une femme. La vieille tradition de l'opéra classique exigeait que tous les acteurs fussent des hommes; elle est abolie, mais il arrive souvent que les interprètes représentent des personnages dont le sexe n'est pas le leur. Dans ce cas-ci, la distribution m'a paru plutôt contestable : à côté de ses soldats robustes, de ses superbes conseillers, ce capitaine-femelle était trop petit, trop frêle, il manquait vraiment de prestance. « Pourquoi a-t-on choisi une femme ? » ai-je demandé à Tsai. « Parce que c'est plus difficile de jouer un rôle d'homme quand on est une femme », m'a-t-il répondu. Des délégués italiens, ayant marqué le même étonnement que moi, on leur fournit une autre explication : le chef des partisans est un chef politique, il domine ses compagnons par son intelligence, non par sa vigueur physique. En confiant son rôle à une femme, on souligne ce décalage. De toute façon, ce qui est frappant ici, c'est le refus du réalisme. Il y a effectivement une analogie entre l'Opéra de Pékin et l'art de Brecht : les Chinois recherchent ce que celui-ci appelle un « effet de recul ». Sans doute aussi ont-ils le goût de la virtuosité. Je remarque qu'au baisser du rideau la salle applaudit peu; mais souvent au cours du spectacle une inflexion de voix, un sanglot, une mimique, un geste inédit soulève une rumeur d'approbation. Les vrais amateurs savent par cœur presque tout le répertoire : ce qui les intéresse, ce sont les nuances de l'interprétation; ils guettent certains passages comme jadis aux Italiens les connaisseurs attendaient l'*ut* d'un ténor fameux. « Pour se plaire vraiment au théâtre, il faut être initié », me dit Tsai. « C'est pour ça que nous, les jeunes, nous préférons le cinéma. » Il est rare que ses camarades aillent au théâtre, ajoute-t-il et lui-même s'y ennuie plutôt.

Cette confidence m'a rendue perplexe. Dans le débat sur l'opéra classique, je serais tentée de donner raison à Lao Che. J'ai vu la scène où « Serpent blanc » cueille dans la montagne l'herbe magique qui sauvera son mari, interprétée de deux manières. Dans le style classique, elle était fort belle. La version moderne utilisait un décor peint et construit, les gardiens de la plante étaient à peine maquillés, la musique, où l'influence de l'Occident était sensible, sacrifiait à la mélodie aux dépens du rythme : on aurait pu se croire au Châtelet. En renonçant aux conventions classiques — qui sont esthétiquement fondées — le jeu des acteurs n'avait gagné aucune vérité : il sombrait dans l'académisme.

Cependant je pense aux paroles de Tsai : « Il faut être initié. » En préservant sa pureté, est-ce que l'opéra ne risque pas de devenir une curiosité archaïque, n'intéressant qu'une petite élite ? Son sort est loin d'être décidé : il dépend moins de l'initiative des producteurs que de l'évolution culturelle du public.

Ce qui est certain, c'est qu'à côté de l'opéra classique on se soucie énormément de développer les opéras locaux dont le caractère est plus franchement populaire puisque la classe dirigeante ne les a jamais annexés : même, elle a souvent interdit qu'ils fussent joués à Pékin, à Shanghaï, dans les grands centres. On en a recensé plus de cent espèces. En 1952, eut lieu à Pékin un festival national où triomphèrent entre autres l'opéra du Sseu-tchouan et celui de Shanghaï (appelé Chao-cheng). En 1954, au cours d'un second festival, on joua des opéras classiques, mais aussi des opéras *chin chiang*, de la province de Chen-si, des pièces *ping chou* et *chou chou* : ce dernier genre n'a que quatre ans d'âge, mais le *ping chou* dérive des *Contes du Lotus* que les paysans du Chan-tong chantaient, sous les Mandchous, en s'accompagnant de castagnettes de bambou, et qui se sont répandus dans toute la Chine septentrionale. Ces duos se sont transformés en spectacles comprenant de nombreux acteurs. Quand ils apparurent à Pékin, il y a cinquante ans, les vieux amateurs de théâtre furent scandalisés : ils jugèrent le *ping chou* provincial et vulgaire. Comme il traitait volontiers de problèmes contemporains, il fut persécuté par le Kuomintang; c'est aujourd'hui une des formes les plus vivantes du théâtre chinois.

J'ai vu un grand nombre d'opéras « locaux ». Le premier se jouait dans un petit théâtre de la ville chinoise; le public se trouvait composé ce soir-là de membres de « minorités nationales » : ils faisaient sans doute partie de quelques délégations car des autobus les attendaient sur la grande avenue voisine. C'est là que j'ai fait connaissance avec les longues robes ceinturées de soie vive que portent les Mongols, les grands chapeaux fourrés des Thibétains, les bonnets carrés des Ouzbecks. Les visages étaient d'une étonnante diversité : lourds visages tartares aux pommettes saillantes, visages sémites décorés d'une longue barbe effilée, minces et délicats visages de l'Asie du Sud, où les caractéristiques de la race jaune s'indiquent à peine. La pièce était tirée d'une légende très populaire dans la Chine du Nord : le style de la représentation différait considérablement du style classique. Il y avait des décors, très jolis, qui changeaient à chaque tableau; les acteurs n'étaient pas plus maquillés qu'en Occident; leur jeu était relativement réaliste, la musique plus mélodieuse, moins brutalement pathétique que celle de l'opéra classique : l'ensemble se rapprochait bien davantage de l'opéra, tel que nous l'entendons chez nous; paroles et chants alternaient. Les héros portaient des costumes coréens; leur histoire était une mélodramatique histoire d'amour que leur jeu et la beauté des chants réussissaient à rendre émouvante.

J'ai vu, dans un autre théâtre assez pauvre de la ville chinoise, une version locale d'une pièce souvent interprétée en style classique : *La Tisserande et le Bouvier*. Ces deux étoiles que le ciel ne rapproche qu'une fois chaque année, le septième jour du septième mois, symbolisent aux yeux des Chinois les deux sexes, séparés naguère par les traditionnels tabous : la femme qui file et tisse à l'intérieur de la maison, l'homme qui travaille aux champs. Pendant la nuit où le couple s'unit, les femmes faisaient naguère flotter sur l'eau des figurines d'enfant, afin d'obtenir de la Tisserande de nombreuses et heureuses grossesses. On lui offrait des fleurs, des fruits; on trouve son image sur les parois de quantités de chambres funéraires. En elle, on vénérait un idéal de pureté féminine et de vie laborieuse. La légende rapporte que les deux amants étaient jadis des serviteurs de la Reine céleste; distraits par leur amour, au cours d'un banquet que la Reine offrait aux dieux du ciel, ils laissèrent tomber une précieuse coupe de jade, qui se brisa. La déesse irritée exila la Tisserande dans une région intermédiaire entre le ciel et la terre et la condamna à tisser sans trêve des nuées; le jeune homme devint sur terre un pauvre Bouvier qui possédait pour tout trésor une vache; mais celle-ci se trouvait être l'incarnation d'un dieu, puni lui aussi par la Reine céleste parce qu'il avait pris le parti des deux amoureux. Il conduisit le Bouvier au bord de la Rivière céleste [1], un soir où la Tisserande s'y baignait avec ses compagnes, et il lui conseilla de voler les vêtements de la jeune femme : ainsi se vit-elle obligée d'épouser le Bouvier qu'aussitôt elle aima d'amour. Ils eurent deux enfants, et furent très heureux : la Tisserande gagnait beaucoup d'argent en confectionnant d'admirables étoffes. Ses compagnes protégeaient son bonheur en tissant à sa place les nuages du ciel. Au bout d'un an, la Reine s'avisa de la supercherie : elle fit saisir la Tisserande par ses soldats qui la reconduisirent au ciel. Le Bouvier désespéré partit à la

1. Qui correspond à notre voie lactée.

recherche de sa femme, portant ses enfants couchés dans des paniers aux deux extrémités d'un fléau de bambou. Mais il ne put franchir la Rivière; et ils seraient restés à jamais séparés si des pies n'avaient pris leur amour en pitié : elles combattirent les gardiens du ciel et réussirent à bâtir un pont par-dessus la rivière. La Reine permit à la Tisserande et au Bouvier de s'y rencontrer une fois chaque année.

Le plus intéressant des opéras locaux, c'est l'opéra Chao-cheng. C'était il y a quarante ans une forme d'opéra purement rural qu'on ne trouvait que dans les campagnes du Chekiang. Les chants s'inspiraient de ballades et de chansons paysannes; l'orchestre était souvent réduit à un unique exécutant, muni d'un tambour et de castagnettes de bambou. Les acteurs, c'était les paysans eux-mêmes et tous les rôles étaient joués par des hommes. Des campagnes, ce divertissement populaire se répandit dans les villes, et jusqu'à Shanghaï; en 1923, une compagnie d'actrices se spécialisa dans le théâtre Chao-cheng, et maintenant il est joué exclusivement par des femmes. Pendant la guerre antijaponaise, il se répandit avec succès dans toutes les régions libres. Et depuis la libération, il prospère. En 1953, une équipe de musiciens a été rechercher de vieilles mélodies dans Chenghsien, la région du Chekiang dont le Chao-cheng est originaire. Son style tient le milieu entre les conventions de l'opéra classique et le réalisme. Le maquillage est poussé, mais naturel, ce qui permet aux acteurs des jeux de physionomie variés. On utilise des décors et des éclairages. C'est à ce genre qu'appartient l'opéra filmé *Les Amoureux,* qui a été projeté à Paris.

Ce qui m'intéressait le plus, je l'ai dit, c'était l'adaptation du théâtre chinois à des thèmes modernes. On l'a réalisée de plusieurs manières. Pendant la guerre sino-japonaise, on a mis en scène dans un style, et sur une musique occidentalisée, des livrets originaux; ainsi naquit le plus célèbre des opéras chinois contemporains : *La Fille aux cheveux blancs.* Le succès de ces œuvres fut considérable et depuis la libération compositeurs et librettistes en ont créé beaucoup d'analogues. J'ai vu pendant mon second séjour à Pékin *La Chanson de la steppe*, nettement influencée par les grands opéras russes. Les décors et les costumes avaient la splendeur de ceux de *Boris Godounov* et du *Prince Igor.* La musique évoquait souvent *Madame Butterfly*, mais certains airs empruntés au folklore thibétain étaient très plaisants.

L'histoire se passe en effet au Thibet, à la veille de l'effondrement du Kuomintang. Pour maintenir leur emprise sur le pays, les réactionnaires cherchent à dresser l'une contre l'autre deux puissantes tribus; un jeune homme et une jeune fille, appartenant aux deux clans rivaux, et qui s'aiment, essaient en vain d'empêcher la guerre; souvent l'amour apparaît dans le théâtre chinois comme une valeur étroitement liée aux valeurs révolutionnaires; ici il aide les héros à découvrir l'absurdité des luttes fratricides; je remarque que, contrairement à la tradition classique — au plus fort de la passion, les amoureux classiques ne se touchent pas du bout des doigts — ceux-ci s'étreignent avec l'ardeur que les opéras d'Occident prêtent aux Juliette et aux Roméo. Arrive l'armée rouge; un des officiers est justement le frère de l'héroïne : coïncidence vraisemblable, puisque, lorsqu'on libérait une région de minorité nationale, on y envoyait de préférence des officiers chinois parmi les natifs. Par une adroite politique, il rétablit l'harmonie entre les tribus; le traître est abattu; tout le monde fête en chœur la paix et les amoureux se marient. Cet heureux dénouement symbolise celui qui mit fin aux querelles du Dalaï et du pantchen Lama, réconciliés par le nouveau gouvernement. Le choix de ce sujet indique l'importance attachée à la question des minorités nationales, et particulièrement à celle du Thibet.

Un opéra à grand spectacle comme *La Chanson des steppes* n'apparaît que rarement sur les scènes chinoises. Le *ping chou*, qui permet de traiter des problèmes d'actualité, est beaucoup plus répandu. Un de ses plus grands succès c'est le « petit gendre », sur le thème des fiancées-enfants. On voit une jeune fille vendue comme bru à une famille dont le fils n'a que onze ans; la première nuit, le nouveau marié mouille son lit. Grâce à la loi du mariage, l'héroïne obtient le divorce et épouse l'homme qu'elle aime. Plus de 300.000 spectateurs ont vu cette comédie.

Le *chou chou*, vieux seulement de quatre ans, tient de l'opérette et de la comédie; on a joué dans ce style *La Femme déléguée*, qui gagna en 1953 le concours de la pièce en un acte et qui tourne autour du problème de l'émancipation des femmes. Ce concours avait été ouvert afin d'encourager des auteurs à composer de brèves comédies. Il y a eu 667 envois; 40 % sur la vie paysanne, 19 % sur la vie citadine, 17 % sur la condition des ouvriers, 6 % sur les soldats,

0,5 % sur les minorités nationales, les autres traitant de sujets divers. Seulement 3,6 % de ces pièces étaient l'œuvre de professionnels.

Courtes ou longues, beaucoup de pièces se jouent sans accompagnement musical. Elles relèvent du « théâtre parlé » proprement dit, où, comme dans la majorité des drames et comédies d'Occident, le dialogue prend toute la place. Le décor, la mise en scène, le jeu des acteurs ne prétendent alors qu'à une seule qualité : le réalisme. J'en ai vu plusieurs exemples. Le plus intéressant, ç'a été l'épopée intitulée : *A travers plaines et montagnes.* Elle retrace, en de nombreux tableaux, la célèbre *Longue Marche* qui ramena l'armée rouge, en 1934, du Kiangsi au Shensi. La pièce avait évidemment un caractère didactique et visait à l'édification; mais elle était si bien jouée que même le « héros positif » réussissait à émouvoir. Dans son ensemble, l'évocation de cette grande aventure participait à sa richesse : elle parlait à l'imagination, ce qui n'est déjà pas si mal. En revanche, la véridique histoire de la jeune paysanne Lieou Lou-han qui aida les guérillas et le paya de sa vie m'a paru le plus regrettable des mélodrames.

Les Chinois sont les premiers à déclarer que, malgré la collaboration d'écrivains chevronnés, malgré l'apparition de nouveaux dramaturges, le répertoire est insuffisant par rapport aux demandes du public et que sa qualité laisse à désirer. Quand j'imaginais un théâtre qui, appliquant à des thèmes contemporains l'esthétique de l'ancien opéra, dépassât le réalisme, j'étais loin de compte. Pour l'instant, il y a juxtaposition de formes antiques et de formes modernes; on mélange aussi différents styles; mais nul n'a réalisé la synthèse créatrice qui eût constitué un art vraiment neuf. C'est normal, et en fait, mon rêve sonnait creux. Le « théâtre parlé » est en Chine une conquête récente; il s'est largement répandu sans avoir le temps de se trouver. Les metteurs en scène chinois n'ont pas encore maîtrisé l'esthétique réaliste, telle qu'elle triomphe sur certaines scènes d'U.R.S.S. — ce qui permet précisément aux Russes de s'en écarter à l'occasion. Leurs recherches continueront pendant un certain temps à s'orienter dans ce sens. On ne dépasse que ce que déjà on possède : c'est une vérité qu'il faut garder présente à l'esprit si on veut juger sainement les réalisations culturelles de la Chine. Quand ils auront rattrapé l'Occident, ils pourront alors tenter d'aller plus loin. Une grande tradition, d'excellents acteurs, un public passionné [1] permettent d'escompter que la coexistence de l'opéra classique et du théâtre dialogué finira par se montrer féconde.

LES ARTS PLASTIQUES

J'ai vu plus d'un délégué revenir désolé de sa visite à l'Institut des Beaux-Arts. Avec la grande tradition picturale que la Chine a derrière elle, faut-il qu'elle se mette aujourd'hui à la remorque de Guérassimov ? Mais les traditions parfois pèsent plus qu'elles n'aident. La beauté de l'opéra classique n'a pas permis à la Chine de s'inventer d'emblée un théâtre moderne. Pour la peinture, la situation est analogue.

Dans cette branche aussi, les Chinois ont un grand souci de populariser la connaissance de leurs richesses passées. Un des plus anciens et des plus grands trésors de la civilisation chinoise, ce sont les fresques de Touen Houang. Sous formats grands et petits on vend, dans toutes les librairies — dans le hall de l'hôtel même — des séries de cartes postales, de rouleaux, d'estampes où elles se trouvent reproduites. Touen Houang, poste extérieur de la frontière du côté du Tarim, était le point d'arrivée des caravanes venant de la piste nord et de la piste sud de la route de la soie; c'est par là que s'introduisent en Chine l'influence de l'Asie centrale et des traditions gréco-bouddhiques. En Asie centrale, de nombreuses falaises ont été aménagées en grottes bouddhiques, à l'instar de celles qu'on trouve dans la falaise Bâmiyan en Afghanistan et qui furent le prototype de toutes les autres. En l'an 366 de notre ère, des grottes analogues furent creusées à quinze kilomètres de Touen Houang; détruites, refaites à neuf à partir de 453, leurs murs et leurs plafonds sont couverts de fresques et elles sont remplies de statues. La valeur artistique de ces œuvres n'est pas extraordinaire, mais toutes les époques de la civilisation y ont laissé leurs traces. Dans les grottes les plus anciennes prévaut le pur style indien; puis les images se sinisent : sous la dynastie T'ang, la tendance de l'art et de la littérature chinoise était épique et la tra-

1. Les réticences de Tsai ne concernaient que l'opéra classique. A Pékin, pour voir un nouveau spectacle, il faut retenir son fauteuil des jours à l'avance. Et parfois le nombre de places qu'on accorde à chaque famille est limité.

dition bouddhique fut modifiée en ce sens. C'est alors qu'on voit apparaître les figures légendaires qui, s'étant perpétuées de siècle en siècle, peuplent encore les temples, inspirent les « images de nouvel an » que les paysans collent aux portes de leur maison et s'incarnent dans les opéras : barbus, casqués, une épée à la main, le visage farouche, les dieux sont devenus de redoutables guerriers. Cependant des thèmes hindous subsistent. Au plafond des grottes, tourbillonnent parmi des draperies flottantes ces *asparas* qui décorent les lanternes et les lits de l'hôtel de Pékin. Sur les murs se déploient de vastes paysages : des cavaliers escaladent des montagnes miraculeuses où vivent des animaux sauvages. Quantité de fresques représentent le paradis d'Amida, ou « paradis de l'Ouest ». Ces jardins des délices obéissent en partie aux conventions indiennes; mais des scènes épisodiques évoquent la vie quotidienne des anciens Chinois : chasse, labourage, maisons, chars, chevaux, les historiens considèrent ces peintures comme un remarquable document.

A la fin de mon voyage, il y a eu au Palais impérial une grande exposition des sculptures et des fresques de Touen Houang; je l'ai parcourue avec quelque mauvaise humeur. Je regrettais qu'on ne me montrât pas, plutôt que ces copies d'une valeur incertaine, de grandes et sûres reproductions photographiques. Mais cette réaction de citoyenne d'un pays riche était fort injuste. Les Chinois n'ont pas de matériel photographique; leur pauvreté se manifeste sur le plan culturel comme ailleurs, et là aussi l'ingéniosité pallie leurs déficiences. On a envoyé une équipe de dessinateurs faire un relevé aussi fidèle que possible des fresques de Touen Houang. Ce sont les résultats de ce travail qu'on présente au public. Il est difficile de savoir quelles sont les dimensions des originaux, si le dessin et les couleurs sont exactes; mais il est émouvant que, disposant de moyens si insuffisants, le régime s'applique néanmoins avec tant de soin à familiariser le peuple avec son héritage national.

Les collections de peinture du Musée impérial ne sont pas souvent exposées : les soies fragiles craignent la lumière du soleil; on ne les montre que pendant quelques semaines chaque année. On pallie cette carence en accordant une grande importance à l'art de la reproduction. Les copies de tableaux de Ts'i Pai-che, de Jupéon, et de chefs-d'œuvre anciens ornaient tous les intérieurs aisés que j'ai visités. Des albums, couverts de soie brochée, enferment des séries de reproductions d'un peintre, ou d'une époque : les Chinois en achètent beaucoup. La technique utilisée, c'est la chromoxylographie, dont l'origine est la gravure sur bois, exécutée en noir et blanc, qui remonte à plus de mille ans. Les Chinois l'avaient inventée dès 868, c'est-à-dire cinq cent quarante ans avant que la première gravure sur bois apparût en Europe. La technique s'en développa sous les Yuan et sous les Ming, et à la fin du XVIe siècle, la gravure en couleur était déjà largement répandue en Chine. On l'utilisait surtout pour décorer le papier à lettres, et aussi les feuillets sur lesquels les poètes calligraphiaient leurs vers. A la fin de la dynastie mandchoue, il y avait à Pékin plus de quinze librairies spécialisées dans la vente de ces images. La plus célèbre, c'était le « Studio du Pin et du Bambou », fondée voici deux cents ans; après une brève éclipse, aux environs de 1900, le Studio ressuscita. Il devint en 1952 une entreprise d'Etat, sous le nom de « Studio de l'abondante prospérité ».

Depuis vingt ans, sur les conseils de Lou Sin, le Studio a reproduit de nombreuses œuvres d'artistes contemporains. Les reproductions se présentent soit en rouleaux, soit en albums. Celles qu'on fait aujourd'hui, m'a dit le directeur du Studio, le jour où je l'ai visité, sont plus grandes qu'autrefois, et beaucoup plus parfaites. Ni la photogravure, ni aucun procédé mécanique ne permettent des réussites aussi exactes. Il est possible ici d'utiliser le même papier, la même encre, la même matière colorante que l'artiste qu'on imite; si bien que seul un expert peut distinguer la copie de l'original.

Dans un premier atelier des hommes et des femmes, assis à des pupitres, étudient avec soin des images étalées devant eux. C'est essentiellement de ces copistes que dépend le succès de l'opération. Ils doivent décomposer le tableau original en diverses zones de couleur; par exemple, ils reportent sur un papier transparent les contours des feuilles, tiges, herbes vertes; sur un autre, les contours de tous les détails coloriés en rose, etc. Chaque papier est collé sur un bloc de bois où l'on grave au ciseau le dessin indiqué. Il arrive qu'on utilise jusqu'à douze ou même quinze blocs pour certains tableaux représentant des fleurs. Cette copie analytique peut se faire grandeur nature; ou dans un format différent, à partir d'une photo agrandie ou diminuée de l'original.

La seconde opération, c'est l'impression. On emploie les

couleurs qu'utilisent les aquarellistes chinois eux-mêmes : des couleurs minérales, mélangées avec une certaine proportion d'une résine qu'on tire du pêcher et qui est soluble dans l'eau; le papier est également choisi avec soin : il est lui aussi identique à celui dont se servent les aquarellistes. Avec une brosse, on enduit chaque planche de la couleur correspondant au dessin qu'on a isolé : vert, rose, etc.; on y applique le papier et on le frotte avec une espèce de tampon de drap; le papier est appuyé successivement contre chaque bloc, de façon que l'ensemble des couleurs qui s'y déposent reconstitue le tableau primitif; c'est un travail délicat : il faut un cadrage minutieux pour que le résultat soit sans bavure. L'ordre dans lequel les couleurs sont imprimées a paraît-il une grande importance : certaines doivent être sèches, d'autres encore fluides, quand on applique la suivante. Selon que l'original a été peint avec telle ou telle sorte de pinceau, on mélange plus ou moins d'eau à la matière colorante et la pression qu'on exerce sur le papier est soigneusement mesurée. On peut graduer avec un pinceau la couleur étendue, user la planche de manière à reproduire les moindres nuances de l'original.

Aux environs du 1er octobre, j'ai pu voir les tableaux conservés au Musée de Pékin. Alliant le souci d'économie au respect de leur passé, les Chinois n'ont pas bâti de halls d'exposition, ils utilisent les pavillons du Palais impérial : ceux-ci sont mal éclairés, les lacis de bois tendus de papier de riz masquaient en partie les fenêtres. Il n'y avait pas de tableaux très anciens. Déjà les écrivains T'ang déploraient la perte des œuvres de la haute époque, détruites par les guerres et les incendies; des T'ang même il reste peu de choses. Les peintures les plus vieilles dataient des Song. C'était de longs rouleaux de soie horizontaux, disposés à plat dans les vitrines : l'un d'eux ne mesurait pas moins de douze mètres; ils représentaient des panoramas qu'on parcourt de droite à gauche; les regarder, c'est faire une vraie promenade : l'œil voyage. Il s'arrête dans un village, s'attarde au bord d'une rivière, contemple des personnages aussi menus que ceux de la « Tour de Babel » de Breughel et peints avec autant de mouvement et de vérité. Le réalisme de ces anciennes œuvres fait souvent penser à la Hollande et à la Flandre. Voici une route avec des chars, des piétons, des mulets, des porteurs; sous les murs de la ville, des hommes boivent, attablés dans des tavernes; nous franchissons les portes, un pont : c'est un monde bien terrestre. J'ai particulièrement aimé un paysage aux bleus et aux verts acides, œuvre d'un jeune peintre qui mourut à vingt ans. Le lyrisme de tons était spécifiquement chinois; il n'excluait pas le réalisme du dessin : de vraies barques, de vraies maisons, de vrais hommes habitaient cette campagne aux couleurs enchantées. Beaucoup de tableaux représentent des chevaux : les pays d'Asie centrale en envoyaient en tribut des troupeaux entiers à l'empereur; on dit que Ming Houang en possédait plus de quarante mille dont certains étaient dressés aux jeux du cirque. Un grand nombre de peintres se spécialisèrent dans la peinture des chevaux, entre autres Ts'ao Pa, qu'immortalisa le poète Tou Fou, et son élève Han Kan à qui on attribua abusivement la plupart des portraits de chevaux.

Très vite, le réalisme se perd. La peinture se présente toujours comme un panorama. Mais au lieu du monde terrestre, l'artiste cherche à exprimer la métaphysique de son temps; on n'entre plus dans le paysage, on le survole; c'est le rêve cosmique du taoïste, c'est le jeu d'apparences dans lequel se dilue l'univers bouddhique. Les hommes, l'eau, les montagnes que les anciens peintres s'efforçaient de rendre dans leur vérité prennent un sens symbolique. La brume manifeste l'irréalité de l'être; l'eau et les montagnes constituent les artères et le squelette de ce grand organisme qu'est l'univers. Il en résulte que paradoxalement ce pays de plaine qu'est la Chine, ce pays continental qui ignore la mer, apparaît sur les estampes comme recouvert de montagnes et d'eau. Les hommes ne sont plus traités pour eux-mêmes, mais perdus au sein d'une nature qui les dépasse; celui-ci rêve au pied d'un arbre, celui-là longe une rivière : ils apparaissent comme solitaires, insignifiants. écrasés. Les tableaux deviennent au cours des siècles de plus en plus littéraires. Une des singularités de l'art chinois, c'est que le même instrument, le pinceau, servait à écrire et à peindre : la calligraphie était aussi appréciée que le dessin; elle se mêla à la peinture, et souvent de longs poèmes commentent le paysage dont les traits sont réduits à de simples signes. La plus grande partie de l'exposition était consacrée à des tableaux des époques Ming et Ts'ing où n'apparaît plus aucune originalité. Les mêmes imitations se recommencent de vitrine en vitrine.

J'avoue qu'à part les toutes premières œuvres, cet art me semble souvent agréable, mais sans nulle profondeur. Il souffre de la pauvreté des religions et des mythologies chinoises. Le christianisme, avec son Dieu incarné et supplicié, la Vierge-Mère, les saints, les saintes, invitait à exalter sous des prétextes sacrés la figure humaine et tous les drames humains; le monde s'ordonnait autour des grands thèmes de la naissance, de la douleur, de la mort, de la joie; pendant une longue période, les artisans furent des hommes sortis du peuple et qui parlaient au peuple. A partir de là, les développements techniques ouverts par la peinture à l'huile ont amené l'épanouissement de grandes œuvres riches de signification. En Chine, l'art du pinceau — qu'il s'agît de peinture ou de calligraphie — était réservé aux lettrés; si bien qu'à de rares exceptions près, l'art ne fut rien de plus qu'un divertissement de mandarin; très souvent il devait satisfaire des commandes impériales, et les empereurs eux-mêmes ne dédaignaient pas de s'y exercer. C'est pourquoi il devint si vite académique, ne se souciant plus que de perfection formelle, et rabâchant indéfiniment un même contenu. Comparés à la peinture occidentale, le sens des tableaux chinois paraît mince, leur plastique monotone. Et après une brève époque créatrice s'étirent de longs siècles ennuyeux où prolifèrent des artisans qui ne sont plus que des copistes.

Si on tient compte de cette longue stagnation de la peinture chinoise, on jugera avec moins de sévérité son effort présent. Les Chinois entourent d'une admiration à la fois officielle et sincère le vieux peintre Ts'i Pai-che qu'on appelle, improprement à mon avis, le Matisse chinois; ils estiment le peintre Jupéon, mort voici quelques années et qui s'était spécialisé dans des tableaux de chevaux. Mais il est évident que les jeunes artistes ne peuvent se borner à imiter ces héritiers de l'antique tradition qui, avec tout leur talent, se bornent souvent à imiter des imitations elles-mêmes vieilles de plusieurs siècles. Je ne sais combien de fois à l'exposition du Palais impérial j'ai vu les cevrettes et les crabes de Ts'i Pai-che, identiques de siècle en siècle. Incontestablement il faut faire autre chose. Les peintres s'engagent aujourd'hui dans deux directions. Certains étudient les techniques de la peinture à l'huile et s'inspirent du réalisme socialiste soviétique. D'autres essaient de concilier la tradition chinoise et la recherche d'une expression neuve. « Nous peignons encore avec la brosse traditionnelle, sur du papier absorbant, employant le trait pour exprimer la plastique et évoquant la profondeur par le contour », explique l'un d'eux. « Mais nous introduisons des éléments de technique moderne : ombre et lumière, perspective, couleurs plus variées. Mais cette technique ne permet que difficilement de maîtriser la couleur. »

La recherche d'une conciliation entre l'art allusif de la vieille Chine et le réalisme donne parfois des résultats heureux : certains paysages ont la fraîcheur d'un Dufy. La peinture à l'huile en revanche n'a encore produit — à ma connaissance — que de bien grandes laideurs. Mais il faut le répéter ici : impossible de dépasser le réalisme avant de l'avoir conquis. Quand les Chinois maîtriseront la technique de l'huile, quand ils posséderont un métier adéquat à leurs nouvelles ambitions, les problèmes proprement esthétiques se poseront. Entre-temps, il n'y a pas lieu de comparer avec dégoût la richesse du passé et la pauvreté présente. Le passé n'a été riche que pendant une brève période. Ensuite, pour s'être trop fascinés sur de vieilles merveilles, les artistes ont fini par n'être plus capables que de les répéter en les amenuisant. La nouveauté du monde à exprimer exige une rénovation de l'art; peindre avec charme des fleurs et des oiseaux comme font encore certains Chinois, c'est piétiner dans une impasse : il faut rompre franchement avec le passé, dût-on traverser une période de désarroi.

L'ARTISANAT

L'artisanat est activement encouragé par le gouvernement. On expose officiellement porcelaines, laques travaillées, objets en cloisonné, jades sculptés, soies brodées; on leur consacre de grands comptoirs dans les magasins d'Etat et de nombreuses boutiques en font commerce; des revues et des brochures de propagande en vantent les qualités aux étrangers. Techniquement, la plupart de ces objets sont remarquables, et au cas où la technique suffit, on peut louer leur beauté : celle des soieries, entre autres, est manifeste. Dans la mesure où ils prétendent perpétuer l'« art populaire », c'est une autre affaire. Sauf les silhouettes utilisées dans des théâtres d'ombres, qu'on découpe dans du parchemin et qu'on peint selon des modèles anciens, presque tout ce que j'ai vu en ce domaine était laid. Les figurines de terre en devenant réalistes ont perdu tout leur charme; les tapisseries de soie, au lieu d'évoquer des paysages, représentent trop souvent le visage de Karl Marx ou symboliquement l'amitié unissant Pékin à Moscou. Les papiers découpés, les gravures sur bois traitent des thèmes édifiants. Aux belles « images du nouvel an » décorées de génies casqués aux couleurs impétueuses, on a substitué des chromos où s'ébattent des enfants trop roses.

Faut-il rendre le communisme responsable de cette déchéance ? Assurément non. J'ai constaté la même dégradation dans les « écoles artisanales » ouvertes en Afrique par des colons soi-disant respectueux de l'art indigène. Que le régime soit capitaliste, colonialiste ou socialiste, c'est l'idée d'un « art populaire dirigé » qui est contradictoire. L'intérêt d'un ouvrage folklorique, c'est que le groupe qui s'y incarne y exprime spontanément sa particularité; la ségrégation culturelle a entraîné en Chine un riche folklore que l'universalisation de la culture détruit nécessairement; on essaie d'en maintenir des survivances; mais l'artisanat dirigé n'exprime plus les masses : il manifeste seulement l'idée abstraite que se font de celles-ci les dirigeants; rien n'est plus académique que l'imitation artificielle de la spontanéité. En vérité, si les Chinois refusent de s'avouer que la décadence de leur art populaire est inévitable, c'est pour des raisons économiques; 80 % des objets achetés par les paysans sont fabriqués à la main : on valorise ce qu'on est obligé d'utiliser. Mais quand l'industrie légère se sera développée, l'art industriel devra remplacer l'artisanat; lui seul est capable de produire des meubles, des ustensiles adaptés à une société industrialisée. Lénine disait qu'il faut emprunter au capitalisme tout ce qu'il possède de valable, et les intellectuels chinois ont repris, en juin 1956, cette consigne; elle s'applique ici : mis au service d'un monde socialiste, l'art industriel deviendra socialiste. Les passéistes se désoleront de voir les objets « faits à la main » relégués dans les musées; pourtant, ils ne sont émouvants que dans la mesure où, exprimant un moment de la vie d'un peuple, ils la dépassent. Produits en série, niant le vrai mouvement de l'histoire, ils figent le présent et trahissent le passé. Je n'ai jamais déploré que New York ne perpétuât pas les arts précolombiens; je n'aurai pas de regrets quand Pékin oubliera le cloisonné Song ou les broderies Ming.

LA MÉDECINE CHINOISE

Quand on aborde le domaine des sciences, on ne peut évidemment guère s'attendre à y trouver une tradition « nationale ». Celle-ci existe pourtant dans un domaine : la médecine. On est frappé quand on se promène dans les rues de Pékin par la coexistence de deux types de pharmacie : les unes débitent des remèdes occidentaux, d'autres des drogues « traditionnelles ». Dans le grand hôpital pour enfants qu'on venait d'inaugurer, ces deux officines se trouvaient curieusement juxtaposées; l'une ressemblait exactement à nos modernes laboratoires; dans l'autre, il y avait d'immenses armoires aux tiroirs remplis de plantes; un médecin était justement en train de combiner un mélange d'herbes séchées pour un enfant qui vomissait du sang. Tchang Kaï-chek avait voulu imposer exclusivement aux Chinois la médecine occidentale, importée à Canton, puis à Shanghaï après la guerre de l'opium; elle avait commencé d'intéresser les Chinois à partir de 1867, quand l'utilisation de l'éther comme anesthésique et comme antiseptique ouvrit à la chirurgie des voies nouvelles; ils s'en méfiaient pourtant, parce qu'elle leur venait de l'Occident. La révolution bourgeoise du début du XXe siècle s'attacha à la propager. Tchang alla jusqu'à déclarer illégale la médecine traditionnelle; il dut se rétracter à la suite d'une protestation de trois cents médecins de Nankin, mais il le fit à contrecœur. Au contraire, le régime actuel protège cette science qu'on appelle « chinoise » par opposition à sa forme moderne et universelle.

L'intérêt accordé par les Chinois à l'étude du corps humain, l'idée de l'interdépendance de l'organisme et du monde, la quête d'une immortalité matérielle expliquent le remarquable développement pris par la médecine voici plus de trois mille ans. Les deux piliers en étaient le *tchen* (acupuncture) et le *kieou* (cautérisation ou moxibustion). Ce dernier procédé consiste à brûler un bâtonnet de moxa (sorte de bois appelé en latin *artemesia vulgaris*) sur un point donné du corps, de façon que la brûlure, sans affecter la peau, stimule les nerfs. On a utilisé au cours des siècles plusieurs sortes de combustibles : les feuilles d'une certaine plante — l'aï — étaient séchées, enroulées en forme de petit cône, grand comme la moitié d'un noyau de datte; on en appliquait la base sur la peau et on en allumait la pointe; aujourd'hui, on emploie des bâtonnets d'*aï* de la taille d'une cigarette.

Dans une compilation datant de 200 av. J.-C., on trouve des descriptions de ces médications. En 1023 ap. J.-C., sous les Song, fut rédigé un traité expliquant d'après une maquette en bronze du corps humain, en quels point le tchen kieou peut être valablement utilisé : sept cents points sont indiqués, ainsi que les effets obtenus en chaque cas par le traitement. Au XIIIe siècle, on fabriquait des figures de bronze représentant le corps humain, et criblées de trous, correspondant aux points où devait se pratiquer l'acupuncture; ces figures étaient recouvertes de cire, et les étudiants s'exerçaient à trouver la place exacte où ils devaient enfoncer l'aiguille. Il y en avait cinq espèces, groupées en trois catégories selon leurs divers usages : égratigner la peau, la percer, atteindre les nerfs. A présent on fabrique des aiguilles avec un alliage d'argent ou d'acier, il en existe une grande diversité de formes et leur taille varie de 1 à 9 cm.

Parmi les découvertes remarquables de l'ancienne médecine, il faut citer, dès le Ve siècle av. J.-C., l'utilisation du pouls pour l'établissement du diagnostic, l'emploi sous les Han d'anesthésiques permettant de sérieuses opérations abdominales, l'idée de médecine préventive et d'adaptation du corps à son milieu, l'hydrothérapie, la gymnastique utilisée dans la « boxe chinoise », la cure des maladies de peau par le mercure et le soufre. Entre les années 600 et 1000, la Chine possédait le centre médical le plus avancé du monde entier. « L'Institut impérial de médecine » fut créé en 700 ap. J.-C., c'est-à-dire 200 ans avant l'école italienne de Salerne. L'existence des premiers hôpitaux remonte à 501 ap. J.-C. Bouddhistes et taoïstes rivalisaient dans l'art de guérir les malades.

Ce que cette médecine eut de plus remarquable, ce fut sa pharmacopée. Des catalogues de remèdes, d'ordonnances et de traitement se succédèrent en Chine pendant deux mille ans. Parmi les médications utilisées sous les Han — cent ans avant J.-C. — il y en a 80 encore courantes aujourd'hui. Au XVIe siècle fut édité le *Compendium de médecine* qui recense 1.892 remèdes et en tire environ 10.000 prescriptions. A cette même époque fut découvert le vaccin de la variole. A partir des Mandchous, ces progrès s'arrêtèrent. Mais l'acquis amassé au cours des siècles était considérable.

Au lendemain de la libération, en 1950, la « Première conférence nationale de la santé publique » étudia les problèmes que soulevait sa récupération. Sa valeur a été officiellement reconnue. L'Association de médecine s'est ouverte aux docteurs « chinois »; ils sont autorisés à exercer à titre privé, la qualification « médecin chinois » étant inscrite sur leur plaque; certains hôpitaux leur sont exclusivement confiés, ainsi que des centres d'acupuncture; dans d'autres établissements, ils collaborent avec les « Occidentaux[1] ». Il y a une académie nationale qui se livre à des recherches dans la ligne « traditionnelle » et on a créé au ministère de la Santé publique une section chinoise. On a fondé aussi un institut expérimental pour l'étude de l'acupuncture et de la moxibustion; un des objectifs était de donner des bases théoriques à ces systèmes. Jusqu'à ces derniers temps, l'Institut les a fondés sur les théories de Pawlow : en stimulant les nerfs, on provoquerait dans certaines parties du corps humain des réactions entraînant des réflexes qui agiraient sur le système central. C'est pourquoi le point d'application de l'aiguille ou de la brûlure peut être fort éloigné des régions affectées par la maladie : on soigne certains maux de tête par l'excitation des orteils, etc.

L'acupuncture donne de bons résultats quand il s'agit de corriger des désordres nerveux, moteurs et digestifs. Mais c'est surtout la pharmacopée dont la valeur se confirme. Entre 1951 et 1954, il y eut 9.513 malades, soit plus de 200 espèces de maladies, traités selon la méthode traditionnelle : on a obtenu 90 % d'améliorations, 40 % de guérisons. On a traité surtout avec succès les troubles des nerfs, de la locomotion, du système digestif; mais aussi des cas de rhumatisme, névralgie, malaria, choréa, hypertension, et certaines formes d'eczéma et de tuberculose.

En juin 1955, la médecine chinoise a enregistré un véritable triomphe; les journaux ont annoncé que sur 37 cas de dysenterie traités selon une formule vieille de deux mille ans (avec seulement une légère variation dans les dosages), il y a eu 37 guérisons. Souvent les remèdes chinois viennent

1. C'est-à-dire des Chinois pratiquant la médecine occidentale.

à bout de maladies gastro-intestinales que la médecine occidentale est impuissante à vaincre. Ils sont aussi arrivés à guérir des encéphalites. En particulier la médecine occidentale est impuissante devant l'encéphalite de type B, maladie aiguë provoquée par un virus neutropique que transmet un moustique. Cependant le *Traité sur l'épidémie* de Wou Yeou-sing publié en 1642 sous la dynastie Ming et l'*Analyse clinique des maladies fébriles* publiée en 1813 par Wou Tang, résumant l'expérience séculaire des médecins chinois, contient des remèdes efficaces contre l'encéphalite. Entre 1954 et 1955, il y a eu 54 cas d'encéphalite traités, et 51 guérisons. Les principaux ingrédients employés sont le gypse, la corne de rhinocéros et de daim, le scorpion, la scolopendre, l'écorce de cannelle, le ginseng et l'asphodèle médicale. Tsai nous dit qu'atteint de typhoïde il a été guéri par des procédés chinois. Beaucoup de remèdes « occidentaux » sont d'ailleurs tirés de plantes qu'utilise la médecine chinoise. Le « Sarpagan » qu'on vend en France pour combattre l'hypertension se fabrique à partir d'herbes recueillies dans les montagnes thibétaines. La santorine est un alcaloïde utilisé en pharmacie et qu'on tire du moxa. La grande différence, c'est que sous leur forme « chinoise » les remèdes s'administrent par larges doses : le malade avale des bols de bouillon au lieu d'absorber une pilule. Il en résulte que si un médecin « occidental » opère dans une région reculée, habitué à la seule médecine traditionnelle, il a grand mal à convaincre ses malades d'user avec modération des remèdes qu'il leur indique : le patient avale d'un coup le tube d'aspirine, convaincu qu'un seul comprimé ne saurait produire aucun effet. La société de pharmacie se propose de standardiser au cours des cinq prochaines années des centaines de remèdes traditionnels.

On encourage les médecins chinois à se donner aussi une culture occidentale; mais en juin 1956, au cours de la réunion d'intellectuels où on décida de « libéraliser » la pensée, Lou Ting-yi a défendu de nouveau la médecine traditionnelle contre ceux qui la considèrent comme antimarxiste et non scientifique; il a blâmé les « sectaires » qui traitent de féodale la médecine chinoise et de capitaliste la médecine occidentale en réservant l'épithète de « socialiste » aux théories de Pawlow et de Mitchourine. Il n'y a pas lieu de rejeter les théories de Mendel sur l'hérédité. De façon générale, « nous devons emprunter aux capitalistes tout ce qu'ils créent de valable dans le domaine de la science et de la technique ».

Jusqu'ici, c'était essentiellement l'U.R.S.S. qui influençait en Chine la médecine occidentale; celle-ci occupe malgré tout la première place; les médecins « occidentaux » sont pour la plupart groupés en « dispensaires unifiés », un certain nombre demeurant néanmoins inorganisés.

Pour les opérations de petite et moyenne gravité, on adopte la méthode soviétique d'anesthésie locale. On enseigne aux femmes « l'accouchement sans douleur ». Dans l'ensemble les chirurgiens et le médecins prennent pour modèles leurs confrères soviétiques.

LES SCIENCES

A l'exception de la médecine, les sciences de la nature n'ont pas un caractère national, et aucune ne possède un caractère de classe. Dans ce domaine, la Chine n'a donc à se poser aucun problème doctrinal, mais seulement une question pratique : comment accroître ses effectifs et élever leur niveau. Le visiteur qui s'initie à la Chine s'intéresse surtout aux formes singulières de sa culture; mais les Chinois eux-mêmes sont essentiellement soucieux de développer le savoir universel qui leur est nécessaire pour s'égaler sur tous les plans aux autres nations.

Les étudiants chinois sont pris en charge par l'Etat qui les loge, les nourrit et les entretient gratuitement [1]; les études supérieures durent généralement quatre ans et s'achèvent par des examens — qui ne sont pas des concours — et qui comportent surtout des épreuves orales; les élèves de l'école polytechnique doivent exposer un diplôme original, qui est soumis à l'approbation d'experts; mais dans l'ensemble on estime en Chine comme en U.R.S.S. que les interrogations orales donnent mieux que les épreuves écrites la mesure d'un candidat. L'enseignement est calqué sur celui des universités soviétiques. Des professeurs sont venus d'U.R.S.S. aider les Chinois à réorganiser leurs établissements supérieurs et à

1. En Septembre 1955, ils étaient en train de discuter ce statut; la majorité des étudiants estimait que ceux dont les parents sont aisés devaient payer eux-mêmes leur nourriture, ce qui permettrait d'élever le bien-être de tous.

former des cadres. J'ai visité l'Université de Pékin[1], une école Normale, l'institut Polytechnique : il est peu de domaine où « voir » soit aussi vain. Tout ce qu'on peut constater c'est, dans les parcs entourant les bâtiments, le grand nombre des chantiers : on construit à tour de bras des dortoirs, des salles de classe, des laboratoires. Les locaux sont partout insuffisants parce que le nombre des étudiants s'accroît d'année en année.

Il y a eu 217.000 étudiants qui ont conquis des diplômes supérieurs entre 1950 et 1956; c'est peu, par rapport aux besoins du pays qui sont immenses; le développement de l'industrie, les grands travaux exigent une nuée d'ingénieurs, de chimistes, de géologues, et aussi de professeurs capables de former ces cadres. En janvier 1956, on estimait que le nombre total des intellectuels était 3.840.000; mais 100.000 seulement peuvent être considérés comme de « grands intellectuels » c'est-à-dire sont sérieusement spécialisés.

Cette carence oblige à attribuer des postes importants aux jeunes gens fraîchement sortis des universités. Ainsi, parmi les 42.000 enseignants des établissements supérieurs, il y a seulement 17,8 % de professeurs; 24 % sont des suppléants et le nombre des chargés de cours non titularisés s'élève à 58,2 %. De même il n'existe que 31.000 ingénieurs contre 63.000 assistants techniques qui assument les mêmes responsabilités que les premiers. La hâtive utilisation de cadres insuffisamment formés entraîne, on l'a vu, de graves inconvénients. « Les sciences et la technique de notre pays sont encore considérablement en retard », a dit Chou En-laï dans son rapport de janvier 1956. Il insiste sur la nécessité de rattraper ce retard : La Chine ne peut indéfiniment se reposer sur les experts soviétiques. Mais il ne dissimule pas les difficultés de la tâche : « Il ne faut pas oublier que, tandis que nous nous efforçons d'aller de l'avant, les autres continuent à marcher à grands pas. » La méthode qu'il préconise c'est, au lieu de se borner à former en quantité des intellectuels de second ordre, d'élever le niveau d'une petite élite capable de faire un travail réellement « avancé ». Pour cela, on enverra des savants

1. Des journaux ont imprimé que Sartre avait été reçu comme « mandarin » (!) à l'Université; et Rousset, toujours bien informé, a écrit qu'il « en avait accepté les honneurs ». S'imagine-t-on que le mandarinat subsiste en Chine, ou qu'il s'y déroule de traditionnelles mascarades comme à Oxford ou Cambridge ? L'Université est un endroit où l'on travaille et on n'y décerne pas d'honneurs.

chinois en U.R.S.S., on invitera en Chine des savants soviétiques, afin de créer des bases de recherche scientifique se situant au niveau atteint par l'U.R.S.S. La commission nationale de planification a été chargée d'établir un plan à long terme pour le développement de la science entre 1956 et 1967. On espère que dans les branches scientifiques les plus essentielles, le niveau atteint se rapprochera du standard international vers la fin du troisième quinquennat. Il est impossible de prévoir dans quel délai la science chinoise dans son ensemble aura rejoint le niveau mondial. Dans « l'adresse » de mai 1956, Lou Ting-yi a précisé qu'elle ne devait pas seulement s'inspirer de l'U.R.S.S. et des autres démocraties populaires mais emprunter même aux sociétés capitalistes ce qu'elle peut en assimiler avec profit.

CONCLUSION

Actuellement, en Chine, le problème de *l'extension* de la culture passe encore avant celui de son *élévation :* à juste titre. La valeur d'un écrivain, d'un artiste, d'un savant dépend étroitement de la qualité de la masse dont il émerge et qui constitue son audience. C'est seulement le jour où le savoir et la faculté de juger seront largement développés que la Chine pourra devenir comme l'a promis Mao Tsé-toung « un pays de grande culture ».

Que sera cette culture ? La Chine refuse « l'occidentalisation intégrale ». Concrètement cependant, malgré la survivance de quelques formes archaïques — en particulier dans le domaine du théâtre et de la peinture — la tradition dite « nationale et populaire » n'influence guère le développement de l'art, de la pensée, de la littérature modernes. Cela ne signifie pas que les Chinois soient devenus trop « barbares » pour intégrer leur vieille civilisation : s'ils y échouent, malgré les consignes officielles, c'est à mon avis parce que celle-ci est morte depuis trop longtemps. Le grand moment de l'art et de la pensée chinoises correspond à ce que nous appelons en Occident l'Antiquité et le début du Moyen Age. L'héritage de cette époque reculée n'est demeuré vivant en France, en Italie, que grâce à la médiation de la Renaissance et des siècles postérieurs. Rome, Athènes ont nourri des pensées relativement proches de la nôtre : tout un complexe de sentiments et d'idées qu'on peut qualifier de « modernes » ont enrichi pour nous Homère et l'Acropole. Il est frappant que, faute d'une continuité de tradition, la Grèce contemporaine au contraire tire peu de profit de son patrimoine. Des circonstances historiques différentes ont provoqué en Chine une rupture analogue; les règnes des Ming et des Mandchous furent artistiquement et idéologiquement stagnants; le proche passé n'a pas repris à son compte le passé lointain qui se trouve séparé du présent par de mornes marécages. La littérature a fleuri plus tardivement; mais, on l'a vu, faute d'une fusion entre les courants classiques et populaire, elle n'a pas produit de ces grandes œuvres qui demeurent actuelles à travers les âges; les Chinois peuvent admirer et aimer leurs vieux romans, mais rétrospectivement. Quant à l'aspect folklorique de leur culture, une fois réalisée l'unité du pays, il est voué à dépérir.

La Chine est-elle donc condamnée bon gré mal gré à copier l'Occident ? Le fait est qu'elle s'en inspire considérablement. Elle s'est transformée socialement et économiquement grâce aux sciences et aux techniques occidentales : pour s'exprimer dans sa nouveauté elle est obligée d'emprunter aux pays qui sont en avance sur elle. Beaucoup de civilisés occidentaux s'en désolent; convaincus de leur définitive supériorité, il leur plairait que la Chine demeurât « différente ». Elle va « se banaliser », déplorent-ils. Ils ignorent tout de sa langue et de sa littérature, presque tout de sa pensée et de son art : mais précisément ce mystère prend à leurs yeux l'apparence de l'infini; ils aiment à rêver que quelque part au monde se perpétuent d'insondables merveilles. Les Chinois ne rêvent pas leur culture : ils la vivent; ils en éprouvent les limites : mais aussi ils savent que celles-ci peuvent être dépassées; ils refusent de se laisser enfermer dans le domaine que prétend leur assigner l'admiration ignorante et, en vérité, méprisante de certains Occidentaux. Le jour où ils se seront égalés aux nations les plus avancées du monde, il n'y aura plus lieu d'opposer la Chine et l'Occident : tous participeront à la culture universelle. Celle-ci prend dans chaque pays des figures singulières : il est hors de doute que la Chine y imprimera sa marque; mais son originalité est devant elle, non en arrière; elle se forgera au cours d'un avenir vivant : elle n'est pas définie et arrêtée par un passé mort.

VI

LA LUTTE DÉFENSIVE

Au moment où le régime a entrepris la reconstruction du pays, l'unité n'était pas entièrement réalisée à l'intérieur des frontières, et l'ennemi refoulé à l'extérieur refusait de reconnaître sa défaite. Les dirigeants se sont attachés à assurer la cohésion de la nation; cette entreprise positive s'est nécessairement doublée d'une action défensive.

Pour unifier la Chine, il fallait intégrer solidement ce qu'on appelle les « minorités nationales »; sur les 600 millions d'hommes qui peuplent le territoire, l'immense majorité appartient à la race des Han; 35 millions descendent des indigènes qu'au cours de leur expansion les Han refoulèrent dans les régions les plus arides et les moins accessibles. Depuis des siècles, ces hordes vivent dans les hautes terres, habitant pour la plupart sous des tentes et élevant des moutons. Jadis elles étaient traitées avec mépris. Les Han considéraient en effet qu'il existe trois sortes d'êtres vivants : les Han, les barbares et les animaux. Mongols, Ouighours, Miao, Thibétains étaient à leurs yeux des barbares. En réaction contre l'oppression dont elles étaient victimes, ces minorités ont constitué sous tous les régimes des foyers d'opposition. On en compte aujourd'hui 44, parlant 13 langues dont quatre seulement sont écrites. Il y en a 18 dans le Nord-Ouest : le Sikiang à lui seul en enferme 12; il en existe 20 dans le Nord-Est, groupant 21 millions de gens. Les autres sont éparpillées à travers la Chine : elles occupent en tout plus de la moitié du territoire chinois; certaines habitent la contrée dont elles sont originaires, d'autres ont émigré et se trouvent mêlées à des populations Han. Les dialectes utilisés par celles du Nord appartiennent à la famille altaï, ceux du Sud se rattachent au sino-tibétain. La plupart de ces peuples vivent encore sous un régime féodal ou semi-féodal; certains sont divisés en tribus de type primitif, et l'esclavage n'y est pas entièrement aboli.

Alors que Tchang Kaï-chek les tenait à l'écart de la communauté chinoise, le nouveau régime a compris la nécessité de les rallier. Leurs territoires ont été soumis pacifiquement. Une propagande a été faite, et se poursuit, parmi les Han afin de vaincre chez ceux-ci tout préjugé raciste. Les Lo-lo, dont le nom, quand on l'écrivait, comportait un caractère qui signifie « chien », s'appellent à présent des Yi. Deux des pièces auxquelles j'ai assisté roulaient l'une entièrement, l'autre en partie autour du problème des minorités; j'ai lu en anglais quantité de nouvelles et récits sur ce sujet. D'autre part, le gouvernement s'applique à manifester aux minorités qu'il respecte leurs mœurs, leur langue, leur religion et qu'il entend leur garantir une certaine autonomie. Il espère surtout se les attacher en élevant leur niveau social et en leur apportant une aide économique.

Une des principales régions que peuplent les minorités, c'est, au nord-ouest, le Sikiang, dont les habitants sont surtout des Ouighours et des Mongols. En 1944, s'étant révolté contre Tchang Kaï-chek, le Sikiang se constitua en république indépendante, « la république orientale du Turkestan », que gouverna jusqu'en 1950 Saï Fadin. Celui-ci se rallia à la Chine communiste, et le territoire ayant été occupé pacifiquement par l'armée rouge, il fut mis à la tête de cette région qui compte 4.780.000 habitants et qui est vaste comme trois fois la France. Un immense effort a été fait pour développer l'économie agricole du Sikiang; on lui a fourni entre autres un nombre relativement considérable de tracteurs; d'importants centres industriels sont en train de s'y créer, et le Sikiang Ouighour vient d'obtenir une autonomie que possédaient déjà les 600.000 Thibétains qui y résident.

La Chine nouvelle s'est aussi attachée à consolider son autorité sur le Thibet. Ce pays de hauts plateaux est peuplé en partie d'agriculteurs sédentaires, en partie de nomades et de semi-nomades qui élèvent des moutons. Ses relations avec la Chine datent du VIIe siècle : alors un roi du Thibet épousa une princesse de la dynastie T'ang. Les empereurs mongols entrèrent en relation avec les lamas thibétains. L'autorité politique était en effet entre les mains des prêtres, réunis en de grandes et riches lamasseries. La religion lamaïque — mélange du *bon po* indigène et de bouddhisme — fut réformée au XVe siècle par la « Secte Jaune » dont le fondateur chargea ses deux principaux disciples, le Dalaï-Lama et le Pantchen-Lama de poursuivre son œuvre. Ils devaient gouverner de conserve, l'aîné des deux instruisant le plus jeune au cours de leurs successives réincarnations : tous deux étaient des « Bouddha vivants » choisis en fait par le clergé. Ils régnaient sur une haute société fortement hiérarchisée comprenant des lettrés versés dans la connaissance des Sutra, et sur une population nomade, vivant dans une espèce d'anarchie. Les empereurs mandchous voulurent annexer le Thibet. K'ang-hi envoya à Lhassa une armée et fit introniser en 1720 un dalaï-lama pro-chinois, qu'encadrèrent deux fonctionnaires chinois. A la suite d'une émeute antichinoise, K'ien-long à son tour fit occuper militairement Lhassa en 1751. Les deux commissaires chinois eurent tout le pouvoir politique et désignèrent eux-mêmes les dalaï-lama. En compensation, le Dalaï-Lama reçut le titre de roi du Thibet. Mais le Pantchen-Lama fut nommé roi de Chigatsé et on entretint soigneusement leur rivalité : désormais ils furent ennemis. En 1904, les Anglais voulurent prendre pied dans ce pays situé aux portes des Indes; ils entrèrent à Lhassa en 1904. Le Dalaï-Lama, treizième du nom, s'enfuit, puis vécut dans la ville sainte et accepta jusqu'à 1934 l'influence anglaise. A cette date, le gouvernement de Nankin s'efforça d'y établir une commission, mais sans succès. Le Pantchen-Lama avait quitté le Thibet en 1924 et mourut en 1937. Leurs successeurs étant des enfants, des prêtres régnèrent à leur place. En 1945, les Américains envoyèrent à Lhassa une mission militaire. Le Pantchen-Lama, réfugié dans le Koukounor, en terre chinoise, se rallia tout de suite au régime communiste, et revint au Thibet avec l'armée rouge lorsque celle-ci occupa pacifiquement le territoire. Le Dalaï-Lama fit plus de résistance, mais finalement il céda. Les deux Bouddha vivants, réconciliés, vinrent ensemble à Pékin célébrer la fête nationale du 1er octobre 1954. On les reçut somptueusement, dans des chambres tendues de soie jaune, et ils prêchèrent à la cathédrale lamaïque — le temps Yong-lo-kong — dont l'empereur K'ien-long avait fait cadeau à des lamas thibétains et que le régime vient de faire restaurer. Ils assistèrent au défilé aux côtés de Mao Tsé-toung. A présent, les 2.800.000 habitants du Thibet sont représentés au « comité permanent de la première assemblée nationale » par le Dalaï-Lama qui en est un des vice-présidents. On a créé au Thibet des écoles primaires, ouvert une banque populaire qui prête sans intérêt aux fermiers, avec intérêt aux marchands et artisans; la compagnie d'Etat achète la laine des thibétains. Mais la plus grande entreprise pour rattacher concrètement le Thibet à la Chine, c'est la construction de deux nouvelles routes : Sining-Lhassa, qui s'étend sur 2.100 kilomètres, et Yanan-Lhassa qui en mesure 2.755. Celle-ci a été ouverte le jour de Noël 1954 et les Chinois en sont justement fiers : j'en ai vu des photographies dans tous les magazines illustrés, j'ai lu je ne sais combien de récits, de statistiques ou d'anecdotes concernant sa construction, et elle a aussi inspiré des peintres. Elle monte le long d'une vieille piste de caravane et franchit quatorze cols de 3.000 à 5.000 mètres d'altitude; elle longe des précipices, elle enjambe des fleuves; les Thibétains l'appellent « l'arc-en-ciel miraculeux » ou « le pont d'or » parce qu'elle leur permet enfin de recevoir en quantité suffisante thé, sel, tissus, machines, médicaments, et d'exporter leurs produits locaux : laine, cuir, peaux, plantes médicinales.

De même que le bouddhisme est respecté par égard pour le Thibet, les musulmans ont le droit de pratiquer leur religion, car c'est celle d'un assez grand nombre de minorités nationales, entre autres des Ouighours du Sikiang, et des Houei qu'on rencontre en plusieurs régions; on compte en tout environ 10 millions de mahométans. Jadis, ils ont été souvent persécutés, en particulier sous les Mandchous et sous le Kuomintang : on a pillé leurs mosquées, et il y a même eu des massacres. Depuis 1952, ils se sont groupés pour constituer l'Association islamique de Chine. Quantité de mosquées ont été restaurées, entre autres à Canton une vieille mosquée qui date des T'ang et une autre très ancienne à Hang-tchéou. Des écoles religieuses leur sont rattachées, mais bien entendu toutes les écoles sont ouvertes aux musulmans. A Pékin même, 2.800 familles Houei, pratiquant le culte musulman sont groupées autour de la rue Nicoukai. Elles possèdent une mosquée qui remonte à la dynastie des Song;

d'autres mosquées moins anciennes se trouvent en divers endroits de Pékin. Les jours de fête musulmane, les usines accordent des congés aux musulmans; là où ils sont nombreux, des cantines spéciales sont aménagées à leur intention, sinon on leur alloue une subvention pour qu'ils puissent prendre leurs repas dehors. Des groupes de pèlerins chinois se rendent chaque année à la Mecque.

Toutes les minorités nationales élisent des représentants. La représentation est proportionnelle au chiffre de leur population : mais au-dessus de 70.000 membres, elles ont droit à au moins un député. Elles occupent 177 sièges sur 1.226, soit 14 %, alors qu'elles représentent moins de 7 % de la population totale. A cause des conditions économiques et géographiques dans lesquelles elles vivent, leur niveau de civilisation est inférieur et ne leur permet pas à toutes de s'administrer elles-mêmes : mais aussitôt qu'elles se sont développées, on leur accorde l'autonomie [1]. On prévoit que bientôt celle du Thibet sera reconnue. La première condition pour que ces régions encore arriérées puissent s'administrer elles-mêmes, c'est qu'elles possèdent des cadres. On a créé à Pékin un Institut qui s'applique à leur en fournir. Des membres des différentes minorités viennent ici compléter leurs études secondaires ou poursuivre des études supérieures. On enseigne le chinois à ceux qui l'ignorent; mais loin de chercher à leur faire oublier leur propre langue, des spécialistes s'efforcent au contraire de donner une langue écrite aux minorités qui n'en possèdent pas. La tentative est difficile, mais dans deux ou trois cas, on a réussi à établir un alphabet phonétique. Les classes ont lieu en chinois, mais avec le secours d'un traducteur. J'ai assisté à un cours de géographie dont les élèves étaient Thibétains : un interprète traduisait en thibétain les paroles du professeur. J'ai été frappée par l'extrême attention qu'on lisait sur tous ces visages, pour la plupart déjà marqués par l'âge.

L'Institut a été conçu dans ses moindres détails de manière que les étudiants ne s'y sentent pas dépaysés; on respecte leurs coutumes et leur religion. Il existe plusieurs réfectoires : un pour les musulmans, un autre pour les Thibétains; dans le réfectoire principal, on tient aussi compte des habitudes et des goûts de chacun. Sur un grand tableau noir sont ins-

1. Il s'agit d'une autonomie administrative : politiquement, elles demeurent bien entendu dépendantes du gouvernement de Pékin.

crits les noms des étudiants : sous chaque colonne est indiqué le genre de nourriture qui leur convient. La première colonne, c'est celle des omnivores; puis vient une catégorie « ni poulet ni poisson »; sous une autre liste, on lit « pas de porc »; sous une autre : végétariens. On a fait venir des cuisiniers thibétains qui confectionnent pour les étudiants du Thibet des plats régionaux. J'ai vu aussi les endroits consacrés aux différents cultes religieux. Il y a une chapelle lamaïque, avec les classiques images de Bouddha, les brûle-parfums, l'encens, les offrandes. Une grande pièce nue sert de mosquée.

Cette politique a porté ses fruits. Il y a eu en 1956 quelques troubles au Thibet où certaines tribus nomades s'efforcent de perpétuer leurs traditions anarchiques. Mais dans l'ensemble les « minorités nationales » sont solidement ralliées.

Un autre problème intérieur s'est posé aux dirigeants : dans la société chinoise proprement dite régnaient, quand ils ont pris le pouvoir, la corruption et le désordre. Même leurs ennemis admettent qu'ils ont miraculeusement réussi à les vaincre; en Chine, naguère pays de bandits et de filous, l'honnêteté règne. Dans la partie « positive » de leur « bilan » les Gosset inscrivent : « Plus de mendiants. Plus de prostituées. Infiniment moins d'opiomanes et de joueurs. Disparition des filous. » Guillain a constaté aussi cette « moralisation » de la société. Cependant, sa partialité est telle qu'il va jusqu'à reprocher au régime cette réussite : en ôtant aux gens la possibilité de mal faire, on brime leur liberté. Il est intéressant de comparer sur ce point l'attitude de l'Indonésie — fraîchement délivrée des Hollandais — à celle de la Chine. A Djakarta, le vol est implicitement admis; des bandes organisées dépouillent en particulier les étrangers sous le regard indolent de la police : « C'est si neuf chez nous, la liberté », a dit en substance à Tibor Mende [1] un des responsables... « Il faut bien laisser les gens en profiter. » C'est que là-bas le capitalisme étranger subsiste et le gouvernement considère le vol comme une sorte de récupération. Sa conduite est logique : ne prévenant pas le vol, il ne le punit pas non plus. Les Chinois cependant n'ont plus affaire à des étrangers :

1. Voir son livre : *L'Asie du Sud-Est.*

seulement à eux-mêmes. Le gouvernement ne peut tolérer le vol : la seule politique saine c'est de le rendre impossible. C'est pourquoi du riche commerçant au conducteur de cyclo-pousse, tout le monde est soumis à un sévère contrôle. Il semble d'ailleurs qu'aujourd'hui les consignes d'honnêteté se soient intériorisées.

Extérieurement, la Chine n'est pas admise à l'O.N.U., la la plupart des pays d'Occident refusent de la reconnaître, elle est victime d'un blocus, et la guerre contre le Kuomintang n'est pas terminée. Soutenu par une sympathie dont Eisenhower et Nixon viennent de lui renouveler le témoignage, et par des forces armées américaines, Tchang Kaï-chek, installé face à la côte chinoise dans l'île de Taïwan [1], prolonge sourdement la lutte. En 1950 il avait annoncé qu'il en sortirait vainqueur au cours de l'année 1955; pendant l'été 1955, il a avoué s'être trompé de cinq ans : mais il prophétise qu'en 1960 il sera le maître du pays. Personne en Chine ne prend au sérieux ces fanfaronnades; néanmoins, des avions nationalistes bombardent souvent des usines et des points stratégiques de la côte, et l'agressive présence de Taïwan est vivement ressentie par les Chinois. Quand on entre dans un parc de Pékin, aussitôt franchi le portillon, on aperçoit une grande carte de Formose au-dessus de laquelle sont inscrits des caractères chinois : « Libérons Formose ». Sur des panneaux sont affichés des caricatures de Tchang Kaï-chek. On voit par exemple un général américain, debout sur un îlot — Formose — à côté d'un énorme sac de dollars; il jette des pièces d'argent dans la mer; pour les attraper dans sa gueule, Tchang, à qui le dessinateur a donné une tête de chien, nage vigoureusement vers le continent. « L'entraînement du chien », dit la légende. Un autre dessin représente un épouvantail, coupé à la hauteur du buste, et qui a la tête de Tchang; au bout de ses deux bras monstrueusement étirés, ses mains s'accrochent d'un côté à Taïwan et de l'autre à un bateau U.S.A.; sur le bateau et sur l'île, il y a des canons braqués vers la côte chinoise cependant que Tchang brandit un sabre dérisoire. Sous l'image est inscrit le mot « Piraterie ».

Il existe d'autre part d'assez importantes troupes nationa-

1. Nom chinois de Formose.

listes, en partie armées par l'Amérique qui — malgré le gouvernement birman — guerroient sur la frontière sino-birmane. Hong-Kong [1], à quelques kilomètres de Canton, contient un grand nombre de partisans du Kuomintang. C'est le point de départ de toute la propagande anticommuniste. La république chinoise est donc en partie cernée par un ennemi qui n'a pas consenti à reconnaître sa défaite; en soi-même, il est faible, mais il peut voir du jour au lendemain son pouvoir multiplié par l'incertaine politique américaine. On comprend que la Chine considère cette situation comme inacceptable. Le 11 avril 1954, revenant de New Delhi, Chou En-laï a déclaré que Formose, étant un territoire chinois, devait revenir à la Chine; depuis lors le slogan : « Libérons Formose » s'étale sur les murs de Pékin; la radio le diffuse. Il n'est pas contradictoire avec cet autre slogan : « Vive la paix »; la Chine n'envisage certainement pas de jouer le rôle d'agresseur; et c'est au nom de la paix même qu'elle exige cette restitution. « La lutte pour la paix et la lutte pour la libération de Formose sont indissolublement liées », a déclaré Chou En-laï. La présence de Tchang Kaï-chek aux portes de la Chine fait peser sur le territoire une menace permanente; la guerre ne sera vraiment achevée que le jour où la Chine entière sera unifiée, c'est-à-dire Formose libérée.

Au cours de l'année 1956, Chou En-laï a multiplié des ouvertures pour un ralliement pacifique de Formose; mais même si elle espère pouvoir régler ainsi la question, la Chine se veut assez forte pour intimider ses adversaires. Elle attache une grande importance à son armée. Celle-ci est devenue en 1955 une armée régulière. Le 16 juillet 1955, P'ong Tö-houai a présenté un projet de loi, substituant le service obligatoire au service volontaire. L'armée de volontaires était très nombreuse, et flottante. L'armée régulièrement recrutée sera plus restreinte, mais elle permettra de constituer une puissante réserve de soldats entraînés; en même temps, la réduction des troupes fera réaliser des économies à l'Etat [2].

1. Les émeutes de Cholon — quartier chinois de Hong Kong — en octobre 1956, ont manifesté combien la situation est tendue entre communistes et nationalistes chinois.

2. Le budget de la défense nationale représentait, en 1954, 23,6 % du budget total (soit 24 milliards 632 millions 444.000 yens); en 1955, il en représente 24,19 % (31 milliards 192.520.000 yens). L'augmentation vient de ce que les troupes soviétiques ont quitté Dairen que défendent maintenant des garnisons chinoises.

Depuis la libération, jusqu'en 1954, on a démobilisé 4.520.000 soldats. En novembre 1954, alors que la nouvelle loi n'existait encore qu'à l'état de projet que tout le pays discutait, on a fait un essai de conscription dans 25 provinces et en Mongolie intérieure : 10.032.000 jeunes gens se sont fait immatriculer, et on en a enrôlé seulement 830.000. Depuis lors, on a encore démobilisé 1.570.000 soldats. Le service « obligatoire » ne sera pas contraignant : car le nombre des conscrits possibles dépasse de très loin celui des recrues que le gouvernement peut et veut enrôler. Dans chaque village, après élimination des malades, des soutiens de famille, etc., il restera beaucoup plus de jeunes gens valides qu'il n'en sera appelé : ceux qui répugnent à partir ne partiront pas; au contraire : beaucoup de ceux qui souhaiteraient faire leur service ne le pourront pas.

J'ai lu dans *China reconstructs*, le *Journal d'une jeune recrue*. L'auteur, âgé de dix-neuf ans, décrit sa joie lorsque le 21 février 1955 il fut « pris » et la tristesse de son frère qui avait été refusé. Le texte avait un caractère si visiblement édifiant que j'ai douté de son authenticité. Mais Mme Cheng m'affirme que, du moins quant au fond, il dit la vérité. Le tort de beaucoup de ces journaux de propagande, c'est de présenter comme motivées par « l'enthousiasme à construire le socialisme » des conduites dont les raisons sont beaucoup plus concrètes : et en fait les dirigeants, eux, savent et répètent que c'est seulement à travers des motivations concrètes que « l'enthousiasme » peut être suscité [1]. Le fait est que le jeune paysan désire vivement être soldat, non parce qu'il a la tête farcie de slogans, mais parce que pour lui cette condition est à plusieurs titres enviable. A présent qu'il lit les journaux, qu'il fréquente des centres culturels, qu'il a une formation politique, le jeune paysan est en avance sur les vieilles générations; son village lui semble étroit, le travail primitif qui lui est imposé l'ennuie; les choses changeront quand l'agriculture sera mécanisée; en attendant, il suffit qu'on lui offre une chance de conduire un camion, ou plus modestement de tenir dans ses mains un engin mécanique, fût-ce un fusil-mitrailleur, pour

1. J'ai constaté par de nombreux recoupements que les *faits* rapportés par ces magazines sont vrais; ils fournissent de très précieux renseignements; la « propagande » sévit dans *l'explication* beaucoup trop vertueuse et simpliste qu'on en donne, et qui contraste étrangement avec la dure lucidité des textes officiels.

qu'il accourre; il est avide aussi de voir le monde. Quand il reviendra au village, il en saura plus long que les camarades qui n'auront pas quitté leur trou : il espère qu'il sera proposé comme cadre. Et puis le niveau de vie du soldat est supérieur à celui de la moyenne des paysans; il est mieux vêtu, il mange mieux. Dans un bulletin anticommuniste des plus venimeux, publié à Hong-Kong — *China News Analysis* — je relève l'aveu suivant : « Il y a cinq ans, les troupes du Kuomintang pauvrement payées, pauvrement nourries et habillées constituaient une section plus ou moins méprisée de la population. Aujourd'hui, l'armée est l'orgueil du gouvernement. Les soldats sont bien nourris, bien habillés; c'est la crème des générations montantes qui remplit les écoles militaires. » Il suffit de voir de jeunes recrues se promener dans les parcs, dans les temples, pour se rendre compte que le soldat chinois est heureux et qu'il est aimé par toute la population. « Autrefois, m'a dit Mme Lo Ta-kang, j'étais antimilitariste, comme tous les intellectuels : les soldats du Kuomintang étaient des voyous, on les détestait. Ceux-ci se tiennent si bien, ils sont si gentils et si aimables que tout le monde les adore. » En fait, ils se recrutent comme autrefois, parmi les jeunes paysans : c'est l'institution qui a été transformée. Sa signification aussi a changé; jadis l'armée servait un ordre détesté; aujourd'hui sa mission est de protéger le pays. Personne n'est plus antimilitariste parce que tout le monde est nationaliste et que la nation a besoin de soldats.

L'armée étant devenue régulière, le gouvernement a décidé en septembre 1955 d'instituer désormais une distinction plus tranchée entre officiers et soldats. Le 27 septembre, Mao Tsé-toung, au cours d'une cérémonie solennelle, conféra le titre de maréchal à un certain nombre de généraux : entre autres, au vice-président de la république Tchou Tö, au vice-ministre Tch'en Yi; il a attribué à différents officiers les grades de général, colonel général, etc., et remis une quantité de décorations.

Ce que redoutent particulièrement les dirigeants, c'est la collusion des adversaires du dehors avec les opposants de l'intérieur; la guerre qui se poursuit est une guerre civile, elle met aux prises des concitoyens; cela rend facile l'infiltration d'espions, de saboteurs, de meneurs, qui se mêlent aisément à la masse des Chinois. En beaucoup d'endroits, ils trouveront un terrain favorable; car à l'intérieur aussi, la situation est trouble. Les classes antérieurement privilégiées ne se sont pas ralliées au régime dans leur totalité; un certain nombre de capitalistes, d'intellectuels et surtout de propriétaires fonciers sont irréductibles : ces derniers — s'appuyant en particulier sur les anciens prêtres et sorciers taoïstes — cherchent à grouper autour d'eux les éléments les plus rétrogrades de la population rurale. Il semble qu'au cours du printemps et de l'été 1955, leur opposition ait pris une forme particulièrement active. Cette recrudescence a, me dit-on, deux causes principales. Un grand nombre de contre-révolutionnaires n'ont été condamnés qu'à quelques années de prison; leur peine purgée, et le cœur lourd de rancune, ils recommencent la lutte. Mais surtout l'accélération rapide de la socialisation crée pour les anticommunistes une situation d'urgence; ils jouent leur dernière carte avant que la collectivisation agricole ne soit achevée, et le secteur privé de l'économie liquidé. Cette situation a été exposée quantité de fois par les dirigeants. En avril 1955, le comité central, au cours de sa cinquième session plénière, déclara : « Parallèlement à la progression de la cause socialiste dans notre pays, les restes des éléments contre-révolutionnaires, et les éléments réactionnaires de la bourgeoisie résolument opposés à la transformation socialiste activent en ce moment leur conspiration en vue d'une restauration contre-révolutionnaire. » Le ministre du Contrôle, Chien Ying, a repris ce thème le 25 juillet : « La lutte des classes dans notre pays n'a pas diminué mais est devenue plus aiguë et plus complexe. Les actes de résistance et de sabotage perpétrés par les contre-révolutionnaires de tous genres contre la transformation socialiste sont devenus de plus en plus nombreux et violents. » Le ministre de la Sécurité publique, Lo Jouei-k'ing disait à son tour le 29 juillet : « Il faut rappeler que nous sommes encore dans la période transitoire de la lutte des classes. Parmi les éléments contre-révolutionnaires, il existe des propriétaires terriens et autres criminels dont beaucoup, libérés après avoir purgé leur peine, pensent à se venger. »

Ce qui caractérise la phase actuelle de la lutte, « c'est que les activités de sabotage de l'ennemi sont plus malignes et plus dissimulées qu'autrefois », a précisé Lo Jouei-k'ing. C'est pourquoi le gouvernement conseillait une extrême vigilance. Le Jen-min je-pao écrivait le 27 juillet : « Que les contre-révolutionnaires puissent se cacher dans nos organismes gouvernementaux, dans l'armée, le parti, les groupements démocratiques et les organisations populaires et qu'ils puissent y mener leurs diverses activités subversives, cela est dû pour une grande part à notre faible degré de vigilance... Une léthargie et une insouciance extrêmement dangereuses et erronées se sont développées parmi nous, y compris les cadres et les membres du parti communiste. » Lo Jouei-k'ing a lancé le slogan : « Elevons notre vigilance, refusons l'insouciance. » Même un étranger pouvait se rendre compte, en ce mois de septembre 1955, que la lutte défensive passait par une phase aiguë. Le sujet que Lao Che se proposait de traiter dans sa prochaine pièce, c'était la Vigilance. Mme Cheng et Tsai se plaignaient que jusqu'à ce jour le régime eût été trop tolérant; ils me parlaient d'espions venus de Taïwan en bateau, ou par parachute, ou à travers la frontière de Hong-Kong; ils me racontaient le cas de sabotages, d'incendies que rapportaient fréquemment les journaux. A Canton en particulier la tension était sensible.

Selon la théorie qu'ils souhaitent démontrer ce jour-là, Rousset et ses amis soutiennent tour à tour que : 1° Ces attentats existent effectivement sur une grande échelle et annoncent le proche effondrement du régime. 2° La campagne est montée de toutes pièces pour permettre aux dirigeants de faire régner la terreur. A mon avis, pour apprécier correctement la situation il faut la comparer à celle des autres nations d'Asie. Quelle que soit sa nuance politique, un gouvernement ne peut jamais transformer un pays arriéré en un pays relativement avancé sans provoquer des troubles. Les populations asiatiques étant à la fois extrêmement misérables, et extrêmement nombreuses, ces désordres devaient être dans leur cas particulièrement orageux : en Birmanie, en Indonésie, au Pakistan, la lutte pour l'indépendance et pour la modernisation de la société ont entraîné de sanglants déchirements. En dépit d'une centralisation et d'une discipline bien supérieures, la Chine ne pouvait faire exception. Elle a su néanmoins, tout en réalisant la métamorphose la plus radicale, éviter les convulsions qui ont secoué ses voisines. On l'a vu : une prudente politique rurale lui a épargné cette tragédie que furent en U.R.S.S. les grandes insurrections paysannes. A partir de 1949, fanatisme religieux, banditisme militaire furent jugulés. A aucun moment le régime n'a été ébranlé.

Il n'en faut pas conclure que la « campagne de vigilance » est orchestrée gratuitement. Un pays qui est dans la nécessité de brûler des étapes ne peut accepter qu'on jette des obstacles en travers de son chemin; sabotages, déprédations, gaspillages freinent son avance : c'est assez pour qu'il les combatte avec vigueur. En outre, une des constantes de la politique chinoise, c'est qu'elle est préventive : de même qu'elle a enrayé le retour du capitalisme foncier avant qu'il ne constitue un véritable danger, elle jugule la contre-révolution avant que celle-ci n'ait atteint un point critique. Ce n'est pas là choisir la Terreur, mais au contraire prendre la seule voie qui permette de l'éviter.

La lutte contre les contre-révolutionnaires a été organisée par deux règlements temporaires : les « Directives pour la suppression des activités contre-révolutionnaires » qui datent du 23 juillet 1950, et le « Règlement sur la répression des activités contre-révolutionnaires » promulgué le 21 février 1951. Depuis septembre 1954, la justice se fonde sur deux lois organiques, l'une concernant le Ministère public, l'autre les tribunaux populaires. Le ministre de la Sécurité, Lo Joueiking, en juin 1956, a de nouveau précisé dans quel esprit la répression devait être conduite : « Il faut empêcher absolument les interrogatoires accompagnés de tortures, et les aveux forcés; il faut accomplir convenablement le travail d'examen et de recherche, attacher de l'importance aux preuves, et ne pas croire aux dépositions à la légère; il faut distinguer clairement et consciencieusement ce qui dans les cas est vrai ou faux, ce qui est important et ce qui ne l'est pas, distinguer les traitements, limiter strictement le domaine de l'arrestation, n'arrêter que les éléments que l'on ne peut pas ne pas arrêter conformément à la loi, n'en arrêter aucun si cela n'est pas nécessaire. » Bref, le slogan « renforcer la vigilance, supprimer les agents spéciaux » doit être complété par la consigne : « éviter la partialité, ne pas faire injustice aux bons [1] ».

Théoriquement justifiée, concrètement prudente et modérée, la répression des menées contre-révolutionnaires est le fait sur

1. L'institution même de la police entraîne nécessairement et partout des abus; il y en a eu aussi en Chine. Mais il ne faut pas sous-estimer le fait qu'on s'attache aujourd'hui à les réprimer.

lequel se concentre le plus volontiers l'indignation des contre-révolutionnaires. Ils dénoncent son ampleur et s'insurgent contre ses méthodes. Sur le premier point, leurs affirmations sont scandaleusement gratuites. Ils s'appuient par exemple sur des discours officiels déclarant que capitalistes et paysans sont ralliés au régime dans la proportion de 90 %. Ils traduisent : 10 % sont de dangereux contre-révolutionnaires. Un pas de plus, les voilà tous arrêtés; déduction faite des enfants, on obtient ainsi sur 600 millions d'hommes plus de 20 millions de forçats. Il saute aux yeux que ce chiffre relève de la plus haute fantaisie. Le gouvernement chinois de son côté déclare 600.000 prisonniers politiques dont la plupart purgeraient des peines de moins de dix ans. L'assertion n'est pas contrôlable. Comme l'a reconnu Rousset, l'aspect quantitatif du problème échappe à la discussion. Aussi bien est-ce au principe même de la répression que les anticommunistes s'en prennent, et la question est de savoir si celle-ci est légitimement fondée.

Pour le nier, les anticommunistes recourent à un sophisme d'une extraordinaire grossièreté. En France, l'activité politique des citoyens se borne, dans l'immense majorité des cas, à l'expression de leurs opinions; l'opinion doit être libre; si en Chine on réprime l'opposition politique, on brime cette liberté. Ainsi Rosenthal conclut le « réquisitoire » qu'il prononça à Bruxelles en déclarant : « Il existe en Chine populaire un régime de travail forcé destiné à *redresser les opinions politiques des personnes qui n'acceptent pas l'idéologie du gouvernement.* » Il néglige de dire qu'elles ne sont arrêtées que si elles ont manifesté leur désaccord par des sabotages, des incendies de forêts ou de greniers, des meurtres — bref, des crimes qu'aucun gouvernement ne laisserait impunis — ou tout au moins pour une agitation et une propagande portant atteinte à la sûreté de l'Etat — délits qui dans tous les pays tombent également sous le coup de la loi [1]. Aucun citoyen en Chine n'est inquiété pour ses « opinions »; les anticommunistes le reconnaissent quand ils font état avec satisfaction de textes officiels indiquant l'existence — parmi les

1. En France en particulier, les lois sur la « démoralisation de l'armée » et sur la « démoralisation de la nation » permettent les arrestations les plus arbitraires. On l'a bien vu à propos de « l'affaire Henri Martin », dans le cas de Claude Bourdet, et plus récemment dans celui de Marrou, qu'un article publié dans *Le Monde* a fait poursuivre pour « démoralisation de l'armée ».

intellectuels, ou les paysans — de citoyens non ralliés à l'idéologie du régime.

Un autre sophisme soutenu par Rousset, c'est que les attentats des contre-révolutionnaires ne visent que le gouvernement, non le pays. Les dirigeants chinois se sont souvent appliqués à démontrer le contraire et à juste titre : si au cours de la lutte contre les inondations quelqu'un sabote des digues, ce sont les paysans qui en pâtissent. Rosenthal s'indigne parce que « l'intention politique » aggrave un crime au lieu de l'atténuer, alors que les régimes bourgeois réservent leur sévérité aux droits communs. Je m'étonne qu'on ose invoquer comme norme absolue la justice de classe qui règne dans nos démocraties. L'indulgence des Chinois à l'égard des droits communs est un des traits que je porte sans hésiter à leur actif. Et les circonstances expliquent assez qu'ils s'attachent au contraire à réprimer vigoureusement les menées de leurs ennemis politiques.

Rousset, Rosenthal, et la commission partisane qu'ils ont rassemblée autour d'eux à Bruxelles prétendent que les condamnés n'ont pas été soumis à des procédures régulières : c'est un flagrant mensonge que toute l'organisation de la justice chinoise dément.

La révolution chinoise a aboli le vieux code, disqualifié les anciens juges et avocats; elle n'a pas encore établi une nouvelle législature, couvrant toute la superficie sociale. Même la commission inspirée par Rousset s'est refusée à lui en faire grief : il est trop évident qu'un code nouveau était nécessaire, et que son élaboration exige un travail de plusieurs années. Cependant, outre la Constitution qui est une base légale importante, un certain nombre de lois ont été promulguées depuis 1950. En particulier la loi du 21 septembre 1954 sur « l'Organisation judiciaire » et celle sur l'arrestation et la détention du 20 décembre 1954 défendent le citoyen contre toute arrestation arbitraire. Reproduisant l'article 89 de la Constitution, ce dernier règlement déclare : « La liberté individuelle des citoyens de la République populaire de Chine est inviolable. Nul ne peut être arrêté sans un ordre du tribunal populaire ou sans un mandat émanant d'un officier du ministère public. » La police ne peut procéder à une arrestation qu'en cas de flagrant délit et elle doit l'avoir justifiée dans les vingt-quatre heures. Il n'existe en Chine aucun équivalent de « l'internement administratif » qui permettait en U.R.S.S. des condamnations arbitraires[1] : seuls les tribunaux sont habilités à décider d'un internement.

Ces tribunaux sont des cours populaires locales échelonnées sur trois degrés : inférieur, intermédiaire, supérieur. Ils sont couronnés en dernière instance par la Cour populaire suprême. Chacun est constitué en collège comprenant des magistrats spécialisés et des assesseurs populaires. Les juges présidents sont élus par les assemblées législatives locales; le président de la Cour suprême est élu par l'Assemblée nationale. Les autres juges sont nommés par des organismes gouvernementaux. Les assesseurs sont élus par le peuple : ce sont des ouvriers, des paysans, des artisans, et aussi des intellectuels, des industriels, des commerçants. « Les assesseurs viennent des masses, connaissent bien les désirs des masses et sont capables de refléter et d'exprimer l'opinion des masses aux tribunaux populaires. Les juges sont aidés et supervisés par les assesseurs populaires, ce qui permet d'éviter des jugements partiaux et des spéculations subjectives », précisait le 28 janvier 1956 un éditorial du Kouang-ming je-pao.

L'article 78 de la Constitution établit que « dans l'exercice de leurs fonctions judiciaires, les tribunaux populaires sont indépendants et n'obéissent qu'à la loi ». Il est vrai que les juges sont responsables et non inamovibles; comme tous les fonctionnaires, ils doivent compte de leurs actes au gouvernement. La Cour suprême est responsable devant l'Assemblée nationale. Il y a donc non une radicale autonomie de la Justice, mais une coordination de celle-ci avec le gouvernement. Cela ne signifie pas que les tribunaux soient de simples instruments entre les mains du régime. Les verdicts rendus par les cours ne peuvent en aucune façon être cassés par un organisme politique; l'Assemblée ne peut modifier les sentences passées par la Cour suprême. Les juges ne sont révoqués que dans les cas où ils sont coupables d'inconduite qua-

1. Gérard Rosenthal a essayé, à Bruxelles, de faire naître des doutes sur ce point. Il s'appuie sur l'article 36 du « Règlement sur la réforme par le travail ». « Pour emprisonner un criminel, il faut s'appuyer sur un des documents suivants : un acte de jugement, un acte administratif (lettre d'exécution) ou un certificat de détention. Sans un des documents précités, il n'est pas permis d'emprisonner un criminel. » Une lettre d'exécution est un acte administratif réclamant l'exécution d'un jugement antérieur, et l'article 36 signifie donc que l'emprisonnement suit nécessairement la décision d'un tribunal. Rosenthal, cependant, joue sur le mot « administratif » et déclare : « Le fait que cet article est calqué sur l'article du Règlement russe *inquiète.* » Il avoue cependant : « Une affirmation catégorique est impossible. »

lifiée, et le fait ne se produit à peu près jamais. En fait, les tribunaux sont d'une extrême indépendance. C'est au point que Che Leang, ministre de la Justice, leur a parfois reproché un excès d'indulgence : « Certain tribunal populaire, à propos d'un contre-révolutionnaire qui avait écrit par sept fois des slogans réactionnaires et qui fut pris en flagrant délit, reconnut qu'il n'avait pas d'antécédent réactionnaire, et on le relâcha », rapporte-t-elle avec réprobation. Dans l'ensemble, l'impartialité et l'indépendance des tribunaux est un fait dont s'enorgueillissent les Chinois et qu'admirent les observateurs étrangers. Le grand juriste italien Calamandrei a écrit [1] : « Les contacts personnels que j'ai eus avec les magistrats de Pékin et de Shanghaï, le sérieux des audiences, les témoignages convergents d'observateurs européens ayant résidé en Chine et capables de comparer le régime actuel de la justice avec celui qui régnait auparavant, tout m'a convaincu que la justice est administrée en Chine avec une rigoureuse impartialité. »

Le principe du « droit de la défense » figure dans le « Règlement général » de 1950, il est rappelé par la loi de 1954. Rosenthal, dans son « réquisitoire », fait état de la pénurie des avocats spécialisés pour affirmer qu'il n'est pas respecté : rien ne l'y autorise. Le nombre des avocats de l'ancien régime — dont certains ont été disqualifiés — et celui des étudiants en droit était insuffisant par rapport aux besoins de la Chine nouvelle; bien qu'on forme le plus vite possible de nouveaux avocats, ils sont encore rares. Mais le régime s'applique à tourner cette difficulté. Il est exceptionnel que les parties intéressées se défendent elles-mêmes : cela ne se produit qu'au civil, par exemple dans les procès de divorce. L'accusé a toujours le droit de se choisir un défenseur; s'il n'en a pas trouvé, la cour lui en fournit un On recourt habituellement à des membres d'associations populaires : entre autres, de l'association des femmes. On essaie aussi d'établir le système de « barreau du peuple ». En outre, le procureur est obligé de souligner dans son réquisitoire tous les points qui peuvent être en faveur de l'accusé. Comme le dit l'avocat anglais Pritt qui a étudié la question de près : « Aucun pays ne peut faire sortir d'un chapeau toute une corporation d'avocats professionnels. En attendant, la Chine

1. Peu de temps avant sa mort, dans la revue « Il Ponte », numéro d'avril 1956 : La Chine d'aujourd'hui.

fait de son mieux pour se créer un barreau, et pour pallier les manques de cette période de transition. » C'est pure mauvaise foi de confondre l'actuelle — et inévitable — insuffisance du barreau chinois avec un déni du droit de défense.

Il est important de noter qu'en Chine l'aveu n'a pas de valeur légale, il n'est pas considéré comme une preuve. Le procès se déroule publiquement et dans les cas graves devant une vaste assemblée populaire. Le verdict prononcé oralement et rédigé par écrit dans les trois jours doit être motivé. Le condamné peut faire appel : en cas de sentence de mort, il existe deux instances supérieures.

Les condamnations à mort sont très rares. Sur ce point, il y a dans le « réquisitoire » de Rosenthal une remarquable contradiction. Il affirme que dans la loi de 1951, touchant les activités contre-révolutionnaires « dans la presque totalité des cas, la peine prévue est la peine de mort ». Cependant toute sa thèse, c'est que le travail forcé joue un rôle important dans l'économie nationale : fait-on travailler des cadavres ?

En vérité, les peines prévues sont généralement des emprisonnements à terme : « Ceux qui participeront à un complot ou à une insurrection seront condamnés à dix ans de prison au maximum [1]. » (Art. 4 des « Règlements.) La peine de mort n'est pas souvent édictée, encore moins souvent appliquée. Même lorsque la cour d'appel et la Cour suprême l'ont confirmée, l'exécution n'est immédiate que dans des cas exceptionnels. En général on accorde au criminel un délai de deux ans, et si au bout de ce temps il s'est amendé, sa peine est commuée [2].

La punition habituellement infligée au coupable — droit commun ou politique — c'est la détention dans les prisons ou dans les camps de travail. L'idée-clef de tout le système pénitentiaire, c'est la rééducation par le travail. Elle a été officiellement exposée dans le « Programme commun » qui préconise la « réforme par le travail », dans les « Règlements concernant les camps de rééducation » et les « Mesures concernant la libération des criminels », promulgués le 26 avril 1954. Il y est dit qu'« il faut apprendre aux criminels à

1. L'article ajoute : « Leurs peines pourront être rendues *plus sévères* si leur cas est jugé plus grave. » Mais cela ne signifie pas que la Cour soit sollicitée de prononcer des condamnations à mort.

2. La partialité de Rosenthal est telle que même cette mesure suscite son indignation.

reconnaître leurs fautes et à respecter la loi; les mettre au courant des nouvelles politiques, leur apprendre à travailler pour la production, leur donner une éducation culturelle afin de découvrir la racine du crime, de détruire la pensée criminelle, d'implanter en eux un nouveau concept de vertu ». On ajoute que « la production de la rééducation par le travail doit servir à la reconstruction économique nationale ».

C'est de cette thèse que Rousset prend prétexte pour dénoncer ce qu'il appelle « la terreur concentrationnaire en Chine ». L'expression « travail forcé » lui permet les plus ingénieux amalgames. On travaille dans les prisons d'une manière productive : cela suffit à affirmer que les pires excès du stalinisme sont réédités en Chine. Rousset n'ignore pas qu'en France les prisonniers aussi travaillent : la différence, c'est qu'on les cantonne dans des tâches stupides et abrutissantes; on leur fait fabriquer des sacs en papier ou peindre des soldats de plomb, ou coudre des chaussons. La Chine n'aime pas le gaspillage : tout travail doit être productif. Elle estime aussi qu'on avilit davantage un homme en lui faisant casser inutilement des cailloux, creuser et combler absurdement un fossé, qu'en lui enseignant un métier. Le prisonnier chinois quand il est libéré est devenu un artisan, un ouvrier qualifié ou tout au moins spécialisé : le français, lui, n'a rien appris. Où est la supériorité ?

On dira peut-être que le principe du travail productif est dangereux : il encouragerait à se procurer une main-d'œuvre à bon marché par des condamnations arbitraires. Mais la main-d'œuvre est ce qui fait le moins défaut en Chine. Quand le gouvernement entreprend de grands ouvrages — routes, barrages, voies ferrées — il demande des volontaires aux campagnes avoisinantes; les paysans ont presque tous pour ambition de devenir des ouvriers; s'ils se font maçons, ou terrassiers pendant une saison, ils espèrent le demeurer; ils accueillent avec empressement l'occasion de gagner un supplément d'argent : ils affluent. Quand on réclame des bras pour défricher les terres vierges, nombreux sont les sans-travail qui répondent à cet appel. Et précisément beaucoup de ces entreprises ont pour premier objectif de réduire le chômage; au moment où la Chine fait en ce sens un immense effort, elle n'a aucun intérêt à concentrer délibérément dans des camps une main-d'œuvre servile. On sait d'ailleurs que le rendement du travail forcé est très inférieur à celui du travail libre : c'est une des raisons essentielles qui entraîna à la fin du monde antique la disparition de l'esclavage. L'économie réalisée en employant à haute dose une main-d'œuvre non salariée aurait les plus néfastes contreparties. C'est un fait qu'en Chine on utilise la force de travail des prisonniers : tout dément qu'on les emprisonne afin de capter leur force de travail [1].

Quant aux conditions de la détention, il n'y a évidemment aucun pays au monde où les bagnes et les prisons soient des lieux de plaisir. Et le visiteur a toujours mauvaise grâce à déclarer que « la soupe est bonne ». La situation de prisonnier est en tout cas affreuse. La seule question c'est de savoir si en Chine elle l'est plus ou moins qu'ailleurs.

Je n'ai pas vu personnellement de camp de travail. Mais j'ai eu le témoignage direct d'un ami français qui a assisté à la construction d'une ligne de voie ferrée. Elle employait 70.000 ouvriers et 40.000 forçats. Les baraquements et la nourriture étaient identiques pour tous ainsi que les conditions de travail. Les forçats n'étaient pas rémunérés. Les tâches les plus qualifiées — c'est-à-dire souvent les plus pénibles et les plus dangereuses — étaient réservées aux ouvriers libres.

En revanche j'ai vu de mes yeux une prison. Voici quelques années à Chicago, j'ai visité une prison modèle. Celle de Pékin n'était pas modèle; c'était la seule qui existât dans la ville et dans la province, et toutes les centrales de Chine sont identiques. Quelle différence avec le système américain ! A Chicago, quand je suis arrivée au greffe, on m'a ôté mon sac à main pour que je ne puisse pas donner aux détenus des cigarettes ou du rouge à lèvres; j'ai été escortée dans les couloirs par des gardiens en uniforme, revolver au côté; couloirs, cellules étaient défendus par des grilles solidement verrouillées : j'ai aperçu à travers des barreaux l'atelier où des détenus travaillaient. Ici, la prison est au fond d'une espèce de parc; deux soldats sont en faction devant la porte extérieure; mais une fois entrés, il n'y a ni greffe, ni guide, ni gardiens; seulement des surveillants qui ne portent pas d'uniformes et qui, fait d'une considérable impor-

1. A présent que la lumière a été faite sur les camps de travail soviétiques, on sait qu'ils n'avaient pas l'importance économique que Rousset-Rosenthal leur attribuaient. Ils ne constituaient pas la base nécessaire de la reconstruction socialiste en U.R.S.S.; la répression avait un caractère politique.

tance, ne sont pas armés. Ils exercent des fonctions de contremaîtres et d'instructeurs culturels et politiques. Les détenus n'ont pas de livrée spéciale, ils sont habillés comme tout le monde, et rien ne les distingue des employés qui contrôlent leur travail. Les ateliers sont situés au milieu d'un grand jardin planté de tournesols : n'était le mirador, d'ailleurs inoccupé, qui domine l'ensemble des bâtiments, on se croirait dans une fabrique ordinaire. On y confectionne des cotonnades et de la bonneterie, à raison de neuf heures de travail par jour et par équipe; il y a un jour de repos par semaine. Huit heures sont consacrées au sommeil, trois heures à des cours : deux heures d'instruction idéologique, une heure de culture générale. Compte tenu des repas et des soins de propreté, il reste aux prisonniers d'assez longs loisirs. Ils ont à leur disposition un terrain de sport, un grand préau, avec un théâtre où a lieu chaque semaine une séance de cinéma ou un spectacle; en ce moment, ils montent eux-mêmes une pièce. Il existe aussi une salle de lecture, qui leur fournit des revues et des livres, et où ils peuvent se tenir. Nous visitons cette bibliothèque, puis les cuisines, la blanchisserie. Nous nous engageons dans un long corridor, tapissé de tableaux statistiques qui indiquent la production de chaque atelier, et où sont aussi affichés les journaux du soir, et des textes éducatifs. Par une porte entrouverte nous apercevons des hommes couchés sur des bat-flanc, qui dorment : une des deux équipes dort le jour. La prison a été bâtie par le Kuomintang; alors chaque cellule était un cachot individuel, aux fenêtres grillagées; on a abattu des cloisons et huit ou neuf détenus sont à présent groupés dans des pièces relativement spacieuses, claires, qui donnent d'un côté sur le jardin, de l'autre sur ce couloir que, la nuit seulement, ferme une grille.

Le directeur me donne les précisions suivantes. Il existe quatre espèces de prisons : des « maisons de contrôle » où les prévenus attendent le jugement du tribunal, et les condamnés à mort l'exécution de la sentence; des prisons comme celle-ci où les détenus purgent leur peine; des camps de rééducation par le travail qui sont par exemple des fermes d'Etat; et des centres de rééducation pour les jeunes délinquants de treize à dix-huit ans. Il y a à Pékin une « maison de contrôle »; et certains condamnés sont envoyés dans une « ferme rééducative » à Ch'ing Ho, qui en contient actuellement 4.000. Cette prison-ci — la seule de la ville — enferme 1.800 détenus, dont 120 femmes. Il y a deux tiers de politiques, et un tiers de droit commun (la proportion est inverse pour les femmes). La plupart des prisonniers purgent des peines variant de trois à dix ans; un petit nombre sont des condamnés à vie. La surveillance est assurée par 150 employés. Coups, menaces, injures et toute espèce d'humiliation sont strictement interdits [1]. Les punitions vont du blâme au cachot selon la gravité de la faute. En revanche les prisonniers dont l'attitude et le travail donnent satisfaction reçoivent des éloges publics et des primes pouvant s'élever jusqu'à 150 yens; il arrive qu'on réduise leur peine. Aux heures prévues, ils peuvent acheter divers produits dans un petit magasin attenant aux ateliers et qui est aussi achalandé par les employés; il est interdit de leur vendre des allumettes ou des cigarettes. Le directeur affirme que l'idée de rééducation est efficace quand il s'agit de condamnés de droit commun; on considère ceux-ci comme des victimes de l'ancienne société; c'est la misère, une mauvaise éducation, le chômage qui les ont poussés à commettre des délits; en leur enseignant un métier on les récupère. En revanche, il est bien difficile de changer la mentalité des contre-révolutionnaires.

Je pense qu'il doit être horriblement fastidieux après une journée de travail de subir deux heures d'endoctrinement politique. Mais c'est la naïveté du procédé qui est frappante, non sa cruauté. Rosenthal parle de « moyens techniques physiques et moraux uniquement utilisés pour obtenir un nouveau conditionnement de l'individu dans des conditions qui atteignent la torture ». Il confond volontairement les abus dont s'est rendue parfois coupable la police chinoise et le système en vigueur dans les centres d'internement où nulle pression « physique » ne s'exerce sur le détenu, où deux heures de classe, pour ennuyeuses qu'elles puissent être, ne constituent pas une torture. Ce qu'on peut mettre d'ailleurs au passif et à l'actif de la rééducation, c'est qu'elle échoue. Ce n'est pas l'endoctrinement, c'est l'apprentissage d'un métier

1. Les mauvais traitements subis par certains missionnaires relèvent des méthodes habituelles à toutes les polices du monde. Il est évidemment regrettable que sur ce point la Chine utilise encore le genre de procédés quotidiennement employés en France. Mais ces abus n'ont rien à voir avec le régime appliqué par l'administration pénitentiaire dans les prisons et les camps de travail.

qui permet de réintégrer le droit commun à la société; quant au politique, on viole si peu son « for intérieur » et son « intégrité personnelle » qu'il sort de prison tel qu'il y était entré. La méthode de rééducation m'apparaît comme chimérique, non comme atroce : on en pratique d'analogues dans tous les centres de « redressement » occidentaux.

Libéré, l'ancien détenu peut chercher du travail par ses propres moyens, ou s'adresser au bureau de travail ou rester dans les ateliers de la prison, comme ouvrier libre : il habitera en ville, ou dans les bâtiments administratifs. En ce moment, il y en a ici 200, qu'extérieurement rien ne distingue des autres, mais qui ne travaillent que huit heures et qui, bien entendu, touchent un salaire normal. Il arrive que dans les « fermes rééducatives » on distribue de la terre aux anciens prisonniers. A Ch'ing Ho, en quatre ans, sur 5.380 libérés, il y en a eu 1.455 qui sont restés comme travailleurs libres.

Ce dernier fait est de ceux qui indignent Rousset. Voici quelques semaines, j'ai rencontré sur une route de Bretagne un roulier sorti depuis trois mois de la prison du Puy où il avait été enfermé pour vagabondage. Sans instruction, sans qualification, depuis trois mois il cherchait de l'embauche, et dès qu'on connaissait son casier judiciaire, on lui en refusait. Il n'avait plus qu'une idée : grimper en haut du poteau, et saisir les fils à haute tension. « A ce moment-là, il faudra bien qu'*ils* fassent quelque chose de moi », disait-il. Et il ajoutait : « Je leur ai dit : ça ne m'amuse pas d'être vagabond; donnez-moi du travail. On ne me donne pas de travail, et on me met en prison parce que je ne travaille pas ! » Il est sans doute de nouveau en prison; ou bien il est grimpé en haut du poteau : on lit souvent ce genre de fait divers dans les journaux. Toute la sophistique de Rousset ne parviendra pas à me convaincre qu'il vaut mieux crever sur les routes que travailler, fût-ce à proximité d'une prison.

Si on considère de près le « réquisitoire » de Rosenthal qui a servi de base au *Livre Blanc* sur la Chine, on est frappé par la fragilité de ses allégations; elles reposent sur un postulat qu'il faudrait démontrer : le système pénitentiaire chinois réédite exactement celui de l'U.R.S.S. J'ai dit déjà qu'il fallait se garder de déchiffrer la révolution chinoise à travers la révolution russe : les Chinois ont soigneusement étudié celle-ci afin d'en éviter les fautes; ils ont un sens aigu des besoins et des possibilités concrètes de leur pays; ils s'inspirent de l'U.R.S.S. mais ne la copient pas. Rien n'autorise à seulement présumer une identité des deux systèmes. Rosenthal déforme délibérément le sens des lois chinoises en les déchiffrant à travers la grille soviétique. Il s'autorise exclusivement d'une prétendue analogie avec l'U.R.S.S. pour conclure qu'en Chine « le travail forcé s'avère susceptible de revêtir les caractéristiques d'un régime concentrationnaire ». On remarque l'embarras de la formule : car enfin, les revêt-il ou ne les revêt-il pas ? Il fallait que son siège fût fait d'avance pour que la « commission » déclarât qu'il les revêtait. La différence avec le système stalinien est patente, puisqu'il n'existe pas en Chine d'internement administratif. L'existence de « travaux forcés » se rencontre dans tous les pays du monde, et s'ils sont en Chine qualifiés et productifs, c'est une supériorité, non une tare. Aucune société ne peut aujourd'hui se passer de police ni de prison : on ne saurait imputer à la Chine ce que ces institutions comportent d'odieux.

On reproche à la Chine un trait qui lui serait particulier : elle incite les citoyens à la délation. Il y a bien du pharisaïsme dans cette critique. En prêchant la vigilance, le gouvernement exhorte en effet les Chinois à dénoncer les activités contre-révolutionnaires dont ils peuvent avoir connaissance; mais il ne faut pas oublier que celles-ci consistent en incendies, sabotages de ponts et de digues, assassinats : en France aussi, quiconque laisserait sciemment perpétrer de tels crimes en serait tenu pour complice; et si un va-nu-pieds fauche une boîte de conserve à un étalage, la foule s'empresse de crier : « Au voleur ! [1] » Cette collaboration avec la police me semble plus choquante quand il s'agit d'une justice de classe que dans le cas d'une justice populaire. D'autre part, la Chine se considère, à bon droit, comme étant encore en guerre : dans tous les pays, la chasse aux espions passe pour un devoir patriotique; je me rappelle avoir lu là-dessus entre 1914 et 1918 bien des récits édifiants.

---

1. Je me promenais hier boulevard Montparnasse; deux agents de police se mettent à courir après un homme. « Arrêtez-le ! » hurle une concierge. Je lui demande : « Qu'a-t-il fait ? » « Je ne sais pas. » Un commerçant s'élance, arrête le fuyard d'un croc-en-jambe et revient fièrement vers sa boutique. Je lui demande à lui aussi : « Qu'a-t-il fait ? » Il n'en savait rien. Il était intervenu à tout hasard. Ce « civisme » vaut bien celui qu'on reproche aux Chinois.

Il ne faut pas oublier d'autre part que le civisme n'est pas un sentiment naturel aux Chinois. Ils vivaient naguère à l'échelle non du pays mais de la *Kia*. Comme la solidarité familiale s'étendait au village entier, elle assurait à tout individu qui se dressait contre l'Etat la connivence de toute la communauté : un gouvernement qui tente une reconstruction nationale doit nécessairement lutter contre cette mentalité; il doit aussi combattre cette morale du « laissez faire » par laquelle les Chinois ont réagi pendant des siècles à la situation sans espoir dans laquelle ils vivaient. De tout temps, les hommes politiques et les penseurs qui croyaient une issue possible ont combattu cette passivité. Le Mo Tseu qui prêche contre le confucianisme « l'Amour universel » souligne la suprématie de l'humanité sur la famille; il déclare tous les individus solidaires dans le bien comme dans le mal et responsables les uns des autres devant le pays : « Quiconque apprendra qu'un autre fait tort à son pays devra le signaler, faute de quoi il sera puni comme s'il était lui-même l'auteur du crime. » Un peu plus tard, les « légistes » ou « réalistes » qui cherchaient à assurer le bon fonctionnement de l'Etat réclamaient qu'on organisât des groupes de citoyens « mutuellement responsables les uns vis-à-vis des autres et tenus à la dénonciation mutuelle de leurs crimes ». Le fait qu'une consigne soit rabâchée avec insistance ne signifie pas qu'elle soit soigneusement observée, mais au contraire qu'elle entre difficilement dans les mœurs [1].

Ceci dit, il est certain que le principe d'« intervention » peut engendrer bien des excès et que la « vigilance » a pour envers la suspicion. Toutes les sociétés révolutionnaires ont souffert de ce fléau : la méfiance. Il faut beaucoup de force d'âme pour renier le passé et la nouveauté paraît toujours chargée d'obscures menaces; la peur s'intériorise en sentiment de culpabilité : les paysans qui continuaient à payer la rente aux fonciers expropriés craignaient à la fois le retour de l'ancien régime, et les foudres du ciel. On sait que tout homme est tenté par le manichéisme : chacun projette sur l'Autre son inquiétude et ses remords. Tant que la révolution n'a pas définitivement triomphé, mon voisin m'apparaît comme un contre-révolutionnaire en puissance, et je me sens

1. En France, une loi, qu'on ne peut qu'approuver, exige que si un enfant est martyrisé par ses parents, ses voisins dénoncent ceux-ci.

moi-même suspect, ce qui redouble ma crainte et mes propres soupçons. Il était inévitable que la Chine connût ce malaise. Il a atteint son paroxysme au moment de la guerre de Corée. Mais au fur et à mesure qu'elle conquerra à l'intérieur et à l'extérieur la sécurité, la méfiance se dissipera et les relations humaines s'assainiront. Une grande amélioration s'est déjà produite au cours de l'année 1956. Dans les discours prononcés à l'occasion du 8e Congrès du P. C., les dirigeants ont maintes fois assuré qu'à présent la réaction était définitivement vaincue et ils ont donné dans tous les domaines des consignes de libéralisme. Particulièrement important est le discours que Lo Jouei-king, ministre de la Justice, a prononcé à la 3e session de l'assemblée nationale en juin 1956. « La victoire remportée dans la lutte pour la répression des contre-révolutionnaires a affaibli la puissance de la contre-révolution. Depuis le deuxième semestre de l'année 1955, la tendance à la division et à l'hésitation est de plus en plus manifeste parmi les forces subsistantes des contre-révolutionnaires. Ce phénomène n'est pas fortuit : il est étroitement lié au fait que la situation politique et économique de notre pays a subi un changement radical. » La lutte ne sera pas terminée avant la victoire complète du socialisme; mais alors qu'un an plus tôt Lo Jouei-king en dénonçait la virulence il insiste sur l'isolement actuel des éléments contre-révolutionnaires, et sur leur impuissance. Par suite de la transformation socialiste accomplie au cours de l'hiver « le fondement social sur lequel s'appuyaient les contre-révolutionnaires s'est considérablement affaibli, les prétextes dont pouvaient se servir les contre-révolutionnaires ont en grande partie cessé d'exister. Les illusions, les ruses des contre-révolutionnaires ont été réduites à néant... Chez tous ceux qui conservaient quelque « espoir » en Tchang Kaï-chek, comment aujourd'hui cet espoir ne se changerait-il pas en désespoir complet ? C'est pourquoi beaucoup de contre-révolutionnaires veulent repenser leur avenir et changer leur attitude hostile à l'égard du peuple. »

A cette conversion qu'ont entraînée les succès du régime, celui-ci répond par une politique d'indulgence. Les coupables décidés à se rallier, qui avouent sincèrement leurs fautes, ne seront pas poursuivis si celles-ci étaient légères, et en cas de délits graves, ils bénéficieront de mesures de clémence; même les grands criminels peuvent être rachetés s'ils ont acquis de sérieux mérites. Dans les campagnes, à part un petit nombre qui continuent à se livrer à des activités de sabotage, tous les autres éléments contre-révolutionnaires seront placés dans les coopératives comme membres, ou comme candidats membres, ou comme contrôleurs de la production. Dans le Honan, dans le Kouang-tong des statistiques montrent que la quasi-totalité des anciens contre-révolutionnaires sont entrés dans les coopératives. On promet aussi dans les villes, à tous les contre-révolutionnaires ralliés, « un avenir brillant et heureux ».

Lo Jouei-king conclut : « Si nous agissons de cette manière, c'est parce que la situation concrète de notre pays a déjà subi un changement radical... Nous avons besoin d'un plus grand nombre de personnes qui participent à la construction socialiste de la patrie, nous sommes aussi parfaitement capables de rééduquer et de ramener la plupart des éléments contre-révolutionnaires subsistants par la méthode du travail et l'éducation politique. Nous espérons que ceux qui se tiennent encore à l'écart de l'œuvre socialiste de la patrie, qui ont eu autrefois une attitude négative ou qui se sont livrés au sabotage se décideront à marcher sur la voie droite et à adopter une attitude positive. »

La lutte contre-révolutionnaire n'a pas entraîné en Chine de grands procès analogues à ceux de Moscou ou de Prague. Certains dirigeants se sont vus écartés de la scène politique, par suite d'un changement de ligne : ainsi Li Li-san a été destitué en 1953; un changement inverse vient de provoquer sa réapparition. Un seul grand dirigeant a été blâmé publiquement et exclu du parti : Kao Kang. Peut-être eût-il été emprisonné s'il n'avait choisi le suicide : mais sur ce point on en est réduit aux conjectures. Rousset juge la modération du régime lourde de menaces. « A l'exception de Kao Kang, écrit-il, peu [1] de grandes têtes sont encore tombées : le pouvoir se réserve ! » On est en droit de tenir pour peu convaincante cette dialectique avortée qui prouve le plein par le vide.

A défaut de grand procès politique, il y a eu une « affaire » — la seule en six ans : c'est l'affaire Hou Fong. Elle n'a pas encore reçu de conclusion, ce qui la rend d'autant plus dé-

1. Par cette habile tournure de style : « A l'exception... peu... » Rousset veut dire exactement que *seul* Kao Kang a laissé sa vie dans une querelle politique. Encore se l'est-il lui-même ôtée.

concertante. Elle a commencé par une controverse littéraire et s'est prolongée par la révélation d'un complot contre-révolutionnaire qui a servi de prétexte à une vaste campagne contre les intellectuels déviationistes. L'opportunité de la découverte incite à douter de son authenticité. Mais l'hypothèse d'un « amalgame » ne rend pas non plus compte des faits de manière très satisfaisante.

L'affaire s'est greffée sur la polémique du *Rêve de la Chambre rouge.* Après l'intervention de Kouo Mo-jo, soulignant l'importance d'un débat qui mettait aux prises idéalisme et marxisme, Hou Fong entra en scène. C'était un écrivain connu, réputé surtout pour ses travaux critiques; il avait été au début de la guerre antijaponaise un des directeurs de la « Société de juillet » qui groupait des écrivains résistants et qui avait publié de nombreuses revues culturelles. Membre du parti communiste depuis 1937, il était à présent député à l'assemblée nationale, il appartenait à la Fédération des écrivains et pendant un temps avait fait partie du comité directeur de la *Gazette littéraire.* A cause de l'estime où il était tenu, son intervention fut très remarquée. Il fit deux discours, où il attaqua à son tour Hou Che et Yu P'ing-po. Mais il s'en prit aussi avec violence à « ceux qui font du marxisme une arme de combat ». Il critiqua sans ménagement la *Gazette;* elle a créé, dit-il, une sorte de réseau secret dont les membres seuls voient leurs articles imprimés; elle favorise de vieux écrivains aux idées arriérées et étouffe de jeunes talents, authentiquement « progressistes ». Il lui reprocha aussi d'avoir traité de contre-révolutionnaire son ami, le poète Ah Lung.

Tchou Yang, qui pourtant n'avait pas été tendre pour le comité directeur de la *Gazette,* réfuta ces accusations et, à plusieurs reprises, blâma Hou Fong. Il rappela que, en 1944, deux ans après le mouvement « tchen fong » lancé par Mao Tsé-toung à Yenan, « pour corriger les tendances mauvaises », Hou Fong avait publié dans sa revue *Espérance* le livre de Sou Wou, *Du subjectif* qui exalte le subjectivisme et l'idéalisme. Quant à Ah Lung, dans son livre *Poésie et réalité* il avait défiguré le marxisme. Tchou Yang reprochait aussi à un ami de Hou Fong, nommé Lieou Sing, auteur d'une bonne nouvelle « Première neige » publiée dans *Littérature du peuple,* d'avoir ensuite, sous l'influence de Hou Fong, écrit un détestable récit « Guerre dans les marais », publié dans la même revue en mars 1954 et qui faisait insulte à l'héroïsme des volontaires de Corée.

A la suite de ces discussions, Hou Fong envoya au comité central du P. C. un mémorandum de 300.000 mots où il protestait contre *les cinq poignards plantés dans le crâne des écrivains,* c'est-à-dire contre : la nécessité d'adopter une vision marxiste du monde — la fusion des écrivains avec les ouvriers et les paysans — la refonte de la pensée — l'emploi d'un style national dans les lettres et les arts — l'utilisation de la littérature à des fins politiques. Il demandait qu'on abolît l'Association des écrivains, et qu'on ôtât les affaires culturelles des mains de l'Etat. Ce pamphlet de deux cents pages non seulement fut publié, mais on le distribua gratuitement en supplément au bimensuel Wen Yi pao (Littérature et Art).

C'était faire preuve d'un bien grand libéralisme et la suite de l'histoire n'en apparaît que plus confuse : puisque ces thèses étaient considérées comme nocives, pourquoi cette large diffusion ? Quoi qu'il en soit, le 5 février 1955, à l'ouverture du Congrès de l'union des écrivains, Tcheou Yang critiqua durement ce libelle. Le congrès reprocha à Hou Fong d'être un « idéaliste bourgeois » préférant la « spontanéité » c'est-à-dire « l'esprit subjectif » à la réalité objective : Hou Fong contredisait les thèses de Yenan. On l'accusa aussi d'avoir créé un groupe opposé aux principes culturels du parti et l'Union lança une campagne contre l'idéalisme bourgeois de Hou Che et de Hou Fong. Le département de propagande du Comité central du P. C. décida d'organiser des conférences où seraient critiquées les thèses de Hou Che et de Hou Fong. Le mouvement se propagea à travers tout le pays.

Le 13 mai 1955, le *Journal du Peuple* publia l'autocritique que Hou Fong avait esquissée à la fin de janvier et complétée en février et mars. Il reconnaissait qu'il avait eu tort de « minimiser le rôle de la vision marxiste du monde ». Il n'abandonnait pas néanmoins toutes ses positions si bien que l'autocritique parut, précédée d'une préface qui la déclarait hypocrite et incomplète.

C'est à ce moment que « l'affaire » commença à prendre une nouvelle orientation. L'ancien ami de Hou Fong, Chou Wou, rendit publiques, dans ce numéro du *Journal du Peuple,* des lettres que Hou Fong lui avaient adressées, et tendant à prouver que celui-ci était un contre-révolutionnaire. Le 24 mai, sous le titre : « Seconde série de faits concernant la clique de Hou Fong », parurent d'autres lettres, adressées par Hou Fong entre 1949 et 1955 à des contre-révolutionnaires, et plus compromettantes encore que les premières. On publia aussi des lettres de sa femme. Hou Fong ne fut plus alors considéré seulement comme un adversaire idéologique, mais comme un ennemi politique. Il fut inculpé de complot et arrêté. L'authenticité de certaines de ces lettres paraît douteuse. D'autre part les extraits que j'en ai lus dans *People's China,* qui en a traduit en anglais des fragments, prouvaient bien que Hou Fong était violemment opposé à la politique culturelle de Mao Tsé-toung mais non qu'il se trouvait mêlé à un complot contre-révolutionnaire.

A-t-on estimé que pour ruiner les thèses littéraires de Hou Fong il était nécessaire de le discréditer radicalement et a-t-il été purement et simplement victime d'une machination policière ? Ou était-il lié avec des groupes contre-révolutionnaires assez intimement pour qu'on fût en droit d'attribuer à son opposition un sens politique ? De toute façon on ne peut que se sentir gêné par la manière dont cette histoire a été conduite, par la publication de lettres privées, par le fait que ce sont les destinataires-mêmes qui les ont livrées.

Dans le discours prononcé en février 1956 devant le Congrès des écrivains, Tcheou Yang est revenu sur la question : « La lutte contre la clique contre-révolutionnaire de Hou Fong a été la plus chaude et la plus complexe qu'ait jamais connue notre histoire littéraire. Tout le monde intellectuel a été impliqué dans les débats qu'elle a suscités. Elle a reflété la lutte des classes qui se poursuit encore dans notre pays. C'était un combat entre le principe que la littérature doit servir le peuple, et la ligne réactionnaire, qui s'oppose au peuple, au socialisme, au réalisme. C'était un conflit entre l'esthétique marxiste et l'idéalisme bourgeois. Politiquement, c'était une bataille entre la révolution et la contre-révolution...

...Les théories de Hou Fong étaient réactionnaires non parce qu'elles se fondaient sur une conception bourgeoise du monde, mais parce qu'elles lui servaient à déguiser ses activités contre-révolutionnaires. »

Le passage opéré par Tcheou Yang de la *tendance* contre-révolutionnaire au *fait* contre-révolutionnaire laisse rêveur. Tcheou Yang attaque dans son discours les notions de sincérité, de subjectivité, le côté « négatif » des héros décrits par des amis de Hou Fong. Il est frappant qu'au mois de juin 1956 le même « département de propagande » qui lançait un an plus tôt la campagne contre Hou Fong ait au contraire repris partiellement à son compte ses thèses : le réalisme socialiste n'est plus seul autorisé, chacun a le droit d'inventer *sa* méthode, l'écrivain peut donc cultiver « spontanéité » et « sincérité »; une liberté nouvelle lui est accordée. Cependant Lou Ting-yi confirme la culpabilité de Hou Fong; c'est justement, dit-il, parce que sa clique a été réduite à l'impuissance que nous pouvons aujourd'hui envisager de libéraliser la culture. Démentir brutalement les allégations avancées contre Hou Fong, c'eût été faire « perdre la face » à trop de gens; on ne peut donc rien conclure de cette réitération. Le fait que le procès n'a pas encore eu lieu suggère que l'affaire va être étouffée : beaucoup de gens affirment que Hou Fong est depuis longtemps officieusement sorti de prison. Il est à souhaiter qu'après avoir si heureusement modifié sa politique culturelle, le parti se décide à éclairer franchement l'opinion sur un des plus bruyants épisodes de son histoire idéologique.

A propos de « l'extension de la culture » j'ai parlé de la lutte du gouvernement contre les forces réactionnaires utilisant à leur profit les religions taoïste et bouddhiste. La collusion de l'idéologie chrétienne avec l'impérialisme occidental devait fatalement engendrer à la fois pour les dirigeants et pour les chrétiens chinois de difficiles problèmes. Si on veut exactement les comprendre, il faut prendre cette histoire à son commencement.

Le christianisme s'infiltra en Chine de bonne heure. L'église chrétienne de Mésopotamie s'étant sous l'influence de Nestorius séparée de Rome étendit son emprise sur Bagdad et sur l'Asie centrale. En 635 arriva à Tch'ang-ngan, capitale de l'empire T'ang, un moine qu'on nomma en chinois A-lo-pen [1]; il construisit une église qui, sous la protection de T'ai-tsong le Grand, rallia autour d'elle les tributaires venus d'Asie centrale : ils étaient alors nombreux en Chine.

Une inscription, gravée sur pierre en 781 à Tch'ang-ngan,

1. C'est une transcription du titre syriaque de Rabban.

résume, en syriaque et en chinois, « le Lumineux enseignement du Ta-Ts'in »[1] et raconte l'histoire de la communauté nestorienne à laquelle les empereurs T'ang accordèrent de nombreuses faveurs. En 845, cependant, le nestorianisme disparut, englobé dans la persécution qui se déclencha alors contre le bouddhisme. Il subsista seulement parmi les Turcs fédérés des régions frontières. On le retrouve au XIIIe siècle chez les Ongut, les Kéreit et d'autres peuples du Gobi. La mère de Qoubilai était une nestorienne pratiquante et son fils protégea cette religion. Un prince mongol nommé Hayan, nestorien, révolté, contre Qoubilai, mit la croix sur ses étendards : comme il fut vaincu, Qoubilai pensa que le Dieu des chrétiens avait manifesté sa sagesse en refusant de le protéger; aux fêtes de Pâques suivantes, rapporte Marco Polo, il baisa et encensa l'Evangile en public. Un archevêché nestorien fut créé à Pékin. Des églises nestoriennes furent édifiées à Yang-tcheou et Hang-tcheou. L'empereur créa en 1289 un bureau spécial pour s'occuper du culte chrétien et en nomma commissaire un nestorien syrien dont il fit un de ses ministres.

Apprenant l'existence de ces chrétientés, le pape Nicolas IV envoya en Chine le franciscain Jean de Montecorvino qui construisit deux églises et baptisa quarante esclaves achetés à cette fin. Il convertit par la suite « plus de dix mille tartares ». Trois autres franciscains suivirent, puis Odoric de Pordenone qui fit un long récit de son voyage en Chine. La mission prospéra pendant trois quarts de siècle, mais lorsque la dynastie fut renversée, les chrétiens ne trouvèrent plus d'appui auprès des empereurs chinois qui proscrivirent toutes les « doctrines étrangères ».

Trois siècles plus tard, les jésuites firent à leur tour une offensive; François Xavier mourut dans une île près de Canton, n'ayant converti qu'un seul Chinois, son serviteur Antonio. Mais en 1582 Valignani et Ruggieri débarquèrent à Canton, déguisés en moines bouddhistes, les bras chargés d'horloges et de divers cadeaux; ils purent bâtir une église; plus tard, on les confina dans la petite ville de Tchao-tcheou. Matteo Ricci les y rejoignit et décida de gagner Pékin où il arriva en 1598, apportant avec lui tout un assortiment de montres et d'instruments scientifiques; après

1. Par ce nom signifiant « la Grande Chine », les Chinois désignaient l'empire romain.

il reçut en 1600 la permission de résider à Pékin où il vécut dix ans. Des jésuites allemands et espagnols prirent la relève. Leur politique était de propager le christianisme sans attaquer de front le confucianisme; les deux systèmes ne leur paraissaient pas inconciliables, car on pouvait, pensaient-ils, considérer le culte des ancêtres comme un rite laïque et non religieux. Cette attitude et leur culture scientifique leur valurent l'amitié des Chinois. Schall von Bell, nommé astrologue de l'empereur, fut chargé de réformer le calendrier et pendant cent ans les jésuites gardèrent la direction du bureau astrologique. Schall accepta aussi de fabriquer des canons, qu'il baptisa de noms de saints. Il fut nommé vice-président du bureau des Sacrifices impériaux, surintendant des haras et grand échanson des banquets. Attaqués par un lettré chinois, Yang Kouang-sien, les jésuites furent pendant la régence de K'ang Hi jetés en prison et Shall mourut en 1666. Quand il monta sur le trône, K'ang Hi fit cesser les persécutions mais interdit les conversions; le jésuite Verbiest s'occupa essentiellement à fabriquer et baptiser lui aussi des canons. A sa mort, la France envoya deux prêtres, Gerbillon et Bouvet, qui convainquirent l'empereur de signer en 1692 un édit de tolérance : les jésuites eurent le droit de se déplacer à travers le pays; ils devinrent médecins de l'empereur et firent édifier une église à côté du palais impérial. Mais c'est alors que les choses commencèrent à mal tourner. Les dominicains installés dans le Foukien, entre autres Moralès, supérieur de l'ordre en Chine, dénonçaient depuis longtemps à Rome la politique des jésuites, les accusant d'encourager l'observance des rites païens; cette « querelle des rites » avait déjà duré longtemps, déclenchant une guerre de libelles sans cesse recommencée; le pape prenait parti tantôt pour un camp, tantôt pour l'autre. En 1693 un vicaire apostolique, Charles Maigrot, vint signifier aux jésuites de Pékin que Rome les condamnait. Les jésuites en appelèrent à l'empereur, lui proposant une interprétation des rites chinois que celui-ci contresigna. Le pape envoya un nouveau légat, Mgr de Tournon, qui arriva à Pékin en 1706. Il fut bien reçu. Mais s'étant ouvertement opposé à l'empereur, il fut chassé; de Canton il condamna l'attitude des jésuites. K'ang Hi déclara qu'il n'admettait l'intervention d'aucune autorité étrangère, fût-elle d'ordre spirituel, et le légat fut remis aux Portugais. La querelle se prolongea, et les jésuites devinrent impopulaires. Le fils de K'ang Hi les persécuta : « Que diriez-vous si j'envoyais des bonzes et des lamas prêcher dans votre pays ? » leur objecta-t-il. En 1724, tous les missionnaires étrangers, sauf ceux qui rendaient à la cour d'importants services, furent renvoyés à Canton. Quelques jésuites restèrent à Pékin et travaillèrent pour K'ien-long comme architectes et comme peintres, mais les missions disparurent. En 1742, une bulle de Benoît XIV confirma la condamnation portée par Innocent XIII : la politique des jésuites était interdite sous peine d'excommunication.

Le christianisme fut désormais considéré en Chine comme une doctrine pernicieuse et la loi en défendit la pratique. L'attitude des missionnaires installés dans la zone d'influence portugaise ne donnait d'ailleurs pas une haute idée de cette religion. En 1667 Mgr. Lambert de la Motte écrivait à leur propos : « Tous ne pensent qu'à leur intérêt. Tous ont des maximes si contraires à l'esprit de l'Evangile qu'il est impossible que jamais ils puissent réussir à convertir des âmes. Tous ne connaissent que des moyens humains pour faire connaître et aimer N. S. J.-C. N'est-ce pas chose étrange que les pères jésuites de ces quartiers ont des magasins dans leurs maisons de Macao pleines de toutes sortes de marchandises, ont des vaisseaux en mer, et que tous dans leurs maisons particulières s'occupent du trafic ? »

Quand au début du XIXe siècle des compagnies commerciales s'installèrent dans certains ports chinois, les missionnaires en profitèrent. Robert Morrison, un protestant, aborda en 1807 à Canton; il se fit donner une place d'interprète par la Compagnie des Indes orientales et pendant les vingt-sept ans qu'il resta dans la ville, s'il traduisit en chinois beaucoup de livres chrétiens, il ne baptisa que dix Chinois. Un Anglais, Gutzlaff, réunit des Chinois qui devaient soi-disant évangéliser la province mais qui ne quittèrent jamais les fumeries d'opium de Hong-Kong.

Le traité de Nankin ouvrit les grands ports chinois à la fois aux commerçants et spéculateurs d'Occident, et aux missionnaires. Bien que le reste du pays leur fût interdit, ceux-ci se répandirent clandestinement dans les campagnes, ce qui les fit considérer comme des espèces de contrebandiers. On les soupçonnait de travailler pour le compte de ces kidnappers qui enlevaient les enfants et les vendaient à des usines et à des bordels. On imagina même que les orphelinats trafiquaient avec les yeux des enfants chinois, qu'utilisaient, disait-on, les alchimistes afin de changer le plomb en argent.

Pour absurdes que fussent ces inventions, elles traduisaient une vérité dont les Chinois ont toujours été profondément conscients. Ce n'est pas un regrettable hasard si les Occidentaux importèrent ensemble l'opium et la Bible; ils poursuivaient par tous les moyens un seul but : le profit. Le christianisme était entre leurs mains un instrument d'oppression; il devait servir à justifier spirituellement un ordre imposé par la violence. Quand les traités de 1858 permirent aux missionnaires de voyager dans toute la Chine et d'en appeler à leurs consuls pour défendre les intérêts religieux des convertis chinois, le ministre britannique souligna « l'absurdité qui consiste à greffer sur un traité de commerce une agence de conversion »; mais en fait cette « absurdité » était d'une éclatante logique. L'impérialisme occidental était une totalité; impossible d'en dissocier les structures et les superstructures. Il fallait faire accepter en bloc aux Chinois un système économique et sa sublimation idéologique. On ne se fit donc pas scrupule d'introduire l'Evangile en Chine à la faveur de traités politiques et au besoin par la force des armes. En 1867, la population de Yang-tcheou incendia les locaux de la mission : le consul britannique vint à Nankin escorté de quatre navires de guerre exiger la démission des magistrats responsables de l'émeute. De même le chargé d'affaires français se fit accompagner de deux canonnières pour obtenir du vice-roi de Nankin des dédommagements à la suite du pillage de deux missions. Il y eut quantité d'autres incidents analogues. Ils étaient inévitables; une fois les missions créées, il fallait bien les défendre : mais ils prouvent que leur installation était en elle-même une violence. Ce fait est remarquablement mis en lumière dans le livre du chanoine Leclerq : *La vie du père Lebbe*[1]. Il montre qu'à la fin du XIXe siècle « la confusion entre la religion chrétienne et la politique européenne devient inextricable. Les missionnaires profitent de la force de l'Europe, et pâtissent de la haine qu'elle inspire ». Les missions étaient en grande partie alimentées par les indem-

1. Les catholiques qui désirent se faire une idée impartiale sur la question devraient tous lire ce livre, écrit par un prêtre non suspect de sympathie pour le communisme, et qui constitue contre les missions un réquisitoire écrasant.

nités de guerre extorquées à la Chine. Dans un libelle, *La France au Chekiang*, l'évêque de Ning po, Mgr Reynaud, défend les droits des missions françaises au Chekiang contre les prétentions des autres pays en rappelant avec orgueil les interventions des militaires français dans cette province. « Comment s'étonner alors », commente le chanoine Leclerq, « que pour les Chinois les missionnaires fassent corps avec les envahisseurs d'Occident et que les chrétiens soient des suppôts non seulement de l'étranger mais d'étrangers barbares, brutaux, envahisseurs ? »

Les missionnaires accueillirent d'abord avec une certaine faveur la révolte des Taipings. Hong Sieou-ts'iuan, converti par un baptiste et convaincu d'être un nouveau Messie, prétendait gouverner le monde au nom de Dieu. Les missionnaires crurent que leur heure était venue : on allait pouvoir enfin propager à travers toute la Chine les enseignements de la Bible. Ils déchantèrent vite. Le Messie, frère cadet de Jésus, n'admit pas qu'un autre que lui prêchât la parole divine; il entendait éliminer les prêtres étrangers. Son dessein était de réaliser dès aujourd'hui, sur terre, le royaume de Dieu : il voulait abolir les classes et distribuer les terres aux pauvres. Ses partisans montraient au peuple des images du Christ en croix : cet homme nu et blessé, c'est vous, disaient-ils aux paysans et aux coolies; ce sont les riches qui vous mettent à mort. Contre ces chrétiens qui avaient la criminelle folie de vouloir mettre l'Evangile en pratique, on fit appel au grand chrétien anglais Charles Gordon, qui les écrasa par les armes. L'ampleur, la rigueur de la répression augmentèrent encore les haines qu'inspiraient les Occidentaux et leurs prêtres.

Elle permit cependant aux missions un rapide développement. L'Angleterre envoya un grand nombre de prédicants, dont le but avoué était d'occidentaliser le pays. Entre 1860 et 1900, 498 missions protestantes se fondèrent. Les catholiques, protégés par la France, après s'être installés à Zi-ka-Wei qui allait devenir un faubourg de Shanghaï, envahirent l'intérieur du pays. Les uns et les autres achetèrent des propriétés, fondèrent des orphelinats, des hôpitaux, des collèges. A T'ien-tsin, les Français élevèrent en 1869 une cathédrale sur l'emplacement d'un temple, sans avoir demandé aucune autorisation. « La nation française et les missionnaires catholiques étaient à T'ien-tsin l'objet d'une même haine irréductible », écrit l'historien américain Morse. Cette haine se tourna en particulier contre l'orphelinat. Les religieuses ne kidnappaient pas les enfants comme le prétendait la rumeur publique : mais elles les achetaient, ce qui encourageait les kidnappings. Elles donnaient aussi une petite somme à qui leur amenait un enfant en danger de mort à baptiser. En outre, une épidémie éclata, les enfants moururent comme des mouches. Le consul français refusa qu'une commission chinoise inspectât l'orphelinat. Le 21 juin 1870, la foule massacra plusieurs catholiques français, dont le consul — qui avait tiré sur elle — et dix religieuses. Il y eut bien entendu une sévère répression.

Presque tous les ans éclataient des émeutes. Les missionnaires, détestés par le peuple, l'étaient aussi par les fonctionnaires parce qu'ils empiétaient sur leurs attributions. Un mémorandum envoyé en 1871 par le gouvernement chinois aux représentants de la France à Pékin rapporte : « Abusant de leur force, les chrétiens oppriment les non-chrétiens. De là des rancunes, des rixes entre chrétiens et non-chrétiens, un ferment de discorde d'où sortent des litiges sans nombre. » Quand un converti était cité par un tribunal, les missionnaires prenaient automatiquement sa défense; ils prétendaient qu'il avait été molesté à cause de sa religion et il avait droit alors à une indemnité; beaucoup de gens, « des individus, des familles, et parfois même des villages entiers[1] » se convertissaient pour jouir de cette immunité. Les conversions avaient encore un autre motif : quand un Chinois se faisait baptiser, la mission lui allouait à l'origine une certaine quantité de riz, plus tard une somme d'argent. Les convertis refusaient de payer à la communauté chinoise les oboles que celle-ci réclame à ses membres à l'occasion des fêtes religieuses; cependant, sous prétexte de services rendus à l'Etat, les missionnaires exigeaient sans cesse des indemnités. Des frictions quotidiennes exaspéraient la haine dont la raison profonde demeurait la collusion de l'Evangile et des forces d'oppression. Parlant de cette période, le chanoine Leclerq conclut : « Toujours les missions sont intimement liées au brigandage international. » Il était fatal que, lorsque éclata la révolte des Boxers, les missionnaires et les « sous-démons » — c'est-à-dire les convertis — fussent exterminés. Il y eut 186 protestants et 50 catholiques étrangers parmi les victimes,

1. LATOURETTE : *Histoire des missions.*

mais une quantité beaucoup plus considérable de chrétiens chinois, considérés par leurs compatriotes comme des vendus et des traîtres.

Après la répression, dit Leclerq, « plus que jamais les missions se soudent aux armées et aux légations ». Leur développement prit un nouvel essor; mais le christianisme n'en devint pas plus populaire. Le congrès missionnaire qui se tint en 1910 à Edimbourg reconnut que l'existence des « traités inégaux » et les conditions politiques en général avaient introduit dans le monde missionnaire chrétien des habitudes lamentables. De son côté un chanoine catholique, dans un livre sur *Le christianisme en Extrême-Orient* qui fit scandale, expliqua que l'évangélisation de la Chine avait été un échec parce que les missionnaires n'avaient absolument pas l'esprit chrétien. « Nous sommes ici non pour développer les ressources du pays, ni pour faire prospérer le commerce, ni même pour le progrès de la civilisation, mais pour combattre les puissances des ténèbres », disait l'un d'eux [1]. Dans leur vocabulaire, ils appelaient les Chinois des « païens » et les considéraient comme des suppôts du diable. Pour la plus grande gloire de Dieu, ils voulaient sauver des âmes : mais ils n'aimaient pas les hommes à qui ces âmes appartenaient. Un protestant américain, Wells William, écrivait en 1850 : « Il est beaucoup plus facile d'aimer les âmes des païens de loin, quand on est en Amérique, que lorsqu'on les atteint de près, sous la forme d'individus fort sales, parlant un ignoble langage qui exprime leur vile nature. » Un autre déclarait que ce peuple était composé « d'hommes ignorants, drogués, et grands pécheurs ». Quelques très rares missionnaires — entre autres Timothy Richard — gagnèrent le cœur des Chinois en parlant leur langue, en adoptant leurs coutumes, en prenant soin de leur bien-être. Mais dans l'ensemble ils ne cachaient pas le mépris où ils les tenaient. « Européens eux-mêmes, ils croyaient vraiment à la supériorité de tout ce qui était européen », dit le chanoine Leclerq à propos des prêtres français, anglais, allemands. Quand le père Lebbe arriva à Pékin, il découvrit avec stupeur que la mission pratiquait une véritable ségrégation : les prêtres blancs et les prêtres chinois mangeaient à des

1. Cité par E. R. Hughes : *L'invasion de la Chine par l'occident.*

tables séparées, et seuls les blancs étaient admis à la table d'honneur : on leur servait à tous une nourriture européenne. Un prêtre, ami du jeune missionnaire, avait l'habitude de battre son domestique : « Toi aussi ? » lui dit le père Lebbe scandalisé : « Que veux-tu ? on m'a dit que c'est le seul langage qu'ils comprennent », répondit l'autre. Ses supérieurs lui défendirent de frayer avec ses collègues chinois; les séminaristes « indigènes » ne recevaient qu'un enseignement très élémentaire car il fallait les maintenir à des postes inférieurs. L'évêque de Pékin lui fit de vifs reproches parce qu'il traitait les Chinois en égaux. Le père Lebbe ne fut pas moins attristé de constater qu'il existait une « prime au baptême » et que la population méprisait ces convertis qui venaient non à Jésus-Christ, mais à la « pitance ».

Quand, après le mouvement du 4 mai, un grand courant nationaliste souleva la Chine, les missionnaires comprirent que des réformes étaient nécessaires. On leur conseilla de manifester aux « indigènes » un peu plus de respect. Le 24 octobre 1926, les six premiers évêques chinois furent consacrés dans la basilique de Saint-Pierre, et on décida de favoriser le développement d'un clergé national. Cela n'empêcha pas le déchaînement d'un mouvement idéologique antichrétien, d'une extrême violence. L'association Jeune Chine exigeait de ses adhérents une profession d'athéisme. En 1922 se fonda à Shanghaï une fédération antichrétienne qui dénonçait dans le christianisme un allié du capitalisme et de l'impérialisme. A Pékin se créa une fédération antireligieuse d'étudiants, qui visait surtout le christianisme. « Une centaine de pamphlets rappelaient les indemnités extorquées par les missionnaires, la manière dont ils intervenaient dans les affaires judiciaires et politiques, enfin les dénonçaient comme des hommes de main de l'exploitation capitaliste [1]. » En particulier la jeunesse s'insurgeait contre les écoles chrétiennes. En 1924 l'association Jeune Chine déclara : « Nous sommes fermement opposés à l'éducation chrétienne qui détruit l'esprit national et propage une culture destinée à miner de l'intérieur la civilisation chinoise. » Le gouvernement de Pékin établit en novembre 1925 un contrôle des écoles étrangères et celui de Canton promulgua un règlement sévère.

Matériellement, cependant, l'expansion du capitalisme oc-

1. K.M. Panikkar : *L'Asie et la domination occidentale.*

cidental entraîna celle des entreprises missionnaires. Les missions achetaient des terrains, exploitaient des fermes. L'Eglise catholique devint un important propriétaire foncier; à Shanghaï, elle possédait une quantité considérable de biens immeubles, elle contrôlait même — par personnes interposées — des maisons de jeux et des bordels. Les écoles, les hôpitaux constituaient des entreprises de rapport dont les bénéfices étaient fort élevés. En 1922, on comptait chez les protestants 6.000 missionnaires hommes, 1.110 femmes, 1.745 pasteurs chinois, 402.599 chrétiens baptisés, 400.000 catéchumènes. En 1925, le nombre des missionnaires était 8.158. L'Eglise catholique comprenait 2.650 prêtres étrangers, 1.100 chinois et 2 millions de convertis. Tchang Kaï-chek manifesta beaucoup de bienveillance au christianisme. Il n'obligea pas effectivement les écoles à observer la neutralité religieuse : les élèves qui sortaient des institutions chrétiennes se plaignaient amèrement d'avoir été contraints de pratiquer la religion de leurs maîtres et de subir leur endoctrinement. Une violence qui suscita chez tous les Chinois « progressistes » une rancune indélébile, c'est celle qu'exercèrent alors les prêtres à l'égard des condamnés à mort politiques; ils achetaient, pour une petite somme, le droit de baptiser *in extremis* les victimes : alors que celles-ci payaient de leur vie leur révolte contre l'impérialisme dont ils haïssaient les agents temporels et spirituels.

L'attitude des missionnaires pendant la guerre antijaponaise donna naissance à de nouveaux griefs. « Dans les territoires occupés par les Japonais, plusieurs évêques collaborèrent, avec une innocence qui ressemble à de l'inconscience; d'autres interdisaient aux prêtres chinois d'intervenir dans le conflit », reconnaît le chanoine Leclerq. Les Chinois en conclurent une fois de plus que le catholicisme était incompatible pour eux avec le patriotisme.

C'est cet ensemble de faits qui explique pourquoi, en dépit de la semi-colonisation de la Chine par l'Occident, les religions occidentales y ont si mal réussi. En 1949, bien qu'on eût développé le clergé national, et qu'il y eût 40 évêques chinois, on comptait seulement 700.000 protestants, et 3 millions de catholiques, dans un pays de 600.000.000 d'habitants.

M. Béguin, dans sa préface au livre de M. K. Panikkar, défend les missions. Son plus sérieux argument, c'est qu'elles ont aidé les Occidentaux à découvrir l'Extrême-Orient; on comprendra que les Chinois leur en aient peu de reconnaissance. Il parle aussi, plus vaguement, des aspects positifs de leur œuvre; aucun bilan ne peut être radicalement négatif; les violences japonaises et occidentales ont eu aussi certaines contreparties positives : cela ne les justifie pas. D'ailleurs, si les protestants, avec l'Y.M.C.A., ont timidement tenté de lutter dans le détail contre les plaies sociales créées par un régime qu'en gros ils soutenaient — capitalisme, semi-colonialisme — les catholiques semblent avoir eu pour seul souci de multiplier le nombre des baptêmes. A moins de croire — ce que peu de chrétiens admettent aujourd'hui — que toute âme non baptisée gémira éternellement dans l'enfer ou dans les limbes, on ne voit guère quel service ils ont rendu aux « indigènes ». M. Béguin rappelle qu'« ils donnèrent sans réserve leur vie et leur effort »; mais ce cadeau ne leur avait pas été demandé : les Chinois s'en seraient volontiers passé. Pearl Buck qui a bien connu et les Chinois et les missionnaires, étant fille d'un pasteur, s'est exprimée sur ce point avec beaucoup de bon sens [1]. « Mon intuition me disait qu'ils ne s'installaient pas en Chine avant tout par amour du peuple chinois. Non, ces missionnaires se trouvaient là pour satisfaire un besoin spirituel... Noble besoin... Mais il me souvient avoir lu dans Thoreau qui sans nul doute le tenait de Confucius que si un homme veut votre bien en même temps que le sien, il faut le fuir comme la peste. » Comme, enfant, elle rappelait à son père les bienfaits des missions, il répondit lui-même : « Il ne faut pas oublier que les missionnaires sont allés en Chine sans y être invités, poussés seulement par le sens de leurs devoirs. Par conséquent les Chinois ne nous doivent rien. » Elle résume avec sobriété la situation quand elle écrit : « Je ne pouvais supporter d'entendre prêcher les blancs, moi qui connaissais leur œuvre en Asie. »

Il ne faut pas perdre de vue cet ensemble de faits si on veut comprendre l'attitude du gouvernement chinois à l'égard du catholicisme. Le régime a tout de suite annoncé sa décision — qui s'exprime dans un article de la Constitution — de tolérer toutes les confessions religieuses. Trois millions, en Chine, ce n'est pas grand-chose, et le culte de la Vierge

1. Les mondes que j'ai connus.

n'est aux yeux d'un marxiste chinois ni plus ni moins « rétrograde » que celui de la déesse Kouan Yin. Si, touchant le christianisme, la tolérance a été subordonnée à certaines conditions, c'est que le gouvernement avait de bonnes raisons de s'en méfier politiquement. Déjà sur le plan nationaliste, cette religion, complice de l'impérialisme occidental, heurtait depuis quatre-vingts ans les sentiments des Chinois; depuis 1920, elle avait été violemment dénoncée comme antichinoise. D'autre part, elle est radicalement anticommuniste. Le père Lebbe qui était, pour un missionnaire, remarquablement ouvert, allait jusqu'à comprendre qu'on fût Chinois : mais communiste, non. Il répétait peu avant sa mort : « Les communistes chinois ne sont pas des Chinois. Les communistes chinois ne sont pas des hommes. Les communistes sont des démons incarnés. » On sait que depuis la naissance du communisme l'Eglise catholique lui a manifesté l'hostilité la plus décidée. Déjà Pie IX, le 9 novembre 1846, dans un texte qui fut repris par *Syllabus,* condamnait « cette doctrine néfaste qu'on appelle le communisme, radicalement contraire au droit naturel lui-même; pareille doctrine une fois admise serait la ruine complète de tous les droits, des institutions, des propriétés et de la société humaine elle-même ». Plus tard, Léon XIII, dans l'encyclique *Quod apostolici numeris,* l'appelle « une peste mortelle qui s'attaque à la moelle de la société humaine et l'anéantirait ». Pie XI l'a condamné dans une allocution adressée en 1924 au monde entier; puis dans une série de cinq encycliques du 8 mai 1928 au 3 juin 1933. En 1939, dans l'encyclique *Divini redemptoris,* il appela tous les catholiques à lutter énergiquement contre le communisme : la croisade anticommuniste mobilise en particulier les prêtres, et les œuvres auxiliaires de l'action catholique — entre autres les « Congrégations mariales ». Le décret du 1er juillet 1949 promulgué par Pie XII contient la « défense de favoriser le communisme sous peine de refus des sacrements ». « Défense de professer le communisme sous peine d'excommunication. » L'*Osservatore romano* commentait officiellement : « Toute adhésion, toute aide accordée aux communistes est, qu'on le veuille ou non, une collaboration à leur action antireligieuse. »

C'est dire que lorsque le gouvernement présidé par Mao Tsé-toung prend le pouvoir, l'Eglise est en guerre déclarée avec le régime qu'il incarne. Il est naturel qu'avant d'autoriser le clergé de Chine à maintenir son influence sur une partie de la population, il se soit entouré de certaines précautions. Son attitude s'exprime sans équivoque dans un article publié le 24 novembre 1950 par le *Journal du Peuple* : « Le problème du catholicisme et du protestantisme en Chine se pose à nous sous deux aspects : problème de la foi, et problème de l'exploitation par les impérialistes de ces deux croyances, à des fins d'agression contre la Chine... Dans son ouvrage *Nouvelle Démocratie*, le président Mao a souligné que les communistes peuvent créer un front uni anti-impérialiste avec certains spiritualistes, voire avec des croyants, sans cependant adhérer à leur spiritualisme ni à leurs sectes. En conséquence, les patriotes chinois doivent jouir de la liberté de croyance, à condition que le catholicisme et le protestantisme soient soustraits à l'emprise impérialiste. »

C'est dans cet esprit que le gouvernement chinois a demandé aux différentes Eglises de souscrire au principe des « Trois autonomies »: administrative, financière, apostolique. L'Eglise chinoise, protestante ou catholique, doit être administrée et financée par des Chinois, et elle doit propager l'Evangile selon des directives émanant du clergé chinois. Les protestants acceptèrent ces conditions. Le docteur Tchao Tseu-tcheng, doyen de la Faculté de Théologie de l'Université Yen King, à Pékin, avait préconisé en 1949 « une collaboration avec les communistes pour un ciel nouveau et une terre nouvelle »; il fallait, disait-il, coopérer avec le nouveau régime afin de maintenir la présence du christianisme dans le monde communiste. Réunis sous la présidence de Wou Yao-tsong, membre depuis trente ans de l'Y.M.C.A., les protestants accomplirent en 1951 et 1954 la Réforme qui affranchissait les Eglises et associations protestantes de l'influence occidentale. « Pour réaliser une authentique autonomie de l'apostolat, les chrétiens chinois doivent découvrir par eux-mêmes les trésors de l'Evangile du Christ », déclara Wou Yao-tsong au nom des protestants chinois.

La question se posait autrement pour les catholiques. Les dirigeants chinois entendaient distinguer le temporel du spirituel; ils acceptaient que l'autorité doctrinale du pape fût reconnue par les catholiques : sur le terrain politique, ils lui refusaient tout droit d'intervention. Chou En-laï définit cette position de manière très précise dans un entretien avec les catholique chinois : « Le Vatican est le cœur des catholiques. On peut avoir des relations avec lui. Mais s'il s'adonne à des activités politiques et aide l'impérialisme américain à nuire à la République populaire de Chine, alors nous nous opposerons à lui... Si le pape définit le dogme de l'Immaculée Conception, vous catholiques, vous avez le devoir de le croire. Mais s'il prend parti en faveur de l'Amérique contre la Chine, vous devez, comme citoyens chinois, préférer votre patrie. »

Un certain nombre de catholiques acceptèrent cette distinction. Réunis autour de l'abbé Li Wei-kouang, vicaire général de Nankin, de Hou Wen-yao, directeur de l'Université catholique, l'Aurore, de l'évêque de Pékin, ils constituèrent l'Eglise dite « réformée » dont les membres aujourd'hui en Chine célèbrent le culte catholique. Leur point de vue a été exposé entre autres par un médecin de Shanghaï, nommé Yang Che-ta, ancien élève de l'Université Aurore (c'est-à-dire des Jésuites), qui écrivait en septembre 1955 :

« Il a été décidé que le peuple chinois jouissait de la liberté religieuse, et cette décision fait effectivement loi. A Shanghaï par exemple, il y a plus de cinquante mille catholiques desservis par plus de vingt églises. Nous allons à la messe, au salut, à la confession exactement comme avant. Toutes les cérémonies de l'année liturgique sont strictement observées. Les jours de fête il est commun de voir trois à quatre mille personnes assistant à la grand-messe de la cathédrale de Zikawei. Les séminaires continuent à former de jeunes prêtres : ceux qui ont la vocation sont admis chaque année. Des représentants de l'Eglise catholique ont pris part, l'an dernier, à l'élaboration de la constitution... Beaucoup d'évêques et de prêtres ont été élus députés du congrès : j'en suis un moi-même... A notre collège, il y a cent vingt-sept étudiants catholiques à qui on facilite l'observance de leur religion : le vendredi, on ne sert pas de viande dans leur salle à manger... Nous avons des journaux catholiques. En tant que chrétien, je donne tout mon appui au gouvernement parce qu'il s'est voué à améliorer la vie du peuple. En tant que Chinois, je le soutiens parce qu'il a enfin donné l'indépendance à mon pays. Nous ne trouvons pas de contradiction entre notre patriotisme et notre foi. »

Cependant, d'autres catholiques considèrent les « catholiques patriotes » comme des schismatiques; selon eux, reconnaître l'autorité doctrinale et spirituelle du pape ne suffit pas : il faut que la hiérarchie des évêques lui soit subordonnée sur le plan administratif et temporel. C'est le point de vue qu'exprima en 1951 le nonce, Mgr Riberi; il écrivit au clergé chinois : « Vous ne devez pas collaborer avec le diable. Vous devez lutter. Vous devez employer tous les moyens pour abattre le démon. » Le gouvernement l'expulsa. Par la suite, le pape frappa d'excommunication : 1° les catholiques qui adhèrent au parti communiste et à tous les organismes qui en dépendent strictement, 2° ceux qui essaient de substituer à la hiérarchie un autre pouvoir de direction, 3° une excommunication personnelle a été lancée contre le chef des catholiques patriotes, le vicaire général de Nankin, l'abbé Li Wei-kouang.

L'attitude du pape équivaut à une franche déclaration de guerre. Les catholiques non réformés ont de leur point de vue parfaitement le droit de lutter contre le gouvernement chinois; mais quand on décide d'« employer tous les moyens pour abattre le démon » et que le démon, c'est le régime actuel, on ne devrait pas s'indigner d'être considéré comme contre-révolutionnaire. On ne voit pas pourquoi, au cours des diverses campagnes dirigées contre les contre-révolutionnaires, les catholiques auraient joui d'une particulière immunité. Ils ont protesté entre autres avec véhémence contre la dissolution de « la Légion de Marie ». C'était une de ces congrégations mariales singulièrement vouées, selon Pie XI, à combattre le communisme. Le Père Lefeuvre [1] admet que cet organisme « assurait la coordination des catholiques influents et actifs »; c'est dire clairement qu'elle était un centre de résistance au régime. En particulier elle combattait dans les campagnes la réforme agraire et la loi du mariage. Au moment où la guerre de Corée mettait le pays en danger, les catholiques non-réformés refusèrent toute participation à la campagne anti-impérialiste. Il ne faut pas s'étonner si la plupart des missionnaires étrangers furent expulsés et un certain nombre de prêtres chinois arrêtés, comme coupables de menées contre-révolutionnaires. Une fois de plus, par la bouche de Tch'eng Yi, le gouvernement expliqua son attitude : « La politique du gouvernement est claire et précise : la liberté religieuse du peuple est assurée d'une protection absolue dans les limites de la loi... Mais les impérialistes qui utilisent la reli-

1. Les enfants dans la ville.

gion pour faire du sabotage sont réprimés de façon catégorique. »

Cependant les dirigeants faisaient de nouvelles tentatives de conciliation. Le congrès patriotique réuni à Nankin en août 1953 proposa aux catholiques la signature de « Dix articles » où il n'était même plus question de la triple autonomie; l'autorité du pape était reconnue en matière de dogme. Tous les prêtres présents signèrent; plusieurs se rétractèrent, mais ensuite rétractèrent leur rétractation. Des comités réformistes locaux se réunirent à travers toute la Chine, et rallièrent la majorité des catholiques autour du principe : le pouvoir spirituel et dogmatique appartient à Rome, le pouvoir temporel à Pékin.

Le centre de résistance le plus sérieux, c'était l'église de Shanghaï. Dans la nuit du 8 au 9 septembre 1955, l'évêque Kiung P'in-mei fut appréhendé, ainsi que des prêtres, des jésuites et des religieuses. L'éditorial du Hsin-wen pao annonça le 9 septembre au matin que le but de ces arrestations était de « détruire intégralement le groupe contre-révolutionnaire Kiung P'in-mei et d'éliminer tous les éléments contre-révolutionnaires cachés dans l'Eglise catholique ». A l'heure qu'il est, c'en est fini en Chine de l'Eglise catholique non-réformée.

Il est hors de doute que le pape aurait pu choisir, au lieu de cet anéantissement, le parti de la conciliation. La subordination de la « hiérarchie » au Saint-Siège est affaire de dogme; mais il y a bien des façons d'interpréter un dogme; entre le fait de « nommer » les évêques et celui de les « instituer » il existe une différence qui permet de rendre à César ce qui est à César, et sur laquelle se sont fondés au cours des siècles plus d'un concordat. Ce n'est certainement pas l'ingéniosité des casuistes qui a été ici en défaut : c'est la bonne volonté de l'Eglise romaine. Le pape a tenu à manifester qu'il ne saurait y avoir aucune collusion entre le communisme et l'Eglise; si le christianisme se maintient au cœur d'un monde marxiste, ce sera sous une forme schismatique. C'est là une attitude proprement politique et par laquelle s'affirme l'indissoluble union de l'Eglise et du capitalisme. Jamais les catholiques n'ont mieux manifesté la rigueur de cette alliance qu'au moment où ils s'indignent que les communistes la dénoncent. L'argument le plus sérieux des catholiques c'est qu'en acceptant les compromis proposés par le régime ils exposaient le catholicisme à être détruit « de l'intérieur ». Autrement dit, ils pensaient avec défaitisme que l'idéologie marxiste triompherait fatalement de l'idéologie chrétienne : à une mort lente, ils ont préféré un martyre spectaculaire [1], certainement, aux yeux du monde chrétien, beaucoup plus édifiant. C'était leur droit. Mais leur mauvaise foi commence lorsque, exploitant eux-mêmes pour le salut des âmes ce martyre volontaire, ils dressent contre leurs persécuteurs des réquisitoires scandalisés. A vrai dire, rien ne corrobore mieux les accusations portées contre eux que les livres où ces victimes agressives manifestent leur haine aveugle à l'égard du régime communiste. Impossible que des convictions aussi ardentes ne se soient pas traduites par des paroles ou des actes, justifiant les mesures prises par le gouvernement [2].

Parmi les accusations dirigées contre les missions, les plus graves sont celles qui concernent les orphelinats. Les religieuses s'étant toujours souciées de sauver les âmes plutôt que de nourrir les corps, leur charité, on l'a vu, fut de tout temps suspecte à la population chinoise. Des statistiques, dont les intéressées s'efforcent en vain de récuser l'objectivité, montrent que cette méfiance était fondée. Selon les bien-pensants, l'énormité même des faits allégués leur ôterait toute vraisemblance : il faut leur rappeler qu'en France le sort des orphelins recueillis dans de pieuses institutions est habituellement abominable. J'ai personnellement connu des orphelines qui m'ont parlé de leur enfance comme d'un long cauchemar. Lever à 5 h. 1/2, dans des dortoirs en hiver si glacés qu'il fallait briser la glace du pot à eau; dix heures de travail par jour, courbées sur des broderies qu'on vendait à « la Cour Batave » sans leur remettre le moindre salaire; en guise de récréations, la messe, le salut, les vêpres; presque aucune instruction; comme nourriture, des soupes claires, souvent pleines de cafards : les jours d'inspection seulement, on servait du lait et de la viande; quiconque osait se plaindre

1. Le père Lefeuvre reconnaît que si l'arrestation de Mgr Kiung a été si tardive, c'est que le régime aime mieux persuader que sévir : avec la plus grande patience, on a cherché pendant des années à établir un *modus vivendi*. Les catholiques qui se sont obstinément refusés à toute conciliation ne laissaient au gouvernement d'autre issue que la répression.

2. Je veux dire les arrestations et les expulsions. Quant aux méthodes policières, j'ai dit déjà combien je trouvais regrettable que la révolution n'en ait pas bouleversé les traditions.

était jetée au cachot, et les punitions corporelles pleuvaient sur ces enfants sous-alimentées; aucune hygiène. En conséquence, la moitié des fillettes étaient emportées par la tuberculose. Ces histoires sont assez anciennes et sans doute y a-t-il aujourd'hui un contrôle sanitaire plus sérieux. Mais si les choses se passaient ainsi en France, voici quelque trente ans, on imagine facilement comment pouvaient être traités les petits Chinois. Les religieuses considèrent volontiers la saleté, le manque d'hygiène, comme des vertus chrétiennes, qui manifestent le mépris du corps et la soumission aux volontés de Dieu : en Chine, étant donné les circonstances, cette pieuse négligence devait entraîner les plus terrifiantes conséquences. Elle était renforcée par le peu de prix que les Blancs, fussent-ils missionnaires, accordaient à la vie d'un Chinois : il était louable de sauver leurs âmes, mais en ce qui concernait leur existence terrestre, on estimait qu'ils n'étaient que trop nombreux. Certes, les sœurs n'assassinaient pas délibérément leurs pupilles — ce qui d'ailleurs eût été un péché — mais le moins qu'on puisse dire, c'est qu'elles considéraient leur mort avec indifférence : un petit ange de plus au ciel, ici-bas une bouche de moins à nourrir. Cet état d'esprit explique le scandale des orphelinats, qu'attestent de sérieuses enquêtes — menées entre autres par les Associations de femmes — et quantité de témoignages. J'en rapporterai seulement quelques-uns [1].

Touchant l'hôpital Tze-Ai, de Nankin (hôpital de l'Amour maternel), le secrétaire des affaires générales, Tsui Tien-pei a dressé le bilan suivant : « De juillet 1er au 31 décembre 1949, le registre montre que 54 sur 60 des enfants entrés à l'orphelinat moururent. L'année suivante, le taux de la mortalité augmenta chaque mois. En janvier 1950, il était de 61 % et en mai de 83 %. Parfois 3 à 5 enfants mouraient en un jour. Les religieuses ont prétendu qu'ils étaient atteints de maladies prénatales et de syphilis. Mais on examina les 58 enfants qui se trouvaient à l'orphelinat au moment où il fut fermé : seulement 2 % étaient atteints de syphilis. D'ailleurs les religieuses inscrivaient elles-mêmes sur les registres les causes des décès; dans 98 % des cas, elles avaient marqué que l'enfant était mort de dépérissement... Sur les 58 enfants examinés, 97 % souffraient de sous-alimentation,

1. Recueillis en brochure par le Comité d'hygiène et publiés en anglais à Shanghaï, sous le titre « Children's tears ».

et un tiers d'entre eux au point qu'on ne put sauver leurs vies; 98 % avaient des maladies de peau et 81 % le trachome. Presque tous étaient tuberculeux... On leur donnait un peu de riz et de gruau et seulement un quart de litre de lait par jour : du lait écrémé. Avec la crème les sœurs faisaient du beurre pour leur usage personnel. Les plus âgés n'avaient pas de lait du tout : seulement du bouillon de riz et quelques feuilles de chou... Les cuvettes, les cruches étaient communes pour tous les enfants, si bien que les maladies de peau se propageaient de l'un à l'autre. » Cependant ces enfants n'étaient pas hospitalisés gratuitement. Les parents devaient payer de trois à cinq tous [1] de riz chaque mois. S'ils ne s'acquittaient pas de leurs dettes, on disposait de l'enfant : on le vendait pour 133 livres de riz.

Dans tous les actes d'accusation reviennent les mêmes reproches : les enfants n'étaient pas nourris. On les lavait à peine. On ne les changeait presque jamais et les corps étaient couverts de plaies. Liu Tsui-ying, qui fut nourrice à l'orphelinat des Sœurs de Saint-Joseph entre 1949 et 1951, dit que les enfants étaient « délibérément affamés. On leur donnait deux fois par jour du lait en poudre éventé. Ils vivaient entassés dans deux petites pièces qui sentaient l'urine et les excréments. On ne les lavait presque jamais, presque jamais on ne les changeait... L'été, les moustiques les dévoraient. L'U.N.R.R.A. donna à l'orphelinat environ 4.000 yards de moustiquaires : l'évêque Kowaski les vendit... La plupart des enfants étaient sains et rieurs quand ils arrivaient, mais ils dépérissaient en quelques semaines. »

On compte que dans cette institution 57.817 bébés ont été hospitalisés depuis 1923 et que 126 seulement vécurent plus de quelques mois : cette statistique a été dressée par l'Association des femmes. D'ailleurs, l'évêque Schneider, qui dirigeait l'orphelinat avec l'évêque Kowaski, avoua dans une lettre au pape que le taux de mortalité entre 1946 et 1950 était de 94 %.

Plus éloquents que les témoignages sont les registres eux-mêmes. Sur celui du Home d'enfants du Sacré-Cœur de Nankin, on voit en treize mois 192 admissions et 118 morts. A côté du nom de l'enfant, on voit la mention « baptisé »

1. Un tou : 13,3 livres.

et une date. A une date très proche est inscrite la mention « Décédé ». La raison de la mort n'est pas même indiquée.

Lorsque les enfants hospitalisés étaient plus âgés, on les faisait durement travailler, parfois à partir de l'âge de cinq ans. Le régime habituel, c'était la sous-alimentation, les punitions et mauvais traitements qui entraînaient parfois la mort. Les rescapés ont fait quantité de récits affreux. Je ne les cite pas, parce que les cas les plus extrêmes sont évidemment exceptionnels. Mais ce qui était général, c'était l'usage de vendre les orphelines quand elles avaient dix-sept ou dix-huit ans, à des maris le plus souvent dégénérés. Un reportage du *Journal de la Libération*, de Shanghaï, sur le Senmouyeu, relate : « Je ne sais combien de jeunes filles furent ainsi mariées de force à des *minus habens*, des vagabonds, des laissés pour compte, des gens déséquilibrés. Beaucoup, après leur mariage, sont devenues folles. » Une orpheline, Lin Wu-tsui, écrit : « On nous mariait à toutes sortes d'hommes : des aveugles, des vieillards, et moi j'ai été mariée à un idiot. »

Dans le Penn Tse T'ang de Pékin, sur 25.680 enfants recueillis en quatre-vingt-huit ans, il y en a 23.403 qui sont morts prématurément. Dès l'âge de cinq à six ans, ils commençaient à travailler; à partir de quatorze ans, ils travaillaient quatorze heures par jour. Ils mangeaient du sorgho, en trop petite quantité. Ils ne recevaient aucune éducation. Quand le gouvernement chinois prit en main l'orphelinat 95 à 98 % des enfants étaient déficients et 80 durent être envoyés au sanatorium.

Rewi Alley m'a confirmé ces faits. Il a vu dans les ateliers de Shanghaï de tout jeunes enfants, fournis par les orphelinats. Il a vu les registres où étaient inscrites les listes funèbres des baptêmes et décès des bébés hospitalisés; il me dit qu'il recueillit à Sandan un grand nombre d'enfants abandonnés, et qu'en dix ans il n'en mourut que deux, alors qu'ils s'éteignaient par centaines entre les mains des religieuses. Celles-ci d'ailleurs ne nient pas le chiffre des morts qui leur sont imputées. Ce que plaident les sœurs expulsées par le gouvernement chinois, c'est que les enfants hospitalisés étaient déjà moribonds; les expertises médicales ont montré que la déficience des rescapés venait non de tares héréditaires mais du manque de nourriture et de soin; et aussitôt les orphelinats pris en main par le régime, le taux de la mortalité s'est abaissé de façon foudroyante. Sans doute les protestations des religieuses sont-elles en partie sincères : elles se sont comportées selon leur propre système de valeurs, qui situe très bas la guenille charnelle. L'important était pour elles de sauver les âmes en baptisant le plus grand nombre possible de petits païens [1]. Elles ne comprennent pas que cette attitude soit jugée criminelle dans un pays qui prend la vie humaine comme mesure du bien et du mal. Leur expulsion était un épisode nécessaire de la campagne d'hygiène menée par le gouvernement.

1. Une sœur canadienne, déplorant dans une poésie bien touchante l'ingratitude des Chinois qui l'expulsèrent, insiste surtout sur les plaisirs du paradis ouvert par ses soins aux bébés chinois.

VII

LE 1er OCTOBRE

Les visiteurs habituellement dispersés du nord au sud de la Chine se retrouvent tous à Pékin pour les fêtes du 1er octobre. J'y reviens, moi aussi, à la fin de septembre, après un voyage en Mandchourie. La physionomie de la ville a changé. L'aile neuve de l'hôtel est achevée, les échafaudages ont disparu. Dans le hall de l'ancien bâtiment s'est ouvert un stand où l'on vend des ombrelles, des soies brodées, des laques, des porcelaines, toute espèce de bibelots. La façade de l'hôtel, celles des édifices publics, sont décorées de banderoles rouge et or, et de grosses lanternes rouges, joufflues comme des citrouilles; des drapeaux rouges flottent au-dessus des toits. De tout temps, les villes chinoises ont aimé rehausser leurs grisailles de parures écarlates. Le rouge est aujourd'hui la couleur du régime, mais ç'a toujours été la couleur du bonheur. Les rues — qui m'étaient devenues peu à peu si familières que j'avais fini par ne plus les voir — m'étonnent de nouveau; elles ont pris, aux yeux des Chinois eux-mêmes, un caractère exotique; on se retourne pour regarder passer des Thibétains aux longues robes jaunes, un anneau de cuivre suspendu à une oreille, des Mongols, dont les tuniques sont serrées à la taille par des ceintures de couleurs vives, des Musulmans, coiffés de calottes blanches, et des montagnards du Sikiang aux grands chapeaux cornus et bordés de fourrure. Nous sommes environ 1.700 délégués étrangers. Pendant les journées qui précèdent et suivent le 1er octobre, les voyageurs ne cessent d'aller et de venir. Dans un numéro du *New Day Release*, pris au hasard, je relève les manchettes suivantes : *Chou En-laï reçoit les délégués japonais — On fête la troupe des Kabuki — Interview du ministre de l'Hygiène hindou — La presse commente chaleureusement la visite de Nenni — La délégation bouddhiste birmane adore la dent de Bouddha — La délégation de femmes italiennes quitte la Chine — Arrivée de la délégation de sourds-muets yougoslaves.* Ce cosmopolitisme a un caractère bien particulier. Entre les gens que les hasards de leurs histoires individuelles amènent à se coudoyer dans le hall d'un grand hôtel new yorkais, il n'y a rien de commun, sinon le sol qu'ils foulent. Ici, quand je croise un Espagnol, un Portugais, un Tchèque ou un Sud-Africain, je sens avec lui une immédiate complicité; nous savons qu'à travers les différents langages les mots ont pour nous tous le même sens. Il semble naturel de s'aborder sans cérémonie. Moi qui commence à être une « ancienne », je renseigne volontiers les nouveaux arrivés. Comme moi, ils ont un peu de peine à atterrir dans la réalité. Avant d'avoir posé le pied sur l'aérodrome de Pékin, on rêve. J'escaladais les plateaux du Thibet, l'historien allemand explorait à loisir les grottes de Touen Houang, le peintre italien s'installait pour un mois dans un village du sud et peignait; d'autres dormaient sous les yourtes mongols. Soudain, on respire pour de vrai l'aigre odeur de la terre chinoise; on sent autour de soi le pullulement de six cents millions d'hommes, et la Chine s'étire du nord au sud, de l'est à l'ouest, sur des milliers de lis. On s'interroge avec un peu d'anxiété sur les frontières du possible et de l'impossible. Je n'ai pas été à Lhassa, je n'irai pas. Les journalistes partis voici deux mois pour le Thibet par la nouvelle route, voyageant en camion et à dos de mulet, ne seront pas de retour avant le milieu de novembre. Pour atteindre les grottes de Touen Houang, il faut, à partir de Lang-tcheou, voyager plusieurs jours en caravane : l'historien devra se contenter d'en voir des reproductions. En revanche, Canton est facilement accessible...

Tout en échangeant des renseignements, j'observe les réactions des divers visiteurs. J'ai compris qu'en Chine, plus que partout ailleurs, il y a une erreur à éviter : c'est de juger les choses comme si elles étaient *arrêtées.* Dans ce pays qui ne cesse pas de bouger, le présent tire son sens du passé qu'il dépasse, de l'avenir qu'il annonce. Dénigrer le régime sous prétexte que le niveau de vie y est encore bas, ou parce que le capitalisme y subsiste, c'est méconnaître sa situation : on ne peut transformer la Chine qu'à partir de ce qu'elle était. Mais je suis surtout agacée par cette bienveillance à priori qui amène certains voyageurs à admirer dans l'absolu des réalisations qui n'ont de sens que prises dans leur devenir. Il est faux qu'un village chinois soit plus confortable et plus riche qu'un village français : ce qui est remarquable, c'est le progrès qu'il constitue par rapport à ceux d'autrefois. Il est faux que *la* femme chinoise soit en général la plus émancipée du monde. Il est naïf de s'émerveiller parce que l'archevêque de Pékin approuve ouvertement le régime : s'il s'y opposait, il ne serait plus archevêque. Cet enthousiasme me choque non seulement par les erreurs qu'il entraîne, mais parce que la Chine mérite d'être reconnue dans sa vérité; c'est mésestimer ses efforts que de ne pas en voir les difficultés. Je redoute que la propagande de ces zélateurs ne se retourne contre eux : il sera trop clair que leur siège était fait d'avance. C'est dommage. Ce moment de l'histoire chinoise est émouvant justement par le caractère encore inachevé des victoires remportées, par la grandeur des obstacles à vaincre et la dureté de la lutte entreprise.

29 septembre. Ce soir, Chou En-laï donne un banquet en l'honneur du corps diplomatique et des délégués étrangers; il y a 2.200 convives. La moitié d'entre eux se rassemblent dans l'immense salle des fêtes aménagée pendant ces derniers mois dans l'aile neuve de l'hôtel de Pékin. Les autres se répartissent dans les halls et les pièces environnantes : tout le rez-de-chaussée est envahi.

Entre la porte principale de la salle des fêtes et le petit théâtre qui en occupe le fond est dressée une longue table de cent couverts; à droite et à gauche, il y a une centaine de tables rondes, de neuf couverts chacune. J'ai eu tout le loisir d'examiner minutieusement le décor : cinquante colonnes, vingt-cinq pleines, vingt-cinq à demi encastrées dans les murs, de cinquante centimètres de diamètre environ, et peintes en rouge, soutiennent des poutres coloriées en vert, bleu, or, rouge; l'éclairage est assuré par trois suspensions, comportant chacune vingt-cinq globes électriques, et par des globes isolés : en tout, trois cents globes. Le plafond est à environ quinze mètres du sol; autour des murs court un balcon, drapé d'étoffes grises. Le rideau rouge du petit théâtre est baissé.

La table est chargée de nourritures froides. De chaque côté de la porte d'entrée est installé un orchestre : ils jouent à tour de rôle, l'un de la musique chinoise, l'autre de la musique occidentale. A sept heures, ils entonnent l'hymne national : Chou En-laï s'assied à un bout de la table, près de la scène; à l'autre extrémité, prend place un des maréchaux, revêtu d'un uniforme flambant neuf, bleu vif et or. Les serveurs commencent à verser dans nos verres du vin de riz, du vin de raisin sauvage, de la limonade, de la bière, du mousseux, tandis que Chou En-laï prononce, sous le feu des projecteurs, un discours où il nous remercie de notre visite à la Chine : il termine en portant un toast à l'amitié des peuples et à la paix. Il s'assied, il se relève, il porte toast sur toast, en l'honneur de chaque groupe d'invités, et finalement, en l'honneur de tous; chaque fois les projecteurs s'allument et l'éclairent violemment. L'ambassadeur de Birmanie prononce à son tour un speech au nom du corps diplomatique. Puis l'orchestre attaque : « Toréador, toréador, en garde... » et Chou En-laï fait le tour des tables, trinquant avec chaque convive, échangeant quelques mots souriants avec certains : il salue en particulier la mère de Zoya, la célèbre héroïne soviétique dont tous les enfants de Chine connaissent l'histoire.

« Qui est ce Chou En-laï ? » demandait un jour Mr. Dulles. Aujourd'hui, il ne peut plus feindre l'ignorance; le monde entier connaît le nom de Chou En-laï. Edgar Snow [1] vantait, voici vingt ans, sa grâce de peuplier : il ne l'a pas perdue; et le charme de son sourire à la George Raft est légendaire. Il y a sur son visage quelque chose qu'on rencontre rarement en Chine : ni du cynisme, ni de l'ironie, mais un sens aigu de la contestation. Il donne l'impression d'un homme qui tout en s'engageant à fond dans ce qu'il fait, demeure cependant un peu par-delà. Pour l'instant, il va de table en table, sur l'air de « Toréador... »; sa démarche, ses gestes sont nonchalants, tandis que son regard aigu semble exactement reconnaître tous ces gens qu'il ne connaît pas : on dirait vraiment qu'il trinque avec eux par plaisir. Quand il passe dans les

1. *Red Star over China.*

pièces voisines où sont rassemblées les délégations de jeunes, et aussi des acteurs, des danseurs, des sportifs, des vivats éclatent : on l'entoure, on l'embrasse, on l'accable de cadeaux; les applaudissements et les acclamations se prolongent jusqu'à la fin du banquet.

Celui-ci ne dure pas longtemps : les Chinois ont le sens de la mesure, et j'ai dit qu'ils détestent s'attarder à table. Le repas fini, la jeunesse danse dans le hall voisin; il y a des soldats albanais et polonais en uniforme, et des délégués des minorités nationales dans leurs traditionnels atours. Nous sortons, et je reçois un petit coup au cœur : Pékin est illuminé ! Des lampions dessinent les arêtes et les corniches des toits, ils soulignent les façades; les silhouettes des monuments publics et des portes fortifiées s'enlèvent, scintillantes et plates sur le ciel sombre; cette absence de relief, cet exact dessin donnent l'impression d'un décor factice : on croirait voir briller non une vraie ville, mais les pavillons de quelque grande exposition. Pourtant, Pékin est bien réel; ses éphémères parures créent une sorte de mirage à rebours.

Il y a foule sur l'avenue, qui le soir est d'ordinaire déserte. Des badauds flânent, des marchands ont dressé des éventaires contre la muraille rouge du palais, ou au bord du trottoir; ils débitent du thé bouillant, des saucisses chaudes, des fruits et certains ont même improvisé de véritables restaurants : il leur a suffi d'une table, d'un banc, et sur un chariot d'une cuisine portative. Des gens mangent; d'autres regardent, ils attendent. Des haut-parleurs, attachés aux lampadaires de l'avenue, diffusent de la musique militaire, des chansons populaires, des discours, des slogans. Des Mongols, des Miao, des Thibétains, des Ouighours en grand costume, des pionniers en chemise blanche, cravatés de rouge, sont groupés, immobiles au bord de la chaussée, ou marchant au pas; des musiciens sont assis sur le sol, un petit tambour chinois posé sur leurs genoux : on va faire cette nuit la répétition générale du défilé. Demain, ce sera jour férié pour tout le monde. Nous passons devant T'ien An Men dont la célèbre silhouette rutile : de grosses lanternes rouges décorent la façade.

Les petites rues avoisinantes grouillent de monde; enfants et adultes tiennent à la main des bouquets de fleurs artificielles; ils ont été les chercher dans les centres dont ils dépendent, ateliers, bureaux ou écoles. Pour la première fois, je croise des hommes qu'encadrent des agents de police : ils n'ont pas de menottes aux mains et personne n'a l'indiscrétion de les regarder passer; il y en a trois : peut-être des ivrognes, ou des pickpockets. Partout on mange, on boit. Dans des rues retirées, j'aperçois des espèces de chars de carnaval : parfois c'est seulement un socle carré, orné de draperies; parfois s'y dressent des statues, des décors, des tableaux vivants. De retour à l'hôtel, je me mets au balcon : sous le clair de lune, toute la ville brille, fallacieusement fausse. Soudain, une grande statue d'un blanc cru apparaît, debout sur un socle rouge : le char semble rouler tout seul. Des hommes passent, tenant des panneaux qui sont des portraits de Marx et de Mao Tsé-toung; voici un dragon, long de plus de cent mètres, et que portent une file de jeunes gens, à demi cachés sous la carapace. Ces fragments désordonnés de fête sont d'un étrange effet. Je vais pourtant dormir. Mais vers 2 h. 1/2 je suis réveillée en sursaut, autant par la curiosité que par le bruit : les haut-parleurs continuent à émettre des chants. A présent, il fait presque froid; l'avenue est couverte de chemises blanches et de drapeaux rouges : des jeunes gens en carrés serrés portent haut les drapeaux; d'autres sont à demi couchés sur le terre-plein de l'hôtel et des drapeaux gisent à côté d'eux. La répétition se prolongera tard dans la nuit, mais demain tout le monde dormira son saoul, pour aborder, dispos, le grand jour qui s'approche.

30 septembre. Ce matin, Pékin somnole. Tout le monde chôme : pas de programme. Par un temps doucement maussade, nous allons nous promener, seuls, dans un coin de Pékin que nous aimons entre tous, derrière le palais impérial; à cet endroit, la muraille du palais est noire, flanquée de deux tours de guet aux toits dorés et elle baigne dans les eaux d'un canal; de grands tournesols dressent à mi-hauteur leur tête noire et or. La muraille tourne à angle droit, le canal aussi; sur son autre rive, il est bordé de petites maisons basses, qui tournent vers lui des murs aveugles, couverts d'un crépi noirâtre et écaillé; cette longue voie d'eau où se reflète le sombre rempart et l'envers d'une pauvre ruelle, a un charme désolé.

L'hôtel de Pékin est sens dessus-dessous; le hall est plein de minuscules danseuses birmanes, d'Hindous, de Mongols.

Les délégués asiatiques sont beaucoup plus nombreux que les occidentaux : il y a des équipes sportives, des associations religieuses, et surtout des groupes culturels et des ensembles artistiques. Pendant mon séjour à Pékin ont eu lieu une exposition d'art hindou, un festival du film hindou; j'ai assisté à des danses indonésiennes et birmanes, à des ballets donnés par le Viet Minh, et la troupe des Kabuki se prépare à donner une série de représentations. C'est tout spécialement aux peuples d'Asie que Chou En-laï a lancé l'appel : « Venez voir », conformément à la haute idée que la Chine se fait de sa mission sur le continent.

Ce soir, Chou En-laï donne un banquet en l'honneur de l'armée de libération et des délégués des minorités nationales : il y a trois mille convives. Il n'est pas question de dîner ici et nous émigrons à l'hôtel Sin Kiao qui était, avant que l'aile neuve du nôtre ne fût achevée, le plus grand hôtel de la ville; les Chinois en étaient si fiers que l'an dernier encore ils le faisaient visiter aux étrangers. Il a été bâti avec des capitaux fournis par les Chinois d'outre-mer. La salle à manger est pleine à craquer. Nous flânons dans les rues avec des amis et nous montons sur la terrasse de notre hôtel pour voir les illuminations de Pékin. La nuit est claire. Et nous nous disons ce que tout le monde à Pékin se dit ce soir : Pourvu qu'il fasse beau demain !

1er octobre. Il ne fait pas très beau. Brusquement, au cours de la nuit, le thermomètre est descendu de dix degrés, et le ciel est couvert. J'enfile mon manteau et j'y attache l'insigne que Tsai m'a remis hier avec solennité; c'est une broche rouge, aux armes de la République chinoise, à laquelle est fixé un ruban rouge imprimé de caractères noirs; il me permettra d'entrer dans les tribunes qui s'appuient au mur de T'ien An Men.

Nous quittons l'hôtel dès 9 heures, en auto, bien que T'ien An Men soit si proche : nous nous y rendons par un chemin détourné, l'avenue étant interdite aux voitures; nous contournons le palais impérial; dans les petites rues, nous voyons des chars, portant des maquettes de machines, des statues, des panneaux; il y a aussi des groupes de gens en attente : nous sommes dans les coulisses de ce grand théâtre que constitue aujourd'hui le centre de Pékin. Nous entrons dans la Ville interdite par la porte nord, et nous traversons le parc de part en part. Le service d'ordre nous dirige vers la tribune de gauche. Sous les gradins sont aménagés de petits salons où on sert du thé, de la limonade, des sandwiches : on peut y descendre au cours du défilé pour fumer, boire, se reposer. Le gouvernement ne réserve pas sa sollicitude à ses invités : tout le long du trajet que suivra le défilé, on a fait installer des conduites d'eau potable et des robinets afin que les spectateurs puissent se désaltérer au cours de ces longues heures.

Nous prenons place, au premier rang, car nous sommes arrivés tôt et la tribune est encore à demi vide. Derrière nous, un peu à droite, le pavillon, dressé sur la terrasse, nous domine; le portrait de Mao Tsé-toung est suspendu juste au-dessus de la voûte d'entrée. Sur les murs rouges s'étalent en énormes caractères chinois les slogans : « Vive la République de Chine — Vive l'unité de tous les peuples — Vive le marxisme-léninisme — Vive la paix ». A nos pieds, l'avenue est déserte : mais par-delà, sur l'immense place rouge, c'est un déploiement de soldats sanglés dans leurs uniformes beiges, de marins, de pionniers en chemise blanche qui tiennent à la main des branchages et des fleurs artificielles, rouges et roses. Des drapeaux rouges, d'autres aux couleurs acides ou tendres, flottent au-dessus de ce parterre. Aux premiers rangs, le long de l'avenue, est installée la musique militaire. Il fait vraiment froid, et pour se réchauffer, les soldats sautent sur place par groupes bien ordonnés : on dirait de loin une parade de petits soldats de bois. L'harmonieuse composition des chemises blanches avec le brun des uniformes, avec les riches nuances des bannières et des bouquets témoigne que les Chinois sont d'admirables metteurs en scène.

La tribune se remplit; il y a douze mille personnes sur l'ensemble des gradins qui entourent la place; nous retrouvons des amis, et nous faisons de nouvelles connaissances : voici Nenni, arrivé depuis trois jours à Pékin, et le physicien polonais Infeld qui fut le collaborateur d'Einstein, et l'historien allemand Matthias, qui a débarqué hier soir avec une délégation de femmes françaises. On échange des impressions. « Les Chinois sont le seul peuple du monde qui ignore absolument le cynisme », dit Infeld, qui tient volontiers quant à lui des propos d'une piquante sincérité.

A dix heures, l'orchestre attaque l'hymne national; des applaudissements éclatent : Mao Tsé-toung, accompagné de Tchou Tö, Lieou Chaa-ki, Chou En-laï, Soon Ching-ling —

la veuve de Sun Yat-sen — d'autres ministres et maréchaux, apparaît sous la colonnade qui court le long de la terrasse; il prend place juste au-dessus de son portrait. Il porte le classique costume en drap de laine d'un gris verdâtre, et une casquette, qu'il enlèvera pendant le défilé, aux acclamations de la foule. De loin, on ne le distingue pas des autres officiels : rien ne le signale particulièrement au regard. L'an dernier, c'est sur le plan national que les cérémonies de Pékin se sont déroulées : il y avait des délégués de toute la Chine, et près de Mao se tenaient entre autres le Dalaï Lama et le Pantchen Lama. Cette année, toutes les villes de Chine célèbrent le 1er octobre, et cette fête-ci a un caractère exclusivement pékinois. Ce sont les habitants de Pékin qui vont défiler; c'est le maire de Pékin qui s'approche du micro pour déclarer en quelques mots que la fête est ouverte.

Le canon tonne, je ne sais combien de fois, avec un fracas terrible : on dirait qu'il va crever le ciel; la place se couvre de fumée. Puis il se fait un grand silence; deux longues autos découvertes, venant des deux côtés de l'avenue, se croisent lentement devant T'ien An Men; dans chacune se tient debout, un homme vêtu d'un uniforme bleu et or : le maréchal P'ong Tö-huai, ministre de la Défense nationale, et le commandant en chef de l'armée se saluent solennellement. P'ong Tö-houai passe rapidement les troupes en revue, puis il remonte sur la terrasse de T'ien An Men d'où il lit un ordre du jour. Alors l'auto du commandant en chef s'ébranle sans hâte suivie par des soldats, des tanks, des canons : le défilé est commencé.

Il paraît que les délégués quakers qui visitent actuellement la Chine ont refusé d'assister aux cérémonies, par protestation contre cette parade militaire; elle dure pourtant bien peu de temps. Quelques avions à réaction passent bruyamment dans le ciel et tout de suite le défilé des civils commence. D'abord s'avance une formation de gardes d'honneur, appartenant aux diverses minorités; ils portent d'immenses banderoles rouges sur lesquelles se détachent en lettres d'or les slogans : « Vive le premier plan quinquennal — Libérons Formose — Vive la Paix ». Viennent ensuite des panneaux, semblables à ceux qu'on voit dans les parades de Moscou : les portraits de Mao Tsé-toung, Chou En-laï, Sun Yat-sen, Marx, Engels, Lénine, Staline, ceux aussi de Molotov, Malenkov, Boulganine, Khrouthchev se dressent au-dessus des têtes noires. Slogans et portraits réapparaîtront quantité de fois pendant ces quatre heures. Soudain, c'est un immense jardin qui marche vers nous : des milliers d'enfants agitent au-dessus de leurs têtes des bouquets, couleur d'aubépines en fleur; ils arrivent devant T'ien An Men, et brusquement lâchent des nuées de colombes qui semblent sortir du chapeau d'un prestidigitateur; elles s'envolent à tire d'ailes; des grappes de ballons multicolores s'élèvent au-dessus de la foule, entraînant avec eux des bouquets, des drapeaux, des étendards rouges où se déploient les slogans : Plan quinquennal — Formose — Paix. Le ciel se transforme en un grand champ de foire.

Les enfants sont suivis par quinze cents activistes qui viennent de clôturer leur congrès. Alors le gros du défilé commence : par rangées de quatre-vingts personnes, divisées chacune en six ou sept groupes, et occupant toute la largeur de l'avenue, s'écoule pendant trois heures un flot ininterrompu d'hommes vêtus de cotonnade bleu sombre : les ouvriers, employés, étudiants, artisans, commerçants de Pékin et les paysans des environs. Ils portent des bouquets, des bannières, des drapeaux, des rameaux d'olivier, des colombes en papier peint ou en bois découpé; ils entourent ces chars motorisés que j'ai aperçus dans les ruelles, et qui sont maintenant entièrement équipés; chaque groupe y présente un symbole de son travail : maquettes de locomotive, de roue dentée, de génératrice, d'une moissonneuse-lieuse, d'un haut fourneau, d'une turbine de 6.000 kW, d'une gerbe de blé, d'une corbeille de fruits, d'un coupon de cotonnade. Sur des panneaux sont inscrits des indices de production et d'accroissement de la production. Tous les manifestants ont un air radieux. Quand ils arrivent devant la tribune officielle, ils s'arrêtent, ils sautent et trépignent en agitant leurs bouquets et en riant à pleine bouche. « Peut-on imaginer que ce ne soit pas spontané ? » me dit Rewi Alley. Non. On ne peut pas. La joie qui illumine ces cinq cent mille visages est une évidence aveuglante. Je suis frappée par le caractère si personnel, si direct de leur rapport à Mao Tsé-toung. Rien ici de ce qu'on appelle « hystérie collective » ou « mystique du chef ». D'abord aucun de ces hommes n'a été absorbé par la foule : il y a là cinq cent mille individus, s'affirmant chacun pour son compte; et puis ce qu'on lit dans leurs yeux ce n'est ni de la servilité, ni de la fascination, mais très exactement de l'affection. Pendant un instant, cet ouvrier, cet artisan rencontre Mao dans un familier tête-à-tête, et en agitant son bouquet, en lui souriant, il lui dit merci d'homme à homme.

J'ouvre ici une parenthèse. La presse bourgeoise a inventé, au printemps 1956, que la « déstalinisation » gênait considérablement Mao, qui pratiquerait aussi à son profit le « culte de la personnalité ». Cette même presse, qui brusquement dénonce en lui un Staline chinois, répandait quelques mois plus tôt de mystérieuses rumeurs sur sa santé débile, ses fréquentes absences, son effacement. On insinuait que c'était Lieou Cao-ki, secrétaire du parti communiste, le véritable maître de la Chine : ce qui entraînait, comme bien on pense, quantité d'ingénieux commentaires. On s'est étonné que Mao sortît de sa réserve pour prononcer en juillet le fameux discours sur les coopératives : il fallait que la situation fût bien désespérée ! A mon retour à Paris, des gens ont été fort surpris que je l'aie aperçu, plusieurs fois, en chair et en os : on le croyait définitivement impotent. Comment cette discrétion — suspecte — se concilie-t-elle avec le « culte de la personnalité » ? Il faudrait que les journaux se mettent d'accord : Mao est-il un pantin moribond, ou un despote ? Le plus aveugle des lecteurs de Rousset aura tout de même du mal à avaler ensemble ces deux sornettes.

La vérité, c'est que la fonction officielle de Mao Tsé-toung, celle de Président de la République, n'implique que des attributions assez limitées. Le prestige personnel de Mao, ses qualités, sa compétence lui assurent cependant un rôle prépondérant; en particulier il est depuis 1927 le spécialiste incontesté des questions paysannes. Mais le pouvoir qu'il exerce n'est pas plus dictatorial que celui qu'a détenu par exemple un Roosevelt. La constitution de la Chine nouvelle rend impossible la concentration de l'autorité entre les mains d'un seul : le pays est dirigé par une équipe dont les membres sont unis par une longue lutte en commun et une étroite camaraderie. D'autre part, l'extrême simplicité de Mao Tsé-toung, la tranquille confiance avec laquelle il va et vient, sans aucune protection policière, l'apparentent, non pas à Staline, mais à Lénine. Il y a d'assez nombreux portraits de lui en Chine, et on y chante volontiers une ou deux chansons en son honneur : sans aucun doute, il est populaire, il est aimé. Est-ce le lot des seuls tyrans ?

Le défilé se poursuit. Tout en le regardant, nous nous

observons les uns les autres; Polonais, Français, Italiens, nous avons tous l'ironie facile et la volonté arrêtée de n'être pas dupes; chacun se demande s'il est seul à se sentir touché par la sérieuse gaieté de cette foule en marche. Nous sommes soulagés d'entendre Infeld murmurer : « Quand on voit ça, on n'a plus envie d'être cynique. » Et même nous éprouvons alors un peu de honte : pourquoi ces fausses pudeurs, ces consignes de scepticisme ? Nenni à son tour exprime notre commun remords quand il dit avec une espèce de nostalgie : « Impossible d'imaginer pareille chose à Rome ou à Paris : nous manquons bien trop de fraîcheur d'âme. » Oui. C'est peut-être ce qu'il y a de plus émouvant en Chine : cette fraîcheur qui par moments donne à la vie humaine le lustre d'un ciel bien lavé.

Les élèves de l'école aéronautique lâchent des planeurs et de petits avions à moteur qui s'envolent en flèche et redescendent en spirales vers le toit doré de T'ien An Men ou vers la foule; il y en a qui s'élèvent très haut, on n'en finit pas de les suivre des yeux. Derrière viennent les travailleurs culturels : huit mille acteurs et danseurs. C'est le clou du spectacle : le voilà le « théâtre dans la rue » dont rêvaient les surréalistes. D'abord, portés par des chars, dont les roues et les conducteurs sont invisibles, des tableaux vivants évoquent les pièces qu'on joue en ce moment à Pékin : nous reconnaissons des scènes de *La Chanson de la steppe*, de *A travers plaines et montagnes*. Puis des douzaines d'artistes déguisés en lions, en singes, en guerriers d'opéra sautent, dansent, se battent selon les traditions classiques; d'immenses dragons nagent parmi des vagues bleues : des étoffes agitées par d'invisibles machinistes figurent les ondulations de la mer; les dragons étirent sur quelque cent mètres leurs corps sinueux; c'est un ballet géant et merveilleusement réglé. Les jongleurs passent en jonglant, des pyramides humaines avancent, en équilibre sur des bicyclettes ou sur une unique roue, des acrobates tournent et bondissent. Des associations sportives ferment le défilé : de jeunes femmes sautent à l'unisson dans des cerceaux, des hommes soulèvent rythmiquement des haltères; chaque groupe exécute un numéro différent. Quatre heures se sont écoulées; nous sommes tous restés debout; et nous n'avons senti ni le temps, ni la fatigue tant était fascinant ce défilé qui commençait par une parade militaire et se terminait par un cirque.

Maintenant les soldats et les pionniers rassemblés sur la place rouge accourent vers T'ien An Men en agitant des drapeaux et des fleurs, ils recouvrent toute l'avenue. Mao Tsé-toung marche lentement vers un bout de la terrasse, puis vers l'autre, en saluant les invités étrangers et en agitant sa casquette. Il est deux heures de l'après-midi et la foule commence à se disperser.

Pendant la journée, le ciel s'est dégagé; c'est par une soirée fraîche mais claire que nous montons à 7 h. 1/2 l'escalier qui conduit à la terrasse de T'ien An Men : une centaine de délégués ont été invités à venir voir de là le feu d'artifice. Nous nous approchons de la balustrade. Il y a quatre cent mille personnes rassemblées sur la place et sur l'avenue : « Un caviar », dit Sartre en voyant toutes ces têtes noires pressées les unes contre les autres. D'autres encore se sont répandus dans les parcs. D'innombrables drapeaux sont plantés au milieu de la foule : autour se forment des cercles où les gens dansent; ils restent généralement groupés par écoles, par usines, par ateliers, mais certains passent d'un cercle à l'autre. Ils dansent des rondes, des farandoles, des espèces de blues, et aussi le yangko national qui ressemble un peu à la bourrée; d'autres jouent à colin-maillard; des acteurs ont revêtu leurs costumes de théâtre et s'amusent à des pantomimes. Pékin brille de tous ses feux : les milliers de lampions scintillent, les lampadaires illuminent l'avenue. Nous nous asseyons à de petites tables couvertes de tasses à thé, de cigarettes, de fruits, de bonbons; pendant que je cause avec Mao Touen et avec sa femme, Chou En-laï passe parmi les invités, serrant les mains avec une aimable désinvolture; puis, sans pompe, sans escorte, Mao Tsé-toung à son tour se promène de table en table. Ce qu'il y a de sympathique, chez tous les dirigeants chinois, c'est qu'aucun d'entre eux ne joue un personnage; ils sont habillés comme tout le monde, et leurs visages ne sont déformés ni par des tics de classe, ni par ceux qu'entraîne si souvent l'exercice du pouvoir ou le souci de représenter : par rien; ce sont des visages tout uniment et pleinement humains. C'est la première fois que je vois des gens revêtus de fonctions officielles qu'aucune distance ne sépare du reste du monde. Cette parfaite simplicité n'est pas de la démagogie; les Américains [1], Truman, Eisenhower par exemple, sont des démagogues : ils miment, avec plus ou moins de bonheur, la cordialité, la bonhomie. Mao Tsé-toung, Chou En-laï ne jouent pas. Ils ont cet inimitable naturel qu'on ne rencontre guère que chez les Chinois — qui vient peut-être de leurs profondes attaches paysannes — et la sereine modestie d'hommes trop engagés dans le monde pour s'occuper de leur figure. Pourtant on ne peut s'y méprendre : puissant ou subtil, leur visage manifeste une personnalité hors série. Non seulement ils séduisent, ils inspirent une sentiment bien rare: du respect.

Le feu d'artifice éclate. Ce sont, je crois, les Chinois qui l'ont inventé; depuis des siècles, en Chine, on tire des pétards, sous tous les prétextes, en particulier devant les autels ou sur les tombes des ancêtres. Il n'est pas étonnant que cette fête nocturne l'emporte de loin sur tous nos 14 Juillet. Innombrables soleils illuminant les quatre coins du ciel, cataractes de feu, tourbillons où s'engendrent d'éphémères galaxies, tous les yeux s'écarquillent. Des fusées lâchent des parachutes qui promènent dans l'espace des étoiles, des bulles, des grappes de lumières aux teintes merveilleuses. Des projecteurs balaient le ciel de pinceaux bleus, jaunes, violets : un ballet de pures couleurs.

Quand nous sommes fatigués de regarder, nous allons nous asseoir à l'intérieur du pavillon. Il est entièrement décoré de fleurs : un reposoir. Là aussi il y a des tables, avec du thé, et des délégués de tous les pays causent entre eux. Nous descendons dans la rue, nous nous frayons un chemin à travers la foule. Je n'ai jamais vu de foule si décente. D'abord, personne ne boit; en France, en Italie, on n'imagine pas un bal public sans un bistrot à proximité; ici, lorsque les gens sont fatigués de danser, ils s'accroupissent au bord du cercle et regardent les autres. Et puis on dirait que pour ces jeunes gens, la sexualité n'existe pas. Les danseurs se tiennent au moins à soixante centimètres l'un de l'autre. Et filles et garçons dansent indifféremment avec des garçons ou avec des filles : en aucun cas les couples ne sont équivoques. Pas de cris, pas de rires bruyants, nul désordre, mais partout de grands sourires. Ils vont danser jusqu'au matin.

1. Roosevelt, je crois, faisait exception, et peut-être un ou deux autres; mais le cas est rare.

Pendant la semaine qui suit le 1er octobre, les délégués étrangers sont invités presque chaque soir à des fêtes. J'ai entendu chanter *Les Bateliers de la Volga* par un premier prix du conservatoire chinois, *Rigoletto* par un soldat albanais en uniforme, et le grand air de *Carmen* par une cantatrice soviétique. J'ai vu le célèbre Mei Lan-fang dans un rôle de jeune fille : cela m'a rappelé ces exhibitions un peu spéciales que présente, par exemple, le Carrousel. J'ai assisté à la « première » du théâtre japonais où le tout-Pékin était rassemblé : les femmes avaient changé la veste et le pantalon contre des robes à l'occidentale; les hommes portaient des complets de drap.

Je commence à me familiariser avec les habitudes et les manières des Chinois. Ils m'ont d'abord déconcertée parce qu'ils me semblaient à la fois beaucoup plus naturels et beaucoup plus guindés que les Occidentaux. Peu à peu je les ai compris; ils sont d'une grande simplicité dans leur rapport avec eux-mêmes : avec leur corps, leurs besoins; et d'une extrême réserve en tout ce qui touche la communication avec autrui. Mme Cheng m'a tout de suite charmée par son naturel. « J'ai sommeil », a-t-elle dit un jour à An-chan à la fin d'un déjeuner officiel. Et nous laissant boire notre thé avec nos hôtes du jour, elle s'est étendue tranquillement sur un canapé et a dormi un quart d'heure. Tsaï m'a confié qu'il se sent mal à l'aise, en Occident. « En Tchécoslovaquie, en France, on est tout le temps obligé de se gêner. Par exemple, en Chine, ce n'est pas impoli de faire du bruit en mangeant un potage ou en buvant du thé : à Prague, à Paris, c'est impoli. Quand je voyage avec des camarades, nous nous observons les uns les autres, et on a toujours peur de faire des bévues. » En particulier, les Chinois ont eu de tout temps l'habitude de cracher, et ils trouvent normal de le faire en public, même au cours d'une conversation un peu cérémonieuse : aussi normal que chez nous de se moucher. Si j'avais voulu rapporter de Pékin des objets vraiment typiques, j'aurais choisi un crachoir et une bouteille thermos; c'est la première chose qu'on voit en entrant dans un magasin : des rayons chargés de ces deux ustensiles, tous deux peints de fleurs, d'oiseaux. On trouve des crachoirs dans les appartements, les bureaux, les trains, les parcs, partout. Quant aux bouteilles thermos, il y en a dans toutes les maisons, les échoppes, les administrations; les Chinois ne passent pas une heure sans boire du thé. Des « postes de thé » sont aménagés dans les salles d'attente des gares, dans les foyers des théâtres : ce sont de grands réservoirs dont il suffit de tourner le robinet. Eliminer ce qu'on a bu ne semble pas aux Chinois plus honteux que de boire; ce n'est pas à Pékin qu'on verrait les femmes chercher en minaudant d'un air d'excuse, la porte des toilettes. Le corps est là-bas tranquillement accepté, sauf dans ses fonctions sexuelles où de sérieux tabous existent. C'est probablement à leur profond enracinement dans la paysannerie que les Chinois doivent une simplicité que n'entache aucune vulgarité.

L'artifice intervient au contraire dans les rapports avec autrui. La gentillesse des Chinois est profonde, leurs prévenances délicates; et aujourd'hui ils extériorisent volontiers leur cordialité à l'égard de leurs visiteurs par des applaudissements et, entre femmes, des embrassades. Mais l'intimité est difficile. Celle que j'ai eue avec Mme Cheng me paraît tout à fait exceptionnelle. Une longue tradition a appris aux Chinois à dissimuler leurs sentiments, à ne pas exprimer leurs convictions, à éviter les questions personnelles et les confidences. Notre ami sud-africain ayant interrogé le délégué qui l'accueillait à Nankin : « Etes-vous marié ? Avez-vous des enfants ? » l'interprète sourit et refusa de traduire la question. « C'est indiscret », expliqua-t-il. Un Français, d'une cinquantaine d'années, demanda à sa jeune interprète : « Etes-vous mariée ? » Elle répondit avec hauteur : « Que diriez-vous si je vous posais la même question ? — Je dirais que je suis marié et que j'ai deux enfants », dit-il en riant. La jeune fille hésita, se radoucit. « J'ai un fiancé dans le Sud. » Tsai, après deux ou trois semaines, s'est mis à me parler tout à fait librement; mais au début il était d'une grande réserve. Quand j'ai déjeuné chez Ting Ling, j'ai remarqué sur sa table de travail des pinceaux; je lui ai demandé si elle peignait : elle a souri sans répondre. Les gens du Nord sont encore plus guindés; à Moukden, le contraste était frappant entre, d'une part Mme Cheng et Tsai, qui tous deux sont du Sud, tous deux petits et vifs, et les grands Mandchous au visage immobile. A la fin du dîner, au moment de porter le dernier toast, l'écrivain qui pendant toute la journée nous avait silencieusement escortés nous a dit en souriant : « J'ai un grave défaut : je ne sais pas extérioriser les sentiments que j'éprouve dans mon cœur. » Tsai, après avoir traduit cette brève autocritique, l'a approuvée : « Oui, dit-il, on dit souvent que nous autres Chinois nous ressemblons à des bouteilles thermos : le dehors est froid, mais l'intérieur est chaud. » Le fait est que, à défaut de spontanéité, certains Chinois ont une gentillesse si délicate qu'elle réussissait à créer entre ces inconnus que nous étions les uns pour les autres un vrai rapport humain.

VIII

VILLES DE CHINE

Je me souvenais d'un vieux film soviétique, *Le Train mongol.* Des Occidentaux et quelques compradores se prélassaient en pullman tandis qu'un troupeau misérable étouffait de chaleur, de fatigue, de saleté dans les wagons surpeuplés des troisièmes classes. J'étais curieuse de voir les trains chinois d'aujourd'hui. On met vingt heures pour aller de Pékin à Moukden, trente heures de Pékin à Nankin, trois jours de Nankin à Canton : je les ai vus.

Ils comportent des classes; les sièges, disposés des deux côtés d'un couloir central, sont soit en bois dur, soit rembourrés. Dans les trains de nuit il y a en outre différentes catégories de wagons-lits. Je dormais dans un compartiment à quatre couchettes, superposées deux par deux; chaque voyageur installe lui-même la literie que la compagnie lui fournit : un drap qui tient lieu de sommier et une couverture de laine, protégée par une housse blanche. D'autres wagons ne sont pas divisés en compartiments, mais constituent de vastes dortoirs où les couchettes se superposent trois par trois; une bâche verte isole chaque dormeur : celui-ci fournit lui-même ses couvertures; le long du couloir court un petit banc sur lequel on s'assied pour lire ou boire du thé. Dans tous les cas, des cabinets de toilette collectifs sont installés au milieu du wagon. Chaque voyageur a une place à soi, couchée ou assise. Dans les dortoirs sont suspendus des cahiers de réclamation. J'en ai parcouru un : un usager suggérait qu'on affichât dans les wagons l'horaire des trains;

un autre se plaignait pendant toute une page : « Je suis arrivé à minuit. Personne n'était là pour me donner des couvertures. J'ai pris froid, je me suis enrhumé. » Les wagons-restaurants sont décorés de plantes vertes et d'images populaires; comme ils sont fréquentés par de nombreux techniciens russes, on peut y manger de la cuisine internationale; je remarque même que le thé y est servi à la mode russe, sucré, et dans des verres.

Il n'est pas facile de lire dans un train chinois. La T.S.F. ne se tait pas une minute; elle débite des airs d'opéra ou de la musique folklorique, elle annonce la prochaine station, elle donne des conseils d'hygiène. Des employés armés de balais et de chiffons récurent sans répit les couloirs; l'un d'eux passe toutes les heures dans notre compartiment; il pousse le zèle jusqu'à soulever la pile de livres que j'ai posés sur une tablette et il essuie les surfaces cachées. Un autre promène un énorme arrosoir emmailloté de chiffons : il déverse l'eau bouillante alternativement dans les crachoirs alignés le long du corridor et dans les tasses à thé. Au départ, on nous remet en effet des récipients de faïence, munis d'un couvercle et d'une anse, qui ont la forme et la taille de certains demis de bière: on nous vend des sachets de thé vert; nous jetons le contenu dans les tasses que l'homme à l'arrosoir remplit dès qu'elles sont vides. Vers la cinquième fois le thé devient trop faible : on achète un autre sachet.

Je pars pour Nankin vers six heures du soir et je traverse de nuit le fleuve Jaune. Je me réveille de bonne heure, au milieu d'une plaine qu'encadrent à droite et à gauche des montagnes de faible altitude. Toute la journée le train roule, l'horizon indéfiniment recule, et le même paysage se déploie : il me semble à la fois familier, et très insolite. Ni landes, ni forêts, ni rochers : pas un pouce de nature brute; presque pas d'arbres; le sol, plat comme un polder hollandais, est découpé en une multitude de champs où l'on cultive des légumes, du soja, des fèves, des cacahuètes; chaque propriété a environ la dimension d'un court de tennis, et elle est bariolée comme un potager. Ces traits — petite propriété et polyculture — se rencontrent dans beaucoup de campagnes françaises : mais toujours sur une petite échelle; les vastes plaines de France sont uniformément couvertes de betteraves, de blé, de vigne; ainsi en Mandchourie, il me paraissait naturel de voir onduler à perte de vue le kaoliang. Ce qui me déconcerte ici c'est que du matin au soir, sur des centaines de kilomètres, se répètent dans leur monotone diversité les jardins maraîchers des environs de Paris. Jamais non plus, dans aucune contrée, je n'avais vu autant de paysans en train de travailler la terre; ils la soignent aussi assidûment qu'un jardin, et en employant des instruments de jardinage : herses, sarcloirs, couteaux, pelles, bêches, binettes. De loin en loin cependant, l'un d'eux laboure; la charrue que traîne un bœuf trapu est identique à celles qui figurent sur les fresques de Touen Houang. Quand le laboureur porte — ce qui s'est trouvé deux ou trois fois dans la journée — une longue robe noire, d'allure antique, les vieux clichés prennent une insolite vérité : on se croirait reporté de quarante siècles en arrière. La plupart cependant sont habillés de l'habituel costume en cotonnade bleue; tous sont décents, pas un haillon [1]. Je remarque entre les champs des pierres droites et grises qui sont des bornes, le sol en est hérissé; elles attirent d'autant plus le regard que, sauf les silhouettes humaines, aucune ligne verticale ne coupe l'horizon. La région est aussi déboisée que celle que j'ai survolée en avion. Pendant deux ou trois heures défilent de jeunes peupliers plantés depuis la libération, et puis de nouveau, plus un arbre. Pour se chauffer les paysans brûlent des broussailles qu'ils ramassent dans les montagnes, ou des tiges de kaoliang.

Les montagnes qui ondulent à droite et à gauche sont aussi monotones que la plaine. Mme Cheng me désigne pourtant une cime fameuse : le mont T'ai Chan, au centre du Chantong, c'est la montagne de l'Est, la plus célèbre des quatre montagnes sacrées de la Chine. Son sommet, haut de 1.543 mètres, est couronné de temples où les pèlerins venaient naguère prier, par centaines de mille. Cinq empereurs seulement osèrent y célébrer, depuis le début de la période historique, le sacrifice *Fong,* le plus solennel de tous et qui réclamait des mains absolument pures. Elle est le centre d'une quantité innombrable de légendes.

Vers le soir, des taches de couleur vive éclatent sur le fond gris-vert des champs; de petits arbres portent des fruits orange : des kakis; les buissons d'un rouge violacé sont des espèces de genêts avec lesquels on fabrique des balais.

---

1. M. Guillain est obligé de reconnaître que c'est là un changement radical et assez extraordinaire.

La nuit noircit les vitres. Il est onze heures quand nous arrivons au bord du Yang-tzé; aucun pont ne le traverse. Quand celui qu'on bâtit à Hankeou sera terminé, le trafic ferroviaire entre le Nord et le Sud en sera transformé. Pour l'instant, on franchit le fleuve en ferry-boat, ce qui exige de longues manœuvres.

Nankin

Nankin est bâti sur la rive droite du Yang-tzé; pendant trois siècles, de 318 à 589, elle fut la capitale de cette sorte de Bas-Empire que devint la Chine du Sud quand la dynastie Tsin eut abandonné le Nord aux hordes turco-mongoles. Reconquise par le premier empereur Souei, elle connut de nouveaux jours de gloire quand Tchou Yuan-tchang, fondateur de la dynastie Ming, l'eut prise en 1356 pour capitale. Il l'enferma dans une muraille de 96 lis et y résida jusqu'à sa mort. Détruite par les Taiping, mal reconstruite quand Tchang Kaï-chek l'eut prise pour capitale, Nankin manque de caractère. En 1937, les Japonais la mirent à sac : ils n'y tuèrent pas moins de 42.000 personnes. Les enfants furent massacrés, et toutes les femmes de dix à soixante-dix ans violées [1]. Edgar Snow [2] raconte que les jeunes filles de Nankin avaient pris l'habitude de marcher la tête baissée, sans regarder personne, et qu'elles ne pouvaient supporter la vue d'un homme. Une quantité de maisons furent brûlées; orgie et pillage durèrent des jours et des nuits. La zone internationale de sécurité où s'étaient réfugiées 250.000 personnes devint un véritable camp de concentration : des milliers d'hommes et de femmes y furent saisis par les Japonais et mis à mort.

Nankin compte 1.400.000 habitants; elle est peu industrialisée. Les maisons ne ressemblent pas à celles de Pékin. Au lieu de se cacher derrière des murs, elles exhibent des façades, de deux à trois étages, percées de fenêtres. Dans la périphérie travaillent de nombreux artisans; ils battent le fer ou scient le bois dans de grandes baraques de planches; par derrière il y a un terrain vague qui sert de cour, et une maison d'habitation bâtie elle aussi en bois.

Il y a aux environs de nombreux monuments, mais qui m'in-

1. Les faits et les chiffres ont été établis par le Comité de secours international de Nankin.
2. *Scorched earth.*

téressent médiocrement; je trouve belle l'allée funéraire qui conduit au tombeau des Ming, et que bordent des statues en pierre, deux fois plus grandes que nature, représentant des hommes et des animaux. J'ai aimé aussi, derrière une muraille noire, le lac qui est à perte de vue un immense champ de lotus. Cette plante, dont les racines plongent dans la boue, dont la fleur s'épanouit au soleil, merveilleusement blanche et pure, n'est pas seulement riche en symboles, et sacrée : elle est nourrissante. On en mange les fruits, et la racine. On utilise les feuilles pour envelopper la viande et d'autres denrées comestibles : imperméable aux substances huileuses, elle donne aux aliments un goût léger que les gens du Sud apprécient. Aujourd'hui, fleurs et fruits sont passés; la tige du lotus s'achève par une pomme d'arrosoir, aux alvéoles vides. Mais les feuilles sont vertes et fraîches, et c'est tout juste le moment de les cueillir. Des femmes bottées, les jambes enfouies jusqu'au genou dans la boue du lac, sont en train de les récolter; elles en chargent des barques qui les transportent vers les collines artificielles élevées au milieu du parc; on les étale sur les versants exposés au soleil afin de les sécher. Ainsi les jardins aquatiques ont envahi la terre, le lotus est partout. D'autres femmes ramassent les feuilles sèches et les enfilent sur une ficelle.

Comme nous buvons du thé au milieu d'une pelouse, une délégation de Japonais apparaît au fond d'une allée. Ils ont tous des moustaches, des lunettes d'écaille, ils portent de beaux complets occidentaux, et tiennent à la main des serviettes de cuir. Je pense au sac de Nankin, et je me demande si les Chinois n'éprouvent pas devant leurs hôtes japonais des sentiments analogues à ceux que nous inspirèrent les premiers touristes allemands. Je pose la question à Mme Cheng : « Il faut que nous apprenions à oublier », me dit-elle avec un petit sourire qui prouve qu'elle n'oublie pas.

A minuit nous prenons le train. De Nankin à Shanghaï, on franchit, paraît-il, cent soixante-quatre ponts. Je ne m'en aperçois pas, car je dors. Mais quand le matin de bonne heure je me mets à la fenêtre je vois que nous traversons en effet une quantité de rivières et de canaux. La voie ferrée est bordée de champs de coton. Les paysans sont mieux habillés que dans le Nord : les femmes portent des vestes de cotonnade fleuries, aux couleurs vives. Nous approchons; les canaux, chargés de péniches, se multiplient. Les faubourgs sont pauvres, ils semblent surpeuplés : il y a un énorme grouillement, dans ces rues dont les chaussées sont faites de petits pavés et que bordent des cabanes en pisé, aux toits de chaume. Au loin, voici des cheminées d'usines, et des gratte-ciel : vision qui en arrivant de Pékin semble tout à fait insolite. Le train s'arrête : on entre à Shanghaï.

Shanghaï

A l'origine, Shanghaï, qui s'appelait alors Houa-ting, n'était, au milieu du delta du Yang-tzé, qu'un petit village de pêcheurs; quand le port de Sou-tcheou, à l'embouchure de la rivière du même nom, fut obstrué par des alluvions, les bateaux commencèrent à jeter l'ancre à Houa-ting; un commissaire de commerce, chargé de prélever les taxes, s'y installa au XIe siècle; plus tard on y établit un service de douanes; en 1279 Houa-ting devint indépendante de Sou-tcheou et désormais elle paya directement ses taxes à Pékin. La ville était un hsien — bourgade de second ordre, équivalant à une sous-préfecture — et elle avait si peu d'importance que Marco Polo ne la signale même pas. Les corsaires japonais y faisaient de fréquentes incursions; ils la mirent à sac au début du XVIe siècle, et les empereurs Ming l'entourèrent alors d'une muraille de cinq kilomètres et demi. Le terrain marécageux sur lequel elle était bâtie, et où ne poussait aucun arbre, était si plat, si désolé, qu'un voyageur français écrivait vers 1850 : « Auprès d'un tel paysage, la Camargue et les bords de la Charente sont pittoresques. » Mais économiquement, sa situation était remarquable. Elle s'élevait à la jonction de la rivière Sou-tcheou et d'un canal qui reliait celui-ci à une branche du Yang-tzé : élargi en 1403 par les Ming, ce canal s'annexa la partie inférieure de la rivière, dont la partie supérieure constitua désormais un simple affluent du grand fleuve semi-artificiel, le Whangpou, qui descend de Shanghaï à la mer. Par un vaste réseau de canaux et de cours d'eau, la ville communique avec des régions qui comptent parmi les plus riches du monde : la vallée du Yang-tzé, les fertiles plateaux du Sseu-tchouan, et la grande plaine du Nord. Elle est balayée par les vents secs et froids qui soufflent de l'Asie centrale mais aussi par les alizés du Pacifique : son climat est semitropical pendant un tiers de l'année, modéré pendant les deux autres tiers. A l'abri des typhons et des hautes marées, les eaux du Whangpou offrent aux bateaux un havre sûr. Shanghaï devint peu à peu le centre du trafic entre le nord et le sud de la Chine. Les Anglais, mécontents du statut qui leur était imposé à Canton, apprécièrent les avantages de sa position. En 1832, Lindsay, envoyé par la Compagnie des Indes orientales pour négocier avec le gouvernement chinois, obtint à Shanghaï une entrevue avec l'intendant du circuit. Il découvrit que le mouvement du port y était plus important qu'à Canton : en une semaine, il compta que 400 jonques, transportant de 100 à 400 tonnes de marchandises, accostaient les quais du Whangpou. Il signala le fait dans un rapport où il indiquait les diverses circonstances qui rendaient Shanghaï singulièrement propice aux entreprises commerciales. Des missionnaires américains confirmèrent ses observations. En conséquence, le 11 juin 1842, le croiseur anglais *Némésis* remonta par eau jusqu'à la ville tandis que deux mille soldats anglais l'attaquaient par la terre. Après dix-neuf jours de combat, Shanghaï tomba et le général Hugh Gough établit son quartier général dans le temple du génie protecteur de la ville. Le traité de Nankin, signé en octobre 1842, ratifia ce coup de force. Shanghaï devint port ouvert, et sur une largeur de huit kilomètres les terrains qui bordent le fleuve furent sinon vendus, du moins — ce qui revenait exactement au même — loués à perpétuité aux Anglais à qui on reconnut le privilège d'exterritorialité. Ils créèrent un comité municipal qui en 1869 promulgua les *Land Regulations :* par cette prétendue « charte spontanée », le Comité s'arrogeait le droit de lever des impôts, d'établir des taxes, d'assurer la police et le contrôle sanitaire. Le monopole de la Compagnie des Indes ayant été aboli en 1836, il y eut une ruée de marchands anglais et américains, qui s'entendirent pour créer ensemble la « Concession internationale » tandis que les Français s'installaient à proximité de la ville chinoise. C'est ainsi qu'au moment où apparaissaient sur les bords du lac Michigan les premières venelles de Chicago, où des aventuriers bâtissaient au bord du Pacifique les premières baraques de San Francisco, les Chinois virent pousser sur la rive gauche du Whangpou les premiers « hongs ».

Le long du fleuve courait un chemin de halage où des coolies à demi nus tiraient en ahannant de lourdes jonques chargées de grain; sur le sol spongieux qui s'étendait derrière cette étroite bande de terre, des architectes chinois bâtirent, avec des briques importées d'Angleterre, et selon des directives anglaises, des maisons dont les deux étages étaient entourés de terrasses à galerie : d'un bout à l'autre de la grande avenue qu'on appela le Bund se succédaient des arcades de briques; les quatre pièces du rez-de-chaussée servaient de bureau; on habitait à l'étage supérieur. Le style des « hongs » fut baptisé « style comprador » parce qu'il était comme le comprador lui-même un compromis bâtard entre la Chine et l'Occident. Autour des maisons s'étendaient des jardins privés et des parcs publics qui donnaient alors à la ville un aspect aristocratique : on disait que les *taipan*[1] habitaient des palais.

Sur un point seulement ceux-ci se trouvaient plus défavorisés que les négociants de Canton : il ne leur était pas facile de communiquer avec le reste du monde. Les bateaux qui transportaient la poste s'arrêtaient à Woosong, à une assez grande distance de la ville : des courriers, montés sur des poneys rapides, amenaient au galop jusqu'au Bund les sacs postaux qu'ils jetaient, sans descendre de selle, sur le seuil des firmes. En 1871 le télégraphe permit de s'entretenir avec Londres, à travers la Sibérie. Le premier train fit son apparition en 1908; il reliait Shanghaï à Nankin; l'année suivante fut inaugurée la ligne Shanghaï-Hang-tcheou. Mais les routes correspondantes ne s'ouvrirent qu'en 1932. Parqués dans leurs concessions, les Occidentaux vivaient donc dans un isolement presque total. D'autre part, le port, quoique bien abrité, ne leur donnait pas entière satisfaction. Le Whangpou avait quinze pieds de profondeur, mais en 1905 les dépôts d'alluvions surélevèrent son lit de cinq pieds. Il fallut des travaux considérables pour qu'en 1928 on pût compter, pendant quelques heures par jour, sur une profondeur de trente-deux pieds; et il resta nécessaire de draguer incessamment le fleuve. Il y avait en particulier à l'entrée de l'estuaire une barre limoneuse que les Anglais appelaient *Fairy Flats*, et qui obligeait les grands bateaux à attendre la marée haute; certains, dont le tonnage était trop élevé, ne pouvaient pas passer du tout. En 1936, Shanghaï était le moins profond, le plus exigu et le plus encombré des grands ports orientaux.

1. C'était le nom qu'on donnait aux marchands occidentaux.

Malgré ces inconvénients, Shanghaï se mit à proliférer, plus rapidement que Chicago, San Francisco ou Sydney. Il dut son développement à un fait qui se renouvela tout au long de son histoire et qui en est une des caractéristiques essentielles : il se peupla de réfugiés. Environ trois cent mille Chinois chassés de leurs villes et de leurs villages par la sanglante révolte des Taïpings, vinrent y chercher un abri. L'ancienne ville chinoise, ceinte de murailles, et déjà surpeuplée, ne pouvait les accueillir : ils demandèrent aux Occidentaux de leur céder une partie des terrains que ceux-ci avaient accaparés pour une bouchée de pain. Français, Américains, Anglais s'empressèrent de les satisfaire : ils débitèrent en lotissements jardins et esplanades, et les revendirent à prix d'or aux Chinois sans feu ni lieu; ou bien ils y firent construire en hâte des maisons dont ils réclamèrent des loyers élevés; le consul anglais alla jusqu'à abandonner la moitié de son parc fleuri de magnolias, tant cette spéculation se montra profitable. La ville perdit son charme aristocratique; elle se couvrit de logements à bon marché et dans les rues, on coudoya des foules d'indigènes. Ceux-ci ne possédaient aucun droit, sinon celui de payer loyer et impôts. Ils étaient jugés en cas de délit par une cour mixte et dans les cas graves déférés à des tribunaux chinois. La révolte des Taïpings jugulée, beaucoup rentrèrent chez eux. Mais il y eut une nouvelle immigration quand à la fin du siècle Shanghaï se transforma en ville industrielle.

La cité s'était d'abord vouée exclusivement au négoce; les Occidentaux achetaient et vendaient le thé, la soie, et surtout l'opium qu'ils importaient des Indes et dont ils avaient aussi enseigné la culture aux Chinois; officiellement aboli en 1917, ce commerce se poursuivit clandestinement. Ce furent les Japonais qui bâtirent les premières manufactures, quand ils se furent établis au nord de la ville; les Anglais suivirent leur exemple; ils créèrent une fabrique de textiles : l'Ewo Mill. Bientôt, sans renoncer à ses profitables trafics, la ville se couvrit d'usines : pour la plupart des fabriques de textiles, appartenant à des Japonais. Tous les paysans misérables que l'inondation, la famine, la guerre chassaient de leurs foyers vinrent chercher du travail à la ville, on embaucha hommes, femmes, enfants, pour des salaires dérisoires; ainsi naquit un prolétariat qui se développa rapidement. En 1925 il y eut un nouvel afflux de deux cent cinquante mille Chinois; Shanghaï comptait alors trois millions d'habitants. D'immenses et misérables faubourgs s'étaient développés, principalement au nord de la ville.

Tandis que se multipliait le prolétariat indigène, la population blanche s'accroissait, le capital s'accumulait, la ville grandissait et s'embellissait. La révolte des Boxers amena une dépression, mais de courte durée. On construisit l'avenue de Nankin, large artère perpendiculaire au Bund et bordée de luxueux magasins : bientôt, les immeubles y atteignirent quatre à cinq étages. Par-delà l'agglomération où résidaient les Chinois, des deux côtés d'une route qui conduisait à un lieu dit « la Source pétillante », on bâtit un quartier résidentiel : de grandes villas s'élevèrent au milieu de jardins où pullulaient les moustiques. Les anciens « hongs » furent remplacés par de grands bureaux modernes. On planta des parcs « interdits aux Chinois et aux chiens » où la bonne société se réunissait pour prendre le frais. Au début du siècle apparurent les premiers tramways, qui étaient alors le monopole d'une compagnie britannique; sur les quais du Whangpou débarquèrent les premières autos — deux Oldsmobile — bientôt suivies de beaucoup d'autres; les gens circulaient aussi en pousse-pousse, un Français ayant eu, vers 1874, l'idée d'introduire en Chine ce véhicule qu'on utilisait au Japon. En 1923, les Occidentaux virent avec déplaisir s'amener à Shanghaï trois cents russes blancs; il en vint aussi de Mandchourie. Ruinés, ils travaillaient comme manœuvres, ou ils entraient au service de riches Chinois, ce que les Anglais, les Français, les Américains jugeaient nuisible au prestige de la race blanche.

En dépit de ses splendeurs, Shanghaï sous plus d'un aspect était sordide; il possédait de superbes villas et des jardins fleuris, mais il manquait d'eau. On but d'abord l'eau du Whangpou qu'il fallait filtrer et faire bouillir. En 1883, une compagnie se chargea de capter de l'eau en amont de la ville, et de l'amener à Shanghaï par des tuyaux, après l'avoir filtrée et désinfectée à l'alun et au chlore : elle avait mauvais goût et demeurait suspecte. Une compagnie française, deux compagnies chinoises créèrent d'autres prises d'eau; mais la purification fut toujours insuffisante : la mauvaise qualité de l'eau provoqua en 1926 une épidémie de choléra qui ravagea les faubourgs ouvriers de Chapei, au nord de la ville. En 1936, on calcula que Shanghaï consommait chaque jour cent millions de gallons[1] d'eau, quantité qui n'eût pas suffi à alimenter pendant deux heures et demie la population de New York, à peine deux fois plus nombreuse. Cette carence entraînait de regrettables conséquences. Dans les égouts, creusés à ciel ouvert, et qui empuantissaient la ville, le courant n'était pas assez abondant pour entraîner les ordures, qui pourrissaient au fond des fossés. Jusqu'en 1923, il n'y eut pas de chasse d'eau dans les latrines. Les ordures ménagères et les déjections des habitants étaient achetés par des concessionnaires qui les enlevaient dans des tonneaux, et les transportaient sur des péniches afin de les revendre comme engrais aux paysans des environs. En 1934, il existait un système d'égouts, et deux incinérateurs : mais ce commerce continuait à prospérer.

Cependant Shanghaï se modernisait. En 1925 la riche famille des Sassoon fit construire le premier gratte-ciel; étant donné la nature du sol, l'entreprise paraissait impossible; on réussit pourtant à édifier « Sassoon house », immeuble de quinze étages, blanc, trapu, surmonté par une sorte de clocher noir; bientôt s'éleva toute une ligne de gratte-ciel dont la laideur rappelle celle de Michigan Avenue à Chicago; ils reposent sur de véritables radeaux en ciment armé, flottant sur la boue du marécage originel. Vers 1933, l'argent monta en flèche : Washington était acheteur. Les banquiers vendirent à tour de bras : on chargeait de dollars des navires entiers. Il en résulta une inflation catastrophique; mais pendant un moment Shanghaï connut une prospérité encore inégalée; on vit sortir de terre des immeubles, des hôtels, des magasins, de nouvelles banques.

La distraction favorite de la société élégante, c'étaient les courses de chevaux et de chiens. Pendant la première semaine de mai et la première semaine de novembre, tous les bureaux fermaient pendant trois jours, et les Occidentaux se rassemblaient sur l'hippodrome situé au centre de la ville et qui appartenait aux Anglais. Chaque taïpan entretenait une écurie : la plus réputée était celle du riche et célèbre Jardine. Il n'existait pas de jockey : la plupart de ces messieurs montaient en personne. Sur le cynodrome couraient des lévriers qu'on dopait si brutalement que souvent l'un d'eux tombait mort au milieu de l'épreuve.

---

1. La statistique ne tenait pas compte des puits privés; mais ceux-ci étaient très rares.

Les riches aventuriers et les matelots pauvres qui peuplaient les rues de la ville exigeaient d'autres plaisirs : à la fin du siècle, un prédicant anglais dénonçait Shanghaï comme étant « un abîme d'iniquités ». A côté du luxueux « Shanghaï Club » qui possédait le bar le plus long du monde, prospéraient des cafés, dancings, cabarets, maisons de jeu de toutes catégories et aussi des fumeries d'opium et des bordels. En principe illicite, la vente de l'opium se pratiquait ouvertement dans la concession française : les paquets portaient une étiquette où étaient inscrits le nom et l'adresse du fournisseur. Quant aux bordels, Shanghaï détenait le pourcentage de prostituées le plus élevé du monde : en 1934, on en comptait une sur cent trente habitants, alors qu'à Paris la proportion était seulement d'une sur quatre cent quatre-vingt-un; il y avait parmi elles quelques Occidentales; mais c'étaient en grande majorité des Chinoises, qu'on achetait enfants à de pauvres familles pour deux à trois dollars pièce, ou qu'on kidnappait impunément et qu'on mettait en maison dès l'âge de treize ans.

La ville était infestée de mendiants, groupés sous la direction d'un chef puissant; ils dévalisaient les passants, et particulièrement les voyageurs fraîchement débarqués; quantité de gangs terrorisaient la population avec la complicité de la police. Il arrivait souvent que des hommes fussent enlevés et engagés de force comme marins; on leur arrachait une signature à la faveur de l'ivresse; cette pratique existe dans tous les ports mais elle était à Shanghaï si répandue que pour la désigner les Américains forgèrent le verbe *to shanghaï*.

Bombardé en 1932 par les Japonais, occupé par eux à partir de 1937, Shanghaï revint à Tchang Kaï-chek en 1945. Pendant quatre années il fut en proie à la corruption et à l'anarchie. Les officiers nationalistes avaient juré que Shanghaï « serait un nouveau Verdun ». Mais quand l'armée rouge s'avança, ils se débandèrent et les soldats passèrent en masse du côté des communistes. Ceux-ci entrèrent dans la ville le 25 mai 1949, sans presque tirer un coup de fusil.

J'ai dit déjà que le gouvernement après avoir songé à dépeupler Shanghaï renonça à ce projet. La ville contient aujourd'hui six millions d'habitants qui appartiennent presque tous à des familles ouvrières.

Au carrefour du fleuve Whangpou et de la rivière Soochow

se dresse un hôtel de plus de dix étages qui, entre 1945 et 1949, a servi de bordel aux soldats américains; il abrite aujourd'hui des techniciens soviétiques et leurs familles. De sa terrasse, on découvre toute la ville; immense, hérissée de gratte-ciel, elle a la tristesse d'une ville du Middle West. On aperçoit les clochers pointus d'une église catholique, les coupoles bleu roi d'une église orthodoxe, de faux palais à colonnades, et une pièce montée, glacée de crème à la vanille, qui est le pavillon d'exposition soviétique. Seuls le fleuve et la rivière consolent le regard, étonné par tant de laideurs.

Les gratte-ciel du Bund, dressés sur d'invisibles radeaux, abritent maintenant des banques populaires, des bureaux; la chaussée est sillonnée de tramways et d'autos : on se croirait presque en Occident. Le fleuve appartient à un autre monde; péniches, jonques, sampans glissent sans bruit : pas un moteur; le vent gonfle des voiles en fibres de latanier, soutenues par des espèces de nervures; des hommes rament; parfois, à l'avant d'une lourde embarcation, une famille entière godille. La circulation est particulièrement intense sur la rivière; un agent, posté au confluent des deux cours d'eau, la dirige à travers un porte-voix : les barques abaissent leurs voiles pour ralentir leur vitesse et éviter les collisions. Peu descendent vers la mer. Le trafic se fait surtout vers l'intérieur des terres; il y a 50.000 kilomètres de canaux qui relient Shanghaï aux campagnes chinoises, desservant plus de 200 millions de gens. Dans le delta, toutes les communications se font par voie d'eau. Les bateaux ne servent pas seulement au transport des marchandises : il en est d'immobiles qui forment sur la rivière et les canaux de véritables villages; une partie de la population y habite. Le port qui s'étend le long du Whangpou est aujourd'hui très calme par suite du blocus dont la Chine est victime. Je n'y ai vu qu'un seul grand bateau étranger; il portait un pavillon anglais, son équipage était asiatique. Des hommes déchargeaient des ballots de coton et des sacs de riz amenés par des jonques; en travaillant, ils chantaient une sorte de complainte, âprement rythmée.

Derrière le Bund s'étend l'ancienne concession internationale, où s'est concentré tout le mauvais goût de l'Occident. On ne sait ce qui est le plus laid des gratte-ciel de style américain, des cottages anglais, des villas qui rappellent les plus déplorables bâtisses de Deauville. Beaucoup de ces maisons se cachent dans des jardins qu'entourent des palissades de bambou grisâtre, aux lattes serrées. Voici l'ancien hippodrome; il avait été transformé par les Japonais en un camp militaire, et en cantine militaire par les Américains : c'est aujourd'hui une sorte de Champ-de-Mars où ont lieu les parades et les défilés. Le cynodrome a tenu lieu pendant un temps de tribunal populaire : de nombreux meetings d'accusation s'y sont déroulés. Maintenant on en a fait un grand théâtre en plein air.

Le cœur de l'ancienne concession est occupé par un vaste quartier commerçant que domine un grand magasin d'Etat. Haut de quarante-trois mètres, couleur d'ocre clair, il est laid comme toutes les bâtisses que le capitalisme occidental a léguées à Shanghaï. Mais l'intérieur est admirablement aménagé : de l'air, pas de chaleur excessive, une quantité d'ascenseurs et d'escaliers roulants. On y trouve un service de banque, une centrale téléphonique, des postes où l'on distribue gratuitement du thé, des salles de repos dont l'une est réservée aux femmes accompagnées d'enfants. On y sert environ cent mille clients par jour; mais le dimanche ce nombre est plus que doublé. Il y avait foule en effet, cet après-midi-là. Plutôt qu'un magasin, on dirait un parc d'attraction : les enfants courent entre les comptoirs, ils font des glissades sur les parquets cirés. Les adultes flânent. Il y a tant de choses à regarder : voici en énorme quantité des bouteilles thermos, assez grandes pour alimenter en thé toute une famille pendant toute une journée; elles sont peintes de fleurs, d'oiseaux; voici des couvertures de soie jaune vif, rose, vert tendre; des pièces de soie unies, ou brodées avec un goût ravissant d'arbres, de pagodes, de discrets motifs géométriques; voici de somptueuses robes de chambre en soie brochée, des vestes d'intérieur matelassées, en soie noire et or, des kimonos, des peignoirs aux couleurs vives. Au rayon des fourrures, on vend quelques manteaux, mais surtout des peaux de mouton brutes qui serviront à doubler les costumes d'hiver. De nombreux comptoirs sont consacrés à l'artisanat : porcelaines, cloisonné, bambou tressé, vannerie. Les gens admirent, ils sourient. La plupart de ces hommes et de ces femmes aux modestes vêtements n'avaient jamais pénétré, avant ces dernières années, dans un endroit aussi luxueux : les riches magasins étaient autrefois réservés aux riches; ils sont pauvres, et pourtant ils sont ici chez eux; l'élégance des étalages, la lumière, les couleurs, la bonne odeur d'encaustique, tout leur est destiné. La plupart de ces marchandises sont vendues à des prix qui leur sont abordables. Ils achètent beaucoup : en particulier de la toile de laine et même de la soie, article dont jamais un ouvrier n'eût rêvé naguère posséder le moindre lambeau. Aux rayons des jouets, des instruments de musique, il y a beaucoup de clients. Et davantage encore au rayon des chaussures dont le magasin débite neuf cents variétés.

Dans les rues commerçantes, les maisons, de deux ou trois étages, sont en bois; au premier, il y a généralement un balcon, qui s'avance au-dessus de l'échoppe du rez-de-chaussée : un simple trou sans porte ni vitrine qu'on ferme le soir au moyen d'une grille à glissières. Un panneau réclame, rouge ou blanc, réunit obliquement le surplomb du balcon à la façade qui est plate et qu'abrite un toit invisible. On vend dans ces boutiques quantité d'objets manufacturés, et aussi les produits de l'artisanat chinois : meubles, cercueils, ustensiles, vêtements, tissus. Beaucoup de fourrures, des robes et des casaques en soie ou en lainage, fourrées à l'intérieur. Une rue est un marché aux oiseaux : contre les façades, autour des portes sont suspendues des cages où chantent des serins, et des oiselets de toute espèce. Dans un autre secteur, on vend des costumes et des accessoires d'opéra : des robes de soie brodée, dont la large ceinture s'orne d'une tête de dragon, des tuniques, des cothurnes, des épées, des perruques et des barbes postiches, des diadèmes, des casques, des tiares. Ailleurs, les magasins se spécialisent dans les instruments de musique : violons chinois, tambours et tambourins. Les restaurants en plein air sont encore plus nombreux qu'à Pékin, ils encombrent les étroites chaussées, mais on ne voit plus les cuisiniers tordre des écheveaux de pâte : les gens mangent surtout du riz.

Dans l'ensemble, les marchandises sont plus variées et plus luxueuses qu'à Pékin; les soies brodées surtout sont somptueuses : chaque nuance correspond à une épaisseur de trame; l'avenue de Nankin est bordée d'élégants magasins qui ont des vitrines et des étalages à la mode de l'Occident.

Les petites gens de Shanghaï et les paysans des environs vont faire leurs achats dans un tout autre quartier : celui qui occupe l'emplacement de l'antique Houa-ting. Les murs en ont été abattus en 1911; cependant la vieille « ville chinoise » forme encore une petite agglomération fermée; des bornes en interdisent l'entrée aux voitures, aux cyclo-pousse et même aux bicyclettes; on n'y circule qu'à pied : c'est un des traits qui apparentent incongrument cette petite cité à Venise; l'autre, c'est qu'elle est bâtie sur des canaux, toute en ponts, en quais, et en îles. Il y a mille choses à voir dans ces ruelles grouillantes comme des souks. Tout y est meilleur marché qu'ailleurs : parfumerie, bonneterie, mercerie, ustensiles ménagers, miroirs. Voici le brillant papier d'étain qu'on brûle en l'honneur des ancêtres, des bâtons d'encens, des images de nouvel an de style ancien, de style moderne, de grandes glaces sur lesquelles sont peints des héros, des dieux, des personnages d'opéra. Sur les quais des marchands ambulants vendent des crevettes, des crabes, des poulpes, des oiseaux, des tortues, des grillons enfermés dans de minuscules cages. Quantité de distractions sollicitent les passants : entre autres des ménageries; des affiches coloriées annoncent qu'on peut voir à l'intérieur des singes, des serpents. Il y a aussi beaucoup de maisons de thé. La plus importante est un pavillon de trois étages dressé sur une île, au milieu des canaux. L'intérieur est sombre; les murs sont en bois, les fenêtres, à demi masquées par des treillis de bois; elle est meublée de tables et de chaises de bois qui luisent doucement dans la pénombre verdâtre. A l'étage supérieur, on joue aux cartes, au billard chinois, aux échecs chinois, jeux d'autant plus répandus aujourd'hui que le mah-jong est interdit. Tous les clients sont des hommes. Il semble que dans toutes les villes de Chine, la femme reste à la maison.

Les rues étroites sont propres, sans odeur. Shanghaï aussi a été assainie par une rigoureuse campagne d'hygiène. On a comblé les égouts à ciel ouvert. On a surélevé le niveau des chaussées que menaçaient les crues. J'ai dit déjà comment ont été aménagés les quartiers ouvriers. Cependant dans le vieux Shanghaï la population semble moins soignée qu'à Pékin. Elle est beaucoup plus dense. Les enfants sont moins bien lavés, plus maigres; les gens paraissent plus pauvres; de petits colporteurs vendent des lacets, des bouts de dentelle, des morceaux de savon; ils mendient presque. L'écrivain qui nous accompagne me dit qu'on rencontre encore à Shanghaï de véritables mendiants. Et Mme Cheng me conseille : « Serrez bien votre sac. Il y avait tant de voleurs dans cette ville qu'il doit bien en rester quelques-uns. »

Dans l'ensemble pourtant, les communistes ont sérieusement nettoyé cet « abîme d'iniquités » qu'était Shanghaï. Quand ils ont libéré la ville, le nombre des bordels s'élevait à huit cents; en 1950, il en restait soixante et onze qui furent fermés à la fin de l'année. Les prostituées ont été « rééduquées » dans des centres créés à cette fin; certaines, surtout parmi les plus vieilles, sont réfractaires à toutes les tentatives de réforme; mais la plupart ont appris des métiers, on en a renvoyé un grand nombre dans les campagnes. Il demeure une prostitution clandestine, nous dit notre guide : mais la police la traque. Les gangs et les gangsters ont disparu : ils ne devaient leur impunité qu'à la corruption de la police et du régime en général. Les chefs de gang ont été emprisonnés, leurs organisations liquidées. Les fumeries d'opium ont été fermées et le commerce de la drogue effectivement interdit; non seulement l'importation, mais la culture du pavot est défendue. Sans doute dans certains coins reculés de la Chine en subsiste-t-il quelques champs; mais les grands centres, et Shanghaï en particulier, sont étroitement surveillés : la guerre de l'opium est enfin gagnée.

Un des lieux où cette transformation est le plus sensible à ceux qui connurent Shanghaï, *avant*, c'est cet espèce de Luna Park célèbre naguère sous le nom de « Grand Monde ». C'est un hideux édifice en ciment armé que domine une espèce de minaret de cinq étages. « *Avant*, jamais je n'y aurais mis les pieds », dit Mme Cheng. Tsai, qui est de Shanghaï, s'y est aventuré une fois, mais ses parents ne l'avaient pas autorisé à monter plus haut que le rez-de-chaussée. Ouvert en 1916 au milieu de la concession française, ce « Shanghaï en miniature » était un concentré de tous les vices et tares de la ville; en 1949, avant la libération, quantité de prostituées y racolaient des clients; des pick-pockets, et toute espèce de voleurs y exerçaient leurs talents; on y jouait des pièces obscènes, on y présentait des attractions d'un goût douteux ou ignoble. Un journaliste français racontait en 1936 y avoir vu une petite fille de six ans dont un manager exhibait complaisamment le ventre ballonné : une petite fille enceinte.

Aujourd'hui, l'endroit s'appelle « Centre de récréation populaire ». La foule y est aussi dense que jadis, mais on n'y rencontre ni filles, ni souteneurs, ni aventuriers : les gens viennent s'y distraire en famille. Dans le hall d'entrée est inscrite en huit gigantesques caractères la maxime de Mao Tsé-toung : « Laissez pousser ensemble toutes les fleurs; jetez celles qui se fanent, et que les neuves s'épanouissent. » Des miroirs déformants amusent le visiteur tout le long du vestibule. On débouche sur une cour où est installé un théâtre en plein air; au-dessus s'étagent quatre galeries. A l'entresol, il y a un restaurant-salon de thé où l'on mange et boit à ciel ouvert; sur la galerie donnent quantité de salles. L'une d'elles est une kermesse : stands de tir, ping-pong, billard chinois, etc. La plupart sont des salles de spectacle; de même aux étages supérieurs. Il n'y a pas moins de onze théâtres, où dix-sept troupes jouent tour à tour des opéras anciens et des pièces modernes. On peut avoir ici un bref échantillon de tous les styles, ou presque. Nous avons successivement regardé : un opéra classique, un opéra Chao-cheng dont l'intrigue était tirée du *Rêve de la Chambre rouge,* un opéra joué dans le vieux style Kouen-K'iu, deux pièces modernes. L'une d'elles racontait l'histoire d'un espion du Kuomintang, originaire d'un petit port de la côte qui fait face à Formose, et qui rentrait dans son foyer, avec de noirs desseins. Sa femme et son père l'accueillaient d'abord avec joie, puis découvraient qu'il était revenu pour organiser un sabotage. Son père le frappait et le ligotait : puis sa femme se joignait à lui pour expliquer au criminel la gravité de sa faute; convaincu, il implorait son pardon.

Il y a aussi des conteurs d'histoires; leur style est différent de celui de Pékin. Deux femmes et un homme sont assis sur de hautes chaises au dossier raide, rembourrées de coussins rouges; leurs pieds reposent sur des tabourets ronds. A droite, c'est une jolie fille, qui porte une veste verte; au milieu, une femme moins jeune et moins jolie; à gauche, l'homme : son long visage fatigué est secoué de tics. Chacun tient à la main une espèce de cithare qu'il gratte tout en parlant et en chantant : dialogues et couplets alternent. Devant la femme âgée il y a un micro qu'elle passe à celui qui prend la parole. Le texte est, me dit Tsai, moitié comique, moitié didactique; une mère donne des conseils à sa fille qui part en voyage. Ce genre semble beaucoup plaire au public : il y a autant de monde que dans les salles où se jouent les opéras et les drames.

Il n'est pas très agréable pour un étranger de se promener à Shanghaï. Les gens sont beaucoup moins courtois qu'à

Pékin : ils se retournent pour nous regarder, ils se plantent, bouche bée, sur notre passage, ils emboîtent le pas derrière nous. Pendant cinq minutes, une petite fille a marché à reculons devant moi, le bout de ses souliers touchant les miens. « Ils sont pourtant habitués à voir des Occidentaux ! » dis-je à Mme Cheng. « Oui », me répond-elle. « Mais Shanghaï a toujours été une ville de badauds; quand je m'y promenais avec des amis, il suffisait que nous nous arrêtions au coin d'une rue pour discuter, et tout le monde faisait cercle autour de nous. »

Cette foule indiscrète n'est pas homogène comme celle de Pékin. Ici, l'inégalité des conditions est très sensible. Les quartiers ouvriers sont très pauvres, alors que les belles demeures des anciennes concessions appartiennent pour la plupart à de riches bourgeois. On sent que l'ancienne pègre n'a pas encore été entièrement reclassée, que tous les chômeurs n'ont pas trouvé d'emploi. Les pédi-cabs sont nombreux, bien qu'on en ait renvoyé beaucoup dans leurs campagnes natales et j'ai l'impression, à voir les longues queues de véhicules en attente, qu'ils gagnent mal leur vie. Beaucoup de travaux semblent pénibles. Sur les ponts en dos d'âne dont les pentes sont très marquées, des hommes, torses nus, tirent et poussent des charrettes aux roues caoutchoutées, chargées de sacs, de tringle, de tubes métalliques : l'absence de camions et de bêtes de trait se fait durement sentir. Cependant dans les beaux quartiers, les femmes aux cheveux coupés, gonflés par des permanentes, les lèvres maquillées, portent d'élégants tailleurs de lainage, ou bien des vestes de tweed, de ratine, accompagnant des pantalons de drap, bien coupés; leurs pull-over, leurs casaques de soie, leurs jupes sont recherchées. Les hommes arborent volontiers de confortables complets occidentaux. Les fourrures, les soieries, les vêtements luxueux qu'on vend dans Nankin Road indiquent l'existence d'une classe fortunée.

Il n'est pas étonnant que la lutte des classes demeure à Shanghaï une réalité actuelle et vivante. Une exposition qui se tenait, pendant mon séjour, au Palais de la Culture rappelait l'histoire des anciennes luttes ouvrières : des photographies jaunies, des coupures de journaux, des lettres évoquaient les émeutes, les répressions sanglantes. On y voyait la porte du local qui abrita en 1921 les premières réunions du P. C., les portraits de chefs syndicalistes assassinés par le Kuomintang; une manifestation ouvrière; des cadavres défigurés; un jeune garçon marchant avec un tranquille sourire vers le lieu de l'exécution; une autre manifestation; d'autres cadavres. Ces souvenirs, et beaucoup d'autres, vivent dans la mémoire des ouvriers de Shanghaï. Ce sont ceux-ci qui incarnent la tendance la plus extrême du communisme chinois : ils souhaitent une rapide liquidation du capitalisme et poussent le gouvernement à réduire la période de « transition ». Rien de plus absurde que d'insinuer comme le fait Guillain que Shanghaï est une ville contre-révolutionnaire; le mystérieux ami communiste qui lui susurra obligeamment à l'oreille : « Ici 20 % seulement de la population est avec nous », s'apparente à ces occidentaux déchus dont j'ai rencontré quelques spécimens et qui prennent leurs désirs pour des réalités. Shanghaï est au contraire la ville où les ouvriers ont les exigences révolutionnaires les plus radicales, les plus immédiates; moins bien payés que les ouvriers de l'industrie lourde, il existe certainement parmi eux du mécontentement; mais il est sûr aussi qu'ils ne souhaitent pas un retour en arrière : ils trouvent au contraire que la socialisation n'est pas assez rapide. La virulence avec laquelle se prolonge la lutte des classes s'indique dans les affiches de propagande; à Pékin, ce sont d'assez bénignes caricatures : on voit par exemple un profiteur au visage verdâtre écrasé sous le poids d'un gros sac d'argent. Ici, les images sont réalistes et violentes : un contre-révolutionnaire sort d'un égout où il s'était caché, un soldat le met en joue cependant qu'une foule hostile fait cercle autour de lui et lui montre le poing.

La population ouvrière de Shanghaï s'intéresse énormément aux progrès de l'industrie. L'affreux pavillon bâti par l'U.R.S.S. était occupé, pendant mon séjour, par une exposition tchécoslovaque : tracteurs, disques microsillons, etc. Le dimanche matin, une immense queue serpentait dans la rue : non des groupes organisés, mais des couples et des familles poussés par la curiosité. La foule était encore plus dense que celle qui achetait des billets pour le match de basket-ball de l'après-midi. On a compté deux cent mille visiteurs au cours de la première semaine. C'est un mensonge de prétendre que les Chinois manquent d'intérêt pour le reste du monde. Ce qui se passe en U.R.S.S. et dans les démocraties populaires les passionne. De façon générale, ils sont avides de connaître.

A toutes les expositions économiques et artistiques de Pékin, ils s'empressaient.

Il reste encore à Shanghaï une minuscule colonie de capitalistes étrangers; certains s'attardent de leur plein gré, d'autres sont retenus par le gouvernement jusqu'à ce qu'ils aient achevé la liquidation de leur entreprise. Chaque fois qu'ils peuvent mettre la main sur un visiteur occidental, ils lui exposent leurs doléances. C'est ainsi que j'ai rencontré, peu de temps avant son départ, M. Fano qui, quelques mois plus tard, publia dans le *Figaro* un récit de ses malheurs; malgré l'aimable accueil que m'ont fait Mme et M. Fano, il me semble nécessaire de corriger certains détails de ce témoignage [1].

L'hôtel où j'habitais à Shanghaï était un gratte-ciel disgracieux, à la lisière de la concession française. Dans la porte de chaque chambre est aménagé un minuscule appareil optique qui permet d'observer les visiteurs sans être aperçu par eux : l'existence de ce dispositif en dit long sur le sentiment d'insécurité qui régnait chez les Occidentaux. Un après-midi, Tsaï frappe et m'avise que des Français demandent à nous voir; discrètement, il s'éclipse, après avoir fait entrer Mme Fano, et un méridional agité dont le nom m'a échappé. Ils sont tout étonnés qu'on leur ait permis de pénétrer dans l'hôtel et de nous rencontrer sans témoins; cela infirme leur théorie et gâche le plaisir qu'ils prennent à ébaucher leur « exposé d'amertume »; ils l'esquissent d'ailleurs avec une grande prudence, tout en inspectant les murs du regard : ils soupçonnent qu'un microphone est caché quelque part. « Venez à la maison : on pourra causer », dit Mme Fano. Elle nous propose en partant de nous montrer des aspects inédits de Shanghaï. Quoi ? deux bars où se saoulent encore quelques Russes blancs et où deux ou trois femmes font un peu de racolage. Je manque d'enthousiasme. Mais il est entendu que nous déjeunerons demain chez les Fano.

Le *Figaro* présente M. Fano comme un homme traqué qui

1. Ce reportage était illustré de photographies prises *avant* la libération de Shanghaï par Cartier-Bresson et que le *Figaro* présentait comme des images de la Chine d'aujourd'hui ! C'est en 1949 que les enfants chinois affamés faisaient la queue pour un bol de riz. Les photos avaient paru, datées, dans *D'une Chine à l'autre*. Il ne s'agit donc pas d'une erreur des rédacteurs, mais bien d'un abus de confiance, qu'on ne peut d'ailleurs pas imputer à M. Fano.

dut « s'enfuir » en abandonnant tous ses biens. Il habitait encore, le jour où il nous a reçus — et il n'en a jamais été délogé — une vaste maison de style colonial, au milieu d'un grand jardin. D'autre part, ses meubles, ses bibelots, toutes ses propriétés personnelles avaient déjà été expédiés en France. Les droits du « capitaliste » seuls étaient contestés, non ceux de l'homme privé. Mme Fano, n'étant qu'une personne privée, était autorisée à quitter la Chine le jour où elle le voudrait; seul son mari était obligé de rester jusqu'à ce qu'il ait convenablement réglé ses affaires. Le gouvernement refuse au chef d'entreprise le droit de mettre brutalement sur le pavé un personnel dont le chiffre est souvent très élevé; faute de cadres, on n'est pas en mesure de le remplacer du jour au lendemain par un administrateur chinois compétent : on exige donc que le patron étranger continue pendant quelque temps d'exercer ses fonctions. Cette politique est évidemment irritante pour ceux qui en pâtissent : mais en toute impartialité, il paraît normal que le gouvernement fasse passer l'intérêt du pays avant le leur.

« A notre retour, nous témoignerons : nous serons les témoins à charge ! » disaient avec passion Fano et ses amis. Cependant ils semblaient étrangement peu avertis de la situation générale. Fano raconte dans le *Figaro* comment à Hong-Kong des amis à lui s'esclaffèrent en écoutant le rapport d'un délégué qui avait visité la Chine sans savoir le chinois. Mais comme il parlait du mécontentement du petit peuple, de la confiance avec laquelle celui-ci s'épanchait dans son sein je lui demandai : « Vous savez le chinois ? — Non », me dit-il.

A vrai dire, à part son *pédi-cab* [1] et son cuisinier, il n'a eu depuis cinq ans aucun contact avec les Chinois; il ne quitte sa maison que pour ses bureaux. Le méridional qui déjeune avec nous est sûrement dans le même cas : ils énoncent des contre-vérités si manifestes que même le *Figaro* s'est refusé à reproduire certaines d'entre elles ou les a nuancées. « Le niveau de vie des ouvriers de Shanghaï était autrefois très élevé », dit Fano. « On n'a rien fait pour le bien-

1. Le rôle des pédi-cabs dans les reportages des adversaires de la Chine nouvelle est encore plus étendu que celui des chauffeurs de taxi dans la presse antisoviétique. Il semble que tous les pédi-cabs parlent anglais et soient une source inépuisable de renseignements. Il en est ainsi chez Mme F. Rais, M. Guillain, Mme Gosset.

être ouvrier », dit le méridional. N'a-t-on pas amélioré l'hygiène? et par exemple enrayé le choléra? « Oui », me dit le méridional. « Mais on a *obligé* les gens à se faire vacciner ! Ce sont des méthodes fascistes. » Ils m'accablent de petits faits dont j'ai constaté plus tard la fausseté. Selon eux, par exemple, on n'a pas le droit de sortir de Chine un journal chinois. J'en ai sorti tout un paquet sous l'œil indifférent des douaniers. Le réquisitoire contre l'autoritarisme du régime a surtout tourné autour de deux thèmes : prostitution et religion; ces deux mots semblaient résumer pour nos hôtes les plus essentielles libertés de l'Occident. La confusion de leurs esprits est telle que Fano nous explique que le mouvement des « cinq anti » — mouvement dirigé contre les capitalistes et les fonctionnaires — a détaché du régime la classe ouvrière; il précise : 80 % [1] de la population de Shanghaï sont contre le gouvernement. Comment le sait-il ? Il le sait. Et qu'espère le prolétariat ? « Une troisième guerre qui changera la situation. » Cette réponse me coupe le souffle. A la réflexion, je la trouve bien encourageante. Elle montre que les pires ennemis du régime sont incapables de lui opposer l'ombre d'un programme constructif mais seulement des rêves de dévastation.

Ceci dit, je ne doute pas que les capitalistes étrangers n'aient passé à Shanghaï d'assez mauvais moments; ce qui m'étonne, c'est que, au lieu de partir en temps opportun, ils aient voulu s'imaginer que le nouveau régime respecterait leurs « droits ». Les dirigeants n'ont jamais caché qu'ils tenaient pour illégaux les profits tirés par les Occidentaux de la « semi-colonisation » de la Chine; ni qu'un de leurs premiers objectifs était de supprimer le capitalisme étranger. M. Fano et ses amis ont-ils cru qu'on pourrait « s'arranger » comme on « s'arrangeait » jusqu'alors en Chine ? En ce cas, ils ne peuvent s'en prendre qu'à eux-mêmes de cette erreur de calcul.

Hang-tcheou

Depuis mon arrivée en Chine, tout le monde m'a vanté les beautés d'Hang-tcheou. Elle fut la capitale des Song dont

1. On retrouve ici le chiffre cité par Guillain. Est-ce une coïncidence ? ou l'informateur « communiste » de Guillain était-il d'une tout autre couleur ?

le règne coïncida avec le plus beau moment de la civilisation chinoise et on la considère comme l'Athènes de la Chine. Son lac, la « Mer de l'Ouest », a inspiré quantité de peintres et de poètes. C'est sur ses rives que les Chinois situent la plus célèbre de leurs légendes : celle du Serpent blanc. Dans « l'île solitaire » qu'entourent ses eaux, des ermites cultivèrent la « médiocrité dorée » chère à la tradition taoïste comme à la tradition latine. A vrai dire, le lac du bois de Boulogne me plaît davantage. Quant aux monuments et aux sculptures que j'ai vus dans les campagnes environnantes, ils étaient tous dénués de valeur artistique.

J'ai visité plusieurs temples bouddhiques. Ils m'ont étonnée par la barbarie de leurs statues. Dans le hall qui précède la salle de prières trône un énorme P'ou-sa au ventre nu et proéminent, qui ricane. Tout le monde en connaît des reproductions en modèle réduit. C'est un P'ou-sa spécifiquement chinois qu'au Xe siècle des bonzes substituèrent par nationalisme au traditionnel Bouddha d'importation. A la fois cynique, glouton et détaché de tous les biens de ce monde, la figure de ce mendiant prêcheur s'apparente à celles de Diogène et d'Eulenspiegel. Il est entouré par quatre géants, couronnés et peinturlurés, à l'air terrible qui sont les gardiens du temple. Dans le hall central se dresse habituellement la statue de la déesse Kouan Yin; elle est debout sur un énorme poisson dont les convulsions eussent bouleversé le monde si elle ne l'avait pas dompté. Autour d'elle des panneaux en bois sculpté racontent d'extraordinaires aventures : ils évoquent les retables espagnols, et aussi ces vastes crèches du XVIIIe siècle où le monde entier était résumé. Ils retracent la vie de Çakiamouni, et le voyage du fameux pèlerin Hiuan-tsang qui en 629 traversa le désert de Gobi, le bassin du Tarim, le Turkestan, l'Afghanistan pour aller chercher aux Indes les livres bouddhiques. Les sculptures le montrent aux prises avec des éléphants, des singes, des serpents, des diables; il traverse des forêts, il rencontre des moines et des ermites, il franchit des cours d'eau.

Les bonzes n'ont pas l'air de prendre leur religion trop au sérieux. Moyennant une aumône, ils nous ont autorisés à interroger l'oracle. C'est un bocal cylindrique rempli de bâtonnets en bois; on secoue le récipient et on tire un des bâtons : un chiffre y est inscrit. Un bonze vous délivre alors un feuillet imprimé qui correspond à votre numéro. Ces horoscopes se répartissent en différentes catégories : très bon, bon, médiocre, mauvais, très mauvais. Est-ce la chance qui nous sert ? Tous nos papiers portent la note : Très bon. Mme Cheng me traduit la prédiction qui me concerne : « En automne, les carpes sortent de l'eau. Les cinq céréales seront engrangées. On portera la récolte à l'empereur qui s'en réjouira. La famille est heureuse et restera unie car rien ne manque au grenier. »

J'ai visité aussi à Hang-tcheou un temple taoïste. Dans le hall d'entrée trônent Lao tseu, l'empereur de jade, et le futur Sauveur du monde; cette trinité a été inventée sous l'influence du bouddhisme; statues, offrandes, encens sont disposés à peu près de la même manière que dans les temples bouddhiques. Mais on sent vite qu'on a affaire à une religion plus superstitieuse et plus grossière. Le jardin est plein de rocailles, de grottes, de recoins. Soudain, en passant sur un pont, je me trouve nez à nez avec un dragon à la face multicolore, aux yeux exorbités, la gueule ouverte : on dirait un de ces épouvantails qui effraient, dans les foires, les passagers des « trains fantômes ». Le temple est très pauvre : les oriflammes sont élimés, la peau des tambours à demi arrachée. Je n'ai pas vu un prêtre. Des visiteurs prennent le thé, jettent de la nourriture aux poissons rouges, ou pique-niquent dans les rocailles. J'ai l'impression que ces temples ne sont plus guère que des centres récréatifs et des buts d'excursion.

La ville même de Hang-tcheou me paraît provinciale et un peu morne. C'est une ville de la « petite moyenne » qui compte 600.000 habitants. Des marchands en plein air, assis à l'ombre de petits arbres, vendent des bonbons, des noix, des cacahuètes sucrées, des châtaignes d'eau, des peignes, des savons, des bijoux de pacotille. Il y a encore quelques pousse-pousse dans les rues et je trouve pénible de voir des hommes courir pieds nus entre les brancards [1]. Le seul luxe de la ville, ce sont les soieries dont les magasins regorgent.

Mme Cheng m'a invitée à prendre le thé chez elle. Sa maison — jadis habitée par un fonctionnaire Kuomintang qui s'est enfui — appartient à l'Etat qui la lui loue. Elle est située assez loin de la ville, à la lisière d'un hameau où se

1. A Shanghaï, il y avait à la libération 5.000 pousse-pousse et 7.000 tireurs. Il en restait quelques-uns en 1955. Les deux derniers ont été offerts en février 1956 à un musée de la ville.

dressent un temple désaffecté, des *p'ai-leou* à demi ruinés, et quelques maisons paysannes entourées de carrés de légumes. Un « paysan riche » vient de retourner au village après deux ans de « rééducation ». Il déclare avec un sourire : « Maintenant, je suis progressiste »; les paysans le trouvent « orgueilleux » et ne l'aiment pas. Cela me semble prouver à la fois que la rééducation ne réussit pas à tout coup, et que les gens ne considèrent pas sans méfiance les « rééduqués ».

Le souvenir le plus saisissant que je conserve de la Chine, c'est celui de cette campagne que j'ai traversée pendant quarante, entre Hang-tcheou et Canton.

Quand je monte dans le train, il est quatre heures; le soleil se couche à six heures. Entre temps, le même paysage indéfiniment se recommence. De lointaines montagnes l'encadrent des deux côtés; la plaine est une immense rizière dorée, coupée de rivières étroites et plates, où glissent des barques et des sampans, aux voiles soutenues par un quadrillage de nervures; les villages s'abritent sous un bouquet d'arbres, et tous enferment un étang; leurs maisons ont des toits de tuiles, et des murs de briques, crépies de blanc : ce blanc qui est cru, mais non lumineux, et la dure noirceur des tuiles me font penser à des faire-part de deuil; l'eau de l'étang paraît noire elle aussi dans la lumière du crépuscule; au milieu, un homme accroupi dans un baquet cueille des châtaignes d'eau; ou bien une femme, assise sur une pierre, s'y baigne les pieds. Ces montagnes à l'horizon, ces feuillages légers au-dessus des toits, l'eau, la lumière morte composent enfin une Chine semblable à celle qu'on voit sur des estampes : beaucoup de peintres de l'époque Song se sont inspirés de ces paysages. Mais ce qui me frappe surtout, c'est combien chacun est refermé sur soi, et cependant pareil à tous les autres. C'est toujours le même village, la même femme, lavant dans le même étang les mêmes fatigues; et tous s'ignorent entre eux; moi seule pendant un instant je les rassemble en un spectacle unique; leur vérité, c'est la séparation; la monotone répétition de ces solitudes a quelque chose de désolant.

La nuit tombe. Je me détache de la vitre, je prends un livre. En face de moi, Tsai lit la traduction française d'un roman russe. Les autres jours, comme il vient d'acheter un appareil photographique, il étudiait des manuels sur la question. Mais il nous a dit : « A force de vous entendre parler de littérature, je me suis mis à m'y intéresser. » Mme Cheng feuillette des magazines pour enfants. Elle est soucieuse car elle estime qu'il est bien difficile d'écrire pour la jeunesse.

Le paysage a changé quand je me réveille le lendemain matin. Les rizières alternent avec des terres à céréales que les paysans sont en train de labourer; en cette région de culture intensive, souvent, une fois le riz récolté, on plante de l'avoine, des légumes ou des fèves. En beaucoup d'endroits, le riz a été ramassé, et les champs sont hérissés de petits balais jaunes et secs. Dans les villages, on bat le grain sur des aires. Les maisons ici sont en terre rougeâtre, avec des toits de chaume. Entre les champs, presque tous minuscules, courent de petits talus de terre jaune. Beaucoup d'hommes au travail; très peu d'animaux. Je vois pour la première fois des buffles d'eau, au long poil gris, aux cornes gracieuses; on dirait le croisement d'un taureau et d'une gazelle. Ils servent à tirer les antiques charrues. Mais ils sont peu nombreux. Et de toute la journée je n'aperçois ni un âne, ni un mulet. Tous les transports se font à dos d'homme. C'est aujourd'hui dimanche, et les paysans amènent à la ville le grain qu'ils doivent à l'Etat. De longues caravanes s'étirent sur les étroits chemins de terre, à travers champs; la plupart poussent devant eux des brouettes constituées simplement par une roue et un timon : pas de chariot; les sacs pendent de chaque côté de la roue. Je remarque au milieu des champs un grand nombre de tumulus recouverts d'herbe : ce sont des tombeaux; ils sont si nombreux qu'ils donnent un aspect très particulier au paysage : la plaine semble affligée d'énormes loupes. Les étudiants de l'Université de Nankin ont calculé qu'ils mangent 6 % et parfois jusqu'à 9 % des terres cultivées.

Le train s'arrête assez souvent. Des marchands ambulants vendent des pains, des crêpes, des fruits, des produits locaux. En Mandchourie, on vendait des pommes. A une des stations, on nous propose des poulets : les moins chers de toute la Chine. En fin de journée apparaissent bananes et oranges. Le crépuscule est moins mélancolique qu'hier soir : c'est vraiment le Sud; au soir tombant, les paysans se rassemblent sous un auvent, au seuil de leurs maisons; ils dînent en plein air et sourient lorsque le train passe.

Encore une nuit. Au réveil, le paysage est vraiment beau.

Une brume monte de la rivière Perle, et enveloppe les montagnes, comme sur les tableaux. Sur la terre rouge pousse une herbe drue, d'un vert aigu; elle est semée de toiles d'araignées, emperlées de rosée. Cependant le ciel bleu annonce une journée brûlante. Des radeaux chargés de bois, et des flottilles de troncs d'arbres descendent la rivière. Voici de nouveau à perte de vue des rizières; on ne voit plus un village, plus une maison, plus un arbre; le riz envahit les vallées, coule entre les collines, remplit les plus étroits vallons: il prolifère avec la fougue d'une prairie sauvage; il est vert comme l'herbe des prés : autour d'Hang-tcheou, il achevait de mûrir, mais ici, on fait trois récoltes par année, et c'est la dernière qui est en train de sortir de terre. Quand les pousses vertes déferlent au pied des montagnes embrumées, on pourrait se croire dans un alpage suisse.

Les terres ne sont plus irriguées par des ruisseaux. L'eau est amenée par des canaux creusés en contre-bas; pour la faire monter dans les rigoles qui sillonnent les champs, on utilise un dispositif antique : en pédalant à reculons sur des espèces de palets, les paysans actionnent un arbre de transmission qui tourne en entraînant une chaîne de seaux; ceux-ci s'élèvent le long d'un plan incliné, se déversent, redescendent; ce travail occupe surtout des femmes et des jeunes gens, groupés par équipes de quatre à cinq personnes, et qu'abritent souvent une grande ombrelle. On voit beaucoup d'hommes en train de patauger dans la boue des canaux, cherchant je ne sais quoi. Tous portent d'immenses chapeaux plats, en paille noire et qu'on dirait vernis : déjà ceux de Pékin me paraissaient vastes; mais ceux-ci sont des parasols plutôt que des chapeaux. Les gens sont mieux habillés que dans le Nord, leurs costumes de cotonnade sont plus frais, et les femmes portent souvent des vestes de couleur vive : cependant, plus on avance vers le Sud, plus nombreux sont ceux qui vont pieds nus. C'est parce qu'ils travaillent dans la boue des rizières, et aussi à cause de la chaleur.

Les montagnes ont disparu, le fleuve s'est éloigné; le riz a tout dévoré. Ici, la terre doit être collectivisée, car on n'aperçoit plus une borne entre les champs. Et voici une nouvelle espèce de puits; c'est le gouvernement qui les a fait creuser, et ils représentent, par rapport aux anciens, un grand progrès; un piquet vertical, très haut, est planté dans le sol; il porte à son sommet un fléau qui s'achève d'un côté par un lourd contrepoids, de l'autre par une corde supportant une cuve de bois. Le paysan tire sur la corde pour faire descendre le seau dans un trou d'eau; le seau rempli, on lâche prise et il remonte tout seul : d'une poussée on le renverse au-dessus de la rigole. Une femme suffit, au lieu que le pédalage exigeait une équipe, et son travail est peu fatigant puisqu'elle se borne à descendre le seau, sans faire effort pour le remonter. En outre, tandis qu'en cas de sécheresse les canaux, peu profonds, se vident, ces puits ont de trois à quatre mètres de profondeur, et l'eau souterraine ne se tarit jamais. C'est un étrange paysage : la rizière verte, hérissée de ces hautes perches que coupent obliquement les fléaux; on dirait de vieux sémaphores se transmettant des messages d'un bout à l'autre de la plaine. Un auvent de paille, ou d'étoffe décolorée abrite l'homme ou la femme chargé de l'irrigation. Les femmes sont beaucoup plus nombreuses que dans le Nord : dans le Sud, elles ont ordinairement échappé à la servitude des pieds bandés et travaillé de tout temps dans les champs. Ici aussi paysage et gestes se répètent à l'infini : mais au lieu d'une solitude toujours recommencée, c'est une collectivité qui se déploie; ces gens ont des intérêts communs, ils ont discuté ensemble les plans de travail, ils partageront les profits : enfin je me trouve en présence non d'une simple juxtaposition, mais d'une organisation, ce qui est encore rare en Chine.

Le Sud s'affirme dans l'éclat grandissant du ciel, dans les palmiers, les bananiers, et les bouquets de puissants bambous. Les collines sont dénudées; les paysans montent y chercher des broussailles, des herbes sèches, et si des arbres y poussaient, naguère ils les arrachaient : on leur a appris à les respecter, mais dans ce coin on n'a pas encore reboisé. Seules les terres basses sont cultivées : la latérite rouge des montagnes est pauvre; tandis que la plaine est formée de riches alluvions. On fume le sol avec des déchets humains. Grâce à sa fertilité, cette région n'a presque jamais connu de famine, malgré la densité de sa population : on comptait en 1939 environ 1.340 personnes par km^2 et le chiffre monte par endroits jusqu'à 1.550. Outre le riz, on cultive des légumes, du tabac, de la canne à sucre, du thé, des agrumes, des bananes, et ces lichee qu'aimait tant la belle concubine impériale Yang.

Nous approchons de Canton. Les tombes funéraires se multiplient. Des collines sont couvertes de stèles et de tombeaux dont certains sont très imposants; de loin en loin se dresse un autel collectif, où on célèbre les sacrifices.

Et voici Canton. Mais je n'oublierai pas de longtemps cette plaine où des millions d'hommes, sans instruments mécaniques, sans bêtes de somme, arrachent du sol, à mains nues, les richesses qui permettent à la Chine de construire l'avenir.

Canton

Contrairement au slogan malveillant qui impute à la Chine nouvelle une morne uniformité, j'ai trouvé que les villes chinoises — Pékin, Nankin, Shanghaï, Moukden, Hang-tcheou — différaient entre elles autant que les villes de France ou d'Italie. Mais en arrivant à Canton, j'ai presque eu l'impression d'avoir changé de pays tant la physionomie de ce grand port tropical est singulière.

Située à 35 kilomètres au sud du Tropique du Cancer, sur la rivière Perle qui se jette dans la mer à 60 kilomètres de là, Canton n'a été rattachée à la Chine qu'à une époque relativement tardive. Jalouse de son indépendance, la ville résista à tous les conquérants et en particulier aux Mandchous. Ouverte en 1685 au commerce occidental par un décret impérial, elle fit aux Européens un accueil des plus réservés. Ils furent relégués dans le quartier de Shameen — un banc de sable sur lequel on bâtit des maisons neuves, d'une superficie de mille cent pieds sur sept cents, et dont l'accès était interdit aux femmes. « En 1830 encore, le vice-roi menaça de fermer les factoreries si les dames anglaises de Macao continuaient à venir les visiter », rapporte Sir John Pratt. Beaucoup d'autres conditions fort sévères étaient imposées aux étrangers : ils ne devaient introduire dans le port ni navires de guerre, ni armes, ni femmes, ni famille et n'avaient droit qu'à un nombre restreint de serviteurs. On leur interdisait de posséder des chaises à porteur ou des embarcations de plaisance; toute promenade leur était défendue; trois fois par mois ils pouvaient se rendre, par groupes de dix personnes, et sous surveillance, dans l'île de Honan : encore devaient-ils être rentrés chez eux avant la nuit. Ils n'étaient autorisés à séjourner à Shameen que de septembre à avril : d'ordinaire, ils passaient le reste de l'année dans la colonie portugaise de Macao, à 100 kilomètres de Canton. Ce qu'ils supportaient le plus mal, c'est d'être obligés, pour toutes leurs transactions, de passer par l'intermédiaire de la guilde marchande du Co-Hong, créée tout exprès pour les contrôler.

La guerre de l'opium éclata à Canton. Vaincue, la ville ne se résigna jamais à sa défaite. D'autre part, le port cosmopolite où affluaient des commerçants de tous les pays fut aussi le point de départ d'une importante émigration : beaucoup de Cantonnais faisaient des séjours temporaires en Indochine, en Siam, en Malaisie; d'autres s'y fixaient mais conservaient d'étroits rapports avec leur pays d'origine. Proche de Hong-Kong et de Macao, Canton fut plus rapidement accessible que les autres villes de Chine à la civilisation occidentale; elle se débarrassa de ses vieux murs; les Cantonnais adoptèrent une architecture moderne et bâtirent eux-mêmes le Bund qui borde la rivière Perle. En même temps les idées nouvelles s'y infiltrèrent. Le caractère « avancé » de Canton, et sa volonté d'autonomie expliquent qu'elle ait été appelée à jouer un rôle révolutionnaire de premier plan. C'est dans ses environs que naquit Hong Sieou-ts'iuan, instigateur de la révolte des Taiping. Le réformateur des « cent jour », K'ang Yeou-wei, était originaire de Canton. Ce sont en grande partie des Chinois d'outre-mer originaires de Canton qui fomentèrent la révolution bourgeoise. A la fin du XIXe siècle, le jeune Sun Yat-sen et son ami Luke Ho-tong s'installèrent à Canton et y tinrent des réunions secrètes; c'est là qu'eut lieu en 1895 la première tentative de soulèvement, qui fut durement réprimée; Sun Yat-sen s'enfuit, mais quatre de ses camarades, dont Luke, furent exécutés et le cinquième mourut en prison. Une autre tentative eut lieu en 1904 : les sociétés secrètes attendaient le secours de 3.000 hommes armés et de 700 coolies; les premiers manquèrent au rendez-vous; personne ne vint accueillir les 700 coolies qui débarquèrent dans la ville et errèrent au hasard dans les rues; une caisse destinée aux rebelles s'étant brisée pendant qu'on la débarquait, on vit qu'elle contenait des revolvers; on fit le rapprochement; la plupart des coolies furent arrêtés, torturés et exécutés. 16 personnes, presque toutes innocentes, qu'on ramassa aux environs du quartier général du gouvernement, furent décapitées. Trois fois encore Canton fut au centre de la révolte : on tenta en vain de s'emparer du Yamen, quartier général du gouvernement.

Quand, en 1911, la révolution eut triomphé, Sun Yat-sen céda à Yuan Che-kai la présidence de la République. En 1916, Yuan s'étant fait nommé empereur, Canton s'agrégea à une confédération des provinces méridionales qui se séparèrent de lui. Sun Yat-sen vint alors s'y installer et organisa un gouvernement d'opposition. Il quitta la ville en 1918, mais en 1921 il fut élu par le parlement du Sud président de la République. Chassée par Tch'en Kiong-ming, commandant en chef de l'armée du Sud, il reprit le pouvoir en 1923 et fit de Canton sa capitale. Il y reçut la visite et l'aide de Borodine, et aussi l'assistance de 34 experts soviétiques, dont 30 experts militaires. Il fonda l'Académie militaire de Whampou. La ville conserve pieusement son souvenir. Sur une colline, au-dessus d'un stade tout neuf, contenant 50.000 spectateurs, est érigé un monument en son honneur. Un peu plus bas se dresse un mémorial dont l'architecte, qui édifia son tombeau à Nankin, conçut le plan. C'est un auditorium; lorsque j'y suis entrée, des danseurs soviétiques y répétaient un ballet.

Pendant les années où le Kuomintang et le parti communiste travaillèrent ensemble, Canton fut le centre du mouvement prolétarien; c'est là qu'eurent lieu les congrès de la fédération du travail. Quand en juillet 1924 les Anglais voulurent interdire aux Chinois d'entrer dans la concession à moins de présenter un laissez-passer, les ouvriers de Shameen déclenchèrent une grève qui entraîna l'annulation de la nouvelle réglementation policière. Il existait au centre de la ville une école où Mao Tsé-toung, Chou En-laï et d'autres communistes fameux instruisaient de jeunes cadres : elle est transformée en musée et je l'ai visitée. Les cours avaient lieu dans un temple désaffecté. Les lits, les tables, les bureaux, les dortoirs étaient d'une extrême pauvreté. Dans une galerie on voit les portraits des professeurs : la plupart se trouvaient, le 1er octobre, aux côtés de Mao Tsé-toung, dans la tribune de T'ien An Men.

Canton n'entérina pas sans résistance la trahison de Tchang Kaï-chek. Un général du Kuomintang, Tchang Fa-kouei, ayant occupé la ville le 17 novembre 1927, le P.C. dressa un plan d'insurrection. Ye T'ing prit la direction d'un comité militaire révolutionnaire de cinq membres et le parti désigna un état-major de la Garde rouge. Ils mobilisèrent un millier de communistes et formèrent des groupes armés. Le 7 décembre, le comité du Kouangtong donna des ordres le 11 décembre, à trois heures du matin, le soulèvement se déclencha. Les partisans envahirent la caserne du régiment d'instruction qui, sauf quelques officiers, passèrent du côté des Rouges; on prit les camions automobiles de l'armée nationaliste et le président du comité révolutionnaire de Canton, Chang Tailai, avec une poignée de partisans, parcoururent la ville sur ces voitures. La Garde rouge désarma d'autres unités : on réunit 30 canons, 1.500 fusils et des mitrailleuses; on distribua armes et munitions. A 15 heures, les insurgés occupaient tous les postes de police, et les services gouvernementaux : toute la ville, à l'exception des concessions étrangères de Tong Chan et le Shameen. Mais les commerçants de Canton étaient effrayés par cette révolte, le syndicat des marins ne la soutenait pas; et les insurgés étaient insuffisamment armés. Les troupes nationalistes reprirent la ville le 13 décembre : la Commune de Canton n'avait pas vécu trois jours. Ce fut la dernière tentative insurrectionnelle des communistes.

Un peu à l'écart de la ville, un mausolée commémore les victimes de la répression; la plupart sont enterrées là. Parmi les Chinois d'outre-mer, qui avaient soutenu la révolution de 1911, six millions étaient d'origine cantonnaise; ils ont largement contribué à l'érection de ce monument; sur chacune des pierres on lit un nom : San Francisco, Chicago, Malacca; cela signifie qu'elle a été offerte par les communautés chinoises installées dans ces villes.

Entre 1911 et 1927, Canton s'est tenue à la pointe de la révolution. Aujourd'hui cependant la « marche vers le socialisme » y est beaucoup moins sensible que dans le reste de la Chine. Tardivement libérée, ne possédant presque pas d'industrie, ni de prolétariat, séparée de la capitale par près de deux mille kilomètres, cette ville de petits commerçants et de petits artisans n'a pas encore été profondément transformée par le régime. Sans doute le voyageur qui arrive de Hong-Kong a-t-il, en débarquant à Canton, l'impression d'avoir quitté le monde capitaliste; venant de Pékin et de Shanghaï, on croit se trouver rejeté dans l'ancienne société semi-féodale.

Mon hôtel a quatorze étages; c'est le principal gratte-ciel de la ville; il est grisâtre, trapu, affreux; mais il domine le

« Long Quai » et de ma fenêtre je découvre un grand morceau de la rivière; c'est la première fois pendant ce voyage que la vision tient immédiatement les promesses des mots : Extrême-Orient, Sud, grand port méridional, tout m'est donné en un regard. Le fleuve est littéralement couvert de bateaux qui remontent et descendent le courant; d'immenses radeaux chargés de troncs d'arbres glissent doucement vers la mer; des jonques aux voiles gonflées voguent vers l'intérieur des terres. Il y a des sampans, dont les toits voûtés semblent faits d'une espèce de raphia : des nattes de bambou peut-être; ils sont de couleur grisâtre et s'étagent à différents niveaux; la partie la plus haute protège l'arrière. J'aime les grands bateaux à aube [1] qui transportent vers la mer, et surtout vers l'arrière-pays, des passagers et des marchandises. Ils sont en bois, peints de belles couleurs vert et or; ils ont à l'arrière deux ponts : au milieu, un seul; l'arrière, carré, tout plat et percé de fenêtres, ressemble à une façade de maison; une sorte de corniche, peinte en jaune, sépare les deux étages. Au-dessus court une inscription en caractères chinois. L'ensemble évoque les caravelles de Colomb. Sur le quai on charge, on décharge des caisses et des ballots. Tout un réseau de rivières et de canaux relie le fleuve au reste du pays; chaque jour des milliers de bateaux arrivent ou partent; ils transportent par mois 300.000 tonnes de cargaison et 200.000 passagers. C'est à peine si le trafic se ralentit pendant la nuit. Alors la rivière se couvre de petits feux rouges : des bougies, des lanternes s'allument sur les jonques où habitent en permanence jusqu'à 60.000 Cantonnais. De ma fenêtre, à l'aube, j'ai vu descendre d'un bateau un troupeau de buffles gris; déjà sur le quai la circulation était intense. Tout le jour, c'est un défilé de piétons, de bicyclettes, de cyclo-pousse, de charrettes à bras.

Quand on se promène dans les rues, cette impression de pullulement se confirme; la population est moins nombreuse, mais plus dense qu'à Pékin et même qu'à Shanghaï. Il y a de larges rues commerçantes, que bordent des maisons de deux à trois étages : le premier s'avance, en surplomb au-dessus du trottoir, soutenu par des piliers blancs, ou jaunes, ou bleus, ou rouges; de chaque côté de la chaussée court une

1. Quand les Européens découvrirent ces bateaux, ils les prirent pour une imitation des leurs. Mais le bateau à aube est apparu en Chine au plus tard au VIIIe siècle ap. J.-C. et sans doute avant.

galerie couverte. Les colonnes sont décorées de caractères rouges et noirs qui indiquent le nom des magasins auxquels des oriflammes de soie rouge servent aussi d'enseignes; la plupart des boutiques n'ont pas de portes; ce sont des grottes qui s'ouvrent directement sur la rue, ou que précède un couloir obscur, illuminé parfois de tubes au néon.

Je m'engage dans une allée latérale, étroite, interdite aux véhicules, et où il n'y a pas de colonnade; elle est abritée par des toiles analogues aux *toldos* de Séville; de forme triangulaire, légèrement convexes, ces bâches sont attachées par des ficelles qui s'entrecroisent, au niveau du premier étage, d'un côté à l'autre de la rue : par endroits, ce treillage laisse passer le soleil et projette sur le sol une ombre hachurée de lumière, comme dans les souks de Marrakech et de Tunis. Les façades à trois étages s'achèvent par des espèces de créneaux aux découpures fantaisistes. C'est ici un marché, que fréquentent surtout les paysans des environs. On y vend les denrées courantes, mais je remarque aussi certains articles caractéristiques : quantité de socques en bois, vernies et peintes, comme en portent les Japonaises; on n'aime guère, je l'ai dit, les souliers dans le Sud et les femmes marchent pieds nus dans ces socques. Comme au Japon encore, les jeunes mères portent leur enfant sur leur dos; il est assis dans une espèce de sac supporté par des bretelles qui se croisent et s'attachent par-devant; la tête du bébé émerge, ainsi que ses pieds qu'il colle contre le dos de sa mère : on vend dans les boutiques quantité de ces sacs en cotonnade fleurie, aux couleurs vives; on y trouve aussi beaucoup de vêtements pour enfants : houppelandes de soie et de cotonnade, chapeaux multicolores, munis de visières. Il y a une profusion d'étoffes, dont certaines sont luxueuses. Une des spécialités de Canton, c'est une soie noire, infroissable, qui se lave sans qu'on ait besoin de la repasser; à l'usage, elle prend de vilains reflets marron, elle se lustre et perd tout son éclat; neuve, elle brille comme de l'anthracite; autrefois, seules les femmes de mauvaise vie la portaient; aujourd'hui, on la voit sur le dos de quantité d'hommes et de femmes.

« Je vais vous montrer une rue réactionnaire », m'a dit Mme Cheng. Elle entend par là qu'autrefois c'étaient les étrangers qui en achalandaient les luxueux magasins. Des galeries couvertes la bordent des deux côtés. Perpendiculairement aux piliers, donc au-dessus de la tête des passants et sollicitant son regard de travée en travée, il y a des affiches-réclames, un peu déteintes, qui évoquent naïvement les temps révolus : une élégante blonde, perchée sur de hauts talons, descend d'un « train bleu », tenant à la main une superbe valise de cuir.

Je me suis promenée, la plupart du temps seule, dans beaucoup d'autres rues. Dans la rue du bambou, on ne vendait, de boutique en boutique, que des chaises, tables, cannes à pêche, paravents, paniers, cages, fabriqués avec du bambou. Une autre était pleine d'images : miroirs peints « images de nouvel an » représentant des danseuses, des scènes d'opéra, des scènes familières, portraits de guerriers, de génies, de héros, exécutés dans un style antique. J'ai voulu acheter une de ces peintures, aux belles couleurs violentes. Je franchis le seuil d'une échoppe, où un jeune homme est en train de recopier l'effigie d'un des personnages qui décorent le mur du fond; il ne lève même pas la tête, et découragée je sors. Dix mètres plus loin, je vois dans une autre boutique grimacer les mêmes génies; là aussi, un homme copie avec soin une image ancienne, mais un autre semble disposé à accueillir des clients; j'entre, je tire de l'argent de mon sac, je montre les images : le marchand rit, il secoue la tête; j'insiste : il écrit quelque chose sur un papier; évidemment ces peintures ne sont pas à vendre. Il s'agissait, m'a dit le soir Mme Cheng, de ces effigies sacrées qu'on affiche aux portes des maisons, ou qu'on brûle sur les tombeaux des ancêtres; on les fabrique sur commande pour les familles croyantes. Il serait impie d'en céder à un étranger.

L'abondance de ces peintures semble indiquer que les vieilles superstitions sont encore tenaces à Canton. Autre chose le confirme : la quantité des boutiques de chiromancie; ce sont de toutes petites échoppes, fermées par des portes sur lesquelles sont dessinés des mains et des visages, découpés en tranches, marqués de repères, selon les lois d'une science magique. J'aperçois aussi de-ci, de-là, des marchands de « livres œufs » à l'ancienne mode. Et de petits théâtres d'acrobates, donnant de plain-pied sur la rue : quelques bancs, une estrade; si des ménestrels y content des histoires, celles-ci ne doivent guère être politisées.

Je suis frappée par le nombre et le luxe des maisons de thé; on boit beaucoup de thé dans le Sud, parce qu'on a besoin de se désaltérer, mais aussi parce que les gens aiment se réunir dans des endroits publics. Ces salons sont souvent si vastes qu'ils occupent toute l'épaisseur d'un pâté de maisons : on aperçoit des tables de bois sombre, un escalier intérieur donnant accès à un premier étage, et au loin une fenêtre qui s'ouvre sur une autre rue. Il y a aussi des glaciers qui débitent sur des tables de marbre toutes espèces de crèmes glacées: vanille, ananas, banane, pois rouges. J'ai déjeuné dans un restaurant cantonnais. Au lieu des boxes qui à Pékin isolent chaque table, il y a ici de grandes salles où se coudoient une multitude de convives; elles occupent trois étages; des gens, en vêtements modestes, certains même d'apparence assez pauvre, assis devant de petites tables rondes déjeunent de ce qu'on appelle « un thé cantonnais »; c'est en fait un repas substantiel, mais composé uniquement de gâteaux, de pâtés, de beignets. Au quatrième étage se trouvent une salle, plus élégante que les trois autres, et plusieurs cabinets particuliers. Les fenêtres donnent sur le fleuve; les meubles, en acajou noir, sont tendus d'une sorte de caoutchouc rose. On m'a servi des beignets de crevettes, des pâtés de canards, des blancs de poulet enrobés de pain d'ange, des bouchées, des feuilletés, des petits pains farcis, des rissoles, des pains au lait grands comme le pouce accompagnant des morceaux de porc confit, des « pots de lait » dont la collerette sablée entoure une épaisse couche de crème blanche. Les gâteaux de Canton sont réputés, les boutiques de pâtissiers nombreuses. On voit aussi beaucoup de tavernes, aux comptoirs de pierre et de brique, où l'on sert du thé et des sucreries. Le soir, elles sont pleines de gens qui fument, boivent et mangent. Au lieu d'être tournés face aux rues, comme à Pékin, ils regardent le ciel, ils savourent le crépuscule. Tard dans la nuit, des groupes bavardent encore dans les tavernes éclairées au néon.

Les rues d'habitation s'ouvrent en contre-bas, on y descend par quelques marches; le sol est dallé et elles sont si étroites qu'on ne peut les parcourir qu'à pied. Des marchands ambulants, assis au pied des murs, vendent des légumes, des fruits, du poisson. Les fenêtres entrouvertes laissent apercevoir l'intérieur des maisons : elles sont moins nues qu'à Pékin; il y a des images aux murs, et sur des crédences des vases et des bibelots.

Dans l'ensemble, le spectacle de la rue est beaucoup plus animé et coloré qu'à Pékin ou Shanghaï. Les femmes sont très différentes : infiniment plus coquettes. Elles portent des pantalons de soie noire qui leur moulent le corps et des chemisettes de cotonnade cintrées à la taille; pas de veste; plutôt des casaques, à petit col officier et qui laissent leurs bras nus : le fait me semble insolite, car selon une tradition multiséculaire les Chinoises du Nord ne découvrent pas un pouce de leur peau; par les jours les plus chauds, toutes, à Pékin et Shanghaï, cachaient leurs pieds dans des chaussettes; les cantonnaises vont pieds nus dans leurs socques et montrent à demi, ou même entièrement, des bras charmants. Petites, bien faites, elles sont extrêmement gracieuses. Leur féminité ne les empêche pas d'accomplir les plus durs travaux. Dans le Nord, jamais je n'ai vu une femme *porter* de sérieux fardeaux. Au contraire ici, selon une tradition elle aussi multiséculaire, elles tirent des charrettes, elles portent sur les épaules des fléaux chargés de seaux pesants. Et surtout ce sont elles qui sur la rivière et sur les canaux accomplissent le dur travail de propulser en godillant les lourds bateaux.

A la fois plus nonchalants et plus vifs que les Pékinois, les Cantonnais sont aussi plus sociables et cependant plus individualistes. Leur type est moins purement chinois que dans les autres villes. Le mélange des races, le fait qu'on trouve ici beaucoup de coutumes identiques à celles du Japon, donne au visiteur une impression de cosmopolitisme: c'est l'Extrême-Orient, mais à peine la Chine. Ainsi un étranger arrivant de Paris peut sentir à Marseille la présence du bassin méditerranéen plutôt que celle de la France.

Il existait autrefois à Canton deux sortes de ségrégations. Les Hakka, minorité nationale résidant dans les montagnes environnantes, n'avaient pas le droit d'entrer dans la ville. Les habitants des « quartiers sur l'eau » ne devaient pas se mélanger avec la population urbaine.

L'existence de ces villages flottants remonte aux Yuan. Des paysans chassés par la famine, des pêcheurs sans ressources, des vagabonds, des repris de justice, toute espèce de gens sans feu ni lieu venaient sur des bateaux chercher fortune en ville. Les habitants se défendirent contre ces misérables immigrants; ils leur interdirent de s'installer à terre et les traitèrent en parias. Leurs descendants subirent le même sort; ils constituaient une caste maudite; on les méprisait, on leur donnait des sobriquets insultants. Il y avait parmi eux des mariniers, des bateliers, des dockers mais aussi une vaste pègre. Les voyageurs du XIXe siècle ont maintes fois décrit les « bateaux de plaisance », situés entre Whampou et Canton, et qui étaient des bordels flottants. Au balcon des hautes péniches fleuries souriaient des femmes vêtues de soie et couvertes de bijoux. Les Occidentaux ne s'y aventuraient pas : l'un d'eux voulut y pénétrer, et ne réapparut jamais. Les habitants des « quartiers sur l'eau » n'aimaient pas les étrangers : au passage ils les bombardaient volontiers de pierres ou d'oranges pourries.

Tchang Kaï-chek ne fit rien pour modifier leur condition. Ils durent continuer à vivre sur leurs embarcations; ils ne pouvaient ni faire du commerce, ni passer les examens officiels, ni même aller à l'école; ils devaient se marier entre eux et s'ils se promenaient en ville, marcher pieds nus, pour montrer qu'ils n'appartenaient pas à la communauté.

Le nouveau régime a aboli la ségrégation, expliqué aux Cantonnais que les gens du fleuve étaient comme les autres des citoyens chinois, interdit de leur donner des sobriquets. Il leur a fait construire quelques maisons. J'ai suivi un canal couvert de barques de plaisance qui promènent, le dimanche surtout, les gens de Canton; elles sont si nombreuses que leurs coques se touchent. On dirait de petites chambres : les portants sont en bois peint, souvent bleu clair, avec un semis de fleurs rouges; à l'intérieur il y a des bancs latéraux, et un banc perpendiculaire, couvert de coussins, dont le dossier est un grand miroir en forme d'éventail où sont peints des fleurs et des oiseaux. Les batelières, assises à l'avant, vêtues de noir, les bras musclés, souvent jeunes et d'allure coquette, hèlent avec insistance les passants. Sur la rive on a bâti quelques rangées de maisons : elles sont en bambou et en pisé, fragiles, mais enfin elles reposent sur la terre ferme. Elles forment un vrai village.

On projette d'en édifier d'autres. Mais pour l'instant, soixante mille personnes habitent encore sur l'eau. Une vedette m'a emmenée voir, sur le fleuve, une de ces agglomérations. Il y a des rangées de sampans séparées par des espèces de jetées surélevées, en bois, auxquelles on accède du bateau par des échelles et qui constituent de véritables rues; chacune a son nom, chaque barque son numéro. Souvent ces maisons flottantes sont ornées de girouettes qui tournent au vent. D'autres se sont annexé un ponton, où poussent quelques fleurs. Je monte sur une des jetées, je descends dans un bateau. L'avant constitue une première pièce à demi fermée par un panneau de bois et par une étagère où sont rangés des ustensiles ménagers; derrière, il y a un compartiment symétrique; à la poupe un étroit espace se divise en cuisine et en cabinet de toilette. Les sièges sont de petits bancs en bois, de dix centimètres de hauteur. Vêtements, ustensiles se rangent sous le plancher ciré dont les lames se soulèvent. Le bateau est entouré de panneaux de bois : le jour on les enlève; la nuit, on peut fermer hermétiquement l'habitation. En partant, je jette un coup d'œil sur les barques voisines; elles sont analogues à celle-ci. Dans l'une d'elles, je remarque un jeune garçon en short, torse nu, étendu de tout son long sur le parquet, en train de lire.

Les quartiers flottants forment à présent un district exactement pareil aux autres. Il possède sa municipalité, et il est représenté à l'assemblée populaire. On y a créé huit écoles primaires; elles ne comptaient en 1949 que 27 élèves, et maintenant 2.000 enfants les fréquentent; 70 sont entrés cette année dans des écoles secondaires. D'abord aménagées sur l'eau, elles ont été installées depuis sur la terre ferme. Il y a un club culturel, des cours du soir, des conférences politiques. Les bateaux sont soumis à un contrôle sanitaire, on a créé des dispensaires. Il existe des coopératives de consommation et les pêcheurs sont groupés en coopératives de production. On a fait effort pour supprimer les éléments douteux et réduit la prostitution. Elle n'est pas tout à fait abolie. Le soir sur le « long quai » des racoleuses proposent aux passants des promenades sur l'eau avec des gestes peu équivoques. Un Français m'a raconté qu'une nuit, poussé par la curiosité, il était monté avec deux amis dans la barque d'une de ces batelières suspectes. Pendant une demi-heure ils se sont promenés sur l'eau; transis, déçus, ils commençaient à se convaincre de la vertu cantonnaise quand ils ont vu apparaître des girandoles de lumière : des femmes étaient assises à l'avant de jonques joyeusement éclairées; des hommes circulaient sur les jetées, comme dans les ruelles d'un quartier réservé. La batelière leur proposa de débarquer; toujours aiguillonnés par l'amour de la science, les trois Français entrèrent chacun dans une de ces chambres aquatiques : leurs expériences furent identiques. Leur hôtesse les fit coucher, tout habillés, sur le plancher, et leur infligea sur le dos, le torse, les jambes des massages et des tapotements d'un agrément douteux. Moyennant une somme supplémentaire, ceux qui le souhaitèrent obtinrent des caresses relevant d'un érotisme plus international. Ce récit m'a confirmé qu'à Canton la mentalité progressiste n'avait pas encore définitivement triomphé.

Révolutionnaire et superstitieuse, cosmopolite, individualiste, méridionale, Canton a encore une autre caractéristique : située sur la côte, et seulement à une cinquantaine de kilomètres de Hong-Kong, c'est une ville frontière. Dans le train, à l'arrivée, un employé m'a demandé inopinément de relever ma vitre : « On va passer sur un pont. » Tsai a commenté : « C'est sans doute pour être sûr que personne ne lancera de bombe. » Tous les ponts de la Chine sont gardés par des soldats, mais c'était la première fois que dans un train je voyais prendre cette précaution. A Canton, Tsai a voulu faire une photo, au milieu d'une place; un passant, en complet de soie noire, s'est approché et lui a dit quelques mots. Ils ont discuté et l'homme s'est éloigné. « Il fait du zèle », a dit Tsai avec un peu d'agacement. Le passant lui avait signalé que nous étions près d'un pont qu'il était interdit de photographier. Il s'agissait du pont Hai tchou, détruit en 1949, rebâti depuis et qui est le plus long de toute la Chine du Sud : deux cents yards. Il relie les deux rives de la rivière Perle. Tsai a tout de même pris sa photo où le pont, d'ailleurs, n'entrait pas. J'ai remarqué aussi que le mémorial Sun Yat-sen et la plupart des monuments publics sont gardés par des soldats.

Le troisième soir après mon arrivée, je regardais de ma fenêtre les lumignons timides éparpillés sur le fleuve, et les enseignes au néon du Bund. Soudain j'entends des sirènes : un bruit périmé, tout à fait hors de saison. Et voilà que les lumières au néon s'éteignent; d'invisibles bouches soufflent toutes les bougies; dans la rue des gens se mettent à courir. On dirait une véritable alerte : c'en est une. Mme Cheng frappe à ma porte. Il faut descendre, sinon dans les caves, du moins jusque dans les corridors du premier étage. Tous les clients de l'hôtel sont rassemblés là, dans l'obscurité. Il y a une délégation d'athlètes hindous conduits par un interprète qui est un ami de Tsai : il s'illumine en le retrouvant et ils se mettent à bavarder gaiement. Formose n'est pas loin, m'explique Mme Cheng; sur la côte, les bombardements d'usines et de centres industriels sont fréquents : chaque fois qu'un avion ennemi est signalé dans les parages, on sonne l'alerte à Canton. Il n'y a d'ailleurs aucun danger : la défense aérienne ne laisserait pas passer les avions. Je pense que de toute façon Tchang Kaï-chek n'aurait pas la maladresse de faire bombarder une ville ouverte. L'alerte constitue, je suppose, une sorte d'exercice en cas de plus sérieuses conjonctures; et on veut rappeler aussi aux Chinois de manière convaincante que la question de Formose n'est pas résolue, qu'il est nécessaire de la liquider définitivement.

L'ensemble de ces incidents s'explique par la proximité des contre-révolutionnaires. La consigne « vigilance » est plus stricte ici que partout ailleurs. En mars 1954, le quotidien cantonnais *Hang Fang* a annoncé l'arrestation des quarante dirigeants d'une organisation secrète : « La lance verte »; elle était constituée, disait le journal, par des agents des U.S.A. et du Kuomintang, venus de Hong-Kong pour se livrer à des sabotages de trains et de ponts, à des incendies et à des assassinats. Ils travaillaient le long de la ligne Han-keou-Canton; leur quartier général était à Canton une boutique de coiffeur. Quelques-uns étaient fonctionnaires d'Etat et une femme était servante chez un officier. Le tribunal, s'appuyant sur la loi du 29 janvier 1951 sur les activités contre-révolutionnaires, a prononcé treize condamnations à mort; les autres membres de la société ont été emprisonnés. Un complot analogue a eu lieu, dit-on, en octobre. De là vient la tension qu'on sent dans cette ville et qui ne se manifeste ni à Pékin ni même à Shanghaï.

Douze heures de vol, au-dessus des grandes plaines mouillées, et de nouveau voici Pékin. L'automne est venu. Les arbres ont pris la couleur des toits impériaux. Des châtaignes rôtissent au coin des rues, mêlées à une fine poussière de charbon. Je retrouve les bleus de Cézanne au long des avenues tranquilles. Je comprends en revoyant Pékin combien je l'aime. Il est moins animé que Shanghaï, moins coloré que Canton. Mais rien en Chine ne peut se comparer à la beauté d'un houtong gris sous une lune froide comme une banquise et des étoiles piquantes comme des glaçons. La voix d'un marchand de nouilles résonne entre les murs aveugles; au loin, un heurtoir frappe le bois d'une porte; nul autre bruit; l'odeur aigre de la terre remplit la nuit. Pékin est un des rares endroits au monde où certains instants sont parfaits.

CONCLUSION

Certains sinologues ont tiré un trait : depuis 1949, la Chine a cessé d'être la Chine. Les anticommunistes prétendent volontiers que la « barbarie » socialiste a enterré une des plus vieilles et des plus belles civilisations du monde : elle n'a feint de la respecter que pour mieux l'assassiner. Le passé chinois est à prendre ou à laisser, déclare Etiemble, et si on le laisse, il ne faut pas faire semblant de l'assumer. Superbe intransigeance : avons-nous tout retenu de notre héritage judéo-chrétien, du passé français ? Sous ses aspects les plus valables, la vieille Chine subsiste à sa place : dans les bibliothèques et les musées [1]; un grand effort est fait pour en divulguer la connaissance. Quant au climat dans lequel vécurent les Chinois pendant ces derniers siècles, il ne m'inspire pas un regret. Je reprendrais volontiers à mon compte cette opinion de Pearl Buck [2] : « S'il est une chose que je reproche aux beautés de la Chine, c'est leur caractère d'exclusivité. Elles ne rayonnent pas dans toutes les couches du peuple auquel elles appartiennent; elles sont restées trop longtemps l'apanage de certaines classes sociales et religieuse. » Non seulement elles étaient réservées à quelques privilégiés, mais elles manifestaient essentiellement l'oppression et la mutilation de l'homme par l'homme.

Jusqu'à ces dernières années, la condition des Chinois est demeurée horriblement naturelle. Le paysan n'utilisait même pas la force de travail ni l'engrais des animaux; entre le sol

1. En grande partie dans les musées d'Occident, mais ce n'est pas la faute du régime.
2. Les mondes que j'ai connus.

et lui, aucun intermédiaire; la seule bête de somme qu'il exploitât, c'était lui-même. Il traitait sa progéniture comme une portée animale : on en noyait quelques échantillons, à l'occasion on en vendait certains autres et ceux que nourrissait le groupe producteur lui appartenaient corps et âme. A peine la famille se distinguait-elle du champ qu'elle cultivait, et l'individu ne s'isolait pas de la famille : dans la classe travailleuse, l'homme ne se saisissait pas comme humain. Le loisir, la fortune permettaient aux mandarins de s'opposer à la masse, et à la nature. Mais liés eux aussi à la terre, puisque leurs richesses étaient foncières, prisonniers d'un monde où n'existait à la base aucune antiphysis, ils furent incapables de dépasser positivement le donné : ils se bornèrent à le déformer. Les rocailles, les arbustes nains, les poissons monstrueux manifestent leur amour des « choses » torturées; ce goût a inspiré les sculptures, les bibelots, les architectures de la basse époque; il a infligé à cet objet naturel qu'est le corps humain d'impérieuses sophistications : les pieds atrophiés des femmes, les eunuques, l'érotisme puéril et biscornu dépeint dans les vieux romans, la vogue de l'homosexualité, l'art du supplice relèvent d'une antiphysis qui ne sut s'inventer d'autre issue que la perversion. Sous ces raffinements se dissimule mal la monotonie d'une civilisation de l'immanence. La rigidité des institutions, l'arrêt du progrès technique figeant l'empire dans un éternel présent coupèrent l'homme de sa transcendance : l'art au lieu de déboucher sur l'infini de l'avenir fut un divertissement d'oisif. Les authentiques créations que produisit la Chine à des moments vivants de son histoire furent oubliées, ou inlassablement imitées. Jardins, tableaux, monuments, la multiplicité des variantes, loin d'engendrer un changement, confirme cet immobilisme. Le passage du temple grec à la voûte, de la basilique à l'église romane, du roman au gothique n'a pas d'équivalent en Chine. Comment voudrait-on que la civilisation nouvelle prolonge le mouvement d'une culture qui depuis longtemps ne bougeait plus ? Le hiatus qui sépare le présent du passé est imputable au passé même. Le communisme n'est pas en cause : tout régime qui se fût appliqué à moderniser la Chine était obligé de prendre — sur le plan artistique et intellectuel — un départ neuf. Et même, étant donné leur position nationaliste, les dirigeants respectent le vieux patrimoine beaucoup plus soigneusement que ne le fit la bourgeoisie du 4 Mai.

Quant à leur reprocher de n'avoir pas encore créé une civilisation nouvelle, cela suppose bien de la mauvaise foi : une société qui est en train de se construire ne trouve pas d'emblée ses moyens d'expression. La relation entre les consignes « d'extension » et « d'élévation » de la culture est complexe : selon les moments, elles se contrarient ou s'harmonisent. Il est hors de doute que le niveau culturel de la masse s'est considérablement amélioré; quant au développement des formes supérieures de l'art, de la littérature, l'optimisme comme le pessimisme sont aujourd'hui prématurés. C'est le seul point d'interrogation — et il était inévitable — que j'inscrirai à ce bilan. En dépit d'hésitations, d'excès, de fautes que j'ai signalés, l'effort et les réalisations de la Chine me semblent admirables.

Cependant, depuis l'hiver 1955 les attaques contre la Chine se sont multipliées; nombre de démocraties bourgeoises sont tentées de la reconnaître et de voter son admission à l'O.N.U.: il s'agit de leur démontrer l'inopportunité d'une pareille démarche. Cette campagne bien orchestrée trouble certains esprits : un homme aussi honnête que Ricœur en vient à se demander s'il a vraiment vu ce qu'il a vu. Je vais donc examiner, en la confrontant avec les résultats de ma propre enquête, le contenu et la portée de ces réquisitoires.

« *Le voyageur qui visite superficiellement la Chine est impressionné par la propreté des rues, la ponctualité des trains, l'honnêteté scrupuleuse des officiels, l'énergie et l'ardeur dans la conduite du pays : en un mot, par la présence d'une discipline dont on ne pouvait pas même rêver dans la Chine d'il y a cinq ans.*

Avant l'avènement du présent régime, la mentalité dominante, c'était la liberté désordonnée du « laisser faire ». Le code confucianiste de la famille exerçait encore une large influence, mais dans les ports modernes il y avait un étalage non déguisé de richesses, cependant que dans les campagnes se poursuivait l'immémoriale routine du travail. En ce temps-là, le pays était égaré par les divisions politiques et militaires, et par le chaos intellectuel résultant de l'intrusion de mœurs et d'idéologies occidentales contradictoires.

Tout cela a changé. Le pays est uni, soumis à un unique gouvernement central gagnant en conséquence énormément de pouvoir et de prestige. Il n'est pas seulement unifié politiquement : mais aussi économiquement et culturellement. »

Qui parle ainsi ? un propagandiste du régime ? Non. La plus venimeuse des revues qui se consacrent à vilipender la Chine populaire, *China News Analysis,* publiée à Hong-Kong par des conservateurs acharnés.

Quelle que soit leur mauvaise foi, les gens qui ont vécu autrefois en Chine, ceux qui connaissent un peu l'ensemble du monde asiatique ne peuvent manquer d'être frappés par les réalisations de la Chine d'aujourd'hui : « Bilan matériel remarquable », conclut Guillain. Les journalistes Renée et Pierre Gosset inscrivent sur le côté positif de leur bilan : « La bataille gagnée par la santé et l'hygiène... La lutte contre les fléaux sociaux — Disparition des filous — Le colossal effort d'afforestation, la naissance d'une industrie, la réforme agraire, l'endiguement des fleuves... La Chine est en passe de devenir un grand pays industriel. Elimination de la famine... Le peuple est bien vêtu, apparemment bien nourri. L'ordre règne partout. La naissance d'un patriotisme, d'une armée nationale. La monnaie stable, les finances saines. L'honnêteté du gouvernement. L'immense effort de désanalphabétisation. »

On se doute bien que les anticommunistes opposent à ces aveux que leur arrache l'évidence une sévère contrepartie : laquelle ?

Les capitalistes occidentaux qui résident encore à Shanghaï, les missionnaires expulsés, les partisans de Tchang Kaï-chek, les contre-révolutionnaires réfugiés à Formose ou à Hong-Kong, ceux qui guerroient encore sur la frontière chinoise, et certains Américains affiliés au « lobby chinois » constituent l'aile la plus fanatique de l'opposition. Leur haine les précipite dans le prophétisme cataclysmique; Tchang reprendra le pouvoir, ou une troisième guerre mondiale éclatera : de toute façon la révolution n'aura été qu'un feu de paille. Ils soulignent complaisamment les analogies de l'étatisme actuel avec le vieil empire centralisé; le tao est immuable et se manifeste par la fatale alternance du yin et du yang : dans l'apparent triomphe du communisme chinois, ces voyants découvrent donc le gage de son proche dépérissement.

Il est très vrai que la révolution communiste, loin de contredire le passé chinois, s'inscrit dans la série des brutales ruptures qui le caractérisent. Sur les ruines de la féodalité, abattue 300 ans avant J.-C. par Che Houang-ti, se succédèrent des dynasties qui tombèrent l'une après l'autre en décadence; leur chute déchaînait l'anarchie d'où surgissait une autorité neuve qui reconstruisait le pays. Ainsi la décomposition du Kuomintang a entraîné la guerre civile dont triompha le parti communiste. Certains des problèmes qui se posèrent alors aux dirigeants avaient déjà sollicité les unificateurs de l'Empire et avaient reçu d'eux des solutions similaires. Che Houang-ti, quand il réalisa pour la première fois l'unité politique et administrative que vient d'achever à nouveau Mao Tsé-toung, s'attacha à développer les voies de communication; il standardisa l'écriture comme on standardise aujourd'hui le langage parlé. L'aménagement des fleuves est une entreprise qui remonte au légendaire Yao et que poursuivirent quantité d'empereurs. L'immensité du territoire, le caractère hydraulique de la civilisation ont de tout temps rendu nécessaire un dirigisme économique; seul un pouvoir fortement centralisé peut conduire les grands travaux publics — routes et digues —, pallier les crises qu'engendrent les cataclysmes naturels, briser les barrières isolant les marchés fermés qui constituent la Chine. Bien des fois au cours de l'histoire chinoise des fonctionnaires ont été chargés de fixer les prix, de stocker et redistribuer le blé et le riz. Le monopole des grains instauré en 1953 a des antécédents dans les « greniers régulateurs » des Song. Souvent, après avoir conquis le pouvoir, le nouveau maître de la Chine effectuait une réforme agraire, abolissant les latifundia au profit de la petite propriété. Beaucoup d'autres rapprochements sont significatifs. Un même refus des ingérences étrangères conduisit K'ang-hi à chasser le légat du pape, venu pour conclure l'affaire des Rites et incita le gouvernement populaire à expulser le nonce Riberi. C'est pour consolider leur autorité sur le Thibet que K'ien-long, protégeant la religion lamaïque, donna à des bonzes le temple Yong-ho-kong et que Mao Tsé-toung vient de le faire restaurer.

De ces analogies, les conservateurs déduisent que, de nouveau, la roue doit fatalement tourner et que les communistes seront balayés comme le furent les Han, les T'ang, les Ming, les Ts'ing. Ils oublient un fait essentiel. Si l'histoire de la Chine n'a guère été jusqu'ici qu'une suite de répétitions, c'est à cause de sa stagnation économique. A l'époque où se développa l'industrie du fer, Che Houang-ti, en démantelant les Etats féodaux, transforma durablement la Chine : il en fit un empire centralisé. Mais ensuite l'essor du commerce et de l'industrie fut jugulé, le progrès technique arrêté par les bureaucrates impériaux, et la Chine se mit à piétiner sur place. Les hommes au pouvoir se renouvelaient : mis en face d'une situation identique, ils n'avaient en main que les instruments dont disposaient aussi leurs prédécesseurs. Cette « circulation des élites » à laquelle Burnham prétend réduire les révolutions ne suffit précisément pas à les déclencher. La « circulation » a été particulièrement intense en Chine; sans cesse une équipe en remplaçait une autre, les barbares prenant sur le trône la relève des Chinois, un fils du peuple accédant brutalement aux dignités suprêmes : l'histoire n'en continuait pas moins de tourner en rond. Au contraire, le bouleversement réalisé par le parti communiste est étayé par des changements économiques et techniques. Aujourd'hui, une classe ouvrière existe, l'industrialisation de la Chine est commencée; les latifundia ne se reformeront pas parce que, bientôt, des tracteurs consolideront la collectivisation. Cette fois, c'est véritablement d'une révolution qu'il s'agit : les anciennes structures ont été irréversiblement brisées; la rupture consommée n'amorce pas un cycle mais un progrès. L'histoire s'est mise en marche. La Chine a cessé de vivre au jour le jour et de rêver à un ancien et mythique âge d'or : elle se tourne vers l'avenir.

Ce seul fait constitue un changement radical. Avant, l'avenir n'existait qu'à titre de menace; il dépendait des caprices de la nature, des hasards des guerres, des brigandages de la politique : personne n'avait prise sur lui. Une implacable loi d'airain, forgée par les grands et menus profiteurs du régime, voulait qu'il pût apporter la misère, mais jamais la prospérité; si la récolte était mauvaise, paysans et ouvriers en pâtissaient; si elle était bonne, seuls les spéculateurs se remplissaient les poches. L'inflation précipitait la ruine des artisans, des commerçants et même des petits capitalistes : nul ne s'en relevait. Le *tao* était immuable, mais la roue du yin et du yang ne tournait pas : c'était toujours l'ombre, et jamais le soleil. A une situation sans issue, les Chinois réagissaient par une apathie désolée qui navrait les intellectuels révolutionnaires, entre autres Lou Sin, et où les Occidentaux se plaisaient à voir un trait du « caractère oriental ». Les sagesses reflétaient ce morne quiétisme. Le confucianisme prêchait l'obéissance et la résignation; taoïsme et bouddhisme exhortaient à la non-action. Que peut-on faire d'aujourd'hui quand on ne compte sur aucun lendemain ? « Avant, c'était le désespoir », admet Robert Gillain. Cela ne l'a pas empêché de déclarer à Renée et Pierre Gosset : « Jadis les Chinois étaient faméliques et en loques. Mais ils étaient gais et insouciants [1]. » Certains clichés ont vraiment la vie dure : celui du joyeux affamé a résisté à la révolution chinoise, à la guerre d'Indochine, à celle d'Algérie. On sait que le lazzarone napolitain en est le spécimen privilégié; mais l'hindou moribond a sa sérénité; jusqu'à ces derniers temps le manœuvre nord-africain se contentait de rien : il n'avait pas de besoins. J'admets que, considéré de très haut, le désespoir ressemble à l'insouciance; mais quiconque les confond prouve qu'il est radicalement étranger au monde humain : il devrait avoir la prudence de n'en point parler.

Une vie confinée dans un présent amer, sans prise sur le lendemain, ne mérite pas d'être appelée humaine. Le premier bienfait du régime — ses pires détracteurs en conviennent — c'est qu'il a donné à la société chinoise stabilité et sécurité; par là, il a restitué à l'existence des Chinois la dimension qui lui manquait : ils possèdent un avenir; ils ne sont plus jouets d'une fatalité : quelque chose est à faire. Dans les banlieues où s'édifie le « nouveau Pékin », dans les usines de Mandchourie, sur le pont encore inachevé qui enjambe le Yang-tzé, sur le barrage qui contrôle le fleuve Houai l'avenir mange le présent. Ni rêve, ni utopie, sa place est exactement délimitée, des chiffres précis le mesurent, la date de son incarnation est fixée. Si parfois il déjoue les prévisions, c'est par la rapidité avec laquelle il se réalise. Pour considérer le monde, les Chinois ne s'installent plus comme le voulaient les sages taoïstes dans « le char du soleil » mais au bout du premier, ou du troisième plan quinquennal. La réalité présente de la Chine, c'est son avenir.

Oui, dit l'anticommuniste, le pays s'est ouvert un avenir, mais ses habitants n'y ont rien gagné. C'est sur ce point que la plupart des adversaires du régime concentrent leurs attaques. Trop réalistes pour lui prédire une chute imminente, ils s'appliquent à le discréditer; les réalisations obtenues sont

---

1. Chine Rouge. An VII.

indéniables : mais quelle valeur leur accorder si elles ne profitent à personne ? M. Guillain déclare que le système est « bon pour la Chine mais mauvais pour les Chinois »; M. Fano se demande avec angoisse à qui 600 millions d'hommes se sacrifient, et pourquoi : c'est en effet un insondable mystère. D'autant plus qu'aux yeux des anticommunistes tous les Chinois apparaissent comme les plus défavorisés. Les paysans sont les parias du régime; mais il n'y a pire sort que celui des ouvriers; commerçants, artisans capitalistes ne sont pas moins lésés. Par qui ? même les anticommunistes les plus acharnés reconnaissent en grinçant des dents « *l'honnêteté scrupuleuse des officiels* ». Nul n'accuse les dirigeants de se vautrer dans un luxe arraché à la sueur du peuple. Comment prétendre qu'une partie de la communauté est « sacrifiée » à son ensemble, si toutes le sont ? On pense à ce courtisan de la fable qui boitait des deux pieds : il marchait droit. Soit, dira-t-on; et on brandira le slogan : « Les générations présentes sont sacrifiées à l'avenir. » C'est oublier que l'idée de sacrifice implique par définition un renoncement : de quel bien les Chinois ont-ils été dépouillés ? La condition des ouvriers, des paysans, des artisans, des petits commerçants était abominable, celle des bourgeois à peine tolérable. « Avant », admet Guillain « c'était épouvantable; première vérité. Pauvreté, corruption inefficacité, misère, mépris du peuple, et du bien public, tout cela composait — je l'ai connu — le plus misérable des pays. » N'importe quel régime, ajoute-t-il, devait fatalement valoir mieux que celui-là. Ni lui, ni personne, n'ose prétendre que le peuple chinois ait perdu au change. Les Gosset reconnaissent que « le peuple chinois... est probablement plus heureux qu'il n'a jamais été ». Comment donc parler de sacrifice ? La condition des Chinois demeure austère comparée à celle des nations plus fortunées et à celle qui est promise à leurs enfants : d'accord, et le gouvernement est le premier à le reconnaître; mais s'en indigner revient à s'indigner qu'on puisse aujourd'hui être Chinois. Il faut se rappeler que la Chine était avec l'Indonésie le pays le plus pauvre du monde, que le niveau de vie de ses ouvriers était inférieur à celui des travailleurs d'Egypte et des Indes. Prétendra-t-on que les communistes auraient dû assurer du jour au lendemain à 600 millions d'hommes misérables une condition équivalente à celle d'un ouvrier occidental ? Telle l'Antigone d'Anouilh, mais à moins de frais, les spécialistes de l'anticommunisme réclament « tout, tout de suite » : l'absolu est à la portée de toutes les plumes. Mais quand on reconstruit un pays autrement que sur le papier, le possible se distingue de l'impossible et le temps compte.

Il n'est pas vrai que tous soient également sacrifiés, dira-t-on. Les Gosset s'indignent contre les survivances du capitalisme et contre « l'inégalité criante de cette société future avec ses cadres communistes et sa bureaucratie au sommet, sa classe ouvrière privilégiée et ses paysans tout au bas de l'échelle ». La droite se plaît à taxer le communisme d'utopie et à lui opposer un réalisme « machiavélien »; cependant dès que le communisme démontre en s'incarnant qu'il n'est pas une pure idée, elle lui fait amèrement grief de son réalisme. L'inégalité se justifie en Chine par les besoins de la production. Les travaux les plus qualifiés, les plus difficiles reçoivent le salaire le plus haut. Mais les différences ne sont pas criantes, d'abord parce que l'éventail des salaires n'est pas largement ouvert, ensuite parce que tout avantage se paie. Le travail fourni par les responsables est écrasant et si on met par exemple des autos à leur disposition, ce n'est pas pour qu'ils s'y pavanent : chacune de leurs minutes compte. Les ouvriers sont « privilégiés » dans la mesure où ils ont politiquement plus d'influence et qu'en espèces ils gagnent plus que le paysan : celui-ci est généralement mieux logé, il produit lui-même ce qu'il consomme, et surtout il a à fournir un effort beaucoup moins dur que l'ouvrier. Ce qui au contraire m'a frappée en Chine, c'est combien les inégalités sont rigoureusement compensées.

La principale objection de ceux qui blâment la ligne suivie par le gouvernement, c'est qu'on devrait consacrer au bien-être du peuple les capitaux investis dans l'industrie lourde. J'imagine qu'ils préconisent ce programme parce qu'ils savent qu'en l'appliquant la république chinoise se condamnerait à mort. La Chine n'a pas vaincu en cinq ans la pauvreté. En 1954, les fleuves ont débordé; disette, épidémies ont menacé le pays; ces menaces peuvent renaître; et de toute façon, chaque année la population s'accroît de 2 %. Impossible de trouver un équilibre au sein d'une situation aussi précaire; si elle se prolongeait, on retomberait nécessairement dans le cycle infernal : surpopulation, sous-alimentation, marasme; consommer immédiatement ses maigres ressources au lieu de les exploiter, c'est une politique qui non seulement sonnerait le glas des générations futures mais qui jetterait au plus profond de la misère les hommes vivant aujourd'hui. En sacrifiant ceux-ci à l'industrie lourde, on ne les sacrifie qu'à eux-mêmes. Les objections soi-disant « humanitaires » des contre-révolutionnaires sont d'autant plus inconsidérées que la Chine joue presque à coup sûr gagnant; étant donné ses immenses ressources naturelles, le développement de la production lui ouvrira des possibilités quasi illimitées et permettra une extraordinaire amélioration du niveau de vie chinois.

Dira-t-on encore une fois que c'est la Chine qui profitera de cet enrichissement, non les Chinois ? c'est prouver qu'on n'a rien compris à l'agencement du système; la chance des Chinois d'aujourd'hui, c'est que l'intérêt de chacun s'accorde de façon très précise avec celui de tous. Il y a parmi les paysans riches et les capitalistes une poignée de profiteurs exploitant pour leur propre compte l'actuelle économie de transition; mais près de 600 millions d'hommes savent que leur prospérité est indissolublement liée à celle de l'Etat, et inversement : c'est ce dernier point surtout qui est remarquable et sur lequel Mao Tsé-toung a mis l'accent dans son discours de juillet 1955. Il n'est absolument pas question quand, grâce à la collectivisation, la production agricole aura augmenté, de rafler le surplus par des taxes qui priveraient le paysan de tout bénéfice; les revenus de l'Etat proviennent en grande partie de la vente des produits de l'industrie légère : il faut pour qu'il s'enrichisse que le marché s'étende, c'est-à-dire que les paysans deviennent des consommateurs, donc que leur niveau de vie s'élève. Loin de négliger leur bien-être présent au nom d'une utopique prospérité future, celle-ci ne s'obtiendra que si déjà aujourd'hui l'existence des masses s'améliore.

La productivité, à l'échelle nationale, est donc synonyme de l'enrichissement de chaque individu. Loin d'être inhumaine, la consigne : « Production d'abord » signifie au contraire que le bonheur de l'homme est la suprême mesure des valeurs. C'est là un des traits qui frappent le visiteur; pas plus qu'il n'est sacrifié à une entité, ou à un avenir qui lui serait étranger, l'homme n'est jeté en holocauste à des principes. Rien ne saurait être plus erroné que d'imaginer les Chinois victimes d'un fanatisme théorique. Jamais les dirigeants ne se règlent sur des concepts abstraits, mais sur la situation concrète : l'efficacité passe avant toute autre considération. On n'a pas répudié au nom de l'idéal socialiste le capitalisme, ni la propriété privée : on les a intégrés à la nouvelle économie dans la mesure où ils pouvaient lui être utiles. On n'a pas brandi des étendards portant la devise : Egalité. Les terres ont été réparties, l'éventail des salaires établi selon les intérêts de la productivité. Jamais on ne supprime un métier au nom de la dignité humaine si on risque de réduire au chômage celui qui l'exerce, et de priver le pays d'une ressource. C'est au sein de l'indigence qu'il faut conquérir la prospérité : on fait feu de tout bois, et le moindre détail compte. Récupérer les bandes de terrain limitant les différents champs représente pour une coopérative un sérieux bénéfice. Un atelier qui réduit la quantité de coton brut nécessaire à la fabrication d'un coupon de cotonnade a bien mérité de la patrie.

Or, à l'heure qu'il est, la principale source d'énergie, c'est la main-d'œuvre humaine; ce souci du détail va s'appliquer aux hommes. Pour obtenir d'eux un rendement maximum, il est nécessaire que leur condition soit matériellement satisfaisante : chaque individu compte. Un des points qui frappent le visiteur, c'est la sollicitude minutieuse que le gouvernement manifeste aux travailleurs; assainissement des quartiers pauvres, lutte contre les taudis, crèches, congés de grossesse, dispensaires, distributions de couvertures : avec un budget des plus restreints le régime assure à tous des conditions d'hygiène et un niveau de vie qui paraissaient il y a dix ans inconcevables. Ces mesures ne sont pas destinées à « sauver la face » mais visent des résultats concrets. Supprimer la mortalité infantile, vaincre épidémies et maladies, donner à chacun une nourriture convenable, c'est le seul moyen d'assurer au pays la force motrice dont il a besoin : des bras robustes. Les morales de l'intention jugeront l'attitude du gouvernement « intéressée »; elle l'est; et les travailleurs chinois doivent s'en féliciter. Rien de plus suspect qu'une « bienveillance » qui maintient entre autrui et moi une séparation : le voilà à la merci de ma conscience, de mes scrupules, de mes caprices.

Les anticommunistes diront que le travailleur chinois paie cher ces avantages : il renonce à sa liberté. Le cliché a fait fortune : les Chinois se seraient changés en fourmis. La métaphore n'est pas neuve. Intéressée à affirmer la solidarité des exploités avec leurs exploiteurs, la pensée conservatrice a toujours été organiciste; curieusement, alors que la ruche est volontiers donnée en exemple aux sociétés humaines, la comparaison avec la fourmilière a un sens péjoratif. Grousset l'a déjà utilisée à propos de l'Asie. Guillain l'a caressée longtemps, avec un vif sentiment d'originalité. Les Gosset racontent qu'elle s'est tout de suite imposée à leur crayon. Il y a peu de pays cependant où elle soit moins adéquate. Elle implique une société rigoureusement planifiée et rationalisée où les entreprises se subdiviseraient de façon très précise en tâches spécialisées. La Chine est au contraire le monde de la répétition. Sa campagne évoque la banlieue maraîchère des environs de Paris; loin de courir de-ci de-là, selon des trajectoires imposées et dessinant un réseau complexe, les paysans cultivent, avec des gestes identiques, les enclos auxquels ils sont rivés; les familles, les villages se juxtaposent : leur économie est autarcique. Quant aux villes, elles ne possèdent pas comme en Europe une unité organique, mais ressemblent à des lotissements; boutiques et ateliers d'artisans se répètent à des milliers d'exemplaires, chaque échoppe se suffisant à elle-même. Les amateurs de passé ont souvent vanté la « qualité humaine » du travail de la terre et du travail artisanal qui incorporent l'individu tout entier à la totalité de son ouvrage: il est singulier qu'un pays comptant plus de 500 millions de paysans, où plus de 75 millions de gens vivent de l'artisanat, et où les ouvriers ne sont que 3 millions, leur apparaisse soudain comme une colonie d'insectes. De toute façon, partout l'homme est humain; mais si on veut jouer avec une grossière image, c'est à Pittsburg, à Detroit qu'on peut rêver de fourmis géantes : sûrement pas à Pékin.

C'est, dira-t-on, que le régime n'a pas encore atteint ses fins : dans la mesure où il industrialise le pays, où il collectivise les champs, il a commencé de changer les hommes en robots. L'économie chinoise serait un exact engrenage où chaque travailleur occuperait une place rigoureuse et produirait sous la pression de forces inéluctables, une quantité de travail mathématiquement définie : paysans, ouvriers seraient devenus esclaves du système. Il faut être fort ignorant pour imaginer qu'en aucun cas le travail servile soit celui qui fournit le meilleur rendement; sa valeur est très inférieure à celle du travail libre. Supposer que la terreur est la plus sûre méthode de gouvernement, c'est manifester ce mépris des hommes qui est habituel à nos « humanistes ». Les Chinois, réalistes, savent que la contrainte ne pourra jamais arracher au travailleur les accomplissements qu'il est spontanément capable d'atteindre. Il y a des stades économiques où de toute façon ces considérations sont oiseuses; l'état rudimentaire, ou extrêmement avancé des techniques réduit presque à zéro le facteur humain. Mais en Chine celui-ci joue au contraire un rôle de premier plan. Les techniques sont à un niveau où l'initiative du travailleur exerce sur elles une emprise directe. La preuve c'est que certaines coopératives progressent, d'autres stagnent, il en est qui régressent. Un ouvrier négligent « loupe » les pièces qu'il fabrique; ingénieux, il invente un dispositif qui augmente le rendement ou améliore la qualité. Certains ateliers fournissent en temps record des produits d'excellente qualité, dans d'autres les normes ne sont pas atteintes et on compte quantité de rebuts. Les différences de compétence et de zèle des groupes rendent compte de cette marge de contingence. La propagande amplifie sans doute la portée des rationalisations proposées par de simples ouvriers : mais assurément leur rôle est loin d'être négligeable dans un pays qui souffre encore cruellement du manque de personnel technique. A défaut de cadres, on a besoin d'ouvriers modèles, de « héros du travail ». L'héroïsme ne se laisse pas réduire à l'obéissance passive, il suppose une participation active du travailleur. Rien de plus aberrant que d'imaginer l'économie chinoise broyant dans ses rouages des hommes impuissants : au contraire, c'est de ceux-ci que sa marche dépend. Il est vrai que les travailleurs n'ont pas encore assez d'autonomie; ils ne sont pas en mesure de défendre eux-mêmes leurs intérêts; mais les dirigeants sont obligés d'en tenir compte. Le mécontentement des ouvriers freinerait la production. L'inertie boudeuse des paysans suffirait à saper à la base tout le système.

C'est pourquoi le gouvernement évite de jamais user de contrainte. Il ne la condamne pas par respect abstrait d'une abstraite liberté; il sait que la collaboration de la population n'a d'efficacité que si elle est volontairement consentie. De là vient que la Chine attache tant d'importance à l'éducation, l'explication, la persuasion.

La meilleure façon d'obtenir rapidement un résultat, c'est de lancer ce qu'on appelle un « mouvement ». La « chaîne » est un des rêves nostalgiques des individus isolés dans le monde capitaliste : que chaque personne en touche quatre autres, on peut réaliser une fortune, rassembler une coalition, changer la face de la terre; en fait, rien de tout cela n'arrive jamais; le clivage social limite à un groupe infime la propagation de la consigne, la chaîne se referme sur elle-même.

En Chine, il n'existe pas de clivage; la communauté des intérêts, la solidarité économique de tous les individus fait de la collectivité une réalité homogène et concrète : à travers villes, bourgs et campagnes un slogan se répand de Pékin aux plus lointaines frontières sans déperdition de force. La « boule de neige » grossit de proche en proche et rassemble la totalité du pays. Un des succès les plus foudroyants, c'est celui qui a couronné la campagne de l'hygiène. Vers 1940 un observateur — Robert Payne — écrivait : « Dans un pays où les rats morts pourrissent dans chaque rue, où les égouts sont bouchés, où dans les plus belles maisons les latrines se déversent dans un caniveau qui coule à moins de dix mètres du puits, le miracle, c'est qu'il y ait des survivants. Quand la guerre sera terminée, la Chine aura d'abord besoin d'ingénieurs ferroviaires, mais ensuite, et à plus longue échéance, de bons ingénieurs sanitaires. » Selon la perspective des pays capitalistes, une armée d'ingénieurs semblait nécessaire ainsi que des crédits impressionnants : personne ne pouvait prévoir que chaque adulte, chaque vieillard, chaque enfant serait mobilisé pour tuer les mouches et ramasser les ordures [1]. Aujourd'hui, les Cassandre de Hong-Kong déclarent que l'analphabétisme ne saurait être vaincu avant des années : où trouver des professeurs ? et l'argent pour les payer ? La réponse c'est que bénévolement chaque paysan qui sait lire en instruira quatre autres : en sept ans tous les Chinois auront appris. De même l'unification du langage parlé s'accomplira certainement dans de très brefs délais. Quant au « mouvement de collectivisation », il a dépassé toutes les prévisions : l'exemple, l'émulation au niveau de la base donnent des résultats que jamais l'autoritarisme n'eût obtenus. Quand les cadres ont voulu aller plus vite que la masse — entre autres, touchant la « loi du mariage » — il s'en est suivi des échecs. C'est une erreur dont les dirigeants se gardent aujourd'hui soigneusement.

---

1. La mesquinerie des adversaires du régime, l'étroitesse de leurs vues confond. A cette immense victoire, M. Fano oppose le fait qu'appâtés par la prime, certains menus filous élevaient des rats afin d'en produire les cadavres. Un tel abus était statistiquement prévisible. Peut-on mettre en balance les quelques yens volés à l'Etat et l'ampleur des résultats obtenus ?

La réussite de ces mouvements, l'adhésion volontaire que leur apportent les Chinois, apparaît aux libéraux bourgeois comme un fait consternant : il n'est pire esclave que celui qui se croit libre; les malheureuses fourmis bleues ont intériorisé la contrainte qui pèse sur elles. L'emprise exercée par le régime s'explique par d'obscures manœuvres : il les a réduites à ne pouvoir vouloir autre chose que ce qu'elles veulent, explique Guillain. Seule une affreuse sorcellerie assure l'accord du pays et du gouvernement : celui-ci apparaît comme d'autant plus tyrannique qu'il est accepté de bon gré. On voit à quelles subtilités conduit le parti pris de nier l'évidence. En fait, si on crée ces étranges mystères subjectifs, c'est qu'on a commencé par faire table rase de l'objectivité; celle-ci retrouvée, tout devient simple. Demandez à des affamés « Voulez-vous manger ? », tous répondront « oui », sans qu'il soit besoin d'invoquer une machination. Ce qui indigne M. Guillain, c'est que cette option ne se fonde pas sur cette liberté d'indifférence dont mourut l'âne de Buridan. Certes si le jeune paysan souhaite faire son service militaire, ou s'engager comme maçon, c'est qu'il a ses raisons. Mais précisément, alors que naguère les Chinois n'avaient aucune raison de rien vouloir et traînaient d'un jour à l'autre leur terreur du lendemain, on leur offre aujourd'hui des buts, des issues. Le nombre en est limité; mais croit-on qu'en Occident un fils d'ouvrier ou de paysan voie s'ouvrir devant lui tant de débouchés ? Sans doute faudra-t-il que le fleuve Jaune charrie beaucoup de limon avant que le cultivateur chinois ait à choisir entre de nombreux chemins. L'essentiel, c'est que dès aujourd'hui on l'ait arraché à sa misérable existence animale et qu'on lui donne les chances d'être un homme : il n'est pas étonnant qu'il s'en saisisse avec empressement.

Il est bien loin d'ailleurs de répondre aux appels qui lui sont adressés avec une docilité aveugle. Pendant une longue période, la collectivisation a piétiné. En 1950, le gouvernement tenta de décongestionner Shanghaï; on sollicita la population de regagner volontairement les campagnes; la plupart des habitants refusèrent et le gouvernement abandonna ce projet.

En cas d'échec, il ne passe pas en effet de la pression à la coercition : il modifie sa politique. C'est là le point essentiel que négligent les réactionnaires étonnés : le peuple veut ce que veut le régime dans la mesure où celui-ci veut ce que le peuple veut; par exemple, que tout le monde s'enrichisse. Ce que Sartre dit à propos du P.C. dans les *Communistes et la paix* s'applique singulièrement ici : les dirigeants ne mènent la masse qu'à condition de la conduire où elle entend aller. Si, en Chine, le succès couronne habituellement leurs « campagnes », c'est qu'ils prennent grand soin d'établir leurs programmes non d'après des principes théoriques, mais en s'inspirant d'une expérience concrète. Mao Tsé-toung, au cours d'une longue tournée dans les campagnes, s'est convaincu que les paysans étaient mûrs pour la collectivisation et que les cadres se montraient trop timides; c'est alors qu'il a prononcé le discours de juillet 1955 et lancé en octobre le mouvement en faveur de l'accélération des coopératives. Un projet de loi proposé est aussitôt discuté à travers le pays, et parfois provisoirement essayé avant d'être adopté : par exemple la loi sur le service militaire. On réalise ainsi un sondage de l'opinion et une sorte d'expérimentation. Si des erreurs sont néanmoins commises, on les corrige. Il est difficile d'imaginer un dirigisme plus étroitement contrôlé par la base. Pendant ces sept années, la tactique du gouvernement a été d'une extrême souplesse; sa politique agraire apparaît comme une suite de flux et de reflux, d'accélérations et de ralentissements. Grâce à cette constante autocritique, la ligne générale a conservé une remarquable continuité : aucun tournant brusque. Il y a eu un drame personnel : la condamnation de Kao Kang, le « Staline de Mandchourie »; mais il n'a pas affecté l'ensemble de la politique. Pendant certaines périodes, une tendance s'intensifie : ainsi la lutte contre la corruption, au moment de la campagne des « cinq anti »; mais elle existait déjà auparavant, et plus tard elle subsista de façon atténuée. Pas une fois n'a éclaté une de ces « crises » que guettent anxieusement l'Amérique et Formose.

Cette adroite politique n'a rien d'un machiavélisme : par la force des choses, elle est un humanisme. Le machiavélisme, au sens courant du mot, implique un truquage substituant illusoirement une fin apparente à une fin cachée. L'entreprise du parti communiste, tel l'aménagement du fleuve Jaune, est « à buts multiples » : tous sont également visibles et également vrais. Les dirigeants prônent la collectivisation parce que l'industrie lourde exige un accroissement de la production agricole : ils en conviennent franchement. Mais les cadres ne mentent pas quand ils expliquent aux paysans que cette amélioration élèvera leur niveau de vie. Dans la Chine d'aujourd'hui, les bénéfices accordés à chacun profitent à tous : il y a là une heureuse harmonie qui profite à chacun.

En fait, ce qu'il y a de frappant dans la Chine d'aujourd'hui, c'est que, la production dépendant des capacités et de la bonne volonté de chacun, le pays ne prospérera que si le niveau de vie individuel s'élève, sur tous les plans. Il n'y a pas lieu de mettre en balance les réalisations de la Chine et leur « coût humain » : elles profitent aux hommes et elles ne sont possibles que si déjà leur sort s'est amélioré.

Dans ces conditions, la tentative faite par les gens de droite pour opposer à un bilan « matériel » positif un bilan « spirituel » négatif ne saurait reposer que sur des sophismes. Regardons-y de plus près.

La Chine nouvelle, déclare Guillain, manifeste un odieux « mépris de la personne humaine »; parmi les tares de l'ancien régime, qu'il sait gré à celui-ci d'avoir supprimées, Guillain note cependant le « mépris du peuple ». Sans doute n'y a-t-il pas là de contradiction si on adopte la morale de l'élite car celle-ci professe que « les personnes humaines » ne se recrutent pas dans la masse. Seulement Guillain devrait alors préciser qu'il entend par « biens spirituels » les avantages qui profitent aux privilégiés, par « matériels » ceux qui intéressent la masse. Quiconque refuse ce point de vue est en droit de penser qu'en cessant de traiter le peuple avec mépris, le nouveau régime a restitué une dignité humaine à 600 millions d'hommes et que ce gain est autre que « matériel ».

Le respect manifesté au peuple est feint, disent les anticommunistes : on lui a pris sa liberté, on l'a condamné à l'uniformité. J'ai dit combien était erronée la fameuse théorie du robot. Et d'autre part, qui osera prétendre que les masses chinoises aient jamais été libres? Exploités, les paysans étaient en outre abandonnés aux caprices de la nature : un tel délaissement n'a rien à voir avec la liberté. A présent, on s'occupe d'eux : organisation ne signifie pas esclavage, ou alors l'Occident est aussi un monde d'esclaves. J'aime beaucoup ce dialogue que rapportent les Gosset. Ils ont demandé à un ouvrier communiste :

— *Qu'est-ce que ça veut dire pour vous, Sin, être libre ?*
Sin a réfléchi : « *Je suis libre de jouer au basket-ball.*

— Mais vous n'étiez pas libre de jouer au basket-ball, avant ?

— Vous ne comprenez pas, fait-il avec patience. J'ai toujours joué au basket-ball. Et puis un jour mes chaussures se sont déchirées. J'étais toujours pauvre et je n'ai jamais pu en acheter une nouvelle paire. Je n'étais plus libre de jouer au basket-ball. Aujourd'hui, j'en ai deux paires. Vous comprenez à présent ? Je suis libre de jouer au basket-ball. »

Sin a clairement défini le point de vue de 600 millions de Chinois : être libre de manger de la viande, c'est avoir de l'argent pour en acheter. On n'est pas libre de jouir du soleil si on est rongé par le souci du lendemain. Naguère toutes les issues étaient barrées. Certes, l'avenir ne s'ouvre encore que parcimonieusement; il n'y a pas place dans les usines pour tous les jeunes paysans avides de devenir ouvriers; les loisirs sont mesurés. Mais déjà quantité de possibilités neuves s'offrent à chacun; l'individu n'est plus sacrifié à la famille, le mariage est libre, les jeunes couples sont maîtres chez eux; le pays ayant besoin de cadres, on aide tous ceux qui le souhaitent à sortir du rang. Pour les jeunes générations en particulier, la liberté est une très concrète réalité.

Mais cette liberté-là n'a pas de valeur spirituelle, objecte Guillain. Partisan d'une stricte morale de l'intention, il s'indigne d'un mot que lui a dit le romancier Pa Kin : « Personne ne peut prendre le mauvais chemin : il est barré. » La Chine est délivrée des anciens fléaux sociaux, l'honnêteté y règne. Soit. Mais selon Guillain, cette vertu n'est pas authentique car elle n'implique pas une conversion intérieure; l'homme n'acquiert aucun mérite s'il fait le bien sans être tenté par le mal : donc il faut lui laisser la possibilité de voler, quitte à le mettre en prison. Mencius reprochait sévèrement cette attitude aux princes; il leur démontrait que « laisser tomber (leurs sujets) dans le crime pour ensuite leur infliger des châtiments, c'est les prendre au piège comme on prend au piège des bêtes sauvages ». L'Evangile enseigne que le plus irréparable des péchés, c'est d'induire autrui en tentation. Je me demande sur quel principe s'appuie M. Guillain pour reprocher au régime le fait qu'il a barré aux citoyens le chemin du mal.

L'attitude de Guillain est intéressante parce qu'elle nous éclaire sur la façon dont beaucoup de Français entendent la liberté. Un récent concours de *France-soir* indique que la qualité la plus hautement revendiquée par les Français, après celle de débrouillard, c'est celle de « rouspéteur ». Il s'agit, comme le professait Alain, de dire non. L'individualisme bourgeois confond la négativité avec la simple négation. La véritable liberté nie en dépassant : dans la Chine actuelle, ce dépassement est constructif. Le commerçant n'a même plus l'idée de tricher sur la marchandise : il met sa liberté ailleurs.

Aux yeux des reporters bourgeois, les Chinois étant privés de liberté ne posséderaient aucune individualité puisque, selon le credo du civilisé occidental, être libre c'est avant tout différer. Aujourd'hui, décrète Guillain, tous les Chinois se ressemblent. Les Gosset renchérissent; ils ont constaté : « L'annihilation féroce, suave, impitoyable de l'individu. L'unité de la Chine est faite. C'est celle de marrons dans la purée de marrons. » La preuve qu'on en donne, c'est qu'en Chine tout le monde est habillé pareil. Or « la liberté commence au vestiaire », affirmait, commentant Guillain, un rédacteur du *Figaro*. Il ajoutait d'ailleurs avec désinvolture : « Il est vrai qu'elle s'arrête souvent là », ce qui incitait le lecteur à se demander si le caprice vestimentaire donne bien l'exacte mesure de la liberté humaine. Quant à moi, je trouve terriblement monotone l'élite française, uniformément modelée, dans son langage, ses manières, sa voix même, par la bonne éducation; le souci d'affirmer sa personnalité étant commun à tous accentue leur ressemblance; le Chinois au contraire échappe à ce conformisme : il se moque d'être ou non pareil aux autres; ses conduites sont naturelles, donc imprévues comme la vie même. Quiconque décrète tous les Chinois identiques prouve simplement qu'il a de mauvaises lunettes.

« Tous les Chinois débitent le même disque », affirment Guillain et les Gosset. Ils n'ont guère fréquenté que les cadres chargés des relations avec les visiteurs étrangers; ceux-ci ont pour fonction non d'émettre des opinions personnelles, mais de renseigner. Je ne vois pas pourquoi ils sortiraient de leur rôle et s'en iraient ouvrir leur cœur à des inconnus dont la bienveillance ne leur est pas garantie. J'ajoute que, dans tous les pays où j'ai voyagé, j'ai toujours entendu les officiels français et étrangers débiter avec une fastidieuse politesse des leçons apprises. La France ne se réduit pas à ses attachés d'ambassade ni l'Amérique au personnel du State Department. Conclure que « tous les Chinois sont conformistes » c'est une fois de plus affirmer que toutes les Françaises sont rousses. Les gens que j'ai croisés dans les rues, les paysans avec qui j'ai parlé dans les villages, m'ont au contraire paru avoir des personnalités des plus tranchées. Quant aux intellectuels, j'affirme que sur ce plan Lao Che, Ts'ao Yu, Cheng Hiue-tchao, Lo Ta-kang, entre autres, n'ont rien à envier à M. Guillain. A propos du slogan « socialisation des cervelles » proposé par celui-ci, Locquin[1] a fait remarquer combien peu de Chinois pouvaient hier s'offrir le luxe de penser par eux-mêmes. Je m'étonne à ce propos que, prisant si fort le sens critique et l'esprit de contestation, les journalistes occidentaux en fassent un si maigre usage. Méconnaissant les données élémentaires — situation passée, conditions actuelles — qui leur permettraient de comprendre synthétiquement et dans son devenir la réalité chinoise, prenant pour coordonnées absolues les mœurs, valeurs et préjugés de la bourgeoisie française, ils se montrent encore plus naïfs que les Parisiens de Montesquieu puisque c'est en Chine même qu'ils se demandent comment peut-on être Chinois. Pas une minute ils ne mettent en question leur supériorité. Fano n'imagine pas même qu'on puisse prendre sur la Chine un autre point de vue que celui d'un capitaliste occidental. Guillain estime que toute civilisation incapable de produire un Guillain est d'un type inférieur. Les Gosset, plus ouverts, conviennent à la dernière ligne de leur bilan qu'ils ont éprouvé « l'angoissante sensation de n'être pas absolument sûrs de sa vérité ». Mais dans l'ensemble de leur reportage, leur ton tranchant dément cette hésitation.

Il est une chose cependant qui devraient les faire tous réfléchir : aucun des détracteurs du régime n'est capable d'élaborer la moindre critique positive. Ils ricanent, ils s'indignent, ils déplorent, ils condamnent; mais quand j'ai demandé à M. Fano : qu'espèrent selon vous les ouvriers ? il m'a répondu, projetant en eux ses propres espoirs : une troisième guerre. C'est bien ce qu'attendent en effet les fanatiques de Formose et de Hong-Kong, manifestant par là combien leur attitude est négative. Certes, d'autres essaient de masquer cette indigence. Leur thèse c'est qu'il fallait reconstruire l'agriculture au lieu de distribuer les terres, que

1. *Temps Modernes,* mai 1956.

l'aide américaine aurait permis, dans les cadres d'une démocratie bourgeoise, de développer l'économie chinoise. L'étude de ce qui se passe dans le reste de l'Asie dément radicalement ces allégations. Tibor Mende, pourtant hostile au communisme, après avoir étudié l'expérience des Philippines, conclut [1] : « Avec une économie strictement fondée sur la libre entreprise et en l'absence de tout planning, l'aide en dollars, quelque généreuse qu'elle ait été, n'a fait qu'intensifier la crise sociale existante... Libérer des peuples colonisés [2] en laissant le pouvoir à une petite minorité de commerçants et de propriétaires terriens, puis soutenir par des injections de dollars ces régimes où règnent le plus souvent la corruption et l'incompétence, c'est aussi vouloir l'intensification du conflit social et promouvoir la violence et la rébellion. » C'est précisément ce qui se produisit quand les U.S.A. tentèrent de soutenir Tchang Kaï-chek par des injections de dollars. Non moins concluante est l'expérience que vit aujourd'hui l'Indonésie : l'Amérique songe à interrompre l'aide qu'elle lui consent, tant elle est écœurée de son inutilité; c'est seulement dans les zones communistes du pays que des réalisations sont obtenues. Si l'aide soviétique aboutit en Chine à des résultats si impressionnants, c'est qu'elle est au contraire utilisée dans l'intérêt du pays entier, selon une exacte planification. Déjà les vieux empereurs de la Chine s'en étaient rendu compte : pour les pays sous-développés d'Asie, le « planning » est une nécessité vitale; ils ne possèdent pas cette marge de prospérité qui permet de s'accommoder tant bien que mal d'une économie anarchique. Or le communisme seul est capable de proposer et d'imposer le « planning »; il apparaît donc pour les peuples d'Asie comme l'unique salut possible.

Cette liaison n'est pas accidentelle : le « planning » exige la suppression de la libre entreprise et du profit, donc la liquidation du capitalisme, liquidation qui ne peut être que violente. Imaginer qu'on aurait pu réaliser l'un sans l'autre, comme semblent le rêver certains doux idéalistes américains — par exemple Pearl Buck —, c'est pure utopie. Hier la réforme agraire, aujourd'hui la dictature populaire sont des moments rigoureusement nécessaires de cette longue marche qui fera de la Chine une grande puissance.

1. La révolte de l'Asie.
2. La remarque vaut pour un peuple semi-colonisé.

L'évidence de cette nécessité donne à la révolution chinoise une couleur très particulière; jamais elle n'a paru ni ne paraît obéir à un parti pris marxiste; beaucoup d'observateurs sont frappés par le fait que le programme appliqué par le régime est celui qu'aurait adopté n'importe quel gouvernement moderne et éclairé, soucieux de faire progresser son pays : le caractère « nationaliste » de l'entreprise est en un sens plus manifeste que son caractère communiste. Cela vient de ce que Mao Tsé-toung, à partir de 1927, a élaboré un « communisme chinois » admirablement adapté aux besoins concrets de la nation; et inversement, de ce que le programme communiste mis au point par lui était la seule issue possible. A la place des communistes, tout régime agirait comme ils le font : mais cette place, ils sont les seuls qui aient pu et qui puissent l'occuper. Certes la Chine n'est pas un paradis; il lui faut s'enrichir et se libéraliser; mais si on considère avec impartialité d'où elle vient, où elle va, on constate qu'elle incarne un moment particulièrement émouvant de l'histoire : celui où l'homme s'arrache à son immanence pour conquérir l'humain. Travaillant pour manger, mangeant pour travailler, engraissant de ses excréments les céréales dont il se nourrissait, le paysan chinois tournait dans le cycle sans espoir d'une existence animale. La révolution a fissuré ce cercle; elle a libéré une parcelle d'énergie encore infime, mais qui a commencé de se multiplier en chaîne. La vie est encore alourdie de tous ses besoins, ses racines sont visibles : qu'elles dépérissent, et tout meurt; mais déjà elle débouche sur un avenir sans limite.

FIN

TABLE DES MATIÈRES

ACHEVÉ D'IMPRIMER SUR LES PRESSES DE L'IMPRIMERIE MODERNE, 177, AVENUE PIERRE-BROSSOLETTE, A MONTROUGE (SEINE), LE NEUF AVRIL MIL NEUF CENT CINQUANTE-SEPT.

Dépôt légal : 2e trimestre 1957
N d'édition : 5736 — No d'impression : 3849

Imprimé en France